地球の歩き方 B07 ● 2016 〜 2017年版

ボストン
ニューイングランド地方 6州ガイド

Boston

地球の歩き方 編集室

BOSTON CONTENTS

© Boston Symphony Orchestra

335 | 旅の準備と技術 Travel Tips

ダウンタウン

おもな見どころ
ダウンタウン

紹介している見どころがあるエリアを示しています

ボストン市全図で該当する見どころのエリアを示してあります

アメリカ最古の公園を散策しよう
ボストンコモン
Boston Common

ボストンコモンの観光案内所

Boston Common
MP.35-C3
住Tremont, Boylston, Charles, Beacon, Park Sts.の通りに囲まれたエリア
営24時間（開くまではいつでも散歩できるように）
行きⓉグリーン、レッドラインPark St.駅下車すぐ

マサチューセッツ州議事堂前には、南北戦争で戦った第54連隊のストーリーは映画「グローリー（Glory）」にもなっている

フロッグポンドは、夏場は子供たちの水遊びの場

フロッグポンドでスケート
11月中旬より3月中旬の間、ボストンコモンのフロッグポンドはアイススケートリンクに変身。冬の間、子供たちが楽しみにしているイベントで、市民の憩いの場だ。Boston Common Frog Pond Foundationによって支えられている。スケートリンクからは人々の歓声が上がり、にぎやかだ。スケートを貸すてもらいは、レッスンを受けるといい。
Boston Common Frog Pond Foundation
☎(617)635-2120
URLbostonfrogpond.com
営11月中旬～3月中旬 毎日10:00～21:00（月～木） 金・土～22:00
料$5/â€‰â€‰â€‰（大人無料、スケート靴レンタル：大人$10、13歳以下$5、ロッカー：$2

ダウンタウンの真ん中に、どーんと広がる緑のオアシス。約50エーカー（約0.2km²）の敷地内には、観光案内所、セントラル墓地 Central Burying Ground、フロッグポンドFrog Pond やメモリアルなどがある。
屋外展覧会や大きな催しも行われているほか、平日にはランチを楽しんだり、週末には楽器の演奏や読書など、思い思いにくつろぐ市民たちの姿が見られる。まさに市民たちの息抜きの場だ。夏、フロッグポンドは、水浴びを楽しむ子供たちでにぎやかさを増す。

都会のど真ん中にある緑のオアシス

かつては清教徒たちの集会の場所
　1634年、そもそもここは清教徒（ピューリタン）のために購入された土地。当時、集会や演説が盛んに行われ、やがて清教徒のみならず市民の憩いの場所となったことから、「市民共通の広場」という意味で「コモンcommon」と呼ばれるようになった。植民地時代の初期には、家畜が牧草を食む放牧場や軍隊の訓練場として使われていたが、1638年にはクエーカー教徒や海賊、犯罪者を罰する絞首台が建てられるなど、穏やかでない時期もあった。
　独立戦争時の1775年4月18日の夜、あのポール・リビアの「真夜中の疾駆（→P.73）」で有名な彼、イギリス軍はレキシントンとコンコードへ海路を使って渡るため、チャールズ川を越え、コモンに野営していた。この光景を見たリビアが、仲間に合図を送り、自分もレキシントンへ出発したというわけだ。
　ここで、コモンに点在するメモリアルを紹介しよう。公園の小さな一角を占めるセントラル墓地には、ジョージ＆マーサ・ワシントン大統領夫妻の肖像画で有名なギルバート・スチュアートGilbert Stuartが眠っている。観光案内所の裏手に見える小高い丘は、フラッグスタッフ・ヒルFlagstaff Hillと呼ばれ、南北戦争で戦死した兵士や水兵たちの慰霊碑Soldiers and Sailors Monumentが立っている。コモンの北、マサチューセッツ州議事堂の向かいにあるレリーフは、ロバート・グールド・ショーとマサチューセッツ州第54連隊顕彰碑Robert Gould Shaw & 54th Massachusetts Regiment Memorial。南北戦争の際、カロライナ州（1729年にノースカロライナ州とサウスカロライナ州に分離）で勇敢に戦った、白人のロバート・グールド・ショー率いる黒人の兵士だけで組織された、マサチューセッツ第54連隊をたたえる顕彰碑である。

◆58

from Readers
投稿

MEMO
旅行の参考になるような情報や読みもの

ショップ
S ボストンの買い物はまずここへ！
コープリープレイス
Copley Place
ショッピングセンター／バックベイ／MAP▶P.85-B2

レストラン
R テラス席でセレブな気分を味わおう
アトランティックフィッシュ
Atlantic Fish
$$$$ シーフード／ボイルストン通り／MAP▶P.85-B1

ナイトスポット
N あらゆるタイプの音楽が満喫できる
ジョニーディーズ
Johnny D's
ライブハウス／サマビル／MAP▶P.32-B2

ホテル
H Ⓣチャールズ駅すぐそば
ジョン・ジェフリーズ・ハウス
John Jeffries House
B&B／ビーコンヒル／MAP▶P.79-B1

ビーコンヒルの北西端にあるれんが造りの大邸宅風の外観。客室のほとんどが冷蔵庫や電子レンジを備えたキチネットなので、食材を買えば自炊もできる。地下鉄駅すぐ近くなので、観光にはたいへん便利に。朝食、Wi-Fi無料。

住14 David G. Mugar Way, Boston, MA 02114　☎(617)367-1866
Free(617)742-0313
URLwww.johnjeffrieshouse.com
料SⓈ⋅ⓉⓅ$117～164、❂$148～199、46室　ⒸⒶⒹⒿⓂⓋ
行きⓉレッドラインCharles/MGH駅下車、徒歩約2分

ショップ、レストラン、ナイトスポット、ホテルがそれぞれ色分けされています

地 図

95	インターステートハイウエイ（高速道路）
	ターンパイク（有料道路）
1	U.S. ハイウエイ（国道）
91	ステートハイウエイ（州道）
⊙	見どころ
❶	案内所
Ⓢ	ショップ
Ⓡ	レストラン
Ⓒ	カフェ
Ⓜ	ミュージアム
Ⓗ	ホテル
Ⓝ	ナイトスポット
✝	教会
〒	郵便局
Ⓣ	地下鉄、地下鉄駅
Ⓢ	駅
Ⓟ	駐車場
🚻	トイレ
✈	飛行場
••••	フリーダムトレイル
••••	ハーバートレイル
••••	ブラック・ヘリテージトレイル
─	レッドライン
─	ブルーライン
─	オレンジライン
─	グリーンライン
─	シルバーライン
─	コミューターレイル

ノースエンド North End エリア名

ホテル設備の略号 ※全室完備の場合のみ黒色にしています。

- ☕ コーヒーメーカー
- 🧊 ミニバー／冷蔵庫
- 🛁 バスタブ
- 💇 ヘアドライヤー
- 🔒 室内金庫
- 🛎 ルームサービス
- 🍽 レストラン
- 💪 フィットネスセンター／プール
- 🛎 コンシェルジュ
- 🗣 日本語を話すスタッフ
- 🧺 ランドリー／クリーニング
- 📶 Wi-Fi
- 🅿 駐車場
- ♿ 車椅子対応の部屋

クレジットカード

- Ⓐ アメリカン・エキスプレス
- Ⓓ ダイナースクラブ
- Ⓙ JCB カード
- Ⓜ マスターカード
- Ⓥ ビザ

■本書の特徴

　本書は、ボストンやニューイングランド地方を旅行される方が現地でいろいろなことを楽しめるように、各都市のアクセス、ホテル、レストランなどの情報を掲載しています。もちろんツアーで旅行される際にも十分活用できるようになっています。

■掲載情報のご利用にあたって

　編集部では、できるだけ最新で正確な情報を掲載するように努めていますが、現地の規則や手続きなどがしばしば変更されたり、またその解釈に見解の相違が生じることもあります。このような理由に基づく場合、または弊社に重大な過失がない場合は、本書を利用して生じた損失や不都合について、弊社は責任を負いかねますのでご了承ください。また、本書をお使いいただく際は、掲載されている情報やアドバイスがご自身の状況や立場に適しているか、すべてご自身の責任でご判断のうえでご利用ください。

■現地取材および調査時期

　本書は 2015 年 6 ～ 7 月の取材調査データを基に編集されています。また、追跡調査は 2015 年 11 月まで行いました。しかしながら時間の経過とともにデータの変更が生じることがあります。特にホテルやレストランなどの料金は、旅行時点では変更されていることも多くあります。したがって、本書のデータはひとつの目安としてお考えいただき、現地ではできるだけ新しい情報を観光案内所などで入手してご旅行ください。

■発行後の情報の更新と訂正について

　本書に掲載している情報で、発行後に変更されたものや、訂正箇所が明らかになったものについては『地球の歩き方』ホームページの「ガイドブック更新情報」で可能なかぎり最新のデータに更新しています（ホテル、レストラン料金の変更などは除く）。出発前に、ぜひ最新情報をご確認ください。

URL support.arukikata.co.jp

■投稿記事について

　投稿記事は、多少主観的になっても原文にできるだけ忠実に掲載してありますが、データに関しては編集部で追跡調査を行っています。投稿記事のあとに（東京都　○○ '15）とあるのは、寄稿者と旅行年を表しています。ただし、ホテルなどの料金を追跡調査で新しいデータに変更している場合は、寄稿者データのあとに調査年度を入れ［'15］としています。

■ホテルの略号について

　宿泊料金は、人数にかかわらず 1 部屋当たりの金額です。掲載料金に各エリアのルームタックス（税金）は含まれておりません。また、料金は時期やイベントの開催などによって数倍の違いがあります。

　部屋のタイプは以下のように表示しています。

　Ⓢ シングル（シングルベッド 1 台）、Ⓓ ダブル（ダブルベッド 1 台）、Ⓣ ツイン（ベッド 2 台）、Ⓢ スイートルーム（リビング＋寝室）

アメリカ合衆国の基本情報

▶旅の英会話
→ P.370

国 旗
Stars and Stripes　13 本のストライプは 1776 年建国当時の州の数、50 の星は現在の州の数を表す。

正式国名
アメリカ合衆国 United States of America
アメリカという名前は、イタリアの探検家でアメリカ大陸を確認したアメリゴ・ベスプッチのファーストネームから取ったもの。

国 歌
Star Spangled Banner

面 積
約 963 万 1373km²。日本の約 25 倍（日本は約 37 万 7900km²）
※ボストン市 約232km²

人 口
約3億2144万人　※ボストン市約64万人

首 都
ワシントン特別行政区
Washington, District of Columbia
全米 50 のどの州にも属さない連邦政府直轄の行政地区。人口は約 65 万人。

元 首
バラク・オバマ大統領 Barack Obama

政 体
大統領制　連邦制（50 州）

人種構成
白人 62.6%、アフリカ系 13.1%、アジア系 5.2%、アメリカ先住民 1.2% など。

宗 教
おもにキリスト教。宗派はバプテスト、カトリックが主流だが、都市によって分布に偏りがある。少数だがユダヤ教、イスラム教など。

言 語
主として英語だが、法律上の定めはない。スペイン語も広域にわたって使われている。

通貨と為替レート

$

▶旅の予算とお金
→ P.340

通貨単位はドル（$）とセント（¢）。$1 ≒ 123.31 円（2015 年 11 月 10 日現在）。紙幣は$1、5、10、20、50、100。なお、$50、100 札は、小さな店では扱わないこともあるので注意。硬貨は 1¢、5¢、10¢、25¢、50¢、$1 の 6 種類 だ が、50¢、$1 硬貨はあまり流通していない。

$1　　$5　　$10

$20　　$50　　$100

25¢　　10¢　　5¢　　1¢

電話のかけ方

☎

▶ 電話
→ P.362

日本からボストンへかける場合　例：ボストン（617）123-4567 へかける場合

国際電話会社の番号	+	国際電話識別番号	+	アメリカの国番号	+	市外局番（エリアコード）	+	相手先の電話番号
001（KDDI）　※1 0033（NTTコミュニケーションズ）　※1 0061（ソフトバンク）　※1 005345（au携帯）　※2 009130（NTTドコモ携帯）　※3 0046（ソフトバンク携帯）　※4		010		1		617		123-4567

※1「マイライン」「マイラインプラス」の国際区分に登録している場合は不要。
詳細は ■ www.myline.org
※2 au は 005345 をダイヤルしなくても良い。
※3 NTTドコモは、事前に WORLD WING に登録が必要。009130 をダイヤルしなくてもかけられる。
※4 ソフトバンクは、0046 をダイヤルしなくてもかけられる。

※携帯電話の 3 キャリアは「0」を長押しして「＋」を表示し、続けて国番号からダイヤルしてもかけられる。

▶イベントカレンダー
→ P.338

祝祭日（連邦政府の祝日）

　州によって祝日となる日（※印）に注意。なお、店舗などで「年中無休」をうたっているところでも、元日、サンクスギビングデイ、クリスマスの3日間はほとんど休み。また、メモリアルデイからレイバーデイにかけての夏休み期間中は、営業時間などのスケジュールを変更するところが多い。

1月	1/1		元日　New Year's Day
	第3月曜		マーチン・ルーサー・キング・ジュニア牧師誕生日 Martin Luther King, Jr.'s Birthday
2月	第3月曜		大統領の日 Presidents' Day
3月	3/17	※	セント・パトリック・デイ St. Patrick's Day
4月	第3月曜	※	愛国者の日 Patriots' Day
5月	最終月曜		メモリアルデイ（戦没者追悼の日）Memorial Day
7月	7/4		独立記念日 Independence Day
9月	第1月曜		レイバーデイ（労働者の日）Labor Day
10月	第2月曜	※	コロンブス記念日 Columbus Day
11月	11/11		ベテランズデイ（退役軍人の日）Veterans Day
	第4木曜		サンクスギビングデイ Thanksgiving Day
12月	12/25		クリスマス Christmas Day

ビジネスアワー

　以下は一般的な営業時間の目安。業種、立地条件などによって異なる。スーパーは24時間営業、または24:00頃の閉店。都市部なら19:00頃の閉店もある。

銀　行　月〜金 9:00 〜 17:00
デパートやショップ
　月〜土 10:00 〜 20:00、日 12:00 〜 18:00

レストラン
　朝からオープンしているのはコーヒーショップなど。朝食 7:00 〜 10:00、昼食 11:00 〜 15:00、ディナー 17:00 〜 22:00。バーは深夜まで営業。

電気&ビデオ

電圧とプラグ
　電圧は 120 ボルト。3つ穴プラグ。100ボルト、2つ穴プラグの日本製品も使えるが、電圧数がわずかではあるが違うので注意が必要。特にドライヤーや各種充電器などを長時間使用すると過熱する場合もあるので、時間を区切って使うなどの配慮が必要。

映像方式
　テレビ・ビデオは日米ともに NTSC 方式、ブルーレイリージョンコードは日米ともに「A」なので、両国のソフトはお互いに再生可能。ただし、DVD のリージョンコードはアメリカ「1」に対し日本「2」のため、「ALL CODE」の表示のあるソフト以外はお互いに再生できない。

アメリカから日本へかける場合　例：東京 (03) 1234-5678、または (090) 1234-5678 へかける場合

| 国際電話識別番号 **011** | ＋ | 日本の国番号 **81** | ＋ | 市外局番と携帯電話の最初の0を除いた番号 **3または90** | ＋ | 相手先の電話番号 **1234-5678** |

▶**アメリカ国内通話**
市内へかける場合、市外局番は不要。市外へかける場合は、最初に1をダイヤルし、市外局番からダイヤルする

▶**公衆電話のかけ方**
①受話器を持ち上げる
②都市により異なるが最低通話料 50¢ を入れ、相手先の電話番号を押す（プリペイドカードの場合はアクセス番号をプッシュし、ガイダンスに従って操作する）
③「初めの通話は○分○ドルです」といったアナウンスに従って、案内された額以上の金額を投入する

チップ

▶ チップについて
→ P.361

　レストラン、タクシー、ホテルの宿泊（ベルマンやベッドメイキング）など、サービスを受けたときにチップを渡すのが習慣になっている。額は、特別なことを頼んだ場合や満足度によっても異なるが、以下の相場を参考に。

レストラン
　合計金額の15～20%。サービス料が含まれている場合は、小銭程度をテーブルやトレイに残して席を立つ。

タクシー
　運賃の10～20%。

ホテル宿泊
　ドアマン、ベルマンは荷物の大きさや個数によって、ひとつにつき$1～3。荷物が多いときはやや多めに。
　ベッドメイキングは枕元などに$1～2。

飲料水

　水道の水をそのまま飲むこともできるが、ミネラルウオーターを購入するのが一般的。スーパーやコンビニ、ドラッグストアなどで販売している。

気候

▶ 旅のシーズン
→ P.337

　ボストンを中心としたニューイングランド地方は、四季があり、夏は気温は高いが湿度が低く過ごしやすい。ただし、朝晩は冷え込む。冬は氷点下の日が多く、12～2月にかけては降雪に見舞われる。観光のベストシーズンは6～10月。

ボストンと東京の気温と降水量

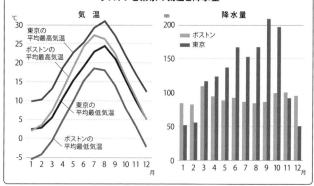

日本からのフライト

▶ 航空券の手配
→ P.347

　2015年11月現在、日本航空が日本（成田空港）からボストンへ直行便を運航している。往路で約12時間30分、復路で約14時間。乗り継ぎ便の場合、ニューヨークかシカゴで国内線に乗り継ぐのが便利だ。所要15～20時間（乗り継ぎ時間を含む）。

時差とサマータイム

　アメリカ本土内には4つの時間帯がある。日本との時差は、東部時間 Eastern Standard Time（ボストンなど）はマイナス14時間、中部時間 Central Standard Time（シカゴなど）はマイナス15時間、山岳部時間 Mountain Standard Time（デンバーなど）はマイナス16時間、太平洋時間 Pacific Standard Time（ロスアンゼルスなど）は日本時間マイナス17時間。夏はデイライト・セービング・タイム（サマータイム/夏時間）を採用し、時計の針を1時間進める州がほとんど。その場合、日本との時差は1時間短くなる。ただし、アリゾナ州、ハワイ州では夏時間は採用されていない。
　夏時間を取り入れる期間は、3月第2日曜から、11月第1日曜まで。移動日に当たる場合、タイムスケジュールに十分注意する必要がある。

郵便

郵便料金

日本への航空便は封書、はがきともに$1.20。規定の封筒や箱に入れるだけの荷物を定額で郵送できるタイプもある。

郵便局は町によって営業時間が多少異なる。一般的な局は平日の9：00〜17：00くらい。

▶ 郵便
→P.364

出入国

ビザ

日本国籍の人は、90日以内の観光、商用が目的ならば基本的にビザは不要。ただし、頻繁にアメリカ入出国を繰り返していたり、アメリカでの滞在が長い人は入国を拒否されることもある。なお、ビザ免除者はESTAによる電子渡航認証の取得が義務づけられている。

パスポート

パスポートの有効残存期間は、入国日から90日以上あることが望ましい。

▶ パスポートの取得
→P.343
▶ ビザ（査証）の取得
→P.344
▶ ESTA（エスタ）の取得
→P.345
▶ 出入国の手続き
→P.349

税金

TAX

物を購入するときにかかるセールスタックス Sales Tax とホテルに宿泊するときにかかるホテルタックス Hotel Tax がある。率（％）は州や市によって異なる。また、レストランで食事をした場合はセールスタックスと同額の税金、またそれに上乗せした税金（ミールタックス）がかかる。

※税金の詳細については各都市、各州の扉を参照。

▶ 税金について
→P.33、175、257、
279、303、323

安全とトラブル

日本人の遭いやすい犯罪は、置き引き、ひったくりなど。犯行は複数人で及ぶことが多く、ひとりが気を引いているすきに、グループのひとりが財布を抜いたり、かばんを奪ったりする。日本語で親しげに話しかけ、言葉巧みにお金をだまし取るケースも多い。日本から1歩でも出たら、「ここは日本ではない」という意識を常にもつことが大切。

警察・救急車・消防署

911

▶ 旅のトラブルと
安全対策
→P.367
▶ 旅のイエローページ
→P.372

年齢制限

州によって異なるが、飲酒可能な年齢はほぼ21歳から。場所によっては、酒類を買うときにも身分証明書の提示を求められる。ライブハウスなど酒のサーブがあるところも身分証明書が必要。

アメリカでは若年層の交通事故がとても多く、大手レンタカー会社では一部の例外を除き25歳以上にしか貸し出さない。21歳以上25歳未満の場合は割増料金が必要なことが多い。

度量衡

距離や長さ、面積、容量、速度、重さ、温度など、ほとんどの単位が日本の度量衡とは異なる。

▶ 日本とアメリカの
サイズ比較表
→P.366

時差表

日本時間	0	1	2	3	4	5	6	7	8	9	10	11	12	13	14	15	16	17	18	19	20	21	22	23
東部時間（EST）	10	11	12	13	14	15	16	17	18	19	20	21	22	23	0	1	2	3	4	5	6	7	8	9
中部時間（CST）	9	10	11	12	13	14	15	16	17	18	19	20	21	22	23	0	1	2	3	4	5	6	7	8
山岳部時間（MST）	8	9	10	11	12	13	14	15	16	17	18	19	20	21	22	23	0	1	2	3	4	5	6	7
太平洋時間（PST）	7	8	9	10	11	12	13	14	15	16	17	18	19	20	21	22	23	0	1	2	3	4	5	6

※3月第2日曜日から11月第1日曜日までは夏時間を実施している。夏時間は時計の針を1時間進める政策。
なお、赤い部分は日本時間の前日を示している。

ボストンで体験したい 10のこと

2012年に日本（成田）からボストンへ直行便が飛び始めたことにより、日本人の間でもますます注目を浴びている町、ボストン。ハーバード大学やマサチューセッツ工科大学をはじめとする有名大学が多く集まり、全米のなかでも治安がいいことで知られている。公共交通機関が整っているので、あらゆる世代が不自由なく観光を楽しめるはずだ。ここでは、ボストンで体験しておきたい10のことを紹介しよう。

クロード・モネ『日本娘（着物を着たカミーユ・モネ）』をはじめ、印象派の作品を多数所蔵する

① ボストン美術館
Museum of Fine Arts, Boston
☞P.91

アメリカ3大代美術館のひとつであるボストン美術館は、印象派の名画が揃っていることでも知られる。モネの『睡蓮』やルノアールの『ブージヴァルの踊り』など日本人にも人気の作品がめじろ押し。カフェやレストランもあるので、丸1日美術鑑賞に浸ることができる。

ハンティントン入口正面には、サイラス・エドウィン・ダリンの銅像が立つ

2 ボストン・レッドソックス
Boston Red Sox
☞P.156

テッド・ウィリアムズなど往年の名選手が集まった「チームメイトの銅像」

アメリカンリーグ東地区に所属するメジャーリーグベースボール（MLB）のチーム。上原浩治投手と田澤純一投手の活躍により、2013年ワールドシリーズの栄冠を手にしたことも記憶に新しい。大リーグ最古の球場（フェンウエイパーク）ではツアーが催行されているので、アメリカの野球場の雰囲気が楽しめる。

100年以上の歴史をもつフェンウエイパークで、ボストンの歴史や伝統を感じよう

3 シーフード
Seafood
☞P.132

ロブスターロールは、茹でたロブスターをマヨネーズなどで和えたサンドイッチ

ボストンを含めニューイングランド地方は、シーフードの宝庫だ。ロブスターをはじめカキやホタテ、ハマグリなど新鮮な魚介類を味わいたい。特に、クラムチャウダーは外せない。店ごとに味つけが異なるので、食べ比べをしても楽しい。

ジョン・F・ケネディも愛したユニオン・オイスター・ハウス（→P.135）のクラムチャウダー

4 ハーバード大学
Harvard University
☞P.108

おみやげに最適な品が揃う生協

アメリカ最古の大学であるハーバード大学は、ノーベル賞やピュリッツアー賞の受賞者を多数輩出している。構内にあるジョン・ハーバードの銅像に触ると幸運が訪れるといわれている。ハーバードスクエアにある生協で大学グッズを探そう。

ハーバードヤードにあるジョン・ハーバードの銅像には常に観光客が集まる

5 フリーダムトレイル
Freedom Trail
☞P.54

赤い線に沿って歩けば、ボストンの史跡を回れる

　ボストンは全米のなかで最も古い歴史がある町のひとつ。1630年にイギリスからやってきた清教徒たちがコロニーをつくり、町は築かれていった。ボストンコモンから始まるフリーダムトレイルの赤い線をたどって、先人ゆかりの家や史跡を訪れよう。

植民地時代の衣装を身に着けたガイドスタッフによるボストンの歴史の解説を聞きながらフリーダムトレイルをたどろう

J.F.K.の人生をたどることができるジョン・F・ケネディ・ライブラリー

6 ジョン・F・ケネディ
John F. Kennedy
☞P.106、119

ブルックラインで育った時代の写真や部屋が残されているジョン・F・ケネディの生家

　ボストンの隣、ブルックラインで生まれたジョン・F・ケネディ（J. F. K.）は、死後50年以上たってもいまだに多くの人に愛されている大統領のひとりだ。ハーバード大学を卒業した後、政界に打って出た。ボストン近郊には、ジョン・F・ケネディ・ライブラリーとジョン・F・ケネディの生家がある。

7 ボストンコモンとパブリックガーデン
Boston Common & Public Garden
☞P.58、83

　ボストンの真ん中に位置するアメリカ最古の公園、ボストンコモンは市民の憩いの場。芝生の上で寝そべったり、ランチを楽しんだり、思い思いの過ごし方をしている。隣のパブリックガーデンは、美しい木々が植えられた植物園だ。

観光に疲れたら、ボストンコモンでゆっくりと休憩しよう

パブリックガーデンでは、スワンボートを楽しみたい

8 ダックツアー
Duck Tours
☞P.49

ボストンでいちばん人気のツアー。水陸両用車でダウンタウンやバックベイの見どころを回ったあと、チャールズ川へ入っていく。川から眺めるプルデンシャルセンターやれんが色の町並みが美しい。

チャールズ川から見える
プルデンシャルセンター
やジョン・ハンコック・
タワー

2014年のシーズンから音楽監督に
就任したアンドリス・ネルソン
©Marco Borggreve, Boston Symphony Orchestra

ドライバーと一緒に「ぐわっ、ぐわっ」と声を出して

9 ボストン交響楽団
Boston Symphony Orchestra
☞P.165

1881年に創設された世界的にトップクラスのオーケストラ。バックベイにあるシンフォニーホールを本拠地とする。1973年から2002年まで小澤征爾が音楽監督を務めたことでも有名だ。9月下旬から5月上旬がシーズンで、夏季はタングルウッドで公演を行う。

ダウンタウンからも歩いて行けるシンフォニー
ホールで、小澤征爾やジェームス・レヴァイン
など世界的に有名な指揮者がタクトを振った

10 ホエールウオッチング・ツアー
Whale Watching Tour
☞P.50

ボストンからフェリーで1～2時間のマサチューセッツ州沖にはザトウクジラが回遊している。ウオーターフロントを出発するクルーズツアーに参加すれば、クジラのジャンプを目の前で見られる可能性が高い。

ボストンのウオーターフロント地区にある
ロングワーフからフェリーは出港する

夏のシーズンは90％以上の確率で
クジラを見ることができるという

ボストンで最注目のエリア

サウスエンド

バックベイの南に位置するサウスエンドは、近年人気が急上昇しているエリア。おしゃれなレストランやカフェが続々と開店し、日没後も多くの人でにぎわっている。

有名建築家チャールズ・ブルフィンチによる都市計画に基づいて、1850年代かられんが造りの長屋風住宅が建てられた。現在、このエリアは歴史的景観保存地区に認定されているほど、美しい街並みが広がる。ルネッサンス復古調やビクトリア調の建物が並ぶ通りを歩いているだけで、ボストンの歴史が感じられるだろう。

サウスエンド

南北に走る Columbus Ave.、Tremont St.、Washington St. を中心に、西は Massachusetts Ave. から東の Berkeley St. まで約 1.5km² のエリア。
Ⓜ P.36-B3 ～ 37-C3
行き方 Ⓣオレンジライン Back Bay 駅や Massachusetts Ave. 駅から徒歩約 10 分。もしくは、Ⓣグリーンライン Copley 駅や Symphony 駅から徒歩約 15 分

こぢんまりとした店だが、キッチンも併設する

ボストンいちと評判のチーズケーキ

カフェマデレーン
Cafe Madeleine

世界的に有名なシェフ、アラン・デュカスのもとで 25 年以上働いたフレデリック・ロバートが満を持してオープンしたカフェ。マドレーヌやエクレアは甘過ぎず、日本人の口に合うおいしさ。なかでも、チーズケーキ（$4.50）は料理界のアカデミー賞といわれるジェームズ・ビアード賞を受賞した看板メニューだ。キッチンでパティシエがケーキやベーカリーを作る姿をガラス越しに目にすることができる。

席がいっぱいだったらテイクアウトしてでも食べたいチーズケーキ

Ⓜ P.36-B3 住 517 Columbus Ave., Boston
☎ (857)239-8052
URL cafemadeleineboston.com
営 毎日 6:30 ～ 19:00 カード ＡＭＶ

ちょっとしたお礼にも使えるカード類

ユニークなカードがいっぱい

グレイシーフィン
Gracie Finn

バイヤーでもあるオーナーのマーサさんがニューヨークで買い求めたカードや雑貨が美しくディスプレイされていて、眺めているだけでも楽しい。おみやげにしたいバッグやパーティグッズが豊富に揃っている店だ。

2015 年夏に移転してきた

Ⓜ P.36-B3 住 50 Concord Sq., Boston ☎ (617)357-0321
URL graciefinn.com 営 月～土 10:00 ～ 18:00、日 11:00 ～ 17:00
カード ＡＭＶ

おしゃれ雑誌『Kinfolk』も置いてある

オリーブズ＆グレース
Olives & Grace

まだ全国的に有名になっていない若手アーティストの作品を全米を回って探すソフィーさんの店。自らが買い付けているだけあり、取り扱う商品に関する知識は右に出る者がいない。ハンドメイドのテーブルナプキン（$22）やエプロン（$50）はおみやげにもよさそう。

Ⓜ P.37-C3 住 623 Tremont St., Boston
☎ (617)236-4536 URL www.olivesandgrace.com
営 月～土 10:00 ～ 20:00、日 11:00 ～ 17:00 カード ＡＭＶ

左／地元雑誌で「買い物に行きたい店ナンバー 1」に選ばれた
右／トートバッグや石鹸はおみやげに最適

サウルート・ニューイングランド
Sault New England

きれい目男子注目のセレクトショップ。ブランドを問わずデザインや縫製のよさで選ばれたシャツやパンツ、靴などが並ぶ。ボストンのほかの店と比べるとちょっと高いかもしれないが、日本では入手できないものばかりなので、買い逃しのないように。

Ⓜ P.37-C3　🏠 577 Tremont St., Boston
☎ (857)239-9434　 URL www.saultne.com
🕐 毎日 10:00 ～ 19:00（日～ 17:00）
カード Ａ Ｍ Ｖ

右上／典型的なプレッピースタイルを踏襲する1店
左／きれい目ファッションでトータルコーディネートできる商品が並ぶ

左／セレクトショップ好きにはたまらないブランドが揃う　右／2015年に創業10年を迎えた

ユニフォームボストン　*Uniform Boston*

ボストンでカジュアルファッションを探しているなら立ち寄りたい1店。全米で話題のブランドをいち早く取り揃えるオーナー、ゲーリーさんのセンスは目をみはるものがある。シャツの RVCA や時計の Daniel Wellington、革製品の Will Leather Goods など日本人にも人気の商品が多い。

Ⓜ P.37-C3　🏠 511 Tremont St., Boston
☎ (617) 247-2360　URL www.uniformboston.com
🕐 火～土 11:00 ～ 19:00（木～土～ 20:00）、日 12:00 ～ 17:00
休 月　カード Ｍ Ｖ

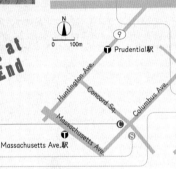

Walking at South End

Back Bay駅

Prudential駅

Massachusetts Ave.駅

B&G オイスターズ
B & G Oysters

入口は Waltham St.にある

ボストンのレストラン界で1、2を争う有名なシェフ、バーバラ・リンチが 2003 年にオープンしたレストラン。カキは産地が異なるものを常時 10 種類以上取り揃え、食べ比べができる。生ガキとクラムチャウダー、シーフードサンドイッチが付いた 3 コースランチ（$35）がお得。夜は予約を入れたほうがいい。

Ⓜ P.37-C3　🏠 550 Tremont St., Boston
☎ (617)423-0550　URL bandgoysters.com
🕐 月～土 11:30 ～ 23:00（月～ 22:00、土 12:00 ～）、日 12:00 ～ 22:00　カード Ａ Ｍ Ｖ

ランチの 3 コースに付いてくるクラムチャウダーと生ガキ

サウス・エンド・バッテリー
South End Buttery

ボストン近郊の農家で取れた新鮮な食材を使ったメニューが人気のカフェ。コーヒー1 杯だけで観光の疲れを癒やしてもいいし、ハンバーガー（$17）やローストチキン（$21）などおなかいっぱいになる料理をゆっくりと味わうのもいい。シャンパンやワインなどアルコールの種類も豊富だ。

カプチーノやクロワッサンなど軽食も豊富

Ⓜ P.37-C3
🏠 314 Shawmut Ave., Boston
☎ (617)482-1015
URL www.southend buttery.com
🕐 毎日 6:30 ～ 21:00（金・土～ 22:00）
カード Ｍ Ｖ

テラス席でくつろぐのもいい

ボストン・レッドソックスの本拠地

フェンウエイパーク
を楽しもう

1912年に建てられたフェンウエイパークは全米最古の球場。数々の名勝負が生まれたスタジアムは、100年以上たっても、昔ながらのノスタルジーあふれる雰囲気を残しつつ、最新の設備も取りいれる努力を続けている。左翼の緑色の壁（グリーンモンスター）だけではない歴史あふれる仕掛けがさまざまなところに作られているのだ。ボストン・レッドソックスの試合がない日でも催行されている球場ツアーに参加すれば、野球ファンでなくても、ボールパークの魅力にはまること間違いなし！

グリーンモンスターにはしごやモールス信号が

グリーンモンスターのスコアボード上に、はしごがかけられている。現在の緑色の壁がなかった頃はフェンスが付けられていた。しかし、ボールがよくそのフェンスに引っかかっていたので、はしごを付けてボールを取りにいっていたという。そのはしごが、今もグリーンモンスターにかけられているのだ。

スコアボードの中央には、レッドソックスのオーナーを長く務めたトーマス・ヨーキー夫妻を敬って、ふたりのイニシャルがモールス信号で記されている。

ウォーリー・ザ・グリーンモンスターと記念撮影を　レッドソックスのマスコット、

American Leagueのスコア左右に書かれたモールス信号

スコアボードのPの上に架けられているはしご

1960年代から1970年代にかけて使用されたブルペンカー

フェンウエイパークが取り上げられた映画の数々

ボストン・ストロングのユニホーム

2013年4月ボストンマラソン爆発テロ事件がボストンを悲劇のどん底に陥れた。レッドソックスはボストン市民を勇気づけ、追悼の意味を込めて、617ボストン・ストロングBoston Strongが刺繍されたユニホームをダッグアウトに飾っていた。その年レッドソックスは、「ボストン・ストロング」を合い言葉に、ワールドシリーズ制覇という形でシーズンを終えた。

ボストンの市外局番617とボストン・ストロング

小さいながらも畑がある

2015年春には、フェンウェイ・ファームズ Fenway Farms と呼ばれるガーデンが3塁ベース側のヨウキーウエイ Yawkey Way の上に作られた。約50坪の屋根の上にある施設では、地元の農家と協力してハーブや野菜を栽培している。年間約1800kg収穫されるオーガニック野菜は、クラブラウンジで使用されている。

レッドソックスは、エコにも取り組んでいる

試合によって、選手のバブルヘッド人形が配られることもある

上原投手や田澤投手が、ボストンの新聞『Boston Globe』の一面を飾った

球場外の銅像

1941年のシーズン、4割6厘の打率を残したテッド・ウィリアムズ Ted Williams は、レッドソックスに1939年から1960年（第2次世界大戦中、朝鮮戦争中の一時期を除く）まで所属し、通算出塁率0.482、521本塁打、平均打率0.344という大記録を残して引退した。彼の背番号9は、レッドソックスの永久欠番になっている。彼の功績をたたえて、2004年バンネス通り Van Ness St. 沿いに銅像が建てられた。

打撃の神様といわれているテッド・ウィリアムズ

ミニ博物館

松坂大輔投手は、当時"Dice-K"のニックネームで呼ばれていた

3塁側コンコースレベルにあるチケットブースには、2004年や2007年、2013年にレッドソックスがワールドシリーズを制覇したときの写真や、新聞、スコアカードなど貴重な資料が展示されている。なかでも、2007年のブースには、当時先発として活躍し、優勝に一役買った松坂大輔投手が表紙を飾った雑誌やネームプレートが飾ってある。

デビッド・オルティス選手と自分の身長と比べてみよう

1912年から1934年まで使用されたロゴ

HOW DO YOU MEASURE UP?

DAVID ORTIZ 34

球場ツアー

フェンウエイパークでは、1年をとおして英語による球場見学ツアーを催行している（→ P.158）。そのほか、フェンウエイパークで試合がある日には、試合前の打撃練習をフィールドで見学できる打撃練習ツアー（Batting Practice Tour 料 $30）もある。

ツアーに参加する日が決まっていて、事前（1〜2週間前まで）にeメールで申し込めば、日本語のツアーも開催される（8人以上で参加するなら英語の球場ツアーの日本語版、2人以上・8人以下の場合は特別カスタマイズツアー「テイク・ミー・フェンウエイ・ツアー Take Me Fenway Tour」がある）。
日本語ツアー：8人以上で、ひとり$20。所要約1時間
テイク・ミー・フェンウエイ・ツアー：2人以上で、ひとり$50、所要約1時間
問い合わせは、日本語で可能。REDSOXJP@redsox.com
※日本語ガイドの確保ができれば、どのツアーも追加料金なく、日本語のツアーが催行されるので、事前に問い合わせるといい

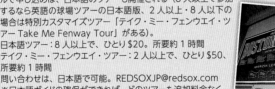

マスコットのウォーリー

ツアーでしか訪れることができないが、ローヤル・ルーターズ・クラブ Royal Rooters Club は、レッドソックスの100年以上の歴史がわかるコーナー。1912年から色や形が変わっていったシートや過去に活躍した選手の写真、ワールドシリーズ制覇の瞬間を映し出す映像など、野球を知らない人でもで楽しめる仕組みになっている。

時代ごとにシートの色も変わっていった

ニューイングランド地方
6 州の基礎知識

アメリカ北東部のニューイングランド地方は、豊かな自然と歴史に彩られた6つの州からなっている。紅葉と海の景色の美しさはアメリカ随一。その中心都市は、マサチューセッツ州の州都ボストンだ。

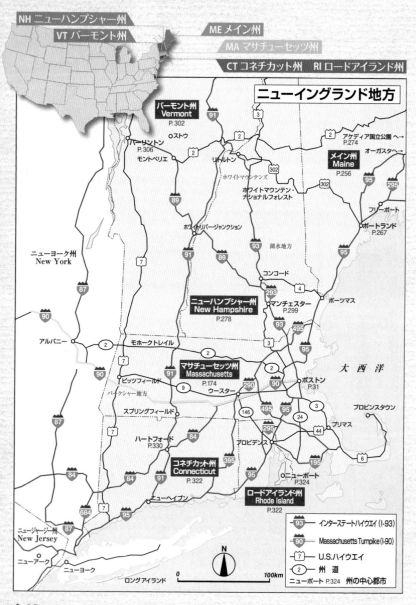

NH ニューハンプシャー州
VT バーモント州
ME メイン州
MA マサチューセッツ州
CT コネチカット州　**RI** ロードアイランド州

ニューイングランド地方

バーモント州
Vermont
P.302

ストウ
バーリントン
P.306
モントペリエ
リトルトン
ホワイトマウンテンズ
ホワイトマウンテン・ナショナルフォレスト
ホワイトリバージャンクション
湖水地方
コンコード

アケディア国立公園へ
P.274
オーガスタへ
メイン州
Maine
P.256
フリーポート
ポートランド
P.267

ニューハンプシャー州
New Hampshire
P.278
マンチェスター
P.299
ポーツマス

ニューヨーク州
New York

アルバニー
モホークトレイル
ピッツフィールド
バークシャー地方
マサチューセッツ州
Massachusetts
P.174
ウースター
スプリングフィールド
ハートフォード
P.330
ボストン
P.31
大 西 洋
プロビンスタウン
プリマス
プロビデンス
コネチカット州
Connecticut
P.322
ロードアイランド州
Rhode Island
P.322
ニューポート
P.324
ニューヘイブン

ニュージャージー州
New Jersey
ニューアーク
ニューヨーク
ロングアイランド

N

0　　　　100km

━ 93 ━	インターステートハイウエイ (I-93)
━ 90 ━	Massachusetts Turnpike (I-90)
━ 7 ━	U.S.ハイウエイ
━ 2 ━	州　道

ニューポート P.324　州の中心都市

マサチューセッツ州
Massachusetts

ニューイングランド地方中部にあり、このエリアの政治、経済、文化、観光の中心地。クランベリーやシーフードが特産だ。州都ボストンは、ボストン茶会事件を発端とするアメリカ独立運動発祥の地として知られ、ゆかりの地を歩く「フリーダムトレイル」が人気。ケネディ元大統領もこの州の出身。ケープコッドやバークシャー地方など、ボストン以外の観光地にも恵まれている。

ジョン・F・ケネディ博物館もあるハイアニス

州都　ボストン
中心都市　ボストン → **P.31**
州人口　674万5408人
愛称　入江の州 Bay State
州鳥　アメリカコガラ
州木　アメリカニレ

観光局
Massachusetts Office of Travel & Tourism
10 Park Plaza, Suite 4510, Boston, MA 02116
☎(617)973-8500
URL www.massvacation.com
URL www.massvacation.jp(日本語)

メイン州
Maine

中心都市ポートランドは、ボストンからのアクセスもよく町歩きも快適。その少し北東のフリーポートは、アウトレットショップが建ち並ぶ買い物天国だ。ポートランドから北東へ約260kmの大西洋岸には、ニューイングランド地方唯一の国立公園、アケディア国立公園がある。

灯台が多いことでも有名なメイン州

州都　オーガスタ
中心都市　ポートランド → **P.267**
州人口　133万89人
愛称　松の木の州 Pine Tree State
州鳥　アメリカコガラ
州木　東部シロマツ

観光局
Maine Office of Tourism
#59 State House Station, Augusta, ME 04333
Free (1-888)624-6345
URL visitmaine.com

ニューハンプシャー州
New Hampshire

州のほとんどが森林と湖という自然の別天地。有名観光地こそないが、豊かな自然はこの州ならではのもの。州北部のホワイトマウンテンズは、秋になると見事な紅葉の森へと変わる。冬はスキーが人気。その南側の湖水地方、ウィニペサーキ湖一帯では秋の紅葉や湖でのボートクルーズを楽しみたい。湖畔のリゾートタウンはメレディス。

ブレトンウッズ協定が締結されたオムニ・マウントワシントン・リゾート

州都　コンコード
中心都市　マンチェスター → **P.299**
州人口　132万6813人
愛称　花崗岩の州 Granite State
州鳥　ムラサキマシコ
州木　シラカバ

観光局
New Hampshire Department of Resources and Economic Development Division of Travel and Tourism Development
172 Pembroke Rd., Concord, NH 03301
☎(603)271-2665
URL www.visitnh.gov

バーモント州
Vermont

シャンプレイン湖畔のバーリントンではボートクルーズが楽しめる。その北東にあるストウは山懐に抱かれた町。秋の紅葉、冬のスキーが有名だが、スパを備えたリゾートもあり、通年で楽しめる人気の旅行地だ。『サウンド・オブ・ミュージック』のモデルとなったトラップ一家が経営するロッジもある。

グランマ・モーゼズの作品を展示するベニントン美術館

州都　モントペリエ
中心都市　バーリントン → P.306
州人口　62万6562人
愛称　緑の山の州 Green Mountain State
州鳥　チャイロコツグミ
州木　サトウカエデ

観光局
Vermont Department of Tourism and Marketing
1 National Life Dr., 6th Fl., Montperier, VT 05620
☎(802)828-3237
URL www.vermontvacation.com

ロードアイランド州
Rhode Island

ニューイングランド地方南東部に位置し、全米で最も小さい州だが、州都プロビデンスはボストン、ウースターに次いで3番目の大都市。南端には、かつてアメリカ東部の金持ちがこぞって巨大な別荘を建てたニューポートがあり、それらを見学するコースが整っている。またニューポートは、1853年浦賀に来航し、日本に開国を迫ったペリー提督の出身地。日本とのゆかりも深い場所である。

大富豪が競って建てた豪邸が集まるニューポート

州都　プロビデンス
中心都市　ニューポート → P.324
州人口　105万5173人
愛称　海洋の州 The Ocean State
州鳥　ロードアイランドレッド（鶏）
州木　レッドメープル

観光局
Rhode Island Tourism Division
315 Iron House Way, Suite 101, Providence, RI 02908
Free (1-800)556-2484
URL www.visitrhodeisland.com

コネチカット州
Connecticut

ニューイングランド地方南西端にあり、ニューヨークからも車で1～3時間の近さ。全米で最も平均所得の高い州といわれている。ヨーロッパからの留学生が多い州でもあり、ニューヘブンには名門エール大学もある。州都ハートフォードは、古い町並みと近代建築が調和する美しい町。郊外には、作家マーク・トウェインやストウ夫人が暮らした家も残されている。

新旧の建物が混在するハートフォードの町並み

州都　ハートフォード
中心都市　ハートフォード → P.330
州人口　359万6677人
愛称　憲法州 Constitution State
州鳥　ロビン（コマドリ）
州木　ホワイトオーク

観光局
Connecticut Office of Tourism
1 Constitution Plaza, 2nd Fl., Hartford, CT 06103
Free (1-888)288-4748
URL www.ctvisit.com

※参考資料 URL www.census.gov、www.discoveramerica.com

Model Course 1　7〜10日間　夏の旅
ボストン＆マサチューセッツ州南部

ニューイングランド地方初心者におすすめしたい定番ルート。ボストンを起点にセーラム、プリマス、ナンタケット島へバスや鉄道、フェリーを使って行く。車がないと不便なロードアイランド州ニューポートへは、観光ツアーなどを利用して日帰りか1泊2日の旅を。

1750〜1830年まで捕鯨で栄えたナンタケット島

Route

ボストン (MA) 3泊4日	→	セーラム (MA) 1泊2日	→	プリマス (MA) 1泊2日	→	ナンタケット島 (MA) 1泊2日	→	ニューポート (RI)

Model Course 2　8〜10日間　紅葉の旅
ニューイングランド地方北部＆ボストン

9月下旬〜10月上旬、ニューイングランド地方北部（バーモント州＆ニューハンプシャー州）は美しい紅葉に染まる。なかでもとびっきり美しいと評判のストウやホワイトマウンテンズ周辺を車やツアーを利用して観光。紅葉三昧の休日を楽しんだあとは、しっとりと落ち着いたボストンで町歩きを堪能する。

ストウにあるトラップ・ファミリー・ロッジから見る山なみ

Route

バーリントン (VT) 1泊2日	→	ストウ (VT) 2泊3日	→	ホワイトマウンテンズ周辺 (NH) 2泊3日	→	ボストン (MA) 2泊3日

Model Course 3　8〜10日間　夏〜秋の旅
マサチューセッツ州＆メイン州

ニューイングランド地方らしい風情が残るマサチューセッツ州西部へ。秋なら、ボストンからバークシャー地方へモホークトレイルをドライブ！　メイン州へはアムトラックのダウンイースター号で列車の旅が楽しめる。ポートランドに着いたら、名物のロブスターをぜひ。車があれば灯台やビーチ巡りも楽しい。

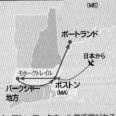

ノーマン・ロックウェル美術館があるバークシャー地方

Route

ボストン (MA) 2泊3日	→	モホークトレイル (MA) 1泊2日	→	バークシャー地方 (MA) 1泊2日	→	ボストン (MA) 1泊2日	→	ポートランド (ME) 2泊3日

映画と物語で知るニューイングランド地方

本／映画

〈本〉

『スペンサー・シリーズ』

ロバート・B・パーカー 著
早川書房
ハヤカワ・ミステリ文庫

1973年に発行された『ゴッドウルフの行方』から遺作となった『春嵐』まで39作が出版されている人気ハードボイルド探偵シリーズで主人公はボストン在住。大学教師を経て作家になったパーカーは、2010年マサチューセッツ州ケンブリッジで亡くなった。

『名品流転 - ボストン美術館の「日本」』

堀田謹吾 著
NHK出版

2001年に出版されたボストン美術館収蔵の日本美術にまつわる物語。著者（2004年に他界）は元NHKのプロデューサー。1991年から1997年にかけて「よみがえる日本の至宝 - ボストン美術館東洋部の100年」など数多くの美術番組を制作し、その取材ノートを基に日本美術流失をテーマに再構成したのが本書。

『サウンド・オブ・ミュージック』『サウンド・オブ・ミュージック　アメリカ編』

マリア・フォン・トラップ 著
谷口由美子 訳
文溪堂

1949年にアメリカで出版されたトラップ一家の後妻マリアが書いた、トラップ一族真実の物語。この本を基に、映画『菩提樹』やミュージカル『サウンド・オブ・ミュージック』、ジュリー・アンドリュース主演の映画『サウンド・オブ・ミュージック』などが制作された。アメリカ編では、アメリカ亡命後のトラップ一家の人生とストウに落ち着くまでの暮らしぶりがつづられている。児童書なので、活字も大きく読みやすい。

〈映画〉

『テッド Ted』

2013年（日本公開年。以下同じ）
監督 セス・マクファーレン
主演 マーク・ウォールバーグ、
　　　ミラ・キュニス

主人公のジョンはクリスマスに両親からプレゼントされたぬいぐるみをテッドと名づける。友達のいなかったジョンが、「テッドが人間と同じように話すことができればいいのに」と強く願うと、その祈りが通じたのか、突然しゃべり出したのだ。それ以降テッドを気のおけない友人として27年間一緒に過ごす。その後、ふたりが離ればなれになった途端、いろいろな事件に巻き込まれていく。パブリックガーデンやフェンウエイパークが登場する、下ネタ、毒舌ありのドタバタコメディ。

『ザ・タウン The Town』

2011年
監督 ベン・アフレック
主演 ベン・アフレック、
　　　レベッカ・ホール、
　　　ジョン・ハム

原作は、マサチューセッツ州出身の作家チャック・ホーガンの小説『強盗こそ、我らが宿命（さだめ）』。「タウン」と呼ばれる映画の舞台チャールズタウンは、なんと強盗団が暮らす不穏な町として描かれている。主人公はそんなタウンに暮らす強盗ダグ。強盗を家業とする家に生まれたが、本当は、その宿命から逃れたいと思っている。そんな折、強盗に入った銀行で女支店長クレアを人質に取るが、彼女がタウンの住人だと知ると、あろうことか彼女に近づいていく。そして恋仲となるふたり。ここからダグとその仲間の運命は予想だにしない方向へと走り出す。

『ソーシャル・ネットワーク The Social Network』

2011年
監督
デヴィッド・フィンチャー
主演
ジェシー・アイゼンバーグ

ハーバード大学の学生だったマーク・ザッカーバーグが恋人にふられた腹いせに、女子大生の格付けサイト「フェイスマッシュ」を立ち上げる。またたく間に話題となり、それを基にしたハーバード大学生専用のウェブサイト「ハーバード・コネクション」の制作を依頼された。しかしマークは、これをヒントに別のウェブサイト「ザ・フェイスブック」を独自に立ち上げる。その後、創業仲間から訴訟を起こされるなど数々の問題に直面するが、「フェイスブック」は世界最大のソーシャル・ネットワーキング・サイトにまで発展していった。起業から現在にいたるまで、フェイスブックの成長過程をマーク・ザッカーバーグの視点から見ることができる。

『ラスベガスをぶっつぶせ 21』

2008年
監督 ロバート・ルケティック
主演 ジム・スタージェス、
　　　ケイト・ボスワース

マサチューセッツ工科大学の学生だったベンは、ハーバード大学医学大学院へ進学することを希望している。しかし、奨学生試験に失敗し30万ドルの学費を準備できずにいた。その後、ミッキー・ローザ教授に声をかけられ、ブラックジャックの秘密チームに参加することになる。週末ごとにラスベガスに乗り込み、チームは大金を稼ぎ始めた。順調に学費を貯めてきたが、問題が起こり……。

『ディパーテッド The Departed』

2007年

監督　マーティン・スコセッシ

主演
レオナルド・ディカプリオ、
マット・デイモン、
ジャック・ニコルソン

香港映画『インファナル・アフェア』のリメイク版。ボストン市南部「通称サウシー」。この町にはびこる犯罪組織を撲滅するため警察はマフィアの組織に警察官を潜入させ、一方マフィアも警察に仲間を潜入させるという筋立て。敵対する組織に潜入したふたりをレオナルド・ディカプリオとマット・デイモンが熱演する。映画に登場するマフィアは、ジェームズ・バルジャーがモデル。

『2番目のキス Fever Pitch』

2006年

監督
ボビー＆ピーター・ファレリー

主演　ドリュー・バリモア、
ジミー・ファロン

運命的な出会いで交際を始めたリンジーとベン。順調なように思えたが、春になるとリンジーに強力なライバルが出現。その名はボストン・レッドソックス。ベンはレッドソックスの熱烈なファンで、野球中心の生活を送っていた。あまりの熱狂ぶりに、リンジーは……。彼は果たして恋を取るのか、野球を取るのか……？

レッドソックスの本拠地、フェンウエイパーク

『パーフェクト・ストーム　The Perfect Storm』

2000年

監督
ウォルフガング・ペーターゼン

主演　ジョージ・クルーニー、
マーク・ウォールバーグ、
ダイアン・レイン

不漁に悩む漁船アンドレア・ゲイル号はめったに行くことのない漁場へ遠征し、大漁に恵まれた。ところがその帰路、100年に一度ともいわれる伝説の大嵐パーフェクト・ストームに遭遇することに……。舞台となった漁港、マサチューセッツ州グロースターには、漁に出たまま戻らない漁師たちを待つ銅像と慰霊碑が立っている。映画は1991年の実話を基に描かれ、主人公たちが集う酒場クローズ・ネスト、アンドレア・ゲイル号の姉妹船レディ・グレース号も実在している。　　　（天野美穂）

『グッド・ウィル・ハンティング／旅立ち　Good Will Hunting』

1998年

監督　ガス・ヴァン・サント

主演　ロビン・ウィリアムス、
マット・デイモン、
ベン・アフレック

全米の秀才が集まるマサチューセッツ工科大学で誰も解けなかった数学の証明問題を完璧に解けるほどの天才的頭脳をもつ青年ウィル。愛を知ることなく育った彼は心を閉ざしている。そんな彼の孤独な心を癒やしてくれたのは、最愛の妻を失ってから生きる希望を失った中年精神分析医ショーンだった。

『グッド・ウィル・ハンティング』の舞台はケンブリッジのマサチューセッツ工科大学

『若草物語 Little Women』

1995年

監督
ジリアン・アームストロング

主演　ウィノナ・ライダー

若草物語 コレクターズ・エディション
DVD
発売・販売：ソニー・ピクチャーズ
エンタテインメント

少女たちの永遠のベストセラー『若草物語』の5回目の映画化。小説家を目指す次女ジョー役を、ウィノナ・ライダーが好演。映画の巻頭に出てくる家は、本物のオーチャードハウス（→ P.188）だ。
　　　　＊
『若草物語』は小説を基に映画化されたもの。映画だけでなく、小説も読んでからコンコードの町を訪れれば、いっそう感慨深いはず。

『ある愛の詩 Love Story』

1971年

監督　アーサー・ヒラー

主演　アリ・マッグロー、
ライアン・オニール

エリック・シーガルによる同名の小説を原作とした恋愛映画のスタンダードともいえる作品だ。主人公はハーバード大学の学生という設定。ハーバード大学のキャンパスがふんだんに登場する。

物語の旅

若草物語 (→ P.188)

ルイザ・メイ・オルコット
Louisa May Alcott
(1832-1888)

ルイザ・メイ・オルコット

＊超越主義とは？
エマソンやソローが唱え始めた教義。人は聖書や教会に頼らずとも内省することで神と一体になれるという考え方。救いを自己の内側に求める成功哲学。思想的ルーツはカーライルやゲーテの教えによる

コンコードのオーチャードハウスは、オルコット一家が1858年から1877年まで暮らした家。1857年、レキシントンロード沿いに、父エイモン・ブロンソンが2軒の家と12エーカーの果樹園を買い、翌年、一家はここに移り住んだ。ブロンソンは、1830年代にニューイングランド地方の知識層に広まったトランセンデンタリズム（＊超越主義）を信奉する教育者だった。しかし進歩的過ぎる教育が災いし、教育者としての暮らしは困窮を極めた。そんな一家が平穏な暮らしを営めるようになったのは、1868年、次女ルイザがオーチャードハウスで書き上げた『若草物語』が大ヒットしてから。ルイザは言う。「物語のなかで起こったできごとは私たち4姉妹がこの家で体験したこと」だと。当時とさほど変わっていないオーチャードハウスには、若草物語の時代を彷彿させる家具が置かれ、その暮らしぶりを垣間見ることができる。庭の一隅には、不遇だったブロンソンが1879年に開いた哲学学校もある。

左／父ブロンソンが建てた哲学学校
右／オーチャードハウスと現館長

森の生活 (→ P.190)

ヘンリー・デイビッド・ソロー
Henry David Thoreau
(1817-1862)

ヘンリー・デイビッド・ソロー

夏のウォルデン湖

左／メインビーチから右へ湖岸のトレイルを歩き旧居跡へ
右／1945年に Roland Wells Robbins によって発掘されたソローの旧居跡。メインビーチから徒歩15分ほどで着く

コンコードの町から車で5分も走ると、ボート遊びや水遊びでにぎわうウォルデン湖に出る。この北側の森でソローは、2年3ヵ月（1845年7月～1847年9月）、森の暮らしを体験した。たったひと部屋しかない暖炉を備えた簡素な小屋を自力で建て、来る日も来る日も森を歩き、本を読み、ときには町で大工や測量技師として日銭を稼ぎ、思索と検証を続けた。そしてその成果を、1854年『ウォールデン森の暮らし』として発表。ソローが探し続けたもの、それは、ラルフ・ウォルド・エマソン Ralph Waldo Emerson（1803-1882）が唱えた超越主義に基づく自然思想の実践だった。合理性や経済性とは正反対の自然に寄り添った暮らしから導き出されたその思想は、多くのアメリカ人の共感を呼び、後にアメリカ自然保護運動の規範ともなっていく。かつて小屋があったその場所へと歩いてみよう。

ニューイングランド地方には、19世紀のアメリカ文学を代表する作家たちが暮らした家が残されている。訪れてみると、物語の背後に隠された作家たちの息づかいや気配が感じられ、彼らに少し近づけたような気がする。

トム・ソーヤーの冒険 (→P.331)

マーク・トウェイン
Mark Twain
（サミュエル・クレメンズ）
(1835-1910)

幸せだった頃のトウェイン一家

子供から大人まで世界中の人々に愛された作家マーク・トウェイン。本名はサミュエル・クレメンズ Samuel Clemens という。コネチカット州ハートフォード郊外にあるマーク・トウェインの家は部屋数19。ルイス・コンフォート・ティファニーによって豪奢な装飾が施された美しい家で、ここに1874年から1891年まで家族と暮らし、『トム・ソーヤーの冒険』『ハックルベリー・フィンの冒険』などの代表作を書き上げた。晩年は事業に失敗し、家族とも死に別れ、ペシミズムにとらわれるが、この家での生活は生涯で最も幸せで輝いていた日々だったに違いない。

左／豪華なダイニング
右／ヌークファームと呼ばれた一角にあるトウェインの家

アンクル・トムの小屋 (→P.332)

ハリエット・ビーチャー・ストウ
Harriet Beecher Stowe
(1811-1896)

リーマン・ビーチャー一族。前列中央の父リーマンの手を握るストウ（右から2人目）

マーク・トウェインの家の目の前に住んでいたのが、トウェインより少し年上のハリエット・ビーチャー・ストウだった。彼女は、1852年に出版した『アンクル・トムの小屋』の大ヒットで、すでに作家としての名声を得ており、1873年から亡くなるまでの23年間を、この家（ハリエット・ビーチャー・ストウの家）で穏やかに暮らした。ビクトリア朝の室内には、彼女が描いた絵が方々に飾られ、とても気持ちよく整えられている。小さなイングリッシュガーデンもあり、庭いじりを楽しみながら、慎ましやかに生きた作家の暮らしぶりが想像できる。

気持ちのよいストウの家

ニューイングランド地方の**おみやげ**

ハーバード大学コープ (→ P.128)

$9

小型のメモ帳と
ペンのセット

$19.98

ハーバード大
学のトレーナ
ーを着たぬい
ぐるみ

$8.98

ハーバード大学生も必
ず使用するという3穴
リングノート

$9.98

$1.98~ 大学名入り紙製
のファイル

布製の
キーホルダー

$8.98 付箋

マサチューセッツ工科大学コープ (→ P.117)

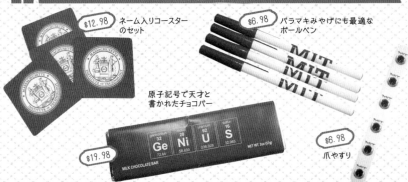

$12.98 ネーム入りコースター
のセット

$6.98 バラマキみやげにも最適な
ボールペン

原子記号で天才と
書かれたチョコバー

$19.98

$6.98

爪やすり

ボストン美術館ミュージアムショップ (→ P.102)

$15.95

ビニール製の
ロゴ入りトートバッグ

$11.95

ボストン美術館
の目録

$3.50

ボールペン付きの
メモ帳

$8.95

モネの『日本娘（着物を着た
カミーユ・モネ）』のマグネット

$5.95

シャープペンシルと
ボールペンのセット

観光やビジネスなど目的は違えど、せっかくアメリカに来たのだから、記念になるものや家族、友人へのおみやげを買って帰りたい。ここでは、ボストンを含めたニューイングランド地方で入手できるおみやげを紹介しよう。定番は、ハーバード大学のロゴが入った文房具やボストン・レッドソックスの小物、チョコレートなど。そのほかに、ロブスター柄のキッチングッズやボストン美術館のマグネットも人気がある。

🎁 ボストン全般

ロブスターの絵が描かれた鍋つかみ →みやげ物屋
$12.99〜

名$4.95

旧州議事堂のギフトショップで購入できるベイクドビーンズ・チョコレートとグミ →P.62

ダーク・チョコレート
$7.99

クランベリー味のチョコボール →みやげ物屋

ボストン・レッドソックスのネームタグはヨーキーウエイ・ストアで →P.126
$10

ヨーキーウエイ・ストアで入手できるボストン・レッドソックスのぬいぐるみ →P.126
$20

ボストンの観光名所が描かれた板チョコのセット →みやげ物屋
$7.99

TRADER JOE'S
99¢〜

ボストン限定トレーダージョーズのエコバッグ →P.129

$14.95

ボストン茶会事件船の紅茶 →P.69

$12.95

スターバックスコーヒーのボストンご当地マグカップ

ボストン ダウンタウンのみやげ物屋
ベスト・オブ・ボストン Best of Boston
●ザ・ショップス・アット・プルデンシャルセンター店
🏠800 Boylston St., Boston ☎(617)859-0729
🕐月〜土 10:00〜21:00、日 11:00〜20:00
●ファニュエルホール店
🏠354 N. Market Bldg., Boston ☎(617)227-3962
🕐月〜土 10:00〜21:00、日 12:00〜18:00

🎁 ニューイングランド地方全般

$5.50

印象派の作品を多く所蔵するクラーク美術館 →P.252 のルノワール『劇場の桟敷にて』やサージェント『Fumee d' ambre gris』のメモ帳

$6.99

ニューポートマンションズのマグネット →P.326

$3.50

エリック・カール絵本美術館 →P.240 に所蔵されている『はらぺこあおむし』のマグネット

🎁 ノーマン・ロックウェル美術館 (→ P.245)

$9.95

オムニ・マウントワシントン・リゾートのグミ →P.287

$14

雑誌『Saturday Evening Post』の表紙を飾った作品 332 点が掲載されている目録

$5

$4

ロックウェル自身を描いた『Triple Self Portrait』のコースター

ワルガキと警官がダイナーで一緒に食事を取っている『The Runaway』のキーホルダー

$3

朗らかな気持ちになる『Sunset』のマグネット

海外旅行の最新で最大級の情報源はここに！ | 地球の歩き方 | 検索

地球の歩き方 ホームページの使い方

海外旅行の最新情報満載の「地球の歩き方ホームページ」！
ガイドブックの更新情報はもちろん、132カ国の基本情報、
エアラインプロフィール、海外旅行の手続きと準備、格安
航空券、海外ホテルの予約、「地球の歩き方」が厳選した
スーツケースや旅行用品もご紹介。クチコミ情報や旅日記、
掲示板、現地特派員ブログもあります。

🔗 **http://www.arukikata.co.jp/**

■ 多彩なサービスであなたの海外旅行、海外留学をサポートします！

「地球の歩き方」の電子掲示板（BBS）

「地球の歩き方」の源流ともいえる旅行者投稿。世界中を
歩き回った数万人の旅行者があなたの質問を待っていま
す。目からウロコの新発見も多く、やりとりを読んでいる
だけでも楽しい旅行情報の宝庫です。

🔗 **http://bbs.arukikata.co.jp/**

ヨーロッパ個人旅行の様々な手配が可能

「旅プラザ」ではヨーロッパ個人旅行のあらゆる手配が
できます。ユーレイルパス・寝台車など鉄道旅行の即日
発券が可能なほか、航空券、ホテル、現地発ツアー、保険、
etc. 様々な複合手配が可能です。

🔗 **http://tabiplaza.arukikata.com/**

旅行記、クチコミなどがアップできる「旅スケ」

WEB 上で観光スポットやホテル、ショップなどの情報を
確認しながら旅スケジュールが作成できるサービス。
旅行後は、写真に文章を添えた旅行記、観光スポットや
レストランなどのクチコミ情報の投稿もできます。

🔗 **http://tabisuke.arukikata.co.jp/**

旅行用品の専門通販ショップ

地球の歩き方
STORE

「地球の歩き方ストア」は「地球の歩き方」直営の旅行用
品専門店。厳選した旅行用品全般を各種取り揃えています。
「地球の歩き方」読者からの意見や感想を取り入れたオリ
ジナル商品は大人気です。

🔗 **http://www.arukikata.co.jp/shop/**

航空券の手配がオンラインで可能

地球の歩き方
arukikata.com

航空券のオンライン予約なら「アルキカタ・ドット・コム」。
成田・羽田他、全国各地ポート発着の航空券が手配できます。読者割引あり、
航空券新規電話受付時に「地球の歩き方ガイドブックを見た」
とお伝えいただくと、もれなくお一人様1,000円off。

🔗 **http://www.arukikata.com/**

留学・ワーキングホリデーの手続きはおまかせ

地球の歩き方
成功する留学
GIO CLUB Study Abroad

「成功する留学」は「地球の歩き方」の留学部門として、
20年以上エージェント活動を続けています。世界9カ国、
全15都市に現地相談デスクを設置し、留学生やワーホリ
渡航者の生活をバックアップしています。

🔗 **http://www.studyabroad.co.jp/**

海外ホテルをオンライン予約

地球の歩き方
Travel

地球の歩き方トラベルが運営する海外ホテル予約サイト。
世界3万都市、13万軒のホテルをラインナップ。
ガイドブックご覧の方には特別割引で宿泊料金3%off。

🔗 **http://hotel.arukikata.com/**

ヨーロッパ鉄道チケットがWebで購入できる「ヨーロッパ鉄道の旅」オンライン

ヨーロッパ鉄道の旅
Traveling by Train

地球の歩き方トラベルのヨーロッパ鉄道チケット販売サイト。
オンラインで鉄道パスや乗車券、座席指定券などを24時間
いつでも購入いただけます。利用区間や日程がお決まりの方に
お勧めです。

🔗 **http://rail.arukikata.com/**

BOSTON
ボストン

ボストン

ボストンは、アメリカで最も古い歴史を誇る都市のひとつ。1630年、イギリスからやってきた清教徒たちが、ダウンタウン付近にあったショーマット岬に、小さなコロニーをつくり、その歴史は始まる。彼らは新天地を「ニューイングランド」と呼び、今日のニューイングランド地方6州の礎が築かれた。コロニー周辺は後に埋め立てられ、チャールズ川南岸河口部に拓けた現在のボストンの地形ができあがる。やがてアメリカ独立の舞台ともなり、その歴史をたどる「フリーダムトレイル」が観光スポットとなっている。れんが造りの家並みを抜け、石畳の路地を歩き、美しい古都ボストンを満喫しよう。

チャールズ川沿いからバックベイを望む

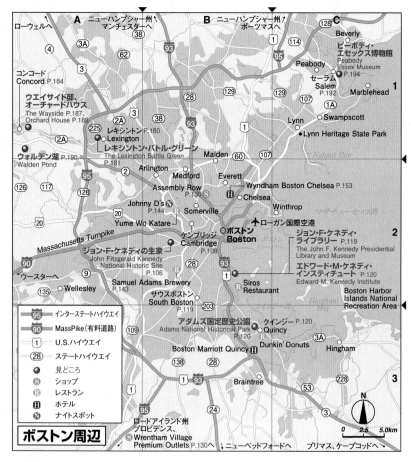

ボストン周辺

	インターステートハイウエイ
95	
90	MassPike（有料道路）
1	U.S.ハイウエイ
28	ステートハイウエイ
●	見どころ
Ⓢ	ショップ
Ⓡ	レストラン
Ⓗ	ホテル
Ⓝ	ナイトスポット

ニューハンプシャー州
マンチェスターへ

ニューハンプシャー州
ポーツマスへ

ローウェルへ

Beverly

ピーボディ・
エセックス博物館
Peabody
Essex Museum
P.194

Peabody

セーラム
Salem
P.192

Marblehead

コンコード
Concord P.184

Swampscott

Lynn

ウエイサイド邸、
オーチャードハウス
The Wayside P.187、
Orchard House P.188

Lynn Heritage State Park

レキシントン P.180
Lexington

レキシントン・バトル・グリーン
The Lexington Battle Green
P.181

Malden

ウォルデン湖 P.190
Walden Pond

Arlington

Medford

Everett

Wyndham Boston Chelsea P.153

Assembly Row
P.130

Chelsea

Johnny D's
P.144

Somerville

Winthrop

Yume Wo Katare

ローガン国際空港

ジョン・F・ケネディ・
ライブラリー P.119
The John F. Kennedy Presidential
Library and Museum

ケンブリッジ
Cambridge
P.108

ボストン
Boston

ジョン・F・ケネディの生家
John Fitzgerald Kennedy
National Historic Site
P.106

エドワード・M・ケネディ・
インスティテュート P.120
Edward M. Kennedy Institute

ウースターへ

Wellesley

Samuel Adams Brewery
P.143

Boston Harbor
Islands National
Recreation Area

サウスボストン
South Boston
P.119

Siros
Restaurant

アダムズ国定歴史公園
Adams National Historical Park
P.120

クインジー P.120
Quincy

Hingham

Dunkin' Donuts

Boston Marriott Quincy

Braintree

ロードアイランド州
プロビデンスへ
Wrentham Village
Premium Outlets P.130

ニューベッドフォードへ

プリマス、ケープコッドへ

0　2.5　5.0km

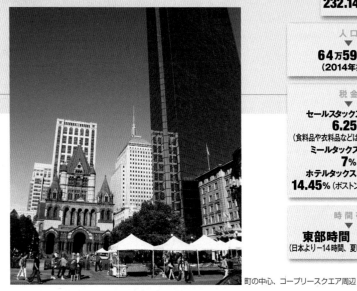

ⓣと呼ばれる地下鉄でほとんどの見どころを訪れることができる

ボストン
City of Boston

マサチューセッツ州の
州都

面積
▼
232.14 km²

人口
▼
64万5966人
（2014年推定）

税金
▼
セールスタックス（消費税）
6.25%
（食料品や衣料品などは$175まで免税）
ミールタックス（飲食税）
7%
ホテルタックス（ホテル税）
14.45%（ボストン＆ケンブリッジ）

時間帯
▼
東部時間（EST）
（日本より−14時間、夏間時は−13時間）

メイン州
バーモント州
ニューハンプシャー州
マサチューセッツ州
★ボストン
ロードアイランド州
コネチカット州

町の中心、コープリースクエア周辺

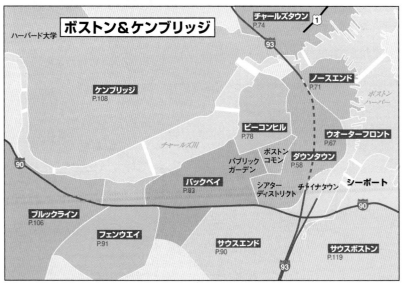

ボストン＆ケンブリッジ

ハーバード大学
チャールズタウン P.74
ケンブリッジ P.108
ノースエンド P.71
ボストンハーバー
ビーコンヒル P.78
ウォーターフロント P.67
チャールズ川
パブリックガーデン
ボストンコモン
ダウンタウン P.58
バックベイ P.83
シアターディストリクト
チャイナタウン
シーポート
ブルックライン P.106
フェンウエイ P.91
サウスエンド P.90
サウスボストン P.119

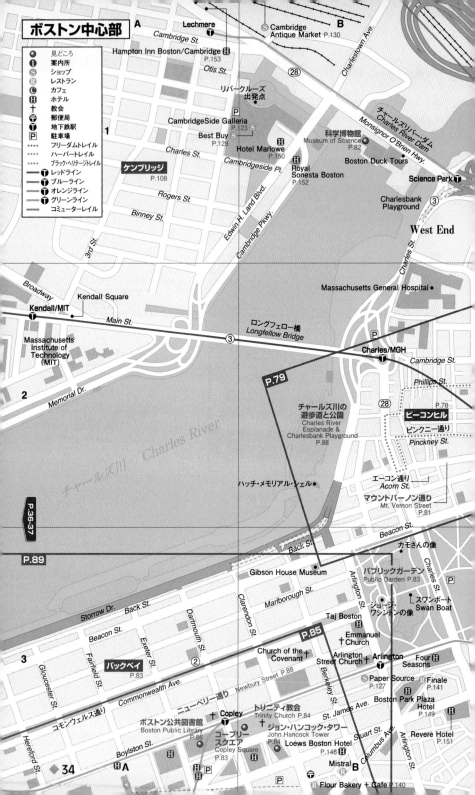

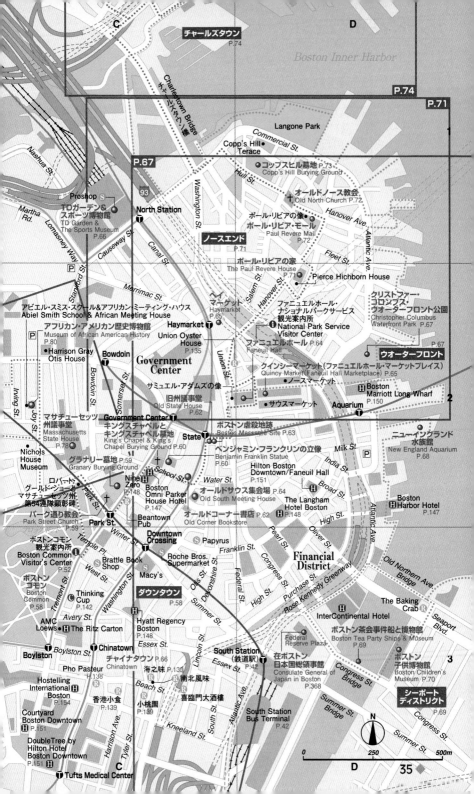

チャールズタウン
P.74

Boston Inner Harbor

P.74

P.71

Langone Park

Commercial St.

Copp's Hill●
Terace

コップスヒル墓地 P.73
Copp's Hill Burying Ground

オールドノース教会
Old North Church P.72

93

North Station

Hanover Ave.

Proshop Ⓢ
TDガーデン&
スポーツ博物館
TD Garden &
The Sports Museum
P.66

Washington St.

Hull St.

ポール・リビアの像
Paul Revere Mall
P.72
ポール・リビア・モール

ノースエンド
P.71

Fleet St.

Atlantic Ave.

Martha
Rd.

Nashua St.

Lomasney Way

Stanford St.

Causeway St.

Canal St.

Merrimac St.

Salem St.

Hanover St.

ポール・リビアの家
The Paul Revere House P.71

Pierce Hichborn House

クリストファー・
コロンブス・
ウォーターフロント公園
Christopher Columbus
Waterfront Park P.67

アビエル・スミス・スクール&アフリカン・ミーティング・ハウス
Abiel Smith School & African Meeting House

アフリカン・アメリカン歴史博物館
Museum of African American History
P.80

ヘイ
マーケット
P.65

Haymarket Ⓣ

ファニュエルホール・
ナショナルパークサービス
観光案内所
National Park Service
Visitor Center

ウォーターフロント

●Harrison Gray
Otis House

Union Oyster
House
P.135

Union St.

ファニュエルホール P.64
Faneuil Hall

Bowdoin Ⓣ

Government
Center

クインシーマーケット(ファニュエルホール・マーケットプレイス)
Quincy Market (Faneuil Hall Marketplace) P.65

サミュエル・アダムズの像

●ノースマーケット

Ⓗ Boston
Marriott Long Wharf
P.150

マサチューセッツ
州議事堂
Massachusetts
State House
P.78

Bowdoin St.

Somerset St.

Government Center Ⓣ

旧州議事堂
Old State House
P.62

キングスチャペルと
キングスチャペル墓地
King's Chapel & King's
Chapel Burying Ground P.60

State Ⓣ

ボストン虐殺地跡
Boston Massacre Site P.63

●サウスマーケット

Aquarium Ⓣ

Nichols
House
Museum

Joy St.

Irving St.

グラナリー墓地 P.59
Granary Burying Ground

ベンジャミン・フランクリンの立像
Benjamin Franklin Statue
P.60

Milk St.

India St.

ニューイングランド
水族館
New England Aquarium
P.68

ロバート・
グールド・ショーと
マサチューセッツ州
第54連隊顕彰碑

School St.

Park St.

Nine
Zero
P.148

Boston
Omni Parker
House Hotel
P.147

Hilton Boston
Downtown/Faneuil Hall
P.151

Boston
Ⓗ Harbor Hotel
P.147

Water St.

パーク通り教会
Park Street Church
P.59

Park St. Ⓣ

Beantown
Pub

オールドサウス集会場
Old South Meeting House
P.64

The Langham
Hotel Boston
P.148

Broad St.

Tremont St.

Temple Pl.

Winter St.

Downtown
Crossing Ⓣ

オールドコーナー書店 P.62
Old Corner Bookstore

Pearl St.

Oliver St.

Atlantic Ave.

ボストンコモン
観光案内所
Boston Common
Visitor's Center
P.52

Ⓢ Papyrus

Financial
District

Roche Bros.
Supermarket

Franklin St.

Old Northern Ave.
Bridge

ボストン
コモン
Boston
Common
P.58

West St.

Brattle Book
Shop

Macy's

High St.

Congress St.

The Baking
Crab Ⓡ

Thinking
Cup
P.142

ダウンタウン
P.58

Avery St.

Washington St.

Summer St.

Rose Kennedy Greenway

Purchase St.

InterContinental Hotel

Seaport
Blvd.

AMC
Loews●

Ⓗ The Ritz Carton

Hyatt Regency
Boston
P.148

Essex St.

Lincoln St.

Federal
Reserve Plaza

ボストン茶会事件船と博物館
Boston Tea Party Ships & Museum
P.69

ボストン
子供博物館
Boston Children's
Museum P.70

Boylston Ⓣ

Chinatown Ⓣ

Boylston St.

チャイナタウン P.66
Chinatown

海之味 P.130

South Station
(鉄道駅) Ⓣ
P.42

在ボストン
日本国総領事館
Consulate General of
Japan in Boston
P.368

Pho Pasteur

Oak St.

Congress
Bridge

シーポート
ディストリクト
P.69

Hostelling
International
Boston Ⓗ
P.154

香港小食
P.139

南北風味

Beach St.

Kneeland St.

South Station
Bus Terminal
P.42

Summer St.
Bridge

Summer St.

Courtyard
Boston Downtown
P.151

小桃園
P.139

喜臨門大酒樓

Harrison Ave.

Tyler St.

Congress St.

DoubleTree by
Hilton Hotel
Boston Downtown
P.151

Ⓗ Tufts Medical Center

N

0   250   500m

バックベイとサウスエンド

凡例
- ◎ 見どころ
- ⓘ 案内所
- Ⓢ ショップ
- Ⓡ レストラン
- Ⓒ カフェ
- Ⓗ ホテル
- Ⓝ ナイトスポット
- ✝ 教会
- ⊕ 郵便局
- Ⓣ 地下鉄駅
- Ⓟ 駐車場
- ···· フリーダムトレイル
- ···· ハーバートレイル
- ···· ブラック・ヘリテージトレイル
- Ⓣ— レッドライン
- Ⓣ— ブルーライン
- Ⓣ— オレンジライン
- Ⓣ— グリーンライン
- Ⓣ— シルバーライン

A **B**

マサチューセッツ工科大学
Massachusetts Institute of Technology (MIT) P.116

Memorial Dr.

P.116-117

Charles River
チャールズ川

P.89

Harvard Bridge
ハーバード橋

(2A)

P.38-39

Storrow Dr.

Back St.

Beacon St.

Exeter St.

Fairfield St.

バックベイ P.83 (2)

Back St.

Gloucester St.

Hereford St.

Beacon St.

Marlborough St.

Commonwealth Ave.
コモンウェルス通り

Newbury Street P.88
ニューベリー通り

Boylston St.

Hotel Buckminster P.154

Eastern Standard

Kenmore

Island Creek Oyster Bar P.133、135

Hotel Commonwealth P.149

Charlesgate W.

Charlesgate

Charlesgate E.

Massachusetts Ave.

(2)

Ⓗ Hynes Convention Center

Ⓟ

Hynes Convention Center

The Bleacher Bar P.159

Ipswich St.

90

Boylston St.

プルデンシャルセンター・スカイウォーク展望台
Prudential Center Skywalk Observatory P.86

House of Blues P.144

Landsdowne St.

Pavement Coffeehouse Ⓒ

Cask'n Flagon P.143

Ipswich St.

Boylston St.

バークリー音楽大学
Berklee College of Music P.90

Belvidere St.

Prudential

ジミー君の像

フェンウエイパーク（球場）
Fenway Park P.105、156

The Verb Hotel P.152

Boylston St.

Fenway

Hemenway St.

クリスチャン・サイエンス・センター
Christian Science Center P.87

W. Newton St.

Tasty Burger

フェンウエイ P.91

Ⓡ

Yawkey Way

ボストンコンサバトリー
Boston Conservatory

Whole Foods Market Ⓢ

Massachusetts Ave.

Huntington Ave.

St. Botolph St.

シンフォニーホール P.87、165
Symphony Hall

Cafe Madeleine P.16

Agassiz Rd.

Ⓣ Symphony

Gracie Finn P.16 Ⓢ

Ⓣ Massachusetts Ave.

Park Dr.

バックベイフェンス
Back Bay Fens

Muddy River

Hemenway St.

ニューイングランド音楽院
New England Conservatory

St. Botolph St.

Render Coffee

Wally's Cafe

Fenway

Forsyth Way

Northeastern University

YMCA of Greater Boston

Columbus Ave.

Forsyth St.

ボストン美術館
Museum of Fine Arts, Boston P.91

ノースイースタン大学
Northeastern University

Museum Rd.

Huntington Ave.

Ⓣ Museum of Fine Arts

Parker St.

Tremont St.

⑨

A **B**

1

2

3

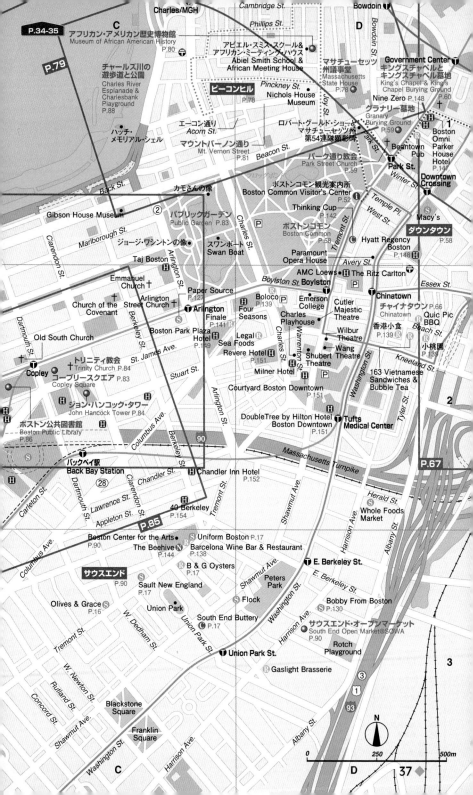

フェンウエイとブルックライン

Central Square へ

Courtyard Boston Cambridge

Trader Joe's

ケンブリッジ
P.108

B

Magazine St.

Brookline St.

90

S.R.R.R.R
Korean Garden P.140
Bonchon Chicken
Sunset Grill & Tap P.137
Totto Ramen
New Balance Factory Store P.130 へ

Eastern Mountain Sports

City Sports

ボストン大学
Boston University

Pikaichi
Super 88
Market

Star Market

Brown Sugar Cafe

Brighton Ave.

Massachusetts Turnpike

ボストン大学橋
Boston University Bridge

ボストン
大学
Boston
University

1

Packards
Corner

Babcock St.

グリーンライン(B)

Pleasant St.

St. Paul St.

Commonwealth Ave.

Ittoku へ
P.140

Naples Rd.

Babcock St.

Dummer St.

Pleasant St.

Panera Bread Bakery-Cafe
P.140

Boston
University West

Sunoco
(ガソリンスタンド)

Amory St.

T おばさんの家
P.154

Essex St.

Mountfort St.

Carlton St.

Knyvet
Square

Fuller St.

Beals St.

ジョン・F・ケネディの生家
John Fitzgerald Kennedy
National Historic Site
P.106

Stedman St.

Babcock St.

Devotion
Playground

St. Paul St.

Winthrop
Square

Powell St.

Amory St.

Whole Foods Market

2

Dok Bua
Thai Kitchen
P.139

Amory
Playground

Hawes St.

Harvard St.

エドワード・デボーション・スクール
Edward Devotion School
P.107

Pleasant St.

Holiday Inn Boston-Brookline
P.152

Beacon St.

Kent St.

Ganko Ramen

四季
P.140

Fugakyu

St. Paul St.

Coolidge
Corner

グリーンライン(C)

Trader Joe's

The Bertram Inn
P.154

Sewall Ave.

Kent St.

Chapel St.

Summit
Ave.

Longwood Ave.

Samuel
Sewall
Inn

ブルックライン
P.106

Longwood

Longwood Ave.

Courtyard Boston Brookline
P.152

Harvard St.

St. Paul St.

Longwood Inn

Longwood
Playground

グリーンライン(D)

3

	見どころ
S	ショップ
R	レストラン
C	カフェ
H	ホテル
N	ナイトスポット
†	教会
+	病院
☎	郵便局
T	地下鉄駅
P	駐車場
T	オレンジライン
T	グリーンライン

Stop & Shop

St. Paul St.

Parsons
Field

Kent St.

Aspinwall Ave.

38

Pierce School
Playground

School St.

A

B

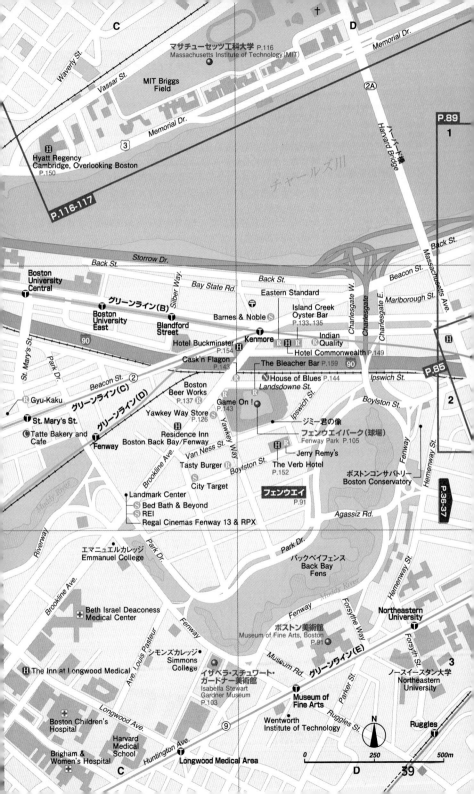

C

D

マサチューセッツ工科大学 P.116
Massachusetts Institute of Technology (MIT)

Waverly St.
Vassar St.

MIT Briggs
Field

Memorial Dr.

Memorial Dr.

Back St.

(2A)

ハーバード橋
Harvard Bridge

P.89

1

Hyatt Regency
Cambridge, Overlooking Boston
P.150

チャールズ川

Back St.

Massachusetts Ave.

Storrow Dr.
Back St.
Back St.
Beacon St.

Boston
University
Central

Bay State Rd.

Charlesgate W.
Charlesgate E.
Charlesgate E.

Marlborough St.

グリーンライン(B)
Boston
University
East

Silber Way

Eastern Standard

Island Creek
Oyster Bar
P.133, 135

Barnes & Noble S

Blandford
Street

Kenmore

Indian
Quality

St. Mary's St.
Park Dr.

Hotel Buckminster
P.154

R H R

Hotel Commonwealth P.149

P.85

H

90

Cask'n Flagon
P.143

Beacon St. (2)

The Bleacher Bar P.159

90

Ipswich St.

Gyu-Kaku
グリーンライン(C)

House of Blues P.144
Landsdowne St.

2

St. Mary's St.
グリーンライン(D)

Boston
Beer Works
P.137

Game On !
P.143

Ipswich St.

Boylston St.

Fenway

Tatte Bakery and
Cafe

Yawkey Way Store
P.126

ジミー君の像

Muddy River

Residence Inn
Boston Back Bay/Fenway

Fenway

フェンウエイパーク(球場)
Fenway Park P.105

Brookline Ave.
Van Ness St.

Tasty Burger

Boylston St.
Yawkey Way

Jerry Remy's

Hemenway St.

Riverway

City Target

The Verb Hotel
P.152

Landmark Center
Bed Bath & Beyond
REI
Regal Cinemas Fenway 13 & RPX

フェンウエイ
P.91

ボストンコンサバトリー
Boston Conservatory

P.36-37

Agassiz Rd.

Park Dr.

Park Dr.

バックベイフェンス
Back Bay
Fens

Muddy River

Fenway

エマニュエルカレッジ
Emmanuel College

Forsythe Way

Hemenway St.

Beth Israel Deaconess
Medical Center

Northeastern
University

Ave. Louis Pasteur
Brookline Ave.

ボストン美術館
Museum of Fine Arts, Boston P.91

グリーンライン(E)

Forsyth St.

The Inn at Longwood Medical

シモンズカレッジ
Simmons
College

Museum Rd.

Parker St.

ノースイースタン大学
Northeastern
University

3

Ruggles Ruggles St.

イザベラ・スチュワート・
ガードナー美術館
Isabella Stewart
Gardner Museum
P.103

Museum of
Fine Arts

Ruggles

Boston Children's
Hospital

Harvard
Medical
School

Longwood Ave.

(9)

Wentworth
Institute of Technology

N

Brigham &
Women's Hospital

Huntington Ave.
Longwood Medical Area

0   250   500m

C

D

ボストンへの行き方

Boston Logan International Airport
M P.40、41
Free (1-800)235-6426
URL www.massport.com
URL massport.airportway finder.com

空港内への移動
On-Airport Shuttle
　ターミナルと地下鉄駅（ブルーラインのAirport駅）、空港駐車場、ウオーターシャトル乗り場を結ぶ無料シャトルバス。バスの車体横に、青地に白色でBoston Logan Airport Shuttleと書かれている
#22：ターミナルA、Bから地下鉄駅とレンタカーセンター
#33：ターミナルC、Eから地下鉄駅とレンタカーセンター
運行 7:00～22:00
#55：全ターミナルから地下鉄駅とレンタカーセンター
運行 4:00～7:00、22:00～翌1:00
#11：全ターミナル（除く地下鉄駅）
#66：全ターミナルと地下鉄駅、ウオーターシャトル乗り場
#88：全ターミナルと空港駐車場
運行 6:00～23:00

地下鉄チケットの購入方法も日本語で説明されている

飛行機

日本から
　2015年11月現在、日本からボストンへは日本航空が毎日1便直行便を運航している。成田を18:30に出発し同日の17:00ボストンに到着する（所要約12時間30分）。そのほか、ニューヨークやシカゴなどで乗り継いでボストンに入ることも可能だ。日本発のアメリカ東部への直行便は、ニューヨークへアメリカン航空、全日空、日本航空、デルタ航空やユナイテッド航空が、さらにトロントへエア・カナダがそれぞれ運航している。日本から各地を経由してボストンへは、15～20時間。

アメリカ国内から
　アメリカ各地から直行便が乗り入れている。ニューヨーク、ワシントンDC、トロントからボストンまで所要1時間30分前後。

ローガン国際空港（BOS）
Boston Logan International Airport (BOS)

　ボストン湾を挟んでダウンタウンの約5km東にある大空港。A、B、C、Eの4つのターミナルがあり、1階が到着ロビー、2階が出発ロビーだ。日本航空が発着するのは国際線専用のEターミナル。空港内はWi-Fi無料。
　各ターミナル間と地下鉄ブルーラインのAirport駅をマスポートMassport（Massachusetts Port Authority）が運営する無料の空港シャトルOn-Airport Shuttleが循環している。空港シャトルを含めタクシーやシルバーライン、空港シェアバンは1階バゲージクレーム出口外の内周道路に停車する。

ターミナル間を循環する空港シャトル

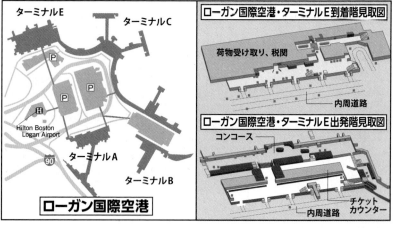

空港から市内へ

▶地下鉄Ⓣシルバーライン (SL1)

　1階バゲージクレーム出口外から連結型のバス、Ⓣシルバーラインに乗車する。ウオーターフロントを経由し、約25分でサウスステーションに到着。改札を通らずにⓉレッドラインに乗り換えられるので、無料で空港からダウンタウンへ行くことができる。

▶空港シャトルバス＋地下鉄Ⓣブルーライン

　1階バゲージクレーム出口外から#22、33、55、66の無料の空港シャトルでⓉブルーラインのAirport駅へ向かう。空港シャトル#11、88は地下鉄駅まで行かない。ブルーラインは、ダウンタウンのState駅でⓉオレンジラインに、Government Center駅（2016年3月まで閉鎖、→P.44側注）でⓉグリーンラインに乗り換えられる。

▶タクシー

　1階バゲージクレーム出口外のタクシー乗り場から乗車。ダウンタウンまで約15分（🚖約$35）。バックベイエリアは約20分（🚖$40）。空港を出てダウンタウンに向かうタクシーには、トンネル代と空港使用料の計$7.50が含まれている。乗る前に、行き先を告げおおよその料金を聞くこと。動き出したらメーターが動いているか要確認。

▶ローガンエクスプレス

　空港からバックベイやブレイントリー、フラミングハムなどへ向かう快速バス。バックベイ（コープリー周辺とハインズ・コンベンションセンター）まで約25分。

▶空港シェアバン

　各ホテルを循環しながらダウンタウンへ向かう相乗りバン。1階バゲージクレーム出口外から乗車する。ダウンタウンまで$17〜24。

シルバーライン
※2015年11月現在、空港発のシルバーラインは無料
ブルーライン
🎫 チャーリーカード$2.10、チャーリーチケット＆現金$2.65
タクシー
ボストンやケンブリッジなど12マイル以内はメーター料金
Boston Cab
☎(617)536-5010
Metro Cab
☎(617)782-5500
ローガンエクスプレス
Logan Express
Free (1-800)235-6426
バックベイ行きは毎日6:00〜22:00の20分間隔。空港行きは毎日5:00〜21:00の20分間隔。
バックベイのバス停はハインズ・コンベンションセンター（🏠900 Boylston St., Boston）とCopley駅（🏠650 Boylston St., Boston）にある
🎫$5、AMⅤのみ、現金不可。チャーリーカード（→P.43）所有者は無料
空港シェアバン
Go Boston Shuttle
☎(617)437-8800
Easy Transportation, Inc.
☎(617)869-7760
車
ボストン西方面へ：テッド・ウィリアムズ・トンネル抜け、I-90 (Massachusetts Turnpike) に入る
ボストン北方面へ：サムナートンネルを抜け、I-93に入る
ローガン国際空港のレンタカーセンター
おもなレンタカー会社のカウンターがある建物（レンタカーセンター）へは、バゲージクレーム出口外からシャトルバスで

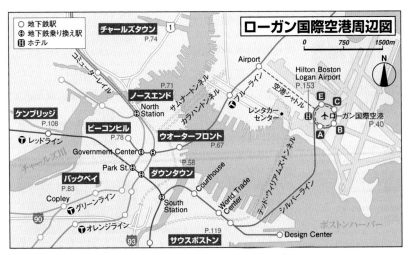

旨やメーター制のはずであることを言ったが、ドライバーが怒り出し、危険な雰囲気になったので、あきらめました。乗り込む前に、料金を聞くべきだった。（和歌山県　匿名　'14）['15]

41

Amtrak
Free (1-800)872-7245
URL www.amtrak.com

South Station
M P.35-D3、P.67-A2
住 2 South Station, Atlantic
Ave. & Summer St., Boston
営 24時間
行き方 ⓉレッドラインSouth
Station下車。地下鉄駅の上

Back Bay Station
M P.85-C2
住 145 Dartmouth St. (bet.
Stuart St. & Columbus Ave.),
Boston
営 毎日5:00～24:00
行き方 ①オレンジラインBack
Bay駅下車。グリーンライン
Copley駅下車、徒歩約5分。
地下鉄①オレンジラインが
乗り入れている
※Amtrakのアセラ特急、レ
イクショアリミテッド号など
が停車

North Station
M P.67-A1
住 135 Causeway St., Boston
営 毎日5:00～翌1:00
行き方 ①グリーン、オレンジ
ラインNorth Station下車。
TDガーデン内

**South Station Bus
Terminal**
M P.35-D3、P.67-A2
住 700 Atlantic Ave., Boston
行き方 ①レッドラインSouth
Station下車。鉄道駅構内か
らは1番線のホームを100m
ほど南東へ歩く
営 24時間。バス会社によっ
て異なるので注意

エスカレーターを上るとチ
ケット売り場

Greyhound
Free (1-800)231-2222
URL www.greyhound.com
Plymouth & Brockton
☎ (508)746-0378
URL www.p-b.com
Peter Pan Bus
Free (1-800)343-9999
URL peterpanbus.com

鉄 道

壮麗なサウスステーション

ワシントンDCのユニオン駅やニューヨークのペンシルバニア駅からボストンのサウスステーションSouth Stationへ、アムトラックAmtrakのアセラ特急Acela Expressや各駅停車のノースイースト・リージョナルNortheast Regionalが毎日発着する。アセラ特急なら、ニューヨークから約3時間40分、ワシントンDCから約6時間45分。ホテルがバックベイ（コープリースクエア）周辺ならサウスステーションの1駅前のバックベイ駅Back Bay Stationで下車するといい。

ちなみに、ボストンにあるもうひとつの鉄道駅ノースステーションNorth Stationは、セーラムやコンコードからのコミューターレイルやメイン州ポートランドからのアムトラック・ダウンイースター号Downeasterが発着する駅で、ワシントンDCやニューヨークとボストンを結ぶアセラ特急が停車する駅ではないので注意しよう。

長距離バス

サウスステーション・バスターミナルSouth Station Bus Terminalへ、ワシントンDCやニューヨークからのグレイハウンドGreyhoundをはじめ、マサチューセッツ州プリマスやケープコッドからプリマス&ブロックトンバスPlymouth & Brockton Busが、またコネチカット州ハートフォードやマサチューセッツ州ピッツフィールドからピーターパン・バスPeter Pan Busが発着する。空港行き快速バスにもサウスステーション・バスターミナルを経由する便がある。

チケットを購入したらゲートへ進もう

鉄道／バスターミナルから市内へ

鉄道とバスの複合駅であるサウスステーションSouth Stationは、ボストン市内のファイナンシャルディストリクト近くにありダウンタウンへも徒歩圏内だ。市内各所を結ぶ地下鉄Ⓣレッドラインも内部でつながっている。到着したら、Ⓣの看板を目印に、構内もしくはSummer St.出口からⓉレッドラインで市内に向かうといい。タクシーはAtlantic Ave.に何台も客待ちしており、早朝や深夜でも乗れる。

サウスステーション前にある、地下鉄レッドラインやシルバーラインの入口

MEMO サウスステーションからコープリースクエアまでは　地下鉄を利用するなら、Ⓣレッドラインで、Park St.駅まで行き、グリーンラインに乗り換える。所要約20分。タクシーなら約10分、約$16。

市内交通

地下鉄とバスの料金システム

　ブルックラインやケンブリッジを含むボストン周辺を走る地下鉄と路線バス、コミューターレイル（鉄道）、フェリーなどを運営しているのが、マサチューセッツ港湾交通局Massachusetts Bay Transportation Authority（MBTA）だ。

　地下鉄と路線バスの乗車には「チャーリーCharlie」と呼ばれるプリペイドカードが導入されている。チャーリーはプラスチック製の「チャーリーカードCharlieCard」と紙製の「チャーリーチケットCharlieTicket」の2種類。両方とも繰り返しチャージして利用できるが、「チャーリーカード」は「チャーリーチケット」より少し運賃が安くなる。ただし、

チャーリーカードはプラスチック製

チャーリーカードは地下鉄のPark Street駅やSouth Stationなどの案内窓口（→下記 MEMO）や指定のコンビニエンスストアでしか入手できない。チャーリーチケットは地下鉄駅にある自動券売機で発券される。また、地下鉄やバスに乗り放題の1日券の1デイリンクパス1-Day Link Pass（$12）や7日券の7デイリンクパス7-Day Link Pass（$19）なども自動券売機で購入できるので、利用頻度によって比較するといい。

チャーリーチケットの購入の仕方

　機械はタッチパネル方式になっている。また、クレジットカードしか受け付けない機械もあるので注意。

　すでにチャーリーチケットを所有している人は、チケットを挿入口に入れて手続きを進める。

MBTA
URL www.mbta.com

Customer Support Services
☎(617)222-3200
月〜金6:30〜20:00、土・日7:30〜18:00
Travel Information
Schedules & Complains
Free (1-800)392-6100

チャーリーチケットは紙製

地下鉄の改札口付近にある自動券売機

自動券売機の使い方

1 チャーリーチケットやバスの購入は、右上の水色にタッチ

2 地下鉄やバスなら左端のBus & Subway Ticketsを、バスなら右端のPassesをタッチ

3 Bus & Subway Ticketsをタッチして出た画面。Adultをタッチ

4 料金が出るので、指定の金額以外をチャージするなら、Other Amountをタッチ

5 乗り放題なら**2**でPassesをタッチして、1 or 7 Day LinkPassをタッチ

6 **4**、**5**で希望のものをタッチしたら、現金CashかクレジットカードCredit Cardをタッチ

MEMO　チャーリーカードが入手できる地下鉄駅　Alewife駅、Arlington駅、Back Bay駅、Downtown Crossing駅、Harvard Square駅、Haymarket駅、Kenmore駅、North Station、Park Street駅、South Stationなど。

地下鉄

URL www.mbta.com
運賃 チャーリーカード$2.10、チャーリーチケット＆現金$2.65。1日券$12、7日券$19
運行 毎日5:00～翌1:00（路線により異なる）。日曜の始発は少し遅い。運行状況は5～20分間隔

グリーンラインは4路線あるので注意

▶ボストンカレッジやボストン大学→Bライン
▶ジョン・F・ケネディの生家→CラインCoolidge Corner駅下車
▶シンフォニーホール→Eライン→Symphony駅下車
▶ボストン美術館→Eライン Museum of Fine Arts駅下車

地下鉄Government Center駅の閉鎖

改装工事のため、グリーンラインとブルーラインのGovernment Center駅は閉鎖されている。2016年3月に再開の予定。周辺のHaymarket駅、State駅、Park St.駅を利用しよう

▶地下鉄

　Ⓣ（ティー）と呼ばれるボストンの地下鉄は、全部で5路線ある。ブルーライン、オレンジライン、レッドライン、グリーンライン、シルバーラインだ。シルバーラインのみ連結バスという車両形態だが、区分は地下鉄になる。また、グリーンラインはB、C、D、Eの4路線あり、Copley駅とKenmore駅で路線が分かれる。路線によっては正確な運行ダイヤがないので、20分近く待たされることもしばしば。Government(Gov't) Center駅から郊外へ向かう路線をアウトバウンドOutbound（下り）、郊外からGovernment Center駅に向かう路線をインバウンドInbound（上り）という。

　地下鉄の入口には「Ⓣ」のマークがある。OutboundとInboundに改札口が分かれている駅もあるので注意するように。

　グリーンラインのCopley駅以西では、改札のない地上駅がほとんど。運転手のいる車両先頭から乗車し、チャーリーチケットを運転手横の読み取り機に挿入するか、現金で支払う。

　車内の治安はおおむね良好で、最も安全な路線はグリーンライン。逆に注意が必要な路線は、Chinatown駅より南側のオレンジライン。特にRuggles駅以南は必要がないかぎり行かないほうがいい。利用する際は人が多く乗っている車両を選び、夜間の乗車は避けるように。

MEMO ダウンタウンでは上りと下りに注意　Copley駅、Boylston駅、Kendall/MIT駅、Central Square駅では上りと下りのプラットホームはつながっていないので注意すること。

地下鉄の乗り方

1 駅を見つける

駅には地下鉄の⑦が書かれたサインがあるか、路線の色に駅名が書かれた看板がある。

駅によっては上り（Inbound）と下り（Outbound）のプラットホームが分かれていて、改札口が別々になっていることもあるので注意したい。

❶⑦のマークか、駅名が書かれた看板を探そう
❷Outboundとは下り専用の改札口

2 切符を買う

切符は改札口横の**自動券売機**で買う。切符の買い方は、「自動券売機の使い方」（→P.43）参照。

自動券売機では、チャーリーチケットとパスを購入できる

3 改札、ホームへ

チャーリーチケットやパスの場合は、**改札口のチケット挿入口にチケットの矢印を上にして入れる**。チケットがいったん引き込まれ、そのあとすぐに出てくるので、それを抜き取ったあと改札に入る。チャーリーカードの場合は、**改札口右側の黒い読み取り機にカードをかざすと改札口が自動で開く**。

進行方向を確認し電車を待つ。**進行方向（Inbound/Outbound）によってホームが異なる駅もある**ので注意しよう。

グリーンラインのCopley駅以西の地上駅には改札口がない場合がほとんど。運転手のいる車両先頭から乗車し、運転手横の読み取り機にチケットを挿入するか、現金を支払う。

❶自動改札なので、チケットやパスを準備すること ❷チャーリーチケットは、黄色部分にチケットを挿入する。チャーリーカードは、黒い部分にカードをかざす ❸改札口がない駅からの乗車の際は、運転手横にある機械に現金やチケットを挿入するか、カードをかざす ❹行き先のホームを確認する

4 乗車、車内

地下鉄が来たら、降りる人を待ってから乗り込む。

行き先が不安だったら近くの人に「Is this for XX ?」（XX行きですか？）と聞こう。ドア付近の車椅子のステッカーが貼ってある場所は、車椅子専用のエリア。

ドア付近の車椅子専用エリア

5 下車

停車駅を告げるアナウンスはあるが、かなり早口なのと電車の騒音で聞き取ることは難しい。事前に自分の降りる駅は何駅目か調べておくか、ホームに書いてある駅名を確認しよう。なお、グリーンラインのCopley駅以西の地上駅では、**降りたい駅で黄色のボタンを押さないと停まらないことが多い**。その際、車両先頭のドアからしか降りられないことがほとんどだ。

❶ホームには、駅名が書かれている ❷グリーンラインの地上駅で降りるときは、ドアのそばにある黄色いボタンを押すこと ❸ボタンを押すと、「STOP REQUEST」と表示される

6 出口

ホームに降りたら、**EXITというサインをたどっていけば外に出られる**。駅によっては通り（StreetやAvenue）別に出口が複数あるので行き先を確認しよう。

駅により出口が複数あるので、行き先を確認するように

 MEMO Copley駅での乗り換え注意　グリーンラインKenmore駅方面からEラインMuseum of Fine Arts駅へ行く場合、Copley駅の次のArlington駅まで行けば、無料で乗り換えられる。

バス

URL www.mbta.com
圏 ローカル：チャーリーカード$1.60、チャーリーチケット＆現金$2.10。エクスプレスバス：チャーリーカード$3.65～5.25、チャーリーチケット＆現金$4.75～6.80。バスに乗車の際、現金で支払うときはおつりが出ないので、ぴったりの小銭を用意すること。チャーリーカード、チャーリーチケットでの支払いに限り、トランスファー（乗り換え）
圏 毎日5:00～翌1:00（路線により異なる）

バス乗車の注意
乗客が少ないときは安全のためドライバー席の近くに座ろう。夜間は乗降客が多いバス停を利用し、閑散としたバス停は避けること

フェリー
圏 インナーハーバー・フェリー$3.25、コミューターボート$8.50～17
圏 月～金6:30～20:00、土・日7:30～18:00（路線により異なる）

▶バス
　ボストン市内やケンブリッジ、ブルックラインなどを縦横に走るほか、レキシントンやセーラムなどの郊外へも運行している。約170の路線あり。ボストン市内では地下鉄グリーンラインのHynes Convention Center駅やシンフォニーホールとハーバードスクエアを結ぶ#1の利用頻度が高い。

#1は地下鉄Ⓣ Hynes Convention Center駅の改札を出た目の前に停車する

▶フェリー
　チャールズタウンとロングワーフを結ぶインナーハーバー・フェリーInner Harbor Ferryとクインジーやハルとローガン国際空港、ロングワーフを結ぶコミューターボートCommuter Boatがある。

ローガン国際空港からウオーターフロントを結ぶフェリー

バスの乗り方

1 バス停を見つける
　バスの路線番号が書かれた看板を路線沿いで見つける。看板にはⓉのマークが表示されている。
　同じバス停に複数の路線が乗り入れているときは、バスが来たら、**バスのフロント上部に表示されている番号と行き先を確認**。自分の乗るバスが近づいたら手を挙げるなどして乗る意志を伝えよう。

❶バス停にあるポールには、路線番号が書かれている　❷自分の乗りたいバスがバス停に近づいてきたら、手を挙げてバスの運転手に合図を送る

2 バスに乗る
　乗車は**前のドアから**順番に乗り、**チャーリーチケットを挿入**するか、**チャーリーカードをかざす**か、**現金を入れる**。現金払いの際は、小銭を用意しておこう。**おつりは出ない**。

　☺MEMO バスの時刻表　ウェブサイト、もしくは地下鉄のPark St.駅やGovernment Center駅、Harvard Square駅で入手できる。

バスの行き先が不安な場合は、「Is this for XX ?」（これはXX行きですか？）と聞こう。

車内に次のバス停を知らせる表示やアナウンスがある場合もあるが、よくわからないときは「Please let me know when we get to XX.」（XXに着いたら知らせてください）と乗車時にドライバーに伝えておくといい。

❶自分が乗りたいバスか、フロント上部のパネルで確認したあと、前のドアから乗車する ❷現金で支払う場合は、左のBILLSとCOINSにお金を入れる。チャーリーチケットでは、右上のTICKETにチケットを挿入。チャーリーカードは、黒いCARD TARGETにカードをかざす

3 車　内

安全のため車内ではなるべく**前のほうの座席に座る**ようにしたい。混雑しているときは奥へ入ってしまってもかまわない。入口付近の席はシルバーシートと車椅子利用者優先席で、跳ね上げると車椅子が収まるようになっている。

❶なるべく優先席以外の前方の席に座ろう ❷前方には、車椅子利用者優先席がある

4 降りる合図をする

降りるバス停が近づいたら、**窓の近くにある黄色のゴムの帯を押す。**すると前方の電光掲示板に**「Stop requested」**と表示され、アナウンスがあるので降りる準備をしよう。

❶自分が降りたいバス停が近づいたら、黄色いゴムの帯を押す ❷バス前方に「Stop requested」のサインが出る

5 降りる

基本的に**バスを降りるときは後ろのドア**から。ほとんどが自動だ。もし、ドアが開かないときは、**「Back door, please!」**（後ろのドアを開けてください）と叫ぼう。

降りるときは後ろのドアから

コミューターレイル

[URL] www.mbta.com
[運行日時] 毎日6:30〜24:00。月〜金の朝夕は運行本数も多いが、土・日は減便。ウェブサイトでスケジュールの確認を
[料金] 1A〜10のゾーン制、$2.10〜11.50（車内で購入するときは$3の追加料金がかかる場合もある）

営業許可書が貼ってある正規のタクシー

タクシー乗車の注意
トランクにBoston Lic Taxiの営業許可書が貼ってある正規のタクシー会社を利用すること。
メーター制ではあるが、ボラれないためにも、行き先を告げる際およその料金を尋ねる。
行き先は、観光ポイント、建物、ホテル名、もしくは住所を告げれば間違わない

▶コミューターレイル

アムトラックからMBTAが運行を請け負って走らせている通勤列車。行き先によって発着駅は異なり、ノースステーションかサウスステーションになる。セーラムやコンコード行きはノースステーション駅発。

料金はゾーン制で、切符は駅の窓口で購入する。チャーリーカードは使用できない。改札口はなく、発車時刻になると、番線がアナウンスとともに電光掲示板に表示される。座席は自由。発車してすぐ車掌が検札にやってくる。到着した駅にも改札はない。

▶タクシー

ボストンのタクシーはメーター制。基本料金は$2.60で、1/7マイル走るごとに40¢加算される。ローガン国際空港から出るタクシーはトンネル代＋空港税（$7.50）が加算される。空港に向かう場合は、空港税（$2.75）のみ加算。降りる際、メーターの料金にチップ10〜20%を加算する。

ホテルの前などのタクシー乗り場以外でも、町なかで流しのタクシーをひろうことができる。

MBTA
コミューターレイル
路線図

- Fairmount Line
- Fitchburg/South Action Line
- Framingham/Worcester Line
- Franklin Line
- Greenbush Line
- Haverhill Line
- Kingston/Plymouth & Middleborough/Lakeville Line
- Lowell Line
- Needham Line
- Newburyport/Rockport Line
- Providence/Stoughton Line
- アメリカンフットボール試合催行時特別列車

ボストン市内のタクシー会社　Boston Cab ☎(617)536-5010、ITOA ☎(617)825-4000、Metro Cab ☎(617)782-5500

現地発のツアー

ボストン・ダックツアー

Boston Duck Tours

　水陸両用車でボストン市内を巡るボストンでいちばん人気のツアー。バックベイやダウンタウンを回ったあと、チャールズ川へ。川を下りハーバード橋手前でUターンする。風を切って走る車内から眺めるプルデンシャルセンターやジョン・ハンコック・タワーなどの景色が美しい。所要約1時間20分。プルデンシャルセンター出発のツアーは、ヘッドセット着用で日本語の解説が聞ける。

ダックツアーはボストン観光で外せない

オールドタウン・トロリー

Old Town Trolley

　各ポイントでの乗り降りが自由のトロリーツアー。ドライバー兼ガイドがボストンの史跡や名所を英語で解説してくれる。ルートはTrolley RouteとSeaport Loopのふたつ。Trolley Routeはマサチューセッツ州議事堂、フェンウエイパーク、TDガーデン、ボストン・マリオット・ロングワーフホテルなどに停車する。Seaport Loopはサウスステーション、ボストン・マリオット・ロングワーフホテル、ボストン・フィッシュ・ピアなどのシーポートディストリクトを循環。ほかにも、ゴースト＆グレイブストーン・ツアーGhosts & Gravestones Tour（所要約1時間30分）やチョコレートツアーChocolate Tourなどもある。

グレイラインツアー

Gray Line Boston / Brush Hill Tours

　英語のガイド付きバスツアー。ジョン・F・ケネディ・ライブラリーやセーラム、レキシントン＆コンコードの市内ツアーをはじめ、プリマスやケープコッド、レンサムビレッジ・プレミアム・アウトレットなどへの日帰りツアーなども多数催行する。そのほか、市内観光にはBeantown Trolley Tourがあり、チャールズタウン・ネイビーヤード、ロングワーフ、ファニュエルホール、ボストンコモン、フェンウエイパークなどに停車する。1周約1時間30分。

Boston Duck Tours
Ⓜ P.34-B1、P.67-A1、P.85-B2
☎(617)267-3825
URL www.bostonducktours.com
🕐3月下旬～10月中旬の毎日。9:00より日没の約1時間前まで。最終ツアー出発まで30分～1時間おき
💰大人$35.99、シニア・学生$29.99、子供（3～11歳）$24.99、3歳未満$10.50
出発地そばのチケットブース、ウェブサイトで購入可
出発地は市内に3ヵ所。プルデンシャルセンター横のStar Market前、科学博物館前、ニューイングランド水族館前

Old Town Trolley
Free (1-855)396-7433
URL www.trolleytours.com/boston
🕐〈4月中旬～10月〉毎日9:00～17:00、〈11月～4月上旬〉毎日9:00～16:00
💰大人$40.95、シニア$38.85、子供（4～12歳）$19.95、3歳以下無料
ウェブサイト割引あり

Ghosts & Gravestones Tour
🕐〈4月〉金～日19:00、19:30、20:00、20:30、21:00、〈5月上旬～5月中旬〉木～日19:00、19:30、20:00、20:30、21:00、〈5月下旬～10月〉毎日19:00、19:30、20:00、20:30、21:00

Chocolate Tour
🕐〈1～4月〉土11:30、12:30。要事前予約

Gray Line Boston／Brush Hill Tours
（グレイラインツアーを催行する旅行会社）
Free (1-800)343-1328
URL www.brushhilltours.com
ツアーの最後にドライバーやガイドにチップを渡す

Beantown Trolley Tour
🕐毎日9:00～16:30
💰1日券：大人$35、シニア$33、子供（3～12歳）$15
2日券：大人$42、シニア$42、子供（3～12歳）$20

おすすめ情報

おもな見どころをカバーするお得なパスGo Boston Card

　ボストンに点在する48の見どころの入場料がセットになったパス。1日券～7日券まであり、3～7日券はボストン・ダックツアーやホエールウオッチングツアー、ボストン・レッドソックスのチケットも付く。該当する見どころは旧州議事堂、ニューイングランド水族館、ボストン現代美術館、ボストン子供博物館、ポール・リビアの家、プルデンシャルセンター・スカイウオーク展望台、フェンウェイパーク（ツアー）、MIT博物館、ハ

ーバード大学自然史博物館、ジョン・F・ケネディ・ライブラリー、サミュエル・アダムズ・ブリュワリー（ツアー）など。ウェブサイトからパスを購入し、プリントアウトする。

Go Boston Card
URL www.smartdestinations.com
💰1日券：大人$54、子供（3～12歳）$37、2日券：大人$75、子供（3～12歳）$55、3日券：大人$109、子供（3～12歳）$75、5日券：大人$145、子供（3～12歳）$100、7日券：大人$170、子供（3～12歳）$115

アーバン・アドベンツアーズ（サイクリングツアー）

Urban AdvenTours
M P67-A1
住 103 Atlantic Ave., Boston
☎ (617)379-3590
URL www.urbanadventours.com
営〈4〜9月〉毎日9:00〜20:00、〈10月〉毎日9:00〜19:00、〈11月〜3月上旬〉月〜土9:00〜18:00、〈3月中旬〜3月下旬〉毎日9:00〜19:00
場所 ⓣ ブルーライン Aquarium駅下車すぐ
料 $40〜（2〜3時間）
ツアー 毎日10:00、14:00、18:00（冬季は10:00のみ）出発
ガイド、自転車、ヘルメット、ミネラルウォーター付き。ガイドへのチップもお忘れなく

Urban AdvenTours

ボストン市内を自転車で駆け回るツアー。ベテランガイドが先導してくれるので、初心者や子供連れの夫婦、シニアでも問題ない。ツアーの種類も豊富にあるので、ガイドと相談して決めるといい。自転車のレンタルあり。

チャールズタウン・ネイビーヤードまでガイドと一緒に走る

ボストンハーバー・クルーズ

Boston Harbor Cruises
☎ (617)227-4321
Free (1-877)733-9425
URL www.bostonharborcruises.com
場所 Long Wharf（M P67-A1）
営3月下旬〜10月
ロングワーフ発／〈3月下旬〜5月上旬〉月〜金10:00、土・日10:00、14:00、〈5月中旬〉月〜金10:00、12:00、土・日10:00、11:00、12:00、14:00、〈5月下旬〜6月中旬〉月〜金9:00、10:00、12:00、14:00、土・日10:00、11:00、12:00、14:00、15:00、〈6月下旬〜9月上旬〉月〜金9:00、10:00、11:00、12:00、14:00、土・日9:00、10:00、11:00、12:00、13:00、14:00、15:00、〈9月中旬〉月〜金10:00、12:00、土・日10:00、11:00、12:00、14:00、〈9月下旬〜10月〉月〜金12:00、土・日10:00、12:00
料大人$49、シニア$44、子供（3〜11歳）$33、3歳未満$16

Boston Harbor Cruises

マサチューセッツ湾沖に広がるStellwagen Bank National Marine Sanctuaryは、見事なジャンプを見せてくれるハンプバックホエール（ザトウクジラ）が見られる海域として有名である。ボストンハーバー・クルーズ社Boston Harbor Cruisesのホエールウオッチング船は、この海域を目指して出航する。3月下旬〜10月頃まで催行されるが、3〜4時間もかかる長旅。やはり、ベストシーズンは夏である。10月になると、船上は寒くて荒波で船が揺れることも多く、防寒対策や酔い止め薬などは準備しておきたい。

夏なら、ほぼ間違いなくクジラを観察できる。ただし、ザトウクジラが巨体を躍らせるジャンプ姿は、それほど頻繁に見られるわけではない。ザトウクジラ以外では、フィンバックホエール（ナガスクジラ）、ゴンドウクジラ、ミンククジラやイルカ類なども見られる。

船はロングワーフから出航。万が一、クジラが見られなかった場合、再度乗船できるチケットが発行される。

チケットはここで購入

おすすめ情報

ブランチクルーズを楽しもう

ぜひ体験してもらいたいのが、ボストン湾のハーバークルーズ。実はこのハーバー、1996年にボストンハーバー・アイランド国立公園Boston Harbor Islands National Parkに指定された景勝地なのである。34もの島々と35マイルにも及ぶ海岸線が保護され、サウスボストンのクインジーあたりをドライブすると、都会とは思えない風光明媚な海景色に出合える。

ボストンハーバー・クルーズ社Boston Harbor Cruisesの「ウイークエンド・ライトハウス・ブランチ・クルーズ」は、船内でランチバフェを楽しみながら、このボストンハーバーへと向かう。船はロングアイランドあ

ランチを堪能

たりまでクルーズする。見どころは、チャールズタウン・ネイビーヤードに係留されている大型帆船、米国船コンスティテューション号を船から見られること。そして、シーポートのコンベンションセンターやボストン現代美術館（ICAボストン）などの海沿いを走り、貿易港ボストンの横顔も見せてくれること。船内ではこのエリアに熟知したガイドが歴史や地理について説明してくれる。

Boston Harbor Cruises
Weekend Lighthouse Brunch Cruise
M P67-A1
住1 Long Wharf, Boston
☎ (617)227-4321 Free (1-877)733-9425
URL www.bostonharborcruises.com
場所 Long Wharf
営〈5月下旬〜9月下旬〉毎日12:00〜14:30（乗船11:30）、所要約2時間30分 料大人$59.95

from Readers　ホエールクルーズに参加　8月で日差しも強く30℃くらいあったが、船上ではかなり寒かった。船内もエアコンが効いていて寒い。暑い夏でも必ず上着が必要だ。（新潟県　つぼんぬ '13）['15]

日本語観光ツアー

　ボストンには信頼のおける日系の旅行会社が数社ある。日本語が通じ、日本人が経営する会社なので安心だ。詳しくはウェブサイトで確認し、メールやFAXなどで最低3～4日前までには問い合わせたい。ツアーは事前予約が基本だが、日本語で親切に応対してもらえる。

ツアー名	料　金	催行時間	内　容
ボストン半日観光	大人$77～95、子供$66～83	9:00～13:00 4時間	フリーダムトレイル、ビーコンヒル、フェンウェイパーク、ハーバード大学、マサチューセッツ工科大学を回り、クインシーマーケットで昼食
ボストン1日観光	大人$110～133、子供$95～115	9:00～17:00 6～8時間	半日観光に加え、ボストン美術館で美術鑑賞
レキシントン＆コンコード	大人$80～120、子供$75～100	10:00～14:00、13:00～17:00 4時間	コンコードのオールドノース橋、オーチャードハウス、レキシントンのミニットマンの像、レキシントングリーン
セーラム	大人$115～135、子供$96～120	10:00～14:00、14:30～18:30 4時間	ピーボディ・エセックス博物館、七破風の家、セーラム魔女博物館
レンサムビレッジ・プレミアム・アウトレット・ショッピング	大人$88～115、子供$75～100	9:00～14:00 5～6時間	ボストンの南西約48kmにあるアウトレットモール（→P.130）。約170店舗集まる
プリマス	大人$130～150、子供$105～130	9:00～15:00 5～6時間（4～11月）	プリマスプランテーション、メイフラワー2世号
バークシャー地方	大人$180～195、子供$150～185	9:00～17:00 8時間	ノーマン・ロックウェル美術館、アンティークショップ
ボストン美術館	大人$90～155、子供$80～108	10:00～13:00 3～4時間	館内見学
ケープコッド	大人$245～、子供$196～	9:00～17:00 8時間	ハイアニスやプロビンスタウン、サンドイッチ

Boston International Travel
🏠1330 Beacon St., Suite 309, Brookline, MA 02446
☎(617)713-0070
📠(617)713-0075
URL www.travel-bit.com
🕐月～金9:00～17:00

TOS Boston
🏠607 Boylston St., 6th Fl., Boston, MA 02116
☎(617)424-1188
📠(617)424-1110
URL www.tosboston.com
🕐月～金9:00～18:00

Total Travel & Excursions, Inc.
🏠1815 Massachusetts Ave., 3E, Cambridge, MA 02140
☎(617)876-1900
📠(617)876-3330
URL www.bostontotaltravel.com
🕐月～金10:00～18:00

Worldwide Planning Service (WPS)
🏠44 School St., Suite 705, Boston, MA 02108
☎(617)227-9622
📠(617)227-9610
🕐月～金10:00～18:00

※左記の表はボストンの日系旅行会社が扱うボストン発のツアーの一覧。旅行会社によって、若干出発時刻や所要時間、料金の違いがある。詳しくは直接問い合わせのこと

おすすめ情報

無人自転車貸し出しシステム

　2011年7月から始まった無人の自転車貸し出しシステムのハブウェイHubwayは、クレジットカードとヘルメットがあれば、誰でも自転車を借りることができる自転車貸し出しシステム。地元の人だけでなく旅行者にも好評だ。ボストンやケンブリッジ、ブルックラインなどに、約140の貸し出し場所（ステーション）があり、約5万台の自転車を保有する。料金体系は、基本料金と時間料金の合算。30分未満なら、基本料金のみ課せられる。貸し出しの際は、自転車貸し出し機でパスコードを入手し自転車のロックを外す。返却は、空いているバイクステーションに戻すだけ。
　ただし、ボストン市内は道が狭いうえ、車を運転する人のマナーがなっていないので危険。チャールズ川沿いの遊歩道でサイクリングを楽しむのがいい。

Hubway
URL www.thehubway.com
カード M V
料 基本料金：1日$6、3日間$12。時間料金：0～30分無料、31～60分$2、61～90分$6、91～120分$14、121～150分$22、151～180分$30など

ボストン市内でよく見るバイクステーション

ボストンの治安

治安がよいボストンだが、地下鉄車内、クインシーマーケットはスリの被害も多い。夜の公園や暗い道は避けたい。レッドラインのJFK/UMass駅周辺のサウスボストンSouth BostonやドーチェスターDorchester、その南西にあるマタパンMattapan、オレンジラインのRuggles駅以南は、ボストンのなかで特に治安が悪いエリアとして知られている。ただし、ドーチェスターにあるジョン・F・ケネディ・ライブラリー周辺は、開館中は心配ない

Boston Common Visitor's Center
Ⓜ P.35-C3、P.55-A3
🏠 139 Tremont St., Boston
☎ (617)536-4100
URL www.bostonusa.com
⏰ 毎日8:30～17:00（土・日9:00～）休 11月第4木曜、12/25
行き方 Ⓣレッド、グリーンラインPark St.駅下車、徒歩1分

The Shops at the Prudential Visitor Information Booth
Ⓜ P.85-A1～B1
🏠 800 Boylston St., Boston
⏰ 毎日9:00～17:30（土・日～18:00）

National Park Service Visitor Center
URL www.nps.gov/bost

Faneuil Hall
Ⓜ P.35-D2、P.55-B3、P.67-A1
🏠 Faneuil Hall, 1st Fl., Boston ☎ (617)242-5642
⏰ 毎日9:00～18:00
休 11月第4木曜、12/25、1/1
行き方 Ⓣブルー、オレンジラインState駅下車、徒歩2分。グリーンラインGovernment Center駅下車、徒歩約3分

Charlestown Navy Yard
Ⓜ P.74-2
🏠 Charlestown Navy Yard, Boston ☎ (617)242-5601
⏰ 〈4～11月〉毎日9:00～17:00、〈12～3月〉火～日9:00～17:00
休 11月第4木曜、12/25、1/1
行き方 Ⓣオレンジ、グリーンラインNorth Station駅下車、徒歩約15分

ボストンの歩き方

ボストンは地下鉄と徒歩で観光できる

ボストンは、ケンブリッジ市、ブルックライン市などに隣接したアメリカ東部の大都市である。ボストン市自体はそれほど広くない。チャールズ川北側のケンブリッジやボストン西側のブルックラインへも、地下鉄で簡単に移動できる。

本書では、ボストンを11のエリアに分けて紹介している（→P.53）。見どころが凝縮しているボストンには、エリアごとに重要な史跡が点在し、エリア内なら徒歩で見学できる。エリアからエリアへの移動は地下鉄やバスを使うか、徒歩で間に合う。

フリーダムトレイルから歩き出そう

ボストンの観光は、フリーダムトレイルFreedom Trailを歩くことから始めよう。トレイル上には、アメリカ独立へ向けて、先人たちがかかわってきた重要な史跡16ヵ所が点在し、赤いラインで結ばれている。このラインに沿って歩けばよい（→P.55）。

エリアで説明すると、「フリーダムトレイル」はダウンタウンからノースエンド、チャールズタウンへと続く。出発点は、ボストンコモンの観光案内所だ。町の中心に位置するこの公園の目の前には、地下鉄ⓉのPark Street駅がある。

観光案内所

●ボストンコモン観光案内所
ボストンコモン内にある案内所。フリーダムトレイルの出発点でもある。地図や資料も豊富に揃う。

●プルデンシャルセンター観光案内所
ショッピングモールのプルデンシャルセンター2階中央にあるブース。スタッフも常駐し、地図やパンフレットなどを取り揃える。

●ナショナルパークサービス観光案内所
国立公園などを管理するナショナルパークサービスの観光案内所。ファニュエルホールとチャールズタウン・ネイビーヤードにある。フリーダムトレイルの詳細マップあり。

おすすめ情報

観光にお得なパスCity Pass

ボストンのおもな観光スポットを訪れるならおすすめのパス。下記の見どころの入場券がセットになっている。シティパスCity Passを使って4ヵ所を訪れるなら、トータルでほぼ半額をセーブできる。下記5ヵ所の窓口、もしくはウェブサイトから購入が可能で、使用開始から9日間有効だ。
- ●ニューイングランド水族館（→P.68）
- ●科学博物館（→P.82）
- ●ボストン美術館（→P.91）
- ●プルデンシャルセンター・スカイウオーク展望台（→P.86）、もしくはハーバード大学自然史博物館（→P.114）

City Pass
Free (1-888)330-5008
URL www.citypass.com/boston
料 大人$49、子供（3～11）$36

チケットが束になっているCity Pass

MEMO City Pass 「地球の歩き方」のウェブサイトでもシティパスを販売している。
URL parts.arukikata.com/citypass/bos.html

ボストンのエリアガイド

ダウンタウン　P.58
ボストンコモンからクインシーマーケットまで、フリーダムトレイルの主要スポットが続く。クインシーマーケットでランチや買い物を楽しもう。

ウオーターフロント　P.67
クインシーマーケットから大通りを渡って、ウオーターフロントに抜けられる。水族館やハーバーツアーなど家族連れに人気のスポットがめじろ押しだ。

ノースエンド　P.71
フリーダムトレイルをゆっくり歩くなら、ここが初日の終点。ボストンきってのイタリア人街で、安くておいしいイタリアンが食べられる場所だ。

チャールズタウン　P.74
ボストンハーバーの河口に架かるチャールズタウン橋を渡る。軍港ネイビーヤードを見学したらバンカーヒル記念塔へ。ここがフリーダムトレイルの終点。

ビーコンヒル　P.78
ボストンのお金持ちが暮らす高級住宅街。かつてここから奴隷制廃止の声が上がった。その史跡を巡るブラック・ヘリテージトレイルを歩こう。

バックベイ　P.83
ボストンの食事と買い物の中心地、ニューベリー通りがある。高級ホテルの多くがここに集まり、深夜までにぎわう観光エリア。

サウスエンド　P.90
Ⓣバックベイ駅から南へ徒歩10分ほど。れんがの長屋が連なる町並みに出会えるネイバーフッド。Tremont St. や Washington St. へ、そぞろ歩きを楽しもう。

フェンウエイ　P.91
フェンウエイパーク（球場）やボストン交響楽団、ボストン美術館、イザベラ・スチュワート・ガードナー美術館などがある文化、エンターテインメントスポット。

ブルックライン　P.106
ボストンの西隣にあり、Ⓣグリーンライン（C）で行ける。ジョン・F・ケネディ大統領の生家がある。日本人が多く暮らす住宅街。

ケンブリッジ　P.108
ボストン中心部からⓉレッドラインでチャールズ川を越えた対岸。ハーバード大学やマセチューセッツ工科大学（MIT）がある学生街だが、しゃれたブティックも多い。

サウスボストン　P.119
ダウンタウンの南東に位置する。ジョン・F・ケネディ・ライブラリーやクインジーのアダムズ国定歴史公園などが見どころ。

ボストン＆ケンブリッジ

ハーバード大学

チャールズタウン P.74

ケンブリッジ P.108

ノースエンド P.71

ボストンハーバー

ビーコンヒル P.78

ウオーターフロント P.67

チャールズ川

ボストンコモン

ダウンタウン P.58

パブリックガーデン

バックベイ P.83

シアターディストリクト

チャイナタウン

シーポート

ブルックライン P.106

フェンウエイ P.91

サウスエンド P.90

サウスボストン P.119

The Freedom Trail Foundation

📍 99 Chauncy St., Suite 401, Boston
☎ (617)357-8300
🔗 www.thefreedomtrail.org

ツアー／

Walk into History Tour
Boston Common to Faneuil Hall

16のうち11ヵ所の史跡をガイドの解説を聞きながら回る。ボストンコモン観光案内所から、毎日11:00～16:00の毎時出発。12～4月は11:00、12:00、13:00出発のみ。所要約1時間30分
💰 大人$14、シニア$12、子供$8
ウェブサイトで購入すれば割引あり

Historic Holiday Stroll Tour

19世紀中頃ボストンでどのようにクリスマスシーズンを祝っていたかをフリーダムトレイルを回りながら解説するツアー。ファニュエルホールのBosTixブースやボストンコモン案内所から11～1月の木～日15:30に出発。所要約1時間30分。事前予約必要
☎ (617)357-8300
💰 大人$29、子供$19

植民地時代ってこんな感じ

観光案内所から赤い線に沿って歩き始めるといい

フリーダムトレイルの歩き方

フリーダムトレイルって何？

アメリカ東海岸に築かれた13植民地の人口は、1760年代には150万人を超え、1700年代当初の6倍にも膨れあがっていたという。しかし、たび重なる重税にあえぐ植民地とイギリス政府の関係はしだいに冷え込み、1763年頃を契機に、13植民地と英国は、決別の道を歩む。時代は、アメリカ独立へと動き始めていたのである。

ボストンには、自由の国アメリカ建国へ向けてひた走った、先人ゆかりの家や場所が史跡として残されている。それを、**フリーダムトレイルFreedom Trail**と名づけ、フリーダムトレイルファウンデーションThe Freedom Trail Foundationの人々が守り、後世に伝える活動をしている。

植民地当時の衣装を身にまとったガイドさんが案内するガイドツアーも催行され、欧米人には人気が高い。ツアーは毎日行われているので、この光景を見かけた人も多いはず。歴史に興味のある人は、英語でのツアーだけれど、ぜひ参加してみよう。

全ルート踏破に挑戦！

トレイルの全長は、約2.5マイル（約4km）。ボストンコモンを出発して、終点はチャールズタウンのバンカーヒル記念塔まで、16ヵ所の史跡を結んでいる。ボストンコモン前の歩道には、赤い線が引かれ、この線に沿って歩けばフリーダムトレイルが踏破できる仕組みだ。赤い線はところどころはげていたり、わかりにくかったりするが、多くの人が歩いているので、まず迷うことはないはず。ただ歩くだけなら1時間ほどの距離だが、見学しつつ休憩も入れて終着地まで歩き通せば、ほぼ1日かかる。足腰が強い欧米人は夏の暑い日でも、平気で歩いているが、踏破するとそうとう疲れるので、初日はオールドノース教会かコップスヒル墓地までにして、チャールズタウンへは後日あらためて訪問するのが賢明な歩き方だろう。行きも帰りも歩きが基本！

地図はボストンコモンの観光案内所やファニュエルホールのナショナルパークサービス観光案内所で手に入る。ボストン観光の基本となるトレイルなので、ぜひ歩いてみよう。

💬 MEMO フリーダムトレイルを回るときに便利なチケット　オールドサウス集会場と旧州議事堂、ポール・リビアの家の入場券がセットになったチケット。各見どころで購入できる。Freedom Trail Ticket 💰 大人$16.50、子供（6～17歳）$2

フリーダムトレイル・マップ

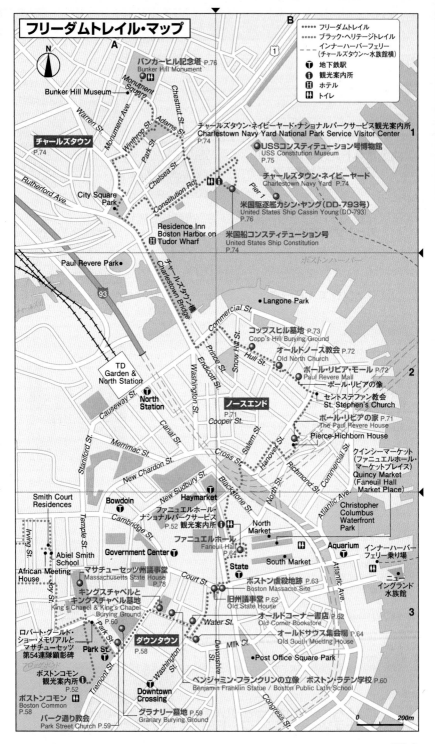

凡例
- ••••• フリーダムトレイル
- ••••• ブラック・ヘリテージトレイル
- ‒‒‒ インナーハーバーフェリー（チャールズタウン～水族館横）
- 🚇 地下鉄駅
- ℹ️ 観光案内所
- 🏨 ホテル
- 🚻 トイレ

A

バンカーヒル記念塔 P.76
Bunker Hill Monument

Bunker Hill Museum

チャールズタウン
P.74

Monument Square

Warren St.
Winthrop St.
Monument Ave.
Adams St.
Park St.
Chestnut St.
Chelsea St.
Constitution Rd.

B

チャールズタウン・ネイビーヤード・ナショナルパークサービス観光案内所
Charlestown Navy Yard National Park Service Visitor Center P.74

USSコンスティテューション号博物館
USS Constitution Museum P.75

チャールズタウン・ネイビーヤード
Charlestown Navy Yard P.74

Pier 1

米国駆逐艦カシン・ヤング（DD-793号）
United States Ship Cassin Young（DD-793）P.76

米国船コンスティテューション号
United States Ship Constitution P.74

Rutherford Ave.

City Square Park

Residence Inn Boston Harbor on Tudor Wharf

Paul Revere Park•

Charlestown Bridge チャールズタウン橋

93

TD Garden & North Station

North Station

Causeway St.
Stanford St.
Merrimac St.
New Chardon St.
Canal St.
Washington St.

Commercial St.

• Langone Park

コップスヒル墓地 P.73
Copp's Hill Burying Ground

オールドノース教会 P.72
Old North Church

ポール・リビア・モール P.72
Paul Revere Mall

ポール・リビアの像
Paul Revere Mall

セントステファン教会
St. Stephen's Church

ポール・リビアの家 P.71
The Paul Revere House

Pierce-Hichborn House

Prince St.
Snow Hill St.
Hull St.
Endicott St.

ノースエンド

Cooper St.
Cross St.
Salem St.
Hanover St.
North St.
Richmond St.
Commercial St.

クインシーマーケット（ファニュエルホール・マーケットプレイス）
Quincy Market（Faneuil Hall Market Place）

Smith Court Residences

Bowdoin

ファニュエルホール・ナショナルパークサービス観光案内所 P.52

ファニュエルホール
Faneuil Hall P.64

Haymarket

North Market

South Market

Christopher Columbus Waterfront Park

Abiel Smith School

African Meeting House

Government Center

マサチューセッツ州議事堂
Massachusetts State House P.78

キングスチャペルと
キングスチャペル墓地
King's Chapel & King's Chapel Burying Ground P.60

ロバート・グールド・ショー・メモリアルとマサチューセッツ第54連隊顕彰碑

ボストンコモン観光案内所 P.52

ボストンコモン
Boston Common P.58

パーク通り教会
Park Street Church P.59

State

旧州議事堂
Old State House P.62

ボストン虐殺地跡 P.63
Boston Massacre Site

Aquarium

ニューイングランド水族館

インナーハーバーフェリー乗り場

Atlantic Ave.

オールドコーナー書店 P.62
Old Corner Bookstore

オールドサウス集会場 P.64
Old South Meeting House

•Post Office Square Park

Park St.

ダウンタウン
P.58

Downtown Crossing

グラナリー墓地 P.59
Granary Burying Ground

Water St.
Milk St.
Court St.
Devonshire St.
Washington St.
Tremont St.
Temple St.
Joy St.
Irving St.
Park St.
New Sudbury St.
Cambridge St.
Blackstone St.
Congress St.

ベンジャミン・フランクリンの立像 ／ ボストン・ラテン学校 P.60
Benjamin Franklin Statue / Boston Public Latin School

0   200m

1
2
3

ボストンのモデルコース

初めてのボストン

芸術鑑賞やスポーツ観戦が楽しめるボストン。地下鉄で定番のスポットを回ることができる。

観光2日間コース

1日目

Ⓣグリーンライン（E）Museum of Fine Arts 駅下車、徒歩約2分

10:00 **ボストン美術館**（→P.91）

印象派の作品が多く集まるギャラリーも見逃せない。ランチは館内にあるレストランで

上／モネの『睡蓮』は2作品所蔵されている　左／館内中央にレストランがあるほか、カフェやバーもある

徒歩6分

15:10 **イザベラ・スチュワート・ガードナー美術館**（→P.103）

ジョン・シンガー・サージェントやレンブラントの作品も並ぶ

個人の邸宅だったとは想像できない豪華な建物

Ⓣグリーンライン（E）→グリーンライン（B）（C）（D）で Kenmore 駅下車、徒歩約5分

18:00 **フェンウエイパーク**（→ P.105、158）

レッドソックスのナイターゲームを観戦。夕食は、フェンウエイドッグやロブスターロール、クラムチャウダーを

名店リーガル・シーフードのクラムチャウダーとロブスターロール

2日目

Ⓣグリーンライン Park St. 駅下車すぐ

赤い線に沿って歩こう

9:00 **フリーダムトレイル**（→P.54）

ボストンコモンから、マサチューセッツ州議事堂、パーク通り教会、旧州議事堂、ファニュエルホールなど

徒歩

11:30 **クインシーマーケット**（→P.65）

フードコートがあるので、気楽にシーフードが食べられる

お手頃価格でロブスターをランチに

Ⓣレッドライン Harvard Square 駅下車、徒歩約1分

13:00 **ハーバード大学**（→P.108）

校舎内には入れないが、構内のハーバードヤードは芝生が敷かれゆっくりできる

Ⓣレッドライン Charles/MGH 駅下車、徒歩約2分

ハーバード大学構内で記念撮影を

15:00 **チャールズ通り**（→P.81）**とニューベリー通り**（→P.88）**でショッピング**

個人経営のショップが並ぶチャールズ通りと全国展開するチェーン店が多いニューベリー通りへ

ニューベリー通りは、ボストンの流行がわかるショッピングスポット

徒歩

18:00 **バックベイ周辺のちょっとおしゃれなレストラン**（→P.135）**でシーフードを**

初めてボストンを訪れる人向きの観光2日間コースと
リピーター向けのコースを紹介しよう。

Model Course

リピーター向けオプショナル

定番の観光地を訪れたら、
テーマをもって観光したい。

ケネディ家ゆかりの地巡り

Ⓣレッドライン JFK/UMass 駅下車、シャトルバスで約12分

9:00 **エドワード・M・ケネディ・インスティテュート**（→P.120）
2015年にオープンした博物館で、アメリカの議会についても学ぼう

徒歩約1分

ジョン・F・ケネディの末弟エド
ワード・ケネディ上院議員の執務
室も再現されている

12:30 **ジョン・F・ケネディ・ライブラリー**（→P.119）
ジョン・F・ケネディの一生を知ることができる

Ⓣグリーンライン（C）で Coolidge Corner 駅下車、徒歩約10分

15:30 **ジョン・F・ケネディの生家**（→P.106）
ジョン・F・ケネディが生まれた家が一般公
開されている

海が好きだったジョ
ン・F・ケネディに
ついての博物館

Ⓣレッドライン Harvard Square 駅下車、徒歩約1分

17:30 **ハーバード大学**（→P.108）
ケネディも通ったハーバード大学

スタッフによるツアーも
催行されている

Ⓣグリーンライン Hay Market 駅下車、徒歩約2分

2階にあるケネ
ディブース

19:30 **ユニオン・オイスター・ハウス**（→P.135）
上院議員時代の日曜によくランチを取ったレストラン。ケネ
ディが座った席はケネディブースと名付けられている

お買い物尽くし

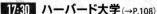

Ⓣオレンジライン Assembly 駅下車、徒歩約3分

10:00 **アッセンブリーロウ**（→P.130）
約30軒のアウトレットショップが集まる

Pendleton や Brooks
Brothers などが並ぶ屋
外アウトレットモール

Ⓣオレンジライン Haymarket 駅下車、徒歩約5分

12:30 **クインシーマーケット**（→P.65）
Coach や LeSportsac など日本人に人
気のショップもある

Ⓣグリーンライン Arlington 駅下車、徒歩約7分

おみやげ探しに最適なシ
ョップが集まる

14:00 **チャールズ通り**（→P.81）
高級住宅街にあり、オーナーのセンスあ
ふれる商品が並ぶセレクトショップが多い

徒歩約6分

15:40 **ニューベリー通り**（→P.88）
Burberry や Brooks Brothers などの高級
ブランドから Patagonia や Forever 21 な
どまでが並ぶショッピングストリート

Barneys New York や
Neiman Marcus などの
デパートも入るコープリ
ープレイス

徒歩約4分

17:40 **コープリープレイス**（→P.123）
Louis Vuitton や Tumi など高級ブランドが75店舗ほど集まる
ショッピングモール

早起きのための
お散歩コース

時差ぼけで早く目が覚め
たら、チャールズ川沿いの
遊歩道（→P.88）に行こう。
朝早くからランニングに勤し
む人たちが集まっている。マ
サチューセッツ工科大学を対
岸に見ながら30分も歩け
ば、バッチリ目が覚めること
間違いない。西は Massa-
chusetts Ave. から東は 地下
鉄の Charles/MGH 駅までの
約2.3km。

チャールズ川沿いには、木々が
生い茂り、散歩するだけでも気
持ちがいい

ボストンコモンの観光案内所

Boston Common
Ⓜ P.35-C3
🏠 Tremont, Boylston, Charles, Beacon, Park Sts.の通りに囲まれたエリア
🕐 毎日24時間（暗くなってからは歩かないように）
🚇 Ⓣグリーン、レッドラインPark St.駅下車すぐ

マサチューセッツ州議事堂前には、勇敢な働きをした第54連隊の顕彰碑がある。ストーリーは映画『グローリー Glory』にもなっている

フロッグポンドは、夏場は子供たちの水遊びの場

フロッグポンドでスケート
11月中旬より3月中旬の間、ボストンコモンのフロッグポンドはアイススケートリンクに変身。冬の間、子供たちが楽しみにしているイベントで、市民の寄付とBoston Common Frog Pond Foundationによって支えられている。朝から夜遅くまで、スケートリンクからは人々の歓声が上がり、にぎやかだ。スケートを習ってみたい人は、レッスンを受けることもできる

Boston Common Frog Pond Foundation
☎(617)635-2120
URL bostonfrogpond.com
🕐《11月中旬〜3月中旬》毎日10:00〜21:00（月〜16:00、金・土〜22:00）
💰$5（身長147cm以下は無料）。スケート靴レンタル／大人$10、13歳以下$5。ロッカー／$2

おもな見どころ

ダウンタウン

アメリカ最古の公園を散策しよう

ボストンコモン
Boston Common

ダウンタウンの真ん中に、どーんと広がる緑のオアシス。約50エーカー（約0.2km²）の敷地内には、観光案内所、セントラル墓地Central Burying Ground、フロッグポンドFrog Pondやメモリアルなどがある。屋外展覧会や大きな催しも

都会のど真ん中にある緑のオアシス

のに利用されているほか、平日にはランチを楽しんだり、週末には楽器の演奏や読書など、思いおもいにくつろぐ市民たちの姿が見られる。まさに市民たちの息抜きの場だ。夏、フロッグポンドは、水浴びを楽しむ子供たちでにぎやかさを増す。

かつては清教徒たちの集会の場所

1634年、そもそもここは清教徒（ピューリタン）のために購入された土地。当時、集会や演説が盛んに行われ、やがて清教徒のみならず市民の憩いの場所となったことから、「市民共通の広場」という意味で「コモンcommon」と呼ばれるようになった。植民地時代の初期には、家畜が牧草を食む放牧場や軍隊の訓練場として使われていたが、1638年にはクエーカー教徒や海賊、犯罪者を罰する絞首台が建てられるなど、穏やかでない時期もあった。

独立戦争時の1775年4月18日の夜、あのポール・リビアの「真夜中の疾駆（→P.73）」で有名な晩、イギリス軍はレキシントンとコンコードへ海路を使って渡るため、チャールズ川を通り、コモンに野営していた。この光景を見たリビアが、仲間に合図を送り、自分もレキシントンへはせ参じたというわけだ。

ここで、コモンに点在するメモリアルを紹介しよう。公園の小さな一角を占めるセントラル墓地には、ジョージ＆マーサ・ワシントン大統領夫妻の肖像画で有名なギルバート・スチュワートGilbert Stuartらが眠っている。観光案内所の裏手に見える小高い丘は、フラッグスタッフ・ヒルFlagstaff Hillと呼ばれ、南北戦争で戦死した兵士や水兵たちの慰霊碑Soldiers and Sailors Monumentが立っている。コモンの北、マサチューセッツ州議事堂の向かいにあるレリーフは、**ロバート・グールド・ショーとマサチューセッツ州第54連隊顕彰碑Robert Gould Shaw & 54th Massachusetts Regiment Memorial**。南北戦争の際、カロライナ州（1729年にノースカロライナ州とサウスカロライナ州に分離）で勇敢に戦った、白人のロバート・グールド・ショー率いる黒人の兵士だけで組織された、マサチューセッツ第54連隊をたたえる顕彰碑である。

塔の先が八角形の教会
パーク通り教会
Park Street Church

　設計者のピーター・バナーPeter Bannerにより1809年から1810年にわたって造られた教会は、ジョージ王朝風の造りになっている。1700年代、この周辺はボストンの貧しい住民のために麦やトウモロコシを供給する穀倉地帯（グラナリー）だった。この教会は、1829年7月4日ウィリアム・ロイド・ギャリソンWilliam Lloyd Garrisonがアメリカで初めて奴隷制度反対演説を行った場所として知られ、パーク通り教会やファニュエルホールなどの公共の建物は、しばしば奴隷制度廃止を唱える者たちの集会場として使われた。また、その2年後、1831年の同じく7月4日、サミュエル・スミスSamuel Smithが初めて『マイ・カントリー・ティズ・オブ・ジーMy Country, 'Tis of Thee（別名）アメリカAmerica』を歌った場所としても有名だ。

ボストンコモンのすぐ隣にある象徴的な教会

Park Street Church
Ｍ P.35-C2
住 1 Park St., Boston
☎ (617)523-3383
URL www.parkstreet.org
営 日曜礼拝／8:30、11:00
料 無料
行き方 ①グリーン、レッドラインPark St.駅下車すぐ。ボストンコモンの前。Park St.とTremont St.の角

『マイ・カントリー・ティズ・オブ・ジー（アメリカ）』の歌詞
My country, 'tis of thee,
Sweet land of liberty,
Of thee I sing;
Land where my fathers died,
Land of the Pilgrims' pride,
From ev'ry mountainside
Let freedom ring!

独立戦争、建国の英雄たちが眠る
グラナリー墓地
Granary Burying Ground

　アメリカの自由と独立のために戦った愛国者たちが埋葬されている墓地。この地に眠るヒーローたちは、コモンウェルス（マサチューセッツ州）の初代知事となったジョン・ハンコックJohn Hancock、イギリス軍の攻撃から植民地軍を危機一髪のところで救ったポール・リビアPaul Revere、独立戦争のリーダー的存在のジェームス・オーティスJames Otisやサミュエル・アダムズSamuel Adams、ボストン虐殺事件の犠牲者とその事件の弁護人として名をはせたロバート・トリート・ペインRobert Treat Paineなど。墓石に刻まれた名前を読みながら感慨にふけるアメリカ人の姿が目につく場所でもある。

門を入って右側、トレモント通り側にあるサミュエル・アダムズの墓

墓地中央のオベリスクはフランクリン家のもの。ベンジャミン・フランクリンの両親が葬られている

正面右手奥にあるポール・リビアの墓

Granary Burying Ground
Ｍ P.35-C2
住 Tremont St. (at Broomfield St.), Boston
☎ (617)635-4505
営 毎日9:00 〜17:00
料 無料
行き方 ①グリーン、レッドラインPark St.駅下車、徒歩約2分。パーク通り教会に隣接。Tremont St.とBroomfield St.の角

King's Chapel
M P.35-C2
住 58 Tremont St. (at School St.), Boston
☎(617)227-2155
URL www.kings-chapel.org
營 毎日10:00〜17:00（冬季は短縮あり）
礼拝／日11:00、水18:00
料 寄付
行き方①グリーン、ブルーラインGovernment Center駅下車、徒歩約2分。もしくは、グリーン、レッドラインPark St.駅やボストンコモンから徒歩約3分

King's Chapel Burying Ground
墓地内には、マサチューセッツ州最初の知事のジョン・ウィンスロップ John Winthropの墓、ポール・リビアとともにレキシントンにはせ参じたウィリアム・ドーズ William Dawesの墓、メイフラワー号に乗って新大陸へ渡り、女性として初めてプリマス・ロックに足を降ろしたメアリー・チルトンMary Chiltonの墓などがある

教会内部

キングスチャペルの隣にある墓地

Benjamin Franklin Statue
M P.35 C2
住 45 School St., Boston
行き方①グリーン、ブルーラインGovernment Center駅下車、徒歩約3分。もしくは、グリーン、レッドラインPark St.駅やボストンコモンから徒歩約5分。キングスチャペルを出てオールドコーナー書店へ続く細い道路がスクール通りSchool St.

門の脇にはロバ君が……

ベンジャミンの墓は？
独立宣言の起草者であるベンジャミン・フランクリンの墓は、フィラデルフィアにある

ポール・リビア製造の鐘がある

キングスチャペルとキングスチャペル墓地
King's Chapel & King's Chapel Burying Ground

ピューリタンの牙城に築かれた英国国教会の教会

1686年、ボストン初の英国国教会として創設されたが、本国英国国教会の弾圧を逃れてこの地にやってきたピューリタンやピルグリムたちは、教会の建設に猛反対し、教会用の土地を売らなかった。しかし、植民地政府は強行突破。墓地の裏手、トレモント通りとスクール通りの交差する一角に、木造の教会を建設する。1749年から1754年の5年間にわたって大規模な改築が施され、花崗岩の外壁をもつ現在の建物になった。キングスチャペルの壁の石は、約10cmの厚さがあるそうだ。

塔のない、教会としては非常に珍しいキングスチャペルの設計者は、ピーター・ハリソンPeter Harrison。建物の内部は優雅なジョージ王朝風だ。英国国教会当時の面影を色濃く残している。教会内名物の鐘は、ポール・リビアが製造したもので、美しい音を奏でる。アメリカ独立後の1780年代からは、アメリカで初めてのユニタリア派教会として使われるようになった。

隣接するキングスチャペル墓地は、1630年にボストン地区で最初の墓地として創設されたもの。墓地近辺は、初期の入植者たちが住み、キングスチャペルが建つまでは、特に名のない人々の共同墓地だった。

独立宣言書と対英平和条約起草者

ベンジャミン・フランクリンの立像
Benjamin Franklin Statue

旧市庁舎に向かって入口の左側に建つフランクリン像

1645年、アメリカで初めての公共学校、ボストン・ラテン学校Boston Public Latin Schoolが建った場所。ピューリタン信仰に読書力（聖書を読むため）は不可欠なものとされ、この学校には、誰でも通うことができた。サミュエル・アダムズSamuel Adams、ジョン・ハンコックJohn Hancock、チャールズ・ブルフィンチCharles Bulfinch、ラルフ・エマソンRalph Emersonなどはここの卒業生。

現在は、スクール通り沿いの一角に旧市庁舎Old City Hallがあり、その前にブロンズでできたベンジャミン・フランクリンBenjamin Franklinの全身像が立っている。フランクリンの像は、リチャード・S・グリーナフRichard S. Greenoughによるボストンで最古の銅製の立像だ。

独立宣言の草案者として知られるベンジャミン・フランクリンは、ここから数ブロック離れたミルク通り（**住**17 Milk St., Boston）で生まれ、公共学校に通ったボストニアン。後に彼はフィラデルフィアに移り、人生の大半をフィラデルフィアで送った。

アメリカ建国の志士たち

ジョン・ハンコック (1736〜1793)
John Hancock

アメリカ独立宣言にいちばん大きな署名を残していることで有名な合衆国独立期の政治家。牧師の息子として生まれたが、父の死後、叔父の跡を継いで、ボストンで貿易商となり、ニューイングランド地方でいちばん裕福な商人となる一方、サミュエル・アダムズの影響を受けて、ボストンで政治運動に参加するようになった。

独立派の彼は、裕福な商人として、独立運動を資金面からおおいに支えた。独立が迫ると、マサチューセッツ議会の議長となり、マサチューセッツの代表として大陸会議に参加、やがて議長となった。独立宣言には、大陸会議の議長としていちばん上に署名したが、その大きさは、派手好きで目立つことが大好きだったという、彼の性格を反映したものといえる。

独立軍の総司令官に、自分ではなくジョージ・ワシントンが選ばれた頃から、中央政治に関心を失い始め、1780年まで合衆国の議員を務めたあとは、1793年に亡くなるまで、マサチューセッツ州知事を務めた。合衆国憲法が、修正条項付きで議会に提出されたとき、修正条項の提案者という名誉を与えられた。マサチューセッツの合衆国憲法批准は、彼の影響力によるものといわれている。ジョン・アダムズは、後に彼をアメリカ独立に不可欠の人物と評した。

ベンジャミン・フランクリン (1706〜1790)
Benjamin Franklin

アメリカ建国の始祖たちのなかでも最も有名なベンジャミン・フランクリンは、政治家、思想家、科学者、発明家、文筆家など、ひとつの枠に収まりきらない多彩な活動を行った才人である。

1706年にボストンのろうそく屋の息子として生まれ、印刷屋の兄の下で修業し、やがてフィラデルフィアで印刷業者として独立。そのかたわら新聞記事やエッセイなども書き、またフィラデルフィアの文化や公共教育の発展にも尽くした。

科学者としても時代の先端を行っており、稲妻が電気であることを、凧を使って確かめた実験も有名で、現在使われている電気関係の言葉（バッテリー＝電池など）には、彼の造語が多い。

現在のペンシルバニア大学の前身、フィラデルフィアアカデミーの創立も彼の功績である。

政治家としては、1757年から1775年まで、イギリスで事実上の植民地代表として外交活動を行い、独立の戦いが避けられない情勢になると、フランス大使として、フランスとの同盟条約締結（1778年）に奔走した。独立期の政治家の指導者的な役割を果たし、独立宣言を起草したトーマス・ジェファソンにも助言を与えた。独立後も、憲法制定会議（1787年）に元老として参加するなど活躍した。

代表的な著作には『自伝』があり、また「早寝

ファニュエルホール前に立つ、サミュエル・アダムズ像

早起きは健康、財産、知恵を増す」などの警句が載っていることで知られる『貧しいリチャードの暦』も有名だ。これらが勤勉や節約を説き、実利的な成功を強調しているため、フランクリン自身が実利一辺倒の俗物であったかのように思われがちであるが、教会の力が強く、政治に対する宗教の影響がとても大きかった時代に、世俗的な立場を押し通すことは、それだけで反逆的な姿勢だったはずなのだ。「すべてのヤンキーの父」とも呼ばれる彼の影響力は、今日にいたるまで大きい。

サミュエル・アダムズ (1722〜1803)
Samuel Adams

アメリカ独立に大きな役割を果たした政治家で、第2代アメリカ大統領のジョン・アダムズJohn Adamsは、いとこに当たる。裕福な商人の家庭に生まれ、ハーバード大学で教育を受けた。ビジネスの才能はなく、親から受け継いだ財産のほとんどを失い、生活にも困るほどになったが、40歳代で政治家として頭角を現し、1765年にはボストン議会の議員に選出された。

イギリスのアメリカ植民地支配に反発する急進派のリーダーとして、イギリスの課したさまざまな税金（これら植民地に課された税を定めた法律をタウンゼント諸法といい、急進派は「耐え難い諸法」と呼んだ）の不払い運動などを行い、植民地人の抗議活動を盛り上げた。

論客としても有能で、「代表なくして課税なし」（植民地はイギリス議会に代表を送っていないので、課税もされるべきでない）という独立宣言の思想を、1760年代から表明していた。

1773年に、茶条例がイギリス議会を通過すると、ただちに反対の立場を取ってボストン市民に強行論を訴えボストン茶会事件（→P.68）を引き起こす役割を果たした。独立革命には州の代表として参加、独立宣言に賛成票を投じ、署名も行っている。だが、合衆国憲法には、各州の独立を損なうとして反対した。革命後は、マサチューセッツ州の知事を務めたりもしたが、概して不遇で、経済的にも恵まれなかった。

文豪たちの集いの場であった書店
オールドコーナー書店
Old Corner Bookstore

Old Corner Bookstore
M P.35-C2
住 3 School St. (at Washington St.), Boston
行き方 ①ブルー、オレンジライン State駅下車、徒歩約3分。もしくはグリーン、レッドライン Park St.駅下車、徒歩6分。スクール通りとワシントン通りが交差する角

ビルが林立するダウンタウンのなかで、農家の納屋の形をした屋根をもつ非常に印象的な家屋。1712年、薬剤師であったトーマス・クリーズThomas Creaseの店舗兼住居として建てられ、1800年代の中頃にはアメリカの出版社としては筆頭にあったティクナー・アンド・フィールズ社Ticknor and Fieldsのオフィスとして使われていた。

オフィスはオールドコーナー書店という名で、ラルフ・エマーソン、ナサニエル・ホーソン、ヘンリー・ワッズワース・ロングフェロー、チャールズ・ディケンズ、オリバー・ウェンデル・ホームズらアメリカを代表する偉大な文学者が集まり、語らいのひとときを過ごしていた場所でもあった。1960年に18世紀頃のれんが造りの建物に改築され、2015年9月現在、Chipotleというメキシコ料理のファストフード店となっている。

現在はメキシコ料理のファストフード店になっているオールドコーナー書店

歴史を見続けたランドマーク
旧州議事堂
Old State House

Old State House
M P.35-C2
住 206 Washington St., Boston
☎ (617)720-1713
URL www.revolutionaryboston.org
営 〈5月下旬〜9月上旬〉毎日9:00〜18:00、〈9月中旬〜5月中旬〉毎日9:00〜17:00
休 11月第4木曜、12/25、1/1
料 大人$10、シニア・学生$8.50、18歳以下無料
行き方 ①ブルー、オレンジライン State駅下車、徒歩約1分。グリーン、ブルーライン Government Center駅下車、徒歩約3分

1798年1月11日、ビーコンヒルに現在のマサチューセッツ州議事堂が完成し、州の機関が移転するまで、州議事堂として機能していた。建物の歴史はたいへん古く、1658年に建設された旧町会集会所が焼失したあと、1713年その焼け跡に建てられたボストン最古の公共建築物である。

完成以降、独立戦争が勃発するまでの約60年は、イギリスの植民地政府がおかれており、また、アメリカ新政府誕生後は、コモンウェルス（マサチューセッツ州）の政府がここにおかれ、

ジョージ・ワシントンはこの2階のバルコニーから手を振った

1780年、初代州知事ジョン・ハンコックJohn Hancockの就任式も行われた。

1882年、ボストン市民により結成されたボストニアン協会The Bostonian Societyが、老朽化した建物の修復に当たり、現在は博物館として一般に公開されている。

建物東側正面の屋根の上に鎮座するライオンとユニコーンの像のオリジナルは、1776年7月18日の独立宣言が読み上げられたときに燃やされており、現在あるものはレプリカ。

独立戦争への歴史を紹介した博物館

MEMO 旧州議事堂でタイムカプセルが見つかった　2014年10月、旧州議事堂のライオン像からタイムカプセルが発見された。1901年に埋められた箱の中には、当時の政治家の手紙やセオドア・ルーズベルト大統領の選挙戦に…

独立戦争への引き金
ボストン虐殺地跡
Boston Massacre Site

旧州議事堂の目の前の地面に刻まれている虐殺跡を示す円形の碑。1770年3月5日、この一帯でイギリス兵が発砲、5人のアメリカ人（イギリスの植民地市民）が殺される事件が起こった。これがアメリカ独立史の引き金になった「ボストン虐殺事件（→下記コラム）」である。

Boston Massacre Site
M P.35-C2
住 State & Devonshire Sts., Boston
行き方 ①ブルー、オレンジラインState駅下車、徒歩約1分。旧州議事堂の目の前。玉石を円形に敷き詰めた碑が虐殺の跡

旧州議事堂前に埋め込まれている

歴史コラム

ボストン虐殺事件──事の発端

1760年代頃から、イギリスは本国の財政赤字を解消するために、植民地であるアメリカにあらゆる種類の税金を課す方策を取った。1765年に印紙条例が発布されると、植民地各地で抗議団体が誕

アメリカ独立の引き金となった現場

生、自由の息子 Sons of Libertyと呼ばれる愛国の志士たちも、この頃結成されている。反対運動は、加速度的に勢力を拡大し、ついにはこの条例を廃止させるまでにいたった。しかし、イギリス本国から発せられる課税は、とどまることを知らず、植民地市民の本国への怒りは蓄積されていった。

課税条例施行のため、イギリス王ジョージ3世は連隊兵をさらに派遣し、イギリス兵の姿は、ボストン市内で否応なしに目につくようになった。市民の不信、不満がつのるなか1770年3月5日、無職の若い男たちとイギリス兵の間で、些細なことから口論が起こった。これが発端となって、市民が、税関前に立つイギリス兵に雪や石、氷を投げつけるなどの騒ぎになり、次第にエスカレートしていったのである。その晩には、膨れ上がったボストン市民の群衆と20人の兵を率いたトーマス・プレストン大佐の部隊が、州議事堂の前で対峙するかたちとなった。

ここでもイギリス兵は、石や雪を投げつけられながらもじっと耐えていたが、突然ひとりのイギリス兵が殴り倒された。忍耐の限界に達していたこの兵士は、立ち上がると同時に銃の引き金を引く。これが起爆剤となり、ほかのイギリス兵たちの銃もいっせいに火を噴いた。次の瞬間、3人のボストン市民が射殺され、ふたりが致命傷を負い、後に死亡した。

この「ボストン虐殺事件」が後年、「ボストン茶会事件」などの導火線となり、アメリカは独立の道を突き進んでいく。

関する資料などが入っていた。

Old South Meeting House

📍 P.35-C2

🏠 310 Washington St., Boston

☎ (617)482-6439

🔗 www.osmh.org

🕐〈4〜10月〉毎日9:30〜17:00、〈11〜3月〉毎日10:00〜16:00

🚫 11月第4木曜、12/24、12/25、1/1

💰 大人$6、シニア・学生$5、子供（5〜17歳）$1

🚇 ①レッド、オレンジラインDowntown Crossing駅下車、徒歩約3分。もしくはブルー、オレンジラインState駅下車、徒歩約3分

博物館となったオールドサウス集会場では、多重メディアによる会議回顧録を目と耳によって体験することができる。完全なキングスイングリッシュで討論する独立の志士たちの再現テープはすごい迫力。ほかに、植民地時代の工芸品、独立戦争時のボストンの町の風景についても見学できる。英語のオーディオガイドの貸し出しは無料

白を基調とした集会場内部

Faneuil Hall

📍 P.35-D2、P.71-1

🏠 1 Faneuil Hall Sq., Boston

☎ (617)242-5675

🕐〈1〜3月〉毎日10:00〜18:00、〈4〜5月〉毎日10:00〜20:00（日〜18:00）、〈6〜10月〉毎日10:00〜21:00（日〜18:00）、〈11〜12月〉毎日10:00〜19:00（金・土〜21:00、日〜18:00）

🚫 11月第4木曜、12/25、1/1

💰 無料

🚇 ①ブルー、オレンジラインState駅下車、徒歩約2分。グリーンラインGovernment Center駅下車、徒歩約3分

※ホールが会議などで使用中の際は見学不可。9:30〜16:30まで30分おきに、ナショナル・パーク・サービスの"レンジャートーク"が行われ、歴史が説明される

ホール内部

その昔は、植民地市民の討論の場
オールドサウス集会場
Old South Meeting House

ボストンでは旧州議事堂に続く2番目に古い公共の建物で、1729年、ピューリタンの礼拝堂として建築された。ボストン茶会事件を引き起こした、植民地指導者サミュエル・アダムズ、ジェームス・オーティス、ジョン・ハンコックらを中心に、白熱した議論が交わされた場所として有名だ。独立戦争の際、大きな被害を受けたものの、1783年3月、修復された。

礼拝堂として建てられ、後に集会場となる

　約100年後、町の再開発プロジェクトで、取り壊し予定地区に含まれたが、ウェンデル・フィリップス、ラルフ・エマソンなどの尽力により、取り壊しを免れている。現在の建物は修復されているものの、内部の木造の部分（ドアと窓は除く）は当時からのもの。箱形の椅子の木材は残念ながら新しい。

商業用兼、町の集会場
ファニュエルホール
Faneuil Hall

1742年、裕福な貿易商ピーター・ファニュエルPeter Faneuilが、ボストンの町に寄贈したホール。火災によって被害を受けるが再築され、1806年には、著名な建築家チャールズ・ブルフィンチCharles Bulfinchによって、3階の部分が増築された。

ホール正面に立つサミュエル・アダムズの像

　ホール正面に立つサミュエル・アダムズの像は、アダムズがこのホールで、おもにアメリカ独立のための種々の演説を行ったという、彼の功績を記念したもの。

　ホール屋根の上のキューポラ（円形の塔）のさらに上に、風見鶏ならぬ風見バッタ（グラスホッパー）の姿が見える。ロンドンの旧王立取引所のシンボルをまねて、1742年にシェム・ドロウンShem Drowneという職人が作ったものだ。

　ホール1階の入口を入ると正面にはジョージ・ヒーリーGeorge Healyによる『Webster's Reply to Senator Hayne』と題された壁画や、その周囲にはサミュエル・アダムズ、ジョン・ハンコックの肖像画やクインシー・アダムズ、ジョン・アダムズの像などが飾られている。

　4階には、アメリカで最も古い陸軍組織のエインシェント・アンド・オナラブル・アーティラリー・カンパニーAncient and Honorable Artillery Company(1638年創設)の砲兵隊博物館（💰無料、🕐月〜金9:00〜15:00）があり、制服や腕章などが展示されている。

風見鶏ならぬ風見バッタ

◆ 64

ボストンでいちばんにぎやかで楽しい所
クインシーマーケット
Quincy Market

食事や買い物が楽しめるエリア

1826年、ボストンの名市長、ジョサイア・クインシーJosiah Quincyにちなんで名づけられたクインシーマーケットは、アレクサンダー・パリスAlexander Parrisのデザインによる3つの建造物からなる。実際は中央の建物のみをクインシーマーケットといい、両側の建物はそれぞれノースマーケット、サウスマーケットという。これらを総称してファニュエルホール・マーケットプレイスFaneuil Hall Marketplaceとも呼ばれている。

中央のクインシーマーケットは、1階がファストフード店、2階がレストランのコーナーになっている。ノース＆サウスマーケットにはブティック、アクセサリー、Tシャツ、インテリア、食器、カードなどなど、ありとあらゆるお店が入っている。

また、2013年夏には氷の彫刻に囲まれたアイスバーのフロスト・アイス・ロフトFrost Ice Loftがクインシーマーケット奥のビル3階にオープンした。室内はマイナス6℃に保たれていて、ボストンでいちばんクールなバーとして話題になっている。暑い夏には中に入って涼を取り、冬には防寒具を着てお酒やジュースを楽しむという。なお、夏の間は、手袋や帽子、コートなどの貸し出しも行っている。子供の入場可。

ボストンで最も安価な青空市
ヘイマーケット
Haymarket

毎週金曜と土曜に開かれる、ボストンで最も安価な青空市。ファニュエルホール・マーケットプレイスの北、レストランのUnion Oyster HouseがあるMarsall St.の小路を入っていくと、正面に青空市の雑踏が目に飛び込んでくる。「安い」を売り物にしているだけあって、多少傷んでいたりと、品質に問題がなくはないが、野菜や果物、肉、魚といった生鮮食品からチーズ、ジャムや雑貨まで、さまざまな品物が驚きの価格で並んでいる。とりすました感じのボストンにあって、その庶民的な感覚に新鮮さを感じる場所だ。

果物が安い

Quincy Market
M P.35-D2、P.67-A1
田 Faneuil Hallの隣
☎ (617)523-1300
URL www.faneuilhallmarketplace.com
圏 月～土10:00～21:00、日12:00～18:00、マーケット内のレストランは店ごとに異なる
行き方 Ⓣ ブルーラインAquarium駅、オレンジ、ブルーラインState駅下車、ともに徒歩約3分。ブルー、グリーンラインGovernment Center駅下車、徒歩約5分。ボストンコモンから徒歩約15分
※3月セント・パトリック・デイ、4月ストリート・パフォーマーズ・オーディションなど、毎月イベントあり

マーケットで買い物したら、センターコートのベンチで食べよう

Frost Ice Loft
M P.67-A1
田 200 State St., North Building, 3rd Fl., Boston
☎ (617)307-7331
URL frosticeloft.com
圏 毎日12:00～21:00(金・土～22:00、日～20:00)
圏 大人$12、シニア・学生$10、子供$6
ジュース$6、アルコール$11

氷に囲まれて涼を取ろう

Haymarket
M P.35-C2、P.71-1
田 Blackstone St. (bet. North St. & Hanover St.), Boston
圏 金・土の日の出～日没
行き方 Ⓣオレンジ、グリーンラインHaymarket駅下車、徒歩約1分。グリーン、ブルーラインGovernment Center駅下車、徒歩約5分

魚もあります！

from Readers クインシーマーケットのトイレ クインシーマーケットの1階中央地下にあるトイレは、数時間ごとに掃除がされていてきれいだった。また、警備員が巡回しているので安心。(北海道 花田昭雄 '13)['15]

65

チャイナタウン
Chinatown

Chinatown
Ⓜ️ P.35-C3
🏠 Essex St.、Washington St.、Hadson St、Marginal Rd.に囲まれたエリア
🚃 Ⓣ オレンジライン Chinatown駅下車すぐ。グリーンラインBoylston駅下車、徒歩約5分。レッドライン South Station下車、徒歩約8分

チャイナタウンには100軒以上のレストランがあるといわれ、店によっては午前5時ぐらいまで営業している。なかには、衛生的におすすめできないレストランもあり、場所によっては急に人通りが少なくなったりもするので、夜間のひとり歩きは避けたい。夜の移動はタクシーをすすめる

ボストンコモンから南東へ徒歩5分ほどの所にあるチャイナタウン。東側の入口に建つ正門は、台湾政府からの贈り物。そこに一歩踏み込むと漢字で書かれた看板が氾濫し、懐かしい顔に出会う。公衆電話も中国らしいスタイルだ。交わされる言葉もほとんどが中国語……。

チャイナタウンの魅力は、まず第一に「食」。中国系の人々でにぎわう中華レストランは、間違いなくおいしい。メニューも英語と中国語で併記されているので安心だ。そのほか、タイや台湾、インドネシア料理レストランなどアジア各国の料理が楽しめる。チャイナタウンでは、日本料理の材料も安価で手に入りやすいから、自炊する人は訪れてみるといい。また、みやげ物屋、アクセサリー店なども軒を連ねているので、ぶらりと散策するのにぴったりだ。

正門には孫文の言葉「天下為公」が掲げられている

TD Garden
Ⓜ️ P.35-C1、P.71-1
🚃 Ⓣ グリーン、オレンジラインNorth Station下車、徒歩約1分
🏠 100 Legends Way, Boston
☎️ (617)624-1331
🔗 www.tdgarden.com
ホッケー座席数 1万7565席
バスケットボール座席数1万8624席
プロスポーツのチケットはウェブサイト、TD Garden構内のBox Officeで購入可（→P.162）

Proshop
🏠 TDガーデンの2階
☎️ (617)624-1500
🔗 tdgardenapps.com/proshop
🕐 毎日10:00～17:00（日11:00～）。ホッケーやバスケットボールの試合がある日は、ゲートがオープンする1時間15分前にいったん入店できる。それ以降はチケット所有者のみ入店できる

The Sports Museum
Ⓜ️ P.35-C1、P.71-1
🏠 TDガーデン
☎️ (617)624-1234
🔗 www.sportsmuseum.org
🕐 毎日10:00～16:00（日11:00～）、最終ツアーは閉館1時間前に出発（TDガーデンでイベントがあるときは休館）
💰 大人$12、シニア・10～18歳$6、9歳以下無料
💳 ＡＭＶ
※チケットはTDガーデン2階のプロショップで購入すること

NBAとNHLのアリーナ

TDガーデン＆スポーツ博物館
TD Garden & The Sports Museum

1995年にオープンしたTDガーデンは、アメリカで3本の指に数えられるアリーナである。プロアイスホッケーリーグNHLのボストン・ブルーインズBoston Bruins、プロバスケットボールNBAのボストン・セルティックスBoston Celticsのホームグラウンドである

天井にセルティックスが優勝したときのバナーが飾られている

と同時に、アメリカを代表するアーティストたちがコンサートを開く場所としても有名だ。

過去にここでコンサートを開いたアーティストは、イーグルス、U2、バーブラ・ストライサンド、ビリー・ジョエル、ジェネシス、ロッド・スチュアート、エアロスミスなど、数え上げたらきりがない。

ツアーでのみ訪れることができるスポーツ博物館は、アリーナを取り囲む通路に設置されており、レッドソックスをはじめブルーインズ、セルティックスなどの栄光の歴史が有名選手たちのユニホームとともに展示され、ボストンの偉大なスポーツシーンの足跡をたどれる。普段はなかなか見ることができないアリーナのバックステージを客席と反対側からのぞき見ることもできるので、ぜひ参加したい。

ブルーインズやセルティックスの貴重な写真が展示されている博物館

ウオーターフロント

潮風が気持ちいい埠頭の公園

クリストファー・コロンブス・ウオーターフロント公園
Christopher Columbus Waterfront Park

ウオーターフロント

クインシーマーケットの東側からAtlantic Ave.を横切るとウオーターフロントに出る。ボストンハーバーを見渡すいくつもの埠頭が並び、ハーバーツアーやトロリーバスに乗り込む観光客でいつもにぎわう観光スポットだ。その埠頭のそばにあるコロンブスの像が立つ公園。藤棚やバラ園もあり、れんが造りのボストン・マリオット・ロングワーフやローズワーフへも歩いてすぐ。

Christopher Columbus Waterfront Park
M P.35-D2、P.67-A1
行き方 ⓉブルーラインAquarium
駅下車、徒歩約2分

ダウンタウン／ウオーターフロント ● おもな見どころ

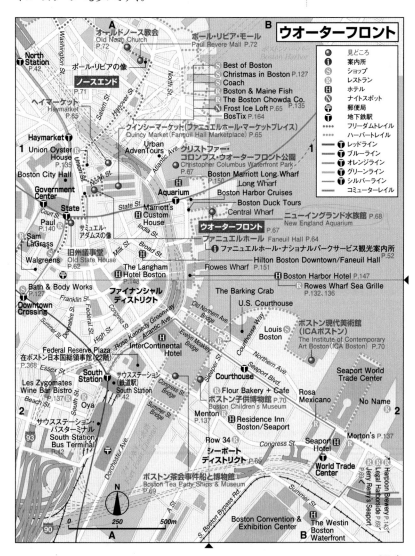

ウオーターフロント

◎	見どころ
ⓘ	案内所
Ⓢ	ショップ
Ⓡ	レストラン
Ⓗ	ホテル
Ⓝ	ナイトスポット
〒	郵便局
Ⓣ	地下鉄駅
⸺	フリーダムトレイル
••••	ハーバートレイル
━	Ⓣレッドライン
━	Ⓣブルーライン
━	Ⓣオレンジライン
━	Ⓣグリーンライン
━	Ⓣシルバーライン
╌	コミューターレイル

水族館に入ったら、まずペンギンプールをのぞこう

(→P.52)

New England Aquarium
- **M** P.35-D2, P67-B1
- **住** 1 Central Wharf, Boston
- **☎** (617)973-5200
- **URL** www.neaq.org
- **営** (9月中旬〜6月) 毎日9:00〜17:00 (土・日〜18:00)、(7月〜9月上旬) 毎日9:00〜18:00 (土・日〜19:00)
- **休** 11月第4木曜、12/25
- **料** 大人$26.95、シニア$24.95、子供 (3〜11歳) $17.95
- **行き方** 地下鉄T ブルーライン Aquarium駅下車、徒歩約1分

Simons IMAX Theatre
- **料** 水族館とは別料金 (1作品+水族館とのセット券あり)
  大人 $9.95/31.95、シニア $7.95/29.95、子供 (3〜11歳) $7.95/$22.95
  ※スケジュールはウェブサイトで確認を

水族館に隣接するIMAXシアター

海獣たちや水辺の生物に魅了される
ニューイングランド水族館
New England Aquarium

ニューイングランド水族館は、ボストンで最も人気のある見どころのひとつ。展示されている生物の種類の多さはもちろんだが、この水族館の自慢はその展示方法と建物のすばらしさにある。巨大な水槽

少なくとも半日は時間を割きたい水族館

の設置をはじめ、深海の雰囲気を伝えるライティングや、ビデオ、コンピューターを使った視覚に訴える展示方法、見たり触れたり、自らが体験することで、海洋生物への知識を深めることができる展示コーナーが充実している。

館内は4つのフロアに分かれており、70を超える展示コーナーで約3万の海の生物を見ることができる。メインビルディングの正面には、インフォメーションデスクがあるので、まずは展示ガイド (無料) やスペシャルプログラムのスケジュールを手に入れておこう。

最初に目につくのは何といってもジャイアント・オーシャン・タンク Giant Ocean Tankと呼ばれる大水槽。4階まで突き抜けた水槽の周りに、スロープがらせん状に設置されており、さまざまな角度から水槽内部を観察することができる。

水族館をデザインしたのは「水の魔術師」と呼ばれている建築デザイナー、ピーター・シェマイエフPeter Chermayeff。ニューイングランド水族館は、彼の代表作のひとつでもある。ほかに、ボルチモアのナショナル水族館、大阪の海遊館も彼がデザインしたもの。

併設のIMAXシアターでは、月ごとに、海洋や自然がテーマの映像を3〜4作品上映しているので、大画面の迫力満点の映像を堪能できる。

歴史コラム
ボストン茶会事件はこうして起きた！

貿易権を剥奪され、怒り爆発

イギリス本国政府のたび重なる課税に、植民地市民の怒りは頂点に達していた。

大規模な反対運動によっていくつかの税制は撤廃されたものの、お茶の関税は依然として存続していた。本国政府は、倒産寸前の東インド会社を救うため、お茶に関する新たな税法を植民地に課す。その内容は植民地政府がヨーロッパの国々と自由に行っていたお茶の貿易を、東インド会社に独占させようというものだった。

お茶の売買にかかる高額な関税による損害ももちろんだが、植民地政府は自由な貿易権を本国政府に剥奪されることを恐れた。

お茶を積んだ貨物船がボストンの港に続々と到着すると、お茶の陸揚げを阻止するため植民地政府は集会を開き、オールドサウス集会場などで活発な討論が行われた。そして、1773年12月16日夜、ジョン・ハンコックを中心とする急進派の数人が、先住民に変装し、ボストン港に停泊中の3隻の貨物船の中にもぐり込む。数千人のボストン市民が見守るなか、彼らは積まれていた茶箱342個を次々と海の中へ投げ捨てていった。これを機にイギリス政府と植民地政府の関係はますます険悪化していくのであった。

近年注目を浴びているエリア
シーポートディストリクト
Seaport District

地下鉄South Stationから南東に進み、フォートポイント水路を渡ったエリアが、近年、地元紙や雑誌で取り上げられているシーポートディストリクトSeaport Districtだ。地下鉄シルバーラインなどを利用して、地元の人たちが食事やボストンハーバー散策を楽しみに

野球中継をTVで見られるスポーツバーもある

訪れる。ハーバーに面してレストランやスポーツバーが並ぶほか、美術館や博物館、ギャラリー、コンベンションセンターなどが点在する。

レストランでは、シーフードで有名なリーガル・シーフード系列のリーガル・ハーバーサイドLegal Harborsideやレッドソックスの実況アナウンサーであるジェリー・レミーが出資するジェリー・レミーズ・シーポートJerry Remy's Seaportなどが夜遅くまで営業している。そのほか、ボストン茶会事件船と博物館（→下記）やボストン子供博物館（→P.70）、ボストン現代美術館（→P.70）などの見どころも徒歩圏内だ。また、コンサート会場のバンク・オブ・アメリカ・パビリオンBank of America Pavilionやコンベンションセンターのワールド・トレード・センターWorld Trade Center、ボストン・コンベンション＆エキシビションセンターBoston Convention & Exhibition Centerもあり、イベントがある期間はさらににぎわう。

アメリカ独立への一歩が踏み出されたきっかけ
ボストン茶会事件船と博物館
Boston Tea Party Ships & Museum

ダウンタウンとシーポートディストリクトを結ぶコングレス通り橋Congress Street Bridge。その下を流れるフォート・ポイント・チャネルFort Point Channelに木造船が停泊している。木造船の名はビーバー2世号BeaverⅡとエレノア2世号EleanorⅡ。ボストン茶会事件が起こった3隻（Beaver、Dartmouth、Eleanor）のレプリカだ。木造船は隣接する建物とともに博物館として一般公開されている。ガイドに従い、3本マストの帆船、デッキ、操舵室、クルーの寝室などが当時の姿のまま見学できる仕組みだ。

茶会事件船のいちばんの目玉は、茶会事件と同じように茶箱を海に投げ捨てられること。デッキ上に綱で船体とつながれた茶箱があり、誰でもそれを海の中に投げ入れることができるのだ。

船上では、先住民や18世紀の衣装を着たスタッフがボストン茶会事件の経緯と3隻の木造船について説明してくれる。博物館の中では、茶会事件の発端から独立までをスライドで上映。お茶の紹介や帆船模型、植民地時代のボストン市街地図なども展示されている。2001年にギフトショップが火事で全焼し閉鎖していたが、2012年6月にリニューアルオープンした。

実際に茶箱を投げ入れよう

Seaport District
Ⓜ P.67-A2〜B2
行き方 Ⓣシルバーライン Courthouse駅、World Trade Center駅、Silver Line Way駅下車、ともに徒歩約5分。もしくは、Ⓣレッドライン South Station下車、徒歩約20分

Legal Harborside
カジュアルな1階席と、高級感ある2階席、ラウンジの3階席からなる
Ⓜ P.67-B2外
🏠 270 Northern Ave., Boston
☎ (617)477-2900
URL www.legalseafoods.com
🕐 1階／毎日11:00〜22:00（金・土〜23:00）、2階／毎日17:30〜22:00（金・土〜23:00）、3階／月〜木16:00〜24:00（木〜翌1:00）、金〜日12:00〜翌1:00（日〜24:00）

Jerry Remy's Seaport
Ⓜ P.67-B2外
🏠 250 Northern Ave., Boston
☎ (617)856-7369
URL remysseaport.com
🕐 毎日11:00〜23:00、バーは翌2:00まで

Boston Tea Party Ships & Museum
Ⓜ P.67-A2
🏠 306 Congress St., Boston（Congress Street Bridge）
Free (1-866)955-0667
URL www.bostonteapartyship.com
🕐 毎日10:00〜17:00。ツアーは30分ごとに催行
💰 大人$25、シニア・学生$22、子供$15
行き方 Ⓣレッドライン South Station下車。Summer St.を南東に1ブロック行き、Fort Point Channel沿いのDorchester Ave.を北東に1ブロック。Congress St.を右折し、Congress Street Bridgeの上、徒歩約5分

触って、体験して、遊ぶ
ボストン子供博物館
Boston Children's Museum

Boston Children's Museum
M P.67-A2
住 308 Congress St., Boston
☎ (617)426-6500
URL www.bostonchildrensm
useum.org
營 毎日10:00～17:00（金～
21:00）。12/24、12/31、1/1は
営業時間変更あり
休 11月第4木曜、12/25
料 大人・シニア（65歳以上）・
1～15歳$16
行き方 Ⓣレッドライン South
Station下車。Summer St.を
南東へ進み、橋の手前の
Dorchester Ave.を左折し、
Congress St.を右折し橋を
渡った左側、徒歩約6分

大きな牛乳瓶が目印

　ダウンタウンからボストン茶会事件船と博物館を越え、コングレスストリート橋を渡りきると左手に、大きな牛乳瓶が見えてくる。フォート・ポイント・チャネルの運河に面して建つこの博物館は、子供たちが見て触って動かして遊べる遊具が豊富に揃っている体験型博物館だ。3階建てのこぢんまりとした館内は、親御さんと一緒に遊戯に興じる子供たちでいつもにぎわっている。

　まず目につくのが、1階Science PlaygroundのBubbles。「アワ」をテーマに、泡が噴き出る水槽や泡がわき出るパイプが並び、なんだかおもしろそう。向かいには体を動かして遊べるKid PowerやNew Balance Climbがある。2階のCountdown to Kindergarten! では、スクールバスに乗ったり、計算を習ったり、お絵描きをしたり、アメリカの幼稚園で子供たちがすることを体験できる。3階は、キャタピラーに乗ったり、ジャックハンマーを使って橋やトンネル、高速道路を作ったりして、理想の町並みを組み立てることもできるConstruction Zoneだ。さらにボストン市と京都市の姉妹都市提携を記念して寄贈された京都の町家を再現した展示Japanese Houseは必見。日本人の職人技が随所に生かされ、お手洗いは実際に使用できるのだとか。1階にはカフェや売店もあり、子供なら平気で1日遊べそう。

風景をも取り込む現代美術館
ボストン現代美術館（ICAボストン）
The Institute of Contemporary Art Boston (ICA Boston)

**The Institute of
Contemporary Art
Boston (ICA Boston)**
M P.67-B2
住 100 Northern Ave., Boston
☎ (617)478-3100
URL www.icaboston.org
營 火～日10:00～17:00（木・
金～21:00）
休 月、7/4、11月第4木曜、
12/25、1/1
料 大人$15、シニア$13、学生
$10
木曜17:00～21:00は無料、12
月を除く毎月最終土曜は家
族連れ（大人2人、子供2人）
無料
行き方 Ⓣレッドライン South
Stationでシルバーラインに
乗り換え、Courthouse駅下
車、徒歩約4分。レッドライ
ンSouth Stationから徒歩約
15分

　ボストンの現代美術を80年近くにわたって紹介し続けてきたこの美術館は、地元ではICAと呼ばれ親しまれている。1936年にThe Boston Museum of Modern Artとして創設され、1948年、The Institute of Contemporary Artと名称変更されたあと、2006年12月、再開発地域のウォーターフロントに再オープンした。所蔵品には、アメリカで高い評価を得ているフィリップ・ロルカ・ディコルシアPhilip-Lorca diCorciaやタラ・ドノバンTara Donovan、ナン・ゴールディンNan Goldin、ジュリアン・オピーJulian Opieなどの作品がある。

　ボストンハーバーに向かって、ガラスの構造体の上に巨大な箱がせり出したような形の建築は、先鋭的で、海から見る風景が実に美しい。国際的にも評価されたフィルム、ビデオ、パフォーマンス、文章表現を含むあらゆるビジュアルアートを展示紹介し、難解と思われがちな現代美術を、美しく壮大に展示してある。それはひとえに、美術館そのものが巨大なコンテンポラリーアートだからだろうか。建築を手がけたのは、ニューヨークのリンカーンセンターやハイラインなどの設計でも知られる、ディラー・スコフィディオ＋レンフロDiller Scofidio + Renfro。1階には海を見渡すカフェや美術館ショップもある。

ハーバー側にはテラス席もある

正面玄関側

ノースエンド

アメリカ史に登場する独立戦争の功労者

ポール・リビアの家
The Paul Revere House

「真夜中の疾駆Paul Revere's Midnight Ride」（→P.73）で知られる建国のヒーロー、ポール・リビアPaul Revereの住んだ家が、ノースエンドの住宅街のなかに当時の姿のまま保存されている。木造2階建ての意外に簡素な家は、現存するボストンダウンタウン最古の家屋だ。

清教徒の司祭のもつ家が火災で焼失してしまった跡地に、1680年頃ファッショナブルな家が建ち並んだ。そのなかの1軒をポール・リビアが購入したのは、それから約100年後の1770年のこと。一家は、アメリカの独立から新政府の初期の頃までの30年間この家に住んでいる。1800年ノーススクエアの住人に売却後は、19世紀になって大量に増えた移民がこの地区に住み、一時リビアの家はキャンディ屋のテナントとして使われたこともあった。1905年、建物は取り壊し計画に遭うが、ポール・リビアのひ孫にあたるJ. P. レイ

ノルズ・ジュニアJ. P. Reynolds Jr.が先頭になって家を保存することに尽力する。1908年、リビアの住んだ時代を織り込みながら修復され、植民地時代の典型的な都会の家として復元された。

小さな中庭があるポール・リビアの家

The Paul Revere House
M P.71-2
🏠 19 North Sq., Boston
☎ (617)523-2338
URL www.paulreverehouse.org
🕐 〈4/15〜10/31〉毎日9:30〜17:15、〈11/1〜4/14〉毎日9:30〜16:15
🚫 1〜3月の月、11月第4木曜、12/25、1/1
💰 大人$3.50、シニア・学生$3、子供（5〜17歳）$1
🚃 ⊤ブルーラインAquarium駅下車、徒歩約5分。オレンジ、グリーンラインHaymarket駅下車、徒歩約5分

※建物の中は写真撮影禁止。入口にて英雄ポール・リビアおよび、彼の家についての無料の日本語の説明書をくれる。絵はがきや歴史パンフレットなども売っている

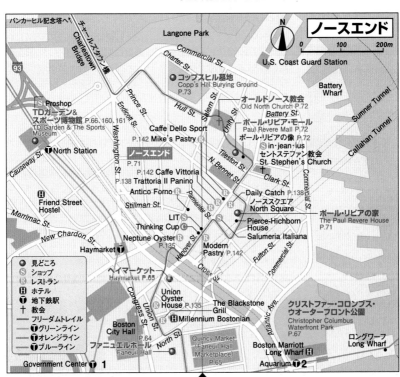

| **N** | **ノースエンド** |
| 0 | 100 | 200m |

MEMO ノースエンドにあるイタリア人街　地下鉄グリーンラインとオレンジラインのHaymarket駅からHanover St.を約200m北東に行ったエリア。ボストン随一のイタリア料理が食べられる。

中庭の一画に展示されているポール・リビア鋳造と伝えられる鐘

2階建ての家の内部は各階2部屋ずつ、計4部屋がリビアが住んだ頃のままに再現されている。1階のキッチンは、暖炉の上に鍋類がぶら下がる簡素な造り。隣のホールは家族団らんの場で、壁紙はリビアの時代の本物だという。ただし、古風な家具は、当時流行していたデザインを基に再現されたもの。銀細工師として名声をはせていたリビアが作った銀食器、家族の写真なども飾られている。2階のドレッサーや各部屋にある暖炉もリビアが使っていたものだ。

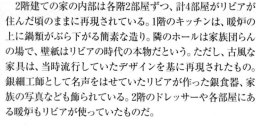

ポール・リビアのブロンズ像がある遊歩道
ポール・リビア・モール
Paul Revere Mall

凛々しい馬上姿のポール・リビア

Paul Revere Mall
Ⓜ P.71-2
🏠 Hanover & Salem Sts., Boston
行き方 Ⓣオレンジ、グリーンラインHaymarket駅下車、徒歩約8分
※ポール・リビア・モールは1933年に完成した

イタリア人街の中心を走るハノーバー通りHanover St.沿いにある石畳で埋め尽くされた公園のような遊歩道。両側は緑深い木々で囲まれ、その中央には騎乗の勇士の像がハノーバー通りを見下ろしている。この像の人物が「真夜中の疾駆Paul Revere's Midnight Ride」（→P.73）で知られるポール・リビアだ。オールドノース教会をバックに馬にまたがるポール・リビアの像Statue of Paul Revereは、ボストンを訪れるアメリカ人には必見の場所となっている。像の制作者はサイラス・ダリンCyrus Dallin。

ボストン最古の教会
オールドノース教会
Old North Church

白い尖頭が印象的なオールドノース教会

Old North Church
Ⓜ P.71-2
🏠 193 Salem St., Boston
☎ (617)858-8231
URL www.oldnorth.com
🕐 〈1～2月〉毎日10:00～16:00、〈3～5月〉毎日9:00～17:00、〈6～10月〉毎日9:00～18:00、〈11～12月〉毎日10:00～17:00
日曜の礼拝／9:00、11:00
🎫 寄付制（1人\$3が目安）
行き方 Ⓣオレンジ、グリーンライン Haymarket駅下車、徒歩約8分
10～15分ごとにガイドによる案内あり

ポール・リビア・モールの裏にある、外観はれんが造り、内装は白く涼しげな、ボストン最古の教会。創設は1723年、ロンドンの教会の建築家として有名なクリストファー・レンChristopher Wrenの影響を受けたウィリアム・プライスWilliam Priceが設計を担当した。教会が始まって以来、尖塔は嵐などの被害を受け、何度も修復されており、現在の塔は1954年に再建されたものだ。

オールドノース教会が一躍有名になったのは、創設約50年後の1775年4月18日の晩のこと。当時のボストンでいちばん高い建物だったオールドノース教会の尖塔に、ふたつのランタンが掲げられた。この明かりを見たポール・リビアが、イギリス軍の奇襲を知らせるために、植民地軍の武器弾薬庫のあるコンコード、その中継点であるレキシントンに馬を走らせた。このできごとが、後世にまで伝えられている「真夜中の疾駆Paul Revere's Midnight Ride」（→P.73）だ。リビアは、この教会の熱心な信者でもあった。

白い塔をもつ教会は、植民地時代の象徴的な建物。内部の箱型の座席も、教会が建てられたときのまま残っている。かなり下のほうまで下がっている真鍮でできたシャンデリアは、1700年、オランダのアムステルダムで製造され、1724年に取り付けられたもの。とても珍しい形をしている。同時代に建てられたキングスチャペル（→P.60）の内装とよく似ている。

白で統一された教会内部

激戦の地も今はのどか

コップスヒル墓地
Copp's Hill Burying Ground

　オールドノース教会正面から北西に、真っすぐ延びているHull St.を上がっていくと、丘と呼ぶにはあまりにも低くて狭い高台に出る。ここがコップスヒル。靴職人ウィリアム・コップスWilliam Coppsがこのエリアを所有していたことから名づけられた。独立戦争の頃、イギリス軍の砲兵隊陣地があった所だ。バンカーヒルの戦いの際、この丘からイギリス軍の大砲が、チャールズタウンに向かって火を噴いた。丘の上には墓地があり、墓地から北側に下りたCharter St.沿いのコップスヒル・テラスCopp's Hill Terraceからは、チャールズ川対岸のチャールズタウンを見渡すことができる。

　コップスヒル墓地は、1659年から1819年の長期間に4つの墓地が統合されてできたもの。墓地の敷地内には、ポール・リビアにイギリス軍の襲撃を知らせるため、オールドノース教会にランタンを掲げた寺男、ロバート・ニューマンRobert Newman、ピューリタンたちの指導者であったマザー家Mather、ボストンで最大のプライベートワーフをもっていたウィリアム・クラークWilliam Clarkなど、有名なボストニアンたちが眠っている。チャーター通りCharter St. に近いマザー家の墓地には、牧師であったインクリーズIncrease（1639～1723）、牧師兼作家のコットンCotton（1663～1728）、そしてコットンの息子サミュエルSamuel（1706～1785）の3人の墓がある。

Copp's Hill Burying Ground
MAP P.71-1～2
住 Snowhill & Hull Sts., Boston
営 毎日9:00～17:00
行き方 T オレンジ、グリーンラインNorth Station下車、徒歩約7分

時の流れが止まったように感じる所。キングスチャペル墓地が満杯になったあと、コップスヒル墓地が開設された。ひっそりとして眺めのいい場所でもある

墓の位置は案内板で確認しよう

歴史コラム

独立戦争のヒーロー、ポール・リビア

ポール・リビア　Paul Revere （1735～1818）とは？

　ポール・リビアの名は、アメリカ人なら、国民的な詩人ヘンリー・ワッズワース・ロングフェローHenry Wadsworth Longfellowの詩『真夜中の疾駆Paul Revere's Ride』でなじみ深い。彼は独立前のボストンで、フランス系移民の父の跡を継ぎ、銀細工職人として独立し一家を構えた。銀細工のほかにも楽譜などの印刷や銅版画の技術を生かして、政治風刺画を描いたりしていたが、やがてボストンの職人階級の政治的リーダーとして、ジョン・ハンコック、サミュエル・アダムズとも親交を深めていく。彼は、ボストンのさまざまな独立派のグループに所属し、1773年のボストン茶会事件にも先住民に偽装した急進派のひとりとして参加。独立戦争が近づくと、ボストンとフィラデルフィア間を、政治的なメッセージや書類を早馬で送る伝令として活躍し、その活躍ぶりは、ロンドンでも有名になったほどであった。ロングフェローの詩で名高い『真夜中の疾駆』は、独立戦争の緒戦となったレキシントン・コンコードの戦いの前夜、イギリス軍の進軍を、早馬でボストンからレキシントンの独立軍に知らせたというもの。

真夜中の疾駆　Paul Revere's Midnight Ride

　独立戦争の勃発する直前の1775年4月18日の深夜、一路レキシントンへ向かって馬を走らせるポール・リビアの姿があった。

　イギリス軍と植民地軍の関係が険悪化し始めると、植民地軍は来るべきイギリスとの戦争に備えて銃などの武器や弾薬をボストン郊外のコンコードに貯えていた。イギリス軍はこれをかぎつけ、ゲージ将軍率いる英国連隊に奪取させるべく、4月19日コンコードへ向かう計画を立てる。

　ポール・リビアは、イギリス軍のコンコード襲撃を懸念し、チャールズタウンの同志ウィリアム・プレスコットと防御策を練った。もし事前に情報をキャッチし、イギリス軍が陸路から攻めてくるときは、ランタンをひとつ、水路から攻めてくるときは、ランタンをふたつ、リビアの住居近くのオールドノース教会の塔の上に掲げることを決めた。

　4月18日の夜、ボストンコモン近くに集まったイギリス軍のボートを見たリビアの同志は、イギリス軍が水路から攻撃すると判断し、ランタンをふたつ、教会の寺男に命じて塔に掲げさせた。

　一方、リビアはイギリス船の停泊するチャールズ川をボートで渡り、チャールズタウンでオールドノース教会のあるノースエンドを振り返った。リビアは、はっきりと浮かび上がったふたつのランタンの火を確認し、イギリス軍の攻撃をいち早く通報するため、コンコードへの中継地でもあるレキシントンへ馬を疾走させたのだった。

　これが、世にいう「真夜中の疾駆」である。

観光案内所

Charlestown Navy Yard National Park Service Visitor Center
Ⓜ P.74-2
☎(617)242-5601
URL www.nps.gov/bost
📅〈4〜11月〉毎日9:00〜17:00、〈12〜3月〉火〜日9:00〜17:00

Charlestown Navy Yard
Ⓜ 折込地図裏-D1、P.74-2
📅24時間
🎫無料
🚶行き方 Ⓣオレンジ、グリーンラインNorth Station下車、徒歩約22分
市バス／Haymarket Squareから出る#93のバスでChelsea & Warren Sts.下車
フェリー／Long Wharf発#F4 Charlestown行きのインナーハーバーフェリーで

United States Ship Constitution
Ⓜ P.74-2
🏛 Charlestown Navy Yard, Boston
☎(617)242-2543
URL www.navy.mil/local/constitution
📅火〜日14:30〜18:00（土・日10:00〜）
🎫無料
🚶行き方 チャールズタウン・ネイビーヤード参照
※IDや荷物の検査があるのでパスポートなどを持参すること

チャールズタウン

チャールズタウンの観光名所
チャールズタウン・ネイビーヤード
Charlestown Navy Yard

　海軍の敷地として1800年に創設され、軍用艦の造船所、ドック、オフィスとして稼働していた。1974年海軍造船所は閉鎖され、約30エーカーの敷地は、歴史公園のひとつとして一般に公開されている。

建国のヒーローとして親しまれている船
米国船コンスティテューション号
United States Ship Constitution

　米国船コンスティテューション号は、現在も航行できる世界最古の戦闘艦。「オールド・アイアンサイド＝鉄の横腹をもつ老舗な彼女（古い軍艦）」の異名をもつ船だ（→P.77）。

　この古びた木造船がなぜそのような異名をもつようになったか……。それはコンスティテューション号の武勇伝に起因する。これまで数知

れないほどの敵の砲弾を浴びながらも、決して沈没することがなかったからだ。鉄で造られたわけではないが、その強靱な船体はたびたび人を驚かせたという。

強いだけではなく、外観も美しい

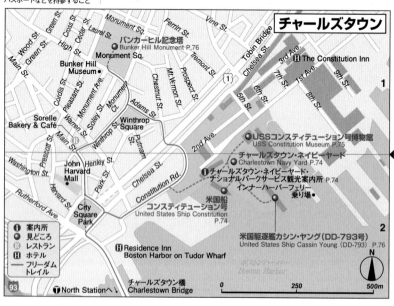

チャールズタウン

The Constitution Inn

バンカーヒル記念塔
Bunker Hill Monument P.76
Monument Sq.

Bunker Hill Museum

Sorelle Bakery & Café

Winthrop Square

USSコンスティテューション号博物館
USS Constitution Museum P.75

チャールズタウン・ネイビーヤード
Charlestown Navy Yard P.74

ⓘチャールズタウン・ネイビーヤード・ナショナルパークサービス観光案内所 P.74
インナーハーバーフェリー
乗り場●

John Harvard Mall

City Square Park

米国船
コンスティテューション号
United States Ship Constitution
P.74

米国駆逐艦カシン・ヤング（DD-793号）
United States Ship Cassin Young (DD-793) P.76

ボストンハーバー
Boston Harbor

ⓘ 案内所
🔴 見どころ
Ⓡ レストラン
Ⓗ ホテル
　フリーダムトレイル

Ⓗ Residence Inn
Boston Harbor on Tudor Wharf

93

Ⓣ North Stationへ↘

チャールズタウン橋
Charlestown Bridge

0　　　　250　　　　500m

1

2

N

From Readers　チャールズタウンからダウンタウンまでの快適な移動手段　MBTAが運営するフェリーを使うと、港の景色を楽しめるうえ、移動も楽。ニューイングランド水族館とUSSコンスティテューション号博物館近くの桟↗

輝かしい歴史をもつコンスティテューション号

コンスティテューション号は、現在チャールズタウンのネイビーヤードで余生を送っている。船は一般公開され、無料で見学できるが、船に入る前に荷物検査を受ける。2015年春から約3年の修復工事が始まったので見学できるエリアは限定されている。現地で要確認。

地上1階のSpar Deckでは360mの射程距離を誇る32ポンド砲、男性が2〜4人がかりで動かす大きな操舵輪、マストなどが見学できる。地下1階にはGun Deck、15基×2列の24ポンド砲が整列している。それぞれの重さは3.25トン、1基ずつに"Liberty Forever"、"Old Glory"、"Victory or Death"などの名前がつけられている。さらに下のBerth Deckは、乗務員の寝室として使われた。低い場所では天井まで約160cmしかない。前方にはキャプテン用の部屋や客室などが並び、他の乗船員との待遇の差が実感できる。船底のOrlopは貯蔵庫として使われ、長い船旅の間に消費する食料を保存していた。

広々とした甲板

USS Constitution号メモ
排水量▶2200トン
船の長さ▶全長62.1m幅13.3m
喫水（水面から船底までの最大垂直距離）▶7m
メインマストの高さ▶64m
帆の面積▶1万3155平方メートル
最高速度▶13ノット（時速24キロ）
乗務員数▶450名
錨▶2.40トンの主錨2基、2.44トンの非常用大錨1基、0.50トンのストリームアンカー1基、0.32〜0.18トンの小錨2基
ボート▶11mの大型ボート1艘、9mの1本マストのボート2艘、8.6mの捕鯨船2艘、8.6mの船長用船載ボート1艘、6.8mの小型ボート1艘、4.3mの角形平底船1艘
搭載砲▶24ポンド砲30基（射程距離1097m、重量2.53トン）、32ポンド砲24基（射程距離366m、重量1トン）、18ポンド追撃砲2基（射程距離900m）

観光案内所は博物館も兼ねている

船好きには必見の博物館
USSコンスティテューション号博物館
USS Constitution Museum

コンスティテューション号の斜め向かいのBuilding 22がコンスティテューション号に関する小さな博物館。

まず1階正面右側のシアターで、コンスティテューション号の歴史がわかる19分の映画を見るといい。それから、いくつかのギャラリーに進もう。当時の船で使われた帆や綱、ナイフなど、また、木造船の一部分がそのまま展示されている。コンスティテューション号のキャプテンになって指令できるコンピューターゲームはいつも人気の的だ。同号の歴代キャプテンの写真や制服なども興味深い。

2階でみな足を止めて感心しているのが、キャプテンからボーイまでの日課や給料の比較。全員がかなりハードなスケジュールをこなしていたことがよくわかる。ほかに、当時の航海図や使われていた食器なども並ぶ。帆船の写真や模型も多く、船好きには必見の博物館だ。

USS Constitution Museum
M P.74-1
Charlestown Navy Yard, Boston
(617)426-1812
URL ussconstitutionmuseum.org
〈4〜10月〉毎日9:00〜18:00、〈11〜3月〉毎日10:00〜17:00
休 11月第4木曜、12/25、1/1
料 寄付制（大人$5、子供$2）
行き方 チャールズタウン・ネイビーヤード参照

コンスティテューション号やカシン・ヤング号について解説する博物館

United States Ship Cassin Young (DD-793)

M P.74-2
住 Pier 1, Charlestown Navy Yard, Boston
☎ (617)242-5601
営 火～土10:00～17:50（冬季は短縮、閉鎖あり）

USS Cassin Youngメモ
タイプ▶フレッチャー・クラス駆逐艦
排水量▶2050トン
船の長さ▶タテ115m、ヨコ12m
喫水（水面から船底までの最大垂直距離）▶4.2m
最高速度▶36ノット（時速約67キロ）
乗務員数▶325名（1940年代）
造船地▶カリフォルニア州サンペドロ
搭載物▶5-5″/38 Caliber 高射砲、10砲の魚雷

日本との戦いで活躍したカシン・ヤング号

Bunker Hill Monument

M P.74-1
住 31 Monument Square, Boston
☎ (617)242-5641
営〈3～11月〉毎日9:00～17:00、〈12～2月〉毎日13:00～17:00（土・日9:00～）
料 無料
行き方ⓉオレンジラインCommunity College駅下車、徒歩約12分

足腰に自信のある方に
非常に疲れたが、塔の上から見る景色は最高だった。健脚にもチャレンジしがいのある294段だった。
（大阪府 ボストニアン '09）['15]

記念塔の窓からボストンを一望

第2次世界大戦中、対日本戦で活躍した駆逐艦

米国駆逐艦カシン・ヤング (DD-793号)
United States Ship Cassin Young (DD-793)

コンスティテューション号近くの埠頭に停泊している艦船は、第2次世界大戦中、対日本戦で活躍した駆逐艦カシン・ヤング号だ。

1943年12月に進水したヤング号は太平洋戦争中、日本軍に対して常に最前線で活躍し、日本軍によって占領されていた東南アジアなどの拠点の奪還におおいに貢献している。1945年4月からの沖縄侵攻では、海岸線爆撃のために戦闘機を誘導したり、レーダー監視船の役割を担うなどアメリカ海軍の要のひとつとして参戦したが、日本軍の神風特攻隊の襲来によって大きな打撃を受けた。修復されたものの、今度は7月30日にたった1機の神風特攻隊の奇襲を受ける。この1機がメインデッキ隅に激突、爆発した。船内中央部に大きな損傷を負い沈没していくが、船は20分以内に引き揚げられて、何とか帰還することができた。ヤング号は沖縄近海で神風特攻隊の攻撃を受けた最後の船となったのだ。

1981年からネイビーヤードで一般に公開され、3段ベッドがところ狭しとつるされている乗務員の寝室、管制室、手術室、洗濯部屋、ギャラリー、調理室を見学することができる。

フリーダムトレイルの終点

バンカーヒル記念塔
Bunker Hill Monument

チャールズタウンのバンカーヒルの上に、オベリクスがそびえ立っている。この塔は、独立戦争のさなか、バンカーヒル周辺で起こったバンカーヒルの戦いThe Battle of Bunker Hill（1775年6月17日）を記念して建てられたもの。高さは約67m（221フィート）、塔のブロックは花崗岩でできている。

塔の内部は、エレベーターがなく、294段の階段が展望階まで通じている。展望階には四方に窓があり、ボストンのダウンタウンやケンブ

フリーダムトレイルの終点がバンカーヒル。そのモニュメントがこれ

リッジ、チャールズタウンのネイビーヤードの鳥瞰図が楽しめる。

記念塔入口前のロッジでは、アメリカ独立のきっかけやバンカーヒルの戦いに関して約15分のレンジャートークがある。戦いの模様を再現した3点のジオラマも見逃せない。ジオラマは、1775年6月17日の3回にわたる攻撃の布陣の変化をよく表している。

フリーダムトレイルの終点、バンカーヒル記念塔に上ってボストンの町を一望すると、アメリカ独立の歴史がよりいっそう身近に感じられることだろう。

MEMO バンカーヒル博物館 バンカーヒル記念塔の向かいにある博物館で、バンカーヒルの戦いの資料やチャールズタウンの町の歴史についての展示がある。Bunker Hill Museum **M** P.74-1

歴史コラム

米国船コンスティテューション号の半生

海軍の誕生とともに歩んだ戦艦

　米国船コンスティテューション号の歩んできた道は、アメリカが独立し、現在の強大な国家が形成されていく道程と重なり合っている。彼女は幾度も戦火に遭いながらも、生まれながらの強運と、何人ものキャプテンの才覚で逆境を切り抜けてきた。

　建国当時のアメリカは9年間ほど海軍がなかった。その頃、地中海では海賊が横行し、アメリカの貿易船もしばしば標的となり、甚大な被害を受けていた。この海賊に対処するため1794年、米国議会は海軍を設置することを決定し、フリゲート艦6隻を建造することとした。そのうちの1隻がコンスティテューション号だった。

　船体の木造の部分は南部の樫、帆の柱となる木材はメイン州、サウスカロライナ州の松、大砲台や錨はマサチューセッツ州、大釘や銅メッキはポール・リビアの鋳造所と、当時のアメリカの各州から最高の材料が取り寄せられた。現在のコンスティテューション号は、わずか10%だけが当時からのもの。

　3年の月日を要し、1797年10月21日ついに完成。総費用$30万2718と聞くと、安そうに思えるが、航空機を1機購入できる金額に匹敵している。

武勇伝はここから始まった

　初航海は翌1798年7月、西インド諸島で、目的は巡視のため。次は、地中海を荒らし回っていた海賊たちを鎮めるためにトリポリへ向かった。メインマストに襲撃を受けながらも応戦した。

　当時、北大西洋で絶対的な支配権を握っていたイギリス海軍は、アメリカ海軍とは比べものにならないほど強大な勢力を誇っており、しばしばアメリカを軽視していた。内陸でも対イギリス関係が険悪化し、1812年6月、アメリカはついにイギリスに対し宣戦布告をする。3週間後、コンスティテューション号を含んだ4つの戦闘艦がニューヨークの分艦隊と合流するためニュージャージー港を出帆した。しかしながら、翌朝4隻の戦艦はイギリス軍によって包囲され、四面楚歌の窮地に追い込

まれてしまう。イギリス軍の砲撃を受け、数隻のフリゲート艦が炎上を始めたなか、キャプテン・ハルの才覚で、コンスティテューション号は窮地を脱した。

鉄の横腹

　8月2日、コンスティテューション号はノヴァ・スコシア（カナダ北東部の州）沖で、イギリスのフリゲート艦と敵対し、再び砲撃を交える。コンスティテューション号はとうとう船体の横に巨大な砲弾を浴びる。しかし、被害をまったく感じさせず、攻撃の手を緩めることはなかった。これを見たイギリス軍の水兵が"Huzza! Her sides are made of iron!"「ヒュー！ 彼女の横腹は鉄でできているぞ！」ともらしたことから、コンスティテューション号は"Old Ironside＝オールド・アイアンサイド（鉄の横腹をもつ老舗な彼女）"と呼ばれるようになったのである。この戦いでイギリスのフリゲート艦は炎上、キャプテン・ハルの率いるコンスティテューション号は大勝利を収めた。

　5ヵ月後の12月29日には、ブラジル沖で38の大砲をもつフリゲート艦ジャワ号を倒し、再び大勝利した。翌年2月の終わり、コンスティテューション号の帰還を迎えたボストンの町は歓喜にわき返ったという。

　1815年2月20日コンスティテューション号は最後の戦いに挑む。ここでも彼女はその才能をいかんなく発揮し、より性能の優れたイギリスの戦闘艦2隻を降伏させた。

1年に1回の航海

　1976年よりコンスティテューション号は、チャールズタウンのネイビーヤードを母港として一般公開されている。年に1回だけ、3時間の航海に出る。潮の浸食を防ぐため1年に1回方向転換をする必要（ターンアラウンド）があり、それは独立記念日に行なわれる。多くの船やボートが彼女を追跡することが有名で、独立記念日のボストン名物のひとつになっている。

ネイビーヤードの歴史

　チャールズタウンは、1799年、アメリカの貿易船を敵軍の襲撃から守る戦艦の造船基地として海軍によって購入された土地。しかし、1814年の米英戦争の終結から南北戦争までは数隻の船が造られただけで、どちらかというと修復される食料の供給地として発展した。ネイビーヤードと呼ばれるようになったのは、1890年代に本格的な造船所として稼働し始めてからのこと。

　第1次世界大戦が終了すると、アメリカ海軍は駆逐艦の造船を手がけるようになり、やがて第2次世界大戦の開戦を迎える。アメリカの太平洋戦争参戦とともに、ネイビーヤードもフル操業、膨

大な数の駆逐艦の修理が行われた。当時、ネイビーヤードでは5万人もの労働者が従事し、週7日、1日24時間稼働していた。ドイツ軍によって打撃を受けたイギリス戦艦の修復も行っている。

　第2次世界大戦が終わると、ネイビーヤードはミサイル、水中探査機、最新鋭の電気設備製造など最新技術力を有する造船所として新しく生まれ変わるが、1973年に174年間の役目を終え、閉鎖された。しかし、1975年には、内務省によって国立歴史公園の指定を受け、コンスティテューション号に代表される、アメリカの歴史を語る場所として保存されている。

ビーコンヒル

金色に輝くドームがひときわ印象的な州議事堂

フリーダムトレイルの最初のポイント

マサチューセッツ州議事堂
Massachusetts State House

Massachusetts State House

- **M** P.79-D2
- 24 Beacon St., Boston
- ☎(617)727-3676
- **URL** malegislature.gov/
Engage/StateHouseTours
- 月～金9:00～17:00
- 土・日、おもな祝日
- **行き方** ①グリーン、レッドライン
Park St.駅下車、徒歩約3分

ガイドツアー
- **URL** www.sec.state.ma.us/
trs/trsidx.htm
- 月～金10:00～15:30、人数
が集まり次第ドリックホー
ルから出発。所要45分
- 無料

若きケネディの像
州議事堂の正面左脇に、第
35代アメリカ大統領、ジョ
ン・F・ケネディの銅像があ
る。ハーバード大学を卒業
後、1946年、マサチューセッ
ツ州下院議員として政治家
としての第一歩をスタート
させたケネディ。その後、
マサチューセッツ州上院議員
を経て、大統領にまで上り
つめた。彼の生家（→P.106）
が、ボストン近郊のブルック
ラインに残されている

若き日のケネディ

ボストンのランドマークのひとつである州議事堂は、金色に輝くドームを頂く新古典主義様式の建物だ。設計はあの名建築家、チャールズ・ブルフィンチ Charles Bulfinch。

ビーコン通りBeacon St.に面している州庁舎の正面には、いくつかのブロンズ像が点在しているが、必見は州議事堂正面左脇の階段上にある第35代アメリカ大統領、ジョン・F・ケネディの像だろう。彼が生きていたならば、73歳の誕生日に当たる1990年5月29日に建てられたもの。マサチューセッツ州下院議員、上院議員として州議事堂で活動していた、若かりし頃のケネディがモデルとなっている。

ガイドツアーに参加しよう

Beacon St.から向かって右側のイーストウイングから入り、2階のドリックホールDoric Hallで受付を済ませよう。

ツアーの出発地点であるドリックホールは、古代ギリシャ風の円柱が10本並び、レセプションやパーティ会場として使われた。隣の大理石で囲まれた壮麗なナースホールNurses Hallには、南北戦争で負傷した兵士を介護する看護婦の彫像がある。そのあと、兵士をたたえる

ボストンの歴史が学べるガイドツアー

南北戦争の戦旗が立つ旗の殿堂 Memorial Hall／Hall of Flagsへ向かう。そして、3階へ移り、マサチューセッツ州政府の立法機関である、下院会議室House of Representatives や上院会議室 Senate Chambersなどを見学する。

歴史コラム

最初から金色ではなかった州議事堂のドーム

ダウンタウンを俯瞰する好適地

新州政府の発足に際し、マサチューセッツ州の官僚たちは、1793年、ボストンコモンの北側に面したビーコンヒルの一画を買い取った。当時、ビーコンヒル周辺は、放牧場だったが、ボストンコモンやダウンタウンが見下ろせ、新州政府機関を設置するには絶好の場所だったからである。

工事は1795年に始まり、3年後の1798年1月11日に完成。そのときのドームは、現在のように金箔で覆われてはいなかった。1802年、雨もり防止のため、真夜中の疾駆で名高い、ポール・リビアの工場で鋳造された銅でカバーされた。金色のドー

ムに変わったのは1874年のこと。このとき、23金の金箔が施された。以降、数回にわたって修復され、いちばん最近の修復は1997年。工費30万ドルをかけて行われている。第2次世界大戦中には砲弾のターゲットになることを避けるため、ドームが灰色に塗られた時期もあった。

マサチューセッツ州政府が本格的に稼働し始めると、建物が手狭になったため、1889年から1895年にかけて拡張工事がなされている。建物後方にある黄色のれんがの部分がそれ。20世紀初めには、左右のウイングも増築。2000年から2年にわたった大改装を終え、現在にいたっている。

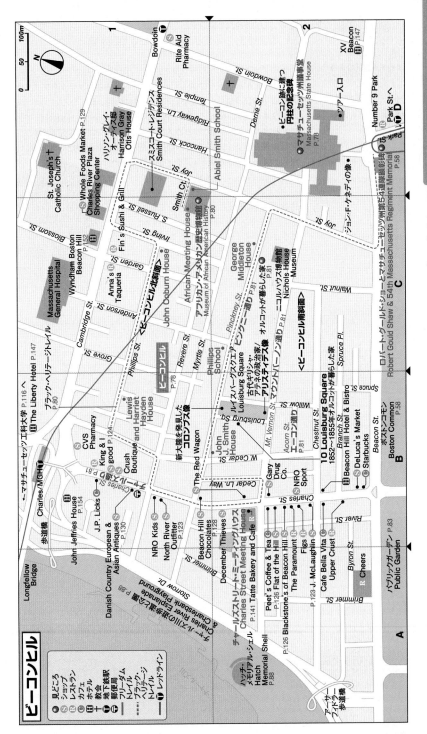

ブラック・ヘリテージトレイルを歩くガイドツアーに参加してみよう

Museum of African American History
M P.79-C1〜D1
住 46 Joy St., Boston
☎(617)725-0022
URL www.afroammuseum.org
営〈6〜9月〉毎日10:00〜17:00、〈10〜5月〉月〜土10:00〜16:00
休 10〜5月の日、11月第4木曜、12/25、1/1
料 大人$5、シニア・子供（13〜17歳）$3
行き方①ブルーラインBowdoin駅下車、徒歩約5分。レッドラインCharles/MGH駅下車、徒歩約8分。グリーンラインPark St.駅下車、徒歩約9分

アフリカ系市民の変遷史を伝える
アフリカン・アメリカン歴史博物館
Museum of African American History

　かつてボストンのブラックコミュニティの中心だったビーコンヒル。アフリカ人がボストンに渡った1638年から始まるアフリカ系アメリカ人の歴史を語り継ぐ、貴重な史料が一般に公開されている。

　アフリカン・ミーティング・ハウスAfrican Meeting Houseは、アメリカ最古のアフリカ系アメリカ人の教会として、1806年に建造された。直接の建築作業に従事したのは黒人だったが、計画のための基金は、白人と黒人、双方のコミュニティから徴集されたという。以後、この場所はボストンだけでなく、全米のブラックコミュニティの中枢となり、建物は教会、学校、集会場として使われてきた。アフリカン・ミーティング・ハウスでは、アフリカ系アメリカ人の子供たちのための最初の公立学校となった、アビエル・スミス・スクールAbiel Smith Schoolも開校された。今その場所は、Museum Storeとなっている。

博物館入口

歴史コラム

ブラック・ヘリテージトレイルを歩く

ビーコンヒルは奴隷制廃止の中核基地

　アフリカ人が奴隷として初めてボストンに渡ったのは1638年。南北戦争（1861〜1865年）でも多くの黒人が戦死し、その顕彰碑が「ロバート・グールド・ショーとマサチューセッツ州第54連隊顕彰碑Robert Gould Shaw & 54th Massachusetts Regiment Memorial」（→P.58）として建てられている。

　1783年、マサチューセッツ州は奴隷制が非合法であると宣言した。その後、アフリカン・ミーティング・ハウスを中心に、全米に奴隷制度廃止の機運が高まり、1832年には新聞の編集者でもあったウィリアム・ロイド・ギャリソンWilliam Lloyd Garrison（1805〜1879）が、ニューイングランド奴隷制度廃止協会を設立。1850年頃には、逃亡奴隷をかくまう組織、「アンダーグラウンド・レイルロードUnderground Railroad」がビーコンヒルにも作られ、2000人以上の黒人たちがその周辺に住んでいたといわれている。

　一方、1852年、小説家ハリエット・ビーチャー・ストウが黒人奴隷トムの生涯を描いた、『アンクル・トムの小屋』をボストンの出版社から発行し、大ベストセラーを記録。それが、南北戦争の引き金になったともいわれている。

南北戦争以後の黒人社会

　1861年4月に勃発した南北戦争は、1863年に奴隷解放宣言が発令され、1865年に北軍の勝利で終結。南北戦争以後、黒人の地位は徐々に向上していき、1909年には全米有色人種地位向上協会設立

や、1950年代のマーチン・ルーサー・キング牧師たちが主導する公民権運動へとつながっていく。

　ビーコンヒルのブラック・ヘリテージトレイルBlack Heritage Trail沿いには、19世紀後半、ボストンで差別と闘った黒人たちの足跡をたどる史跡が点在している。パークレンジャーのガイドで、史跡14ヵ所を結ぶ約2.5kmを、約1時間30分で見て回るウオーキングツアーも催行されている。アフリカン・ミーティング・ハウスとアビエル・スミス・スクール以外の建物は、個人所有のため立ち入ることはできない。ウェブサイトで公開されている地図を頼りに歩いてみよう。

ブラック・ヘリテージトレイル
M P.79-B1〜D2
☎(617)742-5415
ガイドツアー／5月の最終月曜の週末から9月第1月曜の週末までの月〜土10:00、12:00、14:00発
URL www.afroammuseum.org/trial.htm **料** 無料
場所 ボストンコモンの北、州議事堂の前にある記念碑Robert Gould Shaw & 54th Massachusetts Regiment Memorial（**M** P.79-D2）の前に集合

全米のブラックコミュニティの中核となったアフリカン・ミーティング・ハウス

ボストンらしい優雅な住宅街
マウントバーノン通り周辺
Mt. Vernon Street

　一見平坦に見えるボストンのなかで、ビーコンヒル周辺は起伏に富んだエリア。マウントバーノン通りも思いのほか勾配がきつく、その坂沿いに、18～19世紀のれんが造りの家が軒を連ねている。ビーコンヒルには、WASP（ワスプ）と呼ばれるアングロサクソン系白人で、かつプロテスタント（キリスト教の新教徒）の子孫たちが多く暮らし、エリート階級を形成している。ダウンタウンの喧騒とは対照的に、エレガントで豪奢な雰囲気がいかにも高級住宅街を感じさせてくれる町並みだ。

Ceder Lane Way にて

Mt. Vernon Street
Ⓜ P.79-B2～C2
行き方 州議事堂の西側から延びるMt. Vernon St.。ここから西へ坂を下っていくとよい

エーコン通り Acorn Street

　マウントバーノン通り周辺で、最も有名なのがこの通り。そのたたずまいは絵はがきにも使われるほど。W. Ceder St.とWillow St.に挟まれ、チャールズ通りCharles St.からもわずか3ブロック。細い路地だが、昔の面影をよく宿している。ただし、私道なので一般の通行は禁止されている。

石畳の小石が年月を物語るエーコン通り

Acorn Street
Ⓜ P.79-B2

ピンクニー通り Pinckney Street

　Mt. Vernon St.の1本北側を走るピンクニー通り20番地は、『若草物語』の作者、ルイザ・メイ・オルコットLouisa May Alcottが一時期暮らした家。四姉妹の長女のアンナと当時20歳だったルイザが、この家で学校を開いたという。一家は1852年から1855年までここで暮らし、その後、ニューハンプシャー州へ、1857年にはコンコードに移り住んだ。晩年のオルコットは再びボストンへ戻り、ビーコンヒルのルイスバーグスクエア（Ⓜ P.79-B2、🏠10 Louisburg Square）の豪邸に暮らした。

オルコットが暮らした家
Ⓜ P.79-C2

オルコットが晩年を過ごしたルイスバーグスクエアの豪邸

Charles Street
Ⓜ P.79-B1～B2
行き方 Mt. Vernon St.を東から西へ下り、下りきってぶつかる大通りがチャールズ通り

ボストンで最もおしゃれな通り
チャールズ通り
Charles Street

　ビーコンヒルの西側を南北に走るチャールズ通りは、ビーコンヒル自慢のエレガントな通り。小粋なレストランやバー、アンティークショップ、ブティック、ギフトショップなどが並び、ボストンのセレブリティたちが足しげく通うカフェなどもある。軒先にさりげなく出ている看板も実におしゃれで、ボストニアンのセンスのよさがうかがえる。

ボストン随一の高級住宅街にあるショッピングスポット

(→ P.52)

ダックツアーの発着場所でもある科学博物館

大人も子供も体を使って楽しめる

科学博物館
Museum of Science

小学生から大人まで、自らが体験することで、科学に親しみ、理解できるように工夫された博物館。常設コレクションは700点以上に及ぶ。数学の論理構造の美しさから、人類誕生の神秘、恐竜ティラノザウルスやニューイングランド地方に生息した動物の剥製までさまざまな分野の展示品がある。

1981年の公開から、現在も人気の「Mathematica」は、家具や建築、グラフィックデザイナーとして有名だったチャールズ＆レイ・イームズ夫妻Charles & Ray Eamesが制作した、数学の理論や歴史を紹介している。ボールを針金のケースの上から落とすと、どのような軌跡をたどるかを知ることで、確率論を学ぶことができる。ここでは、イームズの多才さを再認識しよう。

2階のブルーウイングにあるバタフライガーデンButterfly Gardenは、アゲハチョウをはじめとするニューイングランドに生息している蝶や蛾を集めた温室。中に1歩入ると自由に飛び回る蝶たちを目の前で見ることができる。それに加え、隣接するギャラリーでは卵から孵化した幼虫や成虫にいたるまでの過程を知ることができる。

また、インストラクターによるショー形式のワークショップや、科学実験のデモンストレーションも行われ、入館者の興味をひきつけるさまざまな工夫を凝らしている。プラネタリウムやIMAXシアターなどの施設もあり、見どころは豊富。

館内は、チケットカウンターを中心に東のレッドウイング、グリーンウイングと西のブルーウイングに分けられ、地下1階、地上2階の全フロアが展示スペースに使われている。

まずは、入口のインフォメーションカウンターで、デイリープログラムと地図を手に入れよう。IMAXシアターや、プラネタリウム、4-Dシネマの開催時間に合わせて館内を回るといい。全部見ようとすると1日はかかるので、時間に余裕をもって訪れること。館内にはギフトショップやカフェも併設されているので、休憩に利用したい。

Museum of Science
Ⓜ 折込地図裏-C1、P.34-B1
🏠 1 Science Park, Boston
☎ (617)723-2500
URL www.mos.org
🕐〈7月中旬～9月上旬〉毎日9:00～19:00（金～21:00）、〈9月中旬～7月上旬〉毎日9:00～17:00（金～21:00）
🚫 11月第4木曜、12/25
💰 展示ホールのみ／大人$23、シニア（60歳以上）$21、子供（3～11歳）$20
プラネタリウムやオムニシアター／追加料金：大人$6、シニア（60歳以上）$5.50、子供（3～11歳）$5
🚃 Ⓣ グリーンライン Science Park駅下車、駅から交差点を渡り、北西へ3分ぐらい歩くと左手にある

Butterfly Garden
🕐〈7月中旬～9月上旬〉毎日10:00～19:00、〈9月中旬～7月上旬〉毎日10:00～17:00（金～19:00）
💰 大人$2.50、シニア（60歳以上）$2、子供（3～11歳）$1.50

年に一度公開される、ビーコンヒルの秘密の庭園

ボストンのセレブたちが暮らすビーコンヒルで、1929年から80年以上も続く庭園ツアー"Hidden Garden Tour"がある。それも開催は1年に1度だけ。通りを歩いているだけではわからない、れんが造りのタウンハウスのその奥に、家主が丹誠込めて造り上げた名庭園があったなんて、想像するだけでわくわくする。庭を見せていただくと同時に、その優雅な暮らしぶりも垣間見られるところで、人気が高い。当日は、ブースでもらう地図を見ながら、その年公開された庭園を自由に訪ね歩く。外からしか見られない庭もあるが、普段見られない場所を見せていただくのだから贅沢はいえない。タウンハウスの限られた空間に、池や彫刻を配し、ライラックやハナミズキが春を彩るその空間は、まさに都会のオアシス。庭園好き、花好きにぜひ参加してもらいたいツアーである。

ヒドゥンガーデン・ツアーHidden Garden Tour
Beacon Hill Garden Club
🏠 Box 302, Charles St. Station, Boston, MA 02114
☎ (617)227-4392
URL www.beaconhillgardenclub.org
🕐 5月第3木曜9:00～17:00、雨天決行
2016年は5月19日（木）9:00～17:00開催予定
💰 当日券$40、前売り券$35
前売り券はウェブサイトや郵便などから購入でき、チケットは当日ブースで引き換え。当日券は現金、クレジットカードで支払い可能

バックベイ

アメリカで初めてできた植物園
パブリックガーデン
Public Garden

バックベイ

1837年、バックベイ地区の埋め立て計画の際に誕生した公園。美しい花々や樹木が植えられ、散歩する人の心をなごませてくれる。特に春に開花するチューリップの群生は、ボストンに春の到来を告げるメッセンジャー。この頃

約140年の歴史を誇るスワンボート

からパブリックガーデンを訪れるボストニアンの数が増え始める。また、名物のスワンボートSwan Boatは、1877年に始まり、140年近く続くボストンの夏の風物詩。春から夏にかけて観光客や市民を乗せてゆっくりゆっくりと航行する。

ジョージ・ワシントンの像

ガーデン内には多くの銅像が立っている。Arlington St.とCommonwealth Ave.が交差するゲートの近くにある馬に乗った像は、ジョージ・ワシントン。Charles St.とBeacon St.側には、カモの親子の銅像がある。これは、この公園を舞台にした"Make Way for Ducklings（邦題『かもさんおとおり』）"という童話を記念して作られたもの。

ボストン民間経済の中心はここ!?
コープリースクエア
Copley Square

観光に疲れたら芝生の広場で休憩を

トリニティ教会（→P.84）とボストン公共図書館（→P.86）の狭間にある広場が、コープリースクエアだ。広場は、植民地時代に活躍した画家ジョン・S・コープリーJohn S. Copleyにちなんで名づけられた。5月中旬～11月中旬の毎週火曜と金曜にはファーマーズマーケットCopley Square Farmers Marketが開かれる。

広場の南側には、コープリープレイスCopley Place（→P.123）と呼ばれる巨大なコンプレックスがあり、ショッピングの名所となっている。特にショッピングビルの中央吹き抜けにある滝の彫刻は、ちょっとした名物。

コープリースクエアのショッピングモールの西にあるプルデンシャルセンターのモール、ザ・ショップス・アット・プルデンシャルセンターThe Shops at Prudential Center（→P.123）とは連絡通路でつながっている。

ファーマーズマーケットに出かけてみよう

Public Garden
M 折込地図裏-C2、P.34-B3
住 bet. Beacon、Charles、Boylston & Arlington Sts.、Boston
営 6:00～23:30頃（暗くなってからは歩かないこと）
行き方 T グリーンラインArlington駅下車、徒歩約1分。ボストンコモンの西、チャールズ通りを挟んで西側に位置する。ボストンコモンから徒歩約5分

Swan Boat
M P.34-B3
☎ (617)522-1966
URL www.swanboats.com
料 大人$3.50、シニア$3、子供（2～15歳）$2
営 〈4月中旬～6月中旬〉毎日10:00～16:00、6月下旬～9月上旬毎日10:00～17:00、〈9月中旬〉毎日12:00～16:00（土・日10:00～）。天候により欠航のこともある

カモの親子の銅像があるこの場所は、子供たちでいつもにぎやか

Copley Square
M P.85-C1
行き方 T グリーンラインCopley駅下車、徒歩約1分

Copley Square Farmers Market
M P.85-C1
営 〈5月中旬～11月中旬〉火・金11:00～18:00

Copley Place
M P.85-B2
住 100 Huntington Ave.、Boston
URL www.simon.com/mall/copley-place
営 月～土10:00～20:00、日12:00～18:00

ジョン・ハンコック・タワー
John Hancock Tower

John Hancock Tower
Ⓜ P.85-C1
🏠 200 Clarendon St., Boston
行き方 ⓉグリーンラインCopley
駅下車、徒歩約3分
※一般客のタワー内への立
入りは禁止されている

総ガラス張りのタワーに圧倒される

トリニティ教会のすぐ南に建つのっぽのビルは、ニューイングランド地方でNo.1の高さを誇る。その高さは約241m。60階建てのビルは、全面ガラス張りで、天気のよい日には、すぐ隣のトリニティ教会や青空がガラスに映ってたいへん美しい。ボストンの摩天楼群のなかでもひときわ異彩を放っている。

このビルを設計したのは、著名な中国系建築家I. M. ペイ&パートナーズI. M. Pei & Partnersで、1枚のガラスの厚さは1.3cm、総数は1万344枚、総面積は13エーカー（約5万2600m²）というから、想像のつかない大きさだ。ビルの建築中、風で窓ガラスが吹き飛び完成が2年も遅れたという話もある。

Clarendon St. からは、風景を映す巨大な鏡に

トリニティ教会
Trinity Church

Trinity Church
Ⓜ P.85-C1
🏠 206 Clarendon St., Boston
☎ (617)536-0944
URL trinitychurchboston.org
🕐 月～土9:00～17:00、日7:00
～20:00
日曜礼拝／7:45、9:00、11:15、
18:00、20:00
行き方 ⓉグリーンラインCopley
駅下車、徒歩約3分

ガイド付きツアー
地下内のThe Shop at Trinityで
申し込む
🎫 大人$7、シニア・学生$5
※開催時間は曜日によって
異なるのでウェブサイトで
確認すること
セルフガイドツアー
🎫 $7で地図を購入してから
館内を見学する
🕐 月～土9:00～16:45、日11:15
～17:45

トリニティ教会は、1877年アメリカ建築界のロマネスク復古調で先駆者的存在のヘンリー・ホブソン・リチャードソン Henry Hobson Richardsonによって設計され、建立された。リチャードソンはパリの美術学校で建築を学び、そこでロマネスク様式の影響を

トリニティ教会（左）とジョン・ハンコック・タワー（右）

大きく受けた。そのため、彼の作品にはロマネスクの特徴が強く反映され、美しい外観、内観をもつトリニティ教会はその特色が顕著に出た代表作になっている。内装のおびただしい数のステンドグラスや絵画はその当時の売れっ子芸術家ジョン・ラファージ John La Farge、ウィリアム・モリスWilliam Morris、エドワード・バーン-ジョーンズ

荘厳な祭壇

Edward Burne-Jonesの協力を得て制作されたものだ。ラファージが描いた天井や壁の絵画はイエス・キリストの生涯からピックアップされたいくつかのハイライトシーンになっている。

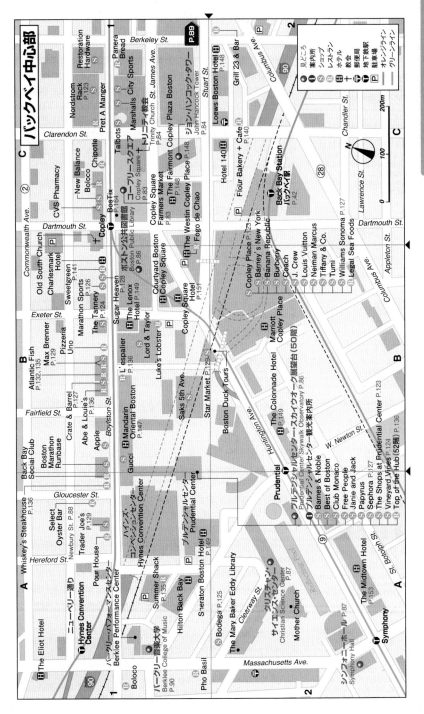

バックベイ中心部

P.89

C

Berkeley St.

Restoration Hardware

Panera Bread

Nordstrom Rack P.123

Pret A Manger

Marshalls City Sports

Trinity Church St. James Ave.
Trinity教会 P.84

The Fairmont Copley Plaza Boston P.84

ジョン・ハンコック・タワー
John Hancock Tower P.84

Stuart St.

Loews Boston Hotel P.148

Grill 23 & Bar

Columbus Ave.

90

New Balance

Boloco

Chipotle

CVS Pharmacy

Clarendon St.

Talbots

BosTix P.164

コプリースクエア
Copley Square P.83

Old South Church

Charlesmark Hotel

Sweetgreen P.141

Copley Square Farmers Market P.83

The Westin Copley Place P.148

Fogo de Chao

Hotel 140 P.148

Flour Bakery + Cafe P.140

Back Bay Station バックベイ駅 P.42

(28)

Chandler St.

Lawrence St.

Dartmouth St.

ボストン公共図書館
Boston Public Library P.86

Copley Place P.123

Barney's New York

Banana Republic

Burberry

Coach

J. Crew

Louis Vuitton

Neiman Marcus

Tiffany & Co.

Tumi

Williams Sonoma P.127

Legal Sea Foods

Dartmouth St.

Appleton St.

Courtyard Boston Copley Square

Copley Square Hotel P.151

Marathon Sports P.126

The Tannery P.124

Max Brenner P.129

Pizzeria Uno P.129

Sugar Heaven

The Lenox Hotel P.149

Lord & Taylor

Saks 5th Ave.

Luke's Lobster

Boston Duck Tours

Star Market

Marriott Copley Place

Huntington Ave.

The Colonnade Hotel P.149

W. Newton St.

Columbus Ave.

B

Atlantic Fish P.132, 135

L'espalier P.136

Exeter St.

Crate & Barrel P.127

Abe & Louie's P.136

Apple

Boylston St.

Fairfield St.

Mandarin Oriental Boston P.147

Gucci

Copley Square

St. Botolph St.

A

Whiskey's Steakhouse P.136

Back Bay Social Club

Boston Marathon Runbase

Select Oyster Bar P.129

Trader Joe's P.129

Newbury St. P.88

Pour House

Gloucester St.

Hereford St.

The Eliot Hotel

ニューベリー通り

バークリー・パフォーマンス・センター
Berklee Performance Center

Hynes Convention Center

ハインズ・コンベンション・センター
Hynes Convention Center

バークリー音楽大学
Berklee College of Music P.90

Prudential

プルデンシャル・センター・スカイウォーク展望台 P.86
Prudential Center Skywalk Observatory

プルデンシャル・センター観光案内所

Summer Shack P.135

Prudential Center
プルデンシャル・センター

Hilton Back Bay

Sheraton Boston Hotel P.149

Barnes & Noble

Best of Boston

Club Monaco

Free People

Janie and Jack

Papyrus

Sephora P.127

The Shops at Prudential Center P.123

Vineyard Vines

Top of the Hub (52階) P.136

Prudential

Boloco

90

Pho Basil

The Mary Baker Eddy Library

クリスチャン・サイエンス・センター
Christian Science Center P.87

Mother Church

The Midtown Hotel P.153

Clearway St.

Symphony

シンフォニーホール
Symphony Hall

Bodega P.125

Massachusetts Ave.

Reflecting Pool

N

0   100   200m

見どころ
案内所
ショップ
レストラン
ホテル
教会
郵便局
地下鉄駅
駐車場
オレンジライン
グリーンライン

2

C

B

A

1

2

Commonwealth Ave. ②

Dartmouth St.

Boston Public Library
M P.85-B1〜C1
🏠 700 Boylston St., Boston
☎(617)536-5400
URL www.bpl.org
🕐 月〜土9:00〜21:00（金・土〜17:00）、日13:00〜17:00
🚫 おもな祝日
🚃 ①グリーンラインCopley駅下車、徒歩約1分

ツアー
Art & Architecture Tour
🕐 月 14:30、火・木 18:00、水・金・土11:00、日14:00、Dartmouth St. 側のMcKim Buildingのロビーより。所要約1時間
☎(617)859-2216
🎫 無料

近代的な新館

ボストン公共図書館
　外からでは見えない中庭が素敵。噴水やテーブル、椅子があり食事もできる。
（新潟県 つぼんぬ '14）['15]

Prudential Center
M P.85-A1〜B1
🏠 800 Boylston St., Boston
URL www.prudentialcenter.com
🚃 ①グリーンライン (E) Prudential駅下車、徒歩約1分。グリーンライン(B)(C)(D) Hynes Convention Center駅下車、徒歩約5分。

BOSTON CityPass
(→ P.52)

Prudential Center Skywalk Observatory
M P.85-A1〜B1
☎(617)859-0648（スカイウオーク）
URL www.prudentialcenter.com
🕐〈11月中旬〜3月中旬〉毎日 10:00〜20:00、〈3月下旬〜11月上旬〉毎日10:00〜22:00
🎫 大人$17、シニア（62歳以上）・学生$14、12歳以下$12
🚃 展望台への入口は、プルデンシャルセンターのCenter CourtからPrudential Arcadeを入った所にある

新旧の建築デザインが同居するビル
ボストン公共図書館
Boston Public Library

　1895年に創立したボストン公共図書館は、建築的に見て非常に興味深い構造になっている。ダートマス通りDartmouth St.に面したルネッサンス復古調の本館マッキムビルディングThe McKim Buildingはチャールズ・マッキムCharles McKim、ウィリアム・ミードWilliam Mead、スタンフォード・ホワイトStanford Whiteの共同製作だ。また、入口のブロンズ製の重厚なドアにある精巧な彫刻は、ワシントンDCのリンカーン記念館の彫刻家として知られるダニエル・チェスター・フレンチDaniel Chester Frenchが手がけたもの。一方、ボイルストン通りBoylston St.に面した西側の新館ジョンソンビルディングJohnson Buildingが加わったのは、1972年のこと。フィリップ・ジョンソンPhilip Johnsonが設計を担当し、閲覧室への入口はターンスティールが用いられるユニークな構造だ。正面入口は花崗岩で覆われ、近代的なスッキリしたデザインによくマッチしている。これらふたつのかけ離れた設計が同居する建築はアメリカでも非常に珍しい。

　館内は一般の人の出入りも自由。新館の入口にインフォメーションカウンターがあり、その奥のフロアでは写真展などの特別展がよく行われる。

コプリースクエアに面する本館

地上52階のパブも人気
プルデンシャルセンター
Prudential Center

　1960年代のボストンの都市再開発計画の一環として建てられたプルデンシャルセンターは、ボストンでジョン・ハンコック・タワーに次ぐ高さを誇る52階建てのビル。オフィス、アパート、ショッピングモールの複合施設ザ・ショップス・アット・プルデンシャルセンターThe Shops at Prudential Center（→P.123）、ロード＆テイラーやサックス・フィフス・アベニューなどの有名デパートが入る巨大なコンプレックスだ。

　周辺のシェラトンホテル、マリオットホテル、コープリープレイスのセンターコートとは、連絡通路でつながっており、雨や雪の日でも楽に行くことができる。

　プルデンシャルセンターの50階には**スカイウオーク展望台Skywalk Observatory**がある。北側のデッキから見下ろすと、ヨットが行き交うチャールズ川を手前にマサチューセッツ工科大学（MIT）の校舎が真っ正面に位置し、そこからケンブリッジ市が広がっていく。西にはボストン・レッドソックスでおなじみのフェンウエイパークやボストンカレッジBoston College、南は緑豊かな住宅地、東にはジョン・ハンコック・タワーやダウンタウンなどが見渡せる。なお、タワー52階にあるパブの**トップ・オブ・ザ・ハブTop of the Hub**（→P.136）では、生演奏を聴きながらお酒が楽しめる。

50階にある展望台からハーバードスタクエアを望む

○MEMO　プルデンシャルセンターの工事　2015年6月からプルデンシャルセンターの一部の工事が始まった。Boylston St.側にあった入口や2階のフードコートなどは閉鎖されている。

クリスチャン・サイエンスの総本山

クリスチャン・サイエンス・センター
Christian Science Center

1866年に、メアリー・ベーカー・エディMary Baker Eddyによって開かれたキリスト教の一派が"クリスチャン・サイエンスChristian Science：The First Church of Christ, Scientist"。聖書に基づく信仰で、現在世界中に信者をもち、ここボストンの総本山を訪れる人は跡を絶たない。7つあるセンター内の構造物の一部を一般に公開している。

●マザーチャーチ Mother Church

1894年に建立。イタリア・ルネッサンス様式が反映されているドームの公会堂は1906年に加わり、ルネッサンスとロマネスク様式がミックスされた造りとなっている。1万3000以上のパイプをもつ、世界で8番目に大きいというパイプオルガンを所有する。

●メアリー・ベーカー・エディ・ライブラリー
The Mary Baker Eddy Library

この建物の中で見逃せないのがマッペリアムThe Mapparium。1935年頃の世界地図をモデルに造られているステンドグラスでできた地球儀だ。直径約9mの球体の内側に架かった橋を歩きながら見学していく。マッペリアムは608のステンドグラスがブロンズのフレームによって固定されている。この地球は外側から200もの電球を使って照らし出され、鮮やかな色が非常に印象的だ。

ボストンを代表するエンターテインメントの殿堂

シンフォニーホール
Symphony Hall

ボストン交響楽団Boston Symphony Orchestra（BSO）は、1881年ヘンリー・リー・ヒギンソンHenry Lee Higginsonによって創立された。最初のコンサートは古い音楽ホールで開かれたが、1900年10月15日に、1884年まで音楽監督を務めたジョージ・ヘンシェルGeorg Henschelの

シンフォニーホールの外観

指揮でこのシンフォニーホールのこけら落としが行われた。ホールのステージの上には、ベートーベンの名を刻んだ金色の飾り板が貼られている。壮麗なホールに並ぶ椅子は創建当時のものも含まれ、専属の椅子職人によって大切に守り伝えられている。BSO音楽監督は、2014年に就任したアンドリス・ネルソンAndris Nelsons。ボストンポップスの指揮者はキース・ロックハートKeith Lockhartが務めている。1973年から2002年まで、小澤征爾が音楽監督を務めたことはあまりに有名。現在BSOにはオーボエ奏者の若尾圭介やバイオリン奏者の水野郁子が在籍している。BSOのシーズン中は、ホールの歴史や施設を熟知したボランティアガイドの案内で、バックステージを含むホール内をツアーで訪れることができる。美しいホールをぜひ訪れてみよう。

Christian Science Center
M P.85-A2
住 210 Massachusetts Ave., Boston
☎(617)450-2000
URL www.christianscience.com
料 無料
行き方 ⓣグリーンライン(E) Prudential駅、Symphony駅下車、ともに徒歩約3分

Mother Church
ツアー／火12:00～16:00、水13:00～16:00、木～土12:00～17:00、日11:00～15:00 料 無料
日曜礼拝／10:00、17:00（7～8月を除く） 料 無料

風格あるマザーチャーチ

The Mary Baker Eddy Library
M P.85-A2
住 200 Massachusetts Ave., Boston
☎(617)450-7000
URL www.marybakereddylibrary.org
営 火～日10:00～16:00
休 月、おもな祝日
料 大人$6、シニア（62歳以上）・子供（6～17歳）$4

Symphony Hall
M P.85-A2
住 301 Massachusetts Ave., Boston
☎(617)266-1492
URL www.bso.org
営 月～金10:00～17:00（チケット窓口）
行き方 ⓣグリーンライン(E) Symphony駅下車、徒歩約1分

ツアー
☎(617)638-9390
E-mail bsav@bso.org
営 シーズン中の水曜16:00、土曜14:00。時期により催行されないこともあるのでウェブサイトかeメール、電話で事前に確認すること
料 無料
場所 Massachusetts Ave.沿いのロビー入口集合

ここはボストンポップスBoston Popsの本拠地でもある
コンサートなどの詳しい情報については、エンターテインメントの項へ（→P.165）

ボストンの流行がわかる

夏季はほぼ毎週コンサートが開催されるハッチ・
メモリアル・シェル

ニューベリー通り
Newbury Street

　ボストンいちファッショナブルなストリート。パブリックガーデンから南西に延びる通りには19世紀のイギリスの面影を残すシックな赤れんがの建物が連なり、その1、2、地階にはブティック、アンティークショップ、ギャラリー、カフェ、レストランなどが入っている。どの店も個性豊かでセンスがよく、通り全体がまるでギャラリーのようだ。東端のArlington St.から西のMassachusetts Ave.まで8ブロックを歩けば、ボストンの流行がわかるだろう。

ショッピングの合間にテラス席でほっとひと息

チャールズ川の遊歩道と公園
Charles River Esplanade & Charlesbank Playground

　ビーコンヒルの西からチャールズ川に沿って公園が続いている。この公園、チャールズ川の河口近くはチャールズバンク公園Charlesbank Playgroundと呼ばれ、ビーコンヒルの西から上流のほうはチャールズリバー・エスプラナードCharles River Esplanadeと呼ばれている。チャールズ川沿いの一帯はボストンコモン、パブリックガーデンに次ぐ人気のある公園で、市民の憩いの場所だ。

　公園の中ほどには、野外音楽堂として知られるハッチ・メモリアル・シェルHatch Memorial Shellがあり、ここで毎年、独立記念日前後にボストンポップスによる演奏が行われる。

　エスプラナードを含むチャールズ川沿いは気持ちのよいバイクトレイルになっているので、ぜひサイクリングやウオーキングなどで訪れてみよう。

チャールズ川沿いバイクトレイル

MEMO ハッチ・メモリアル・シェルでのイベント 夏季には毎週のようにコンサートが行われるハッチ・メモリアル・シェルでのスケジュールがわかるウェブサイト。URL hatchshell.com/ovonte.php

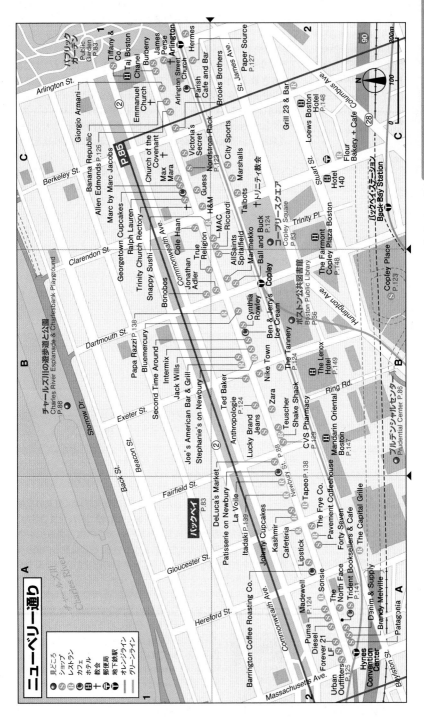

ニューベリー通り

凡例
- ● 見どころ
- ❺ ショップ
- ❸ レストラン
- ❸ カフェ
- ❶ ホテル
- ✝ 教会
- ❻ 郵便局
- ❿ 地下鉄駅
- オレンジライン
- グリーンライン

Charles River チャールズ River

チャールズ川の遊歩道と公園
Charles River Esplanade & Charlesbank Playground P.88

Public Garden P.83 パブリックガーデン

Arlington St.

Berkeley St.

Clarendon St.

Dartmouth St.

Exeter St.

Fairfield St.

Gloucester St.

Hereford St.

Massachusetts Ave.

Commonwealth Ave.

Newbury St. P.83 バックベイ

Boylston St.

Storrow Dr.

Back St.

Beacon St.

Tiffany & Co.

Taj Boston

Chanel

Giorgio Armani

James Perse

Burberry

Hermes

Arlington Street Church

Parish Cafe and Bar

Brooks Brothers

St. James Ave.

Paper Source P.127

Emmanuel Church

Banana Republic

Allen Edmonds P.126

Marc by Marc Jacobs

Church of the Covenant

Max Mara

Victoria's Secret

Nordstrom Rack

City Sports

Marshalls

トリニティ教会

Grill 23 & Bar

Loews Boston Hotel P.148

Columbus Ave.

H&M

Guess

Talbots

Georgetown Cupcakes

Trinity Church Rectory

Ralph Lauren

Cole Haan

MAC

Riccardi

AllSaints Spitalfield

Marimekko

Ball and Buck

Copley

ニューベリー公園 P.85

Copley Square P.83

Flour Bakery + Cafe P.148

Stuart St.

Hotel 140

Snappy Sushi

Bonobos

Jonathan Adler

True Religion

Cynthia Rowley

Ben & Jerry's Ice Cream

The Fairmont Copley Plaza Boston P.148

Trinity Pl.

バックベイステーション
Back Bay Station

Papa Razzi P.138

Bluemercury

Intermix

Nike Town

The Tannery

ボストン公共図書館
Boston Public Library P.86

Huntington Ave.

Copley Place P.123

Copley Place

Second Time Around

Jack Wills

Joe's American Bar & Grill

Stephanie's on Newbury

Ted Baker

Zara

Anthropologie

Shake Shack

The Lenox Hotel P.149

Ring Rd.

Lucky Brand Jeans

Teuscher

CVS Pharmacy

Mandarin Oriental Boston P.147

プルデンシャルセンター P.86
Prudential Center P.86

DeLuca's Market

La Voile

Tapeo P.138

Pavement Coffeehouse

Forty Seven

The Capital Grille

Patisserie on Newbury

Itadaki P.139

Johnny Cupcakes

Kashmir

Lipstick

Cafeteria

The Frye Co.

Barrington Coffee Roasting Co.

Madewell P.124

Sonsie

The North Face

Trident Booksellers & Cafe P.141

D-nim & Supply

Brandy Melville

Puma

Diesel

Forever 21

LF

Urban Outfitters P.125

Hynes Convention Center

P.85 バックベイ

Arlington St.

Massachusetts Ave. に面したバークリー音楽大学

Berklee College of Music
MAP P.85-A1
住 1140 Boylston St., Boston
☎(617)266-1400
URL www.berklee.edu
行き方 ⑦グリーンラインHynes Convention Center駅下車、徒歩約2分

アンサンブルの授業風景

コンテンポラリーミュージックの名門
バークリー音楽大学
Berklee College of Music

　ゲイリー・バートンやクインシー・ジョーンズをはじめ、渡辺貞夫、穐吉敏子、小曽根真、大西順子、アキコ・グレース、上原ひろみ、山中千尋、森田真奈美など、数多くの有名ジャズミュージシャンが輩出している名門音楽大学。その歴史は、1945年にローレンス・バークLawrence Berkが設立した小さな音楽専門学校「シリンジャー音楽院Schillinger House of Music」に始まる。1954年には息子リー・バークLee Berkの名前をもじって「バークリー音楽学校Berklee School of Music」となり、1973年には認可を取って「バークリー音楽大学」となった。ジャズの名門として知られているが、ロック、ポップス、コンテンポラリーなどのジャンルに分かれ、ピアノ、ギター、打楽器などの楽器専攻以外にもジャズ、アンサンブル、現代音楽の作詞作曲、音楽エンジニアや音楽ビジネスマネジメントなどの専攻に分かれ、現役ミュージシャンである教授陣から直接、プロとして通用する技術を徹底的に学ぶ実践主義が取られている。学生たちのレベルも高く、才能あふれる学生には学校側も援助を惜しまない。そのユニークさゆえ、世界各国から留学生がやってくる。構内への一般旅行者の立入は禁止されている。

サウスエンド

れんが造りの町並みをそぞろ歩き
サウスエンド
South End

South End
MAP P.37-C3

行き方
⑦オレンジラインBack Bay駅下車、Dartmouth St.を南に徒歩約8分でTremont St.へ

Boston Center for the Arts
MAP P.37-C3
住 539 Tremont St., Boston
☎(617)426-5000
URL www.bcaonline.org
サウスエンドのアートセンター。視覚芸術や演劇、コメディ、音楽などのライブが楽しめる。ギャラリーや小劇場も数ヵ所あり、カルチャー体験ができる

South End Open Market @SOWA
MAP P.37-D3
住 460 Harrison Ave., Boston
URL newenglandopenmarkets.com
圏〈5〜10月〉日10:00〜16:00
ファーマーズマーケットやアーティストが手作りした服やバッグ、アクセサリー、手作りパンの店、軽食スタンドも並ぶ。
隣接する建物内では、おもな祝日を除く毎週日曜10:00〜16:00までSOWA Vintage Maketを開催している

　れんが造りの家並みが連なるボストンらしい町角。1940年代にゲイの人々が移り住み、1950年代はジャズのメッカともなった。数年前まで多少治安が悪かったが、近年はTremont St.やWashington St.沿いにおしゃれなカフェやレストランがオープンし、ヤッピーに人気のエリアに！

Union Park St. のユニオンパーク

れんが造りの長屋がひしめく町角の規模は北米一とかで、そのほとんどが19世紀中頃に建てられた賃貸住宅。れんがの家並みは街路ごとに異なり、ルネッサンス復古調あり、イタリア風あり、ゴシック風ありと変化に富んでいる。窓には砂岩の飾りや木製の鎧戸が付けられ、玄関ホールには砂岩の円柱が立つ古風な家が多い。住宅街のなかには公園も点在し、なかでもUnion Park St.のユニオンパーク周辺はひときわリッチな雰囲気。地下鉄オレンジライ

雨の Chandler St.

ンのBack Bay駅から南へDartmouth St.を歩けば、アートや演劇などが楽しめるパフォーミングセンターBoston Center for the ArtsやジャズバーThe Beehive（→P.144）、レストランが集まるTremont St.に出る。日曜日にはHarrison Ave.沿いにサウスエンド・オープンマーケットSouth End Open Market@SOWAも開かれ、多くの買い物客で混雑する。

フェンウエイ

アメリカの至宝が結集

ボストン美術館
Museum of Fine Arts, Boston (MFA)

フェンウエイ

全米でもトップクラスの美術館。開館は、アメリカ独立から1世紀後の1876年7月4日。収蔵品は、ヨーロッパ美術、アジア美術、アメリカ美術、現代アート、エジプト、ギリシャ・ローマの古代美術まで網羅し、時代区分では、古代エジプトの発掘品からアメリカの抽象芸術までを含む。2010年11月には、フォスター＋パートナーズFoster+Partnersが設計したアメリカウイングがオープンし、53のギャラリーが新たに加わった。ガラス張りのシャピロ・ファミリーコートヤードを見下ろすアメリカウイングは、地階に「古代アメリカ、アメリカ先住民、17世紀および海洋美術」、1階に「18世紀のアメリカ植民地美術および19世紀初期美術」、2階に「19世紀から20世紀初期美術」、3階に「1970年代半ばまでの20世紀美術」が設けられ、地下から3階へとたどればアメリカ美術史を俯瞰できる構成に。各フロア中央部のギャラリーはハイライト展示室になっているので、この部分だけをじっくり鑑賞してもいい。

ボストン美術館のハイライト

展示品はアジア美術、エジプト美術、ギリシャ・ローマ美術、楽器、アメリカとヨーロッパの装飾美術や絵画、素描、版画、写真、テキスタイル、現代アートまで。とにかく広く、展示数も多いので、ポイントを絞って見学しよう。

日本美術は、歌麿、北斎、広重らの肉筆浮世絵を含む浮世絵を中心に、尾形光琳、狩野永徳などの国宝級の美術品が収蔵されている。近年、浮世絵などの名品の里帰り展が企画され、日本でもボストンの秘宝を楽しめる機会が増えた。また、ハーバード大学と同館の共同事業で発掘された、ミイラを含むエジプト美術も見逃せない。ヨーロッパ美術では、モネやドガなど印象派の画家たちの展示室255室は必見！

アメリカウイングではコープリーが描いた肖像画やギルバート・スチュワート作ジョージ・ワシントン像もぜひ鑑賞したい。

(→P.52)

Museum of Fine Arts, Boston

Ⓜ 折込地図裏-B3、P.39-D3
🏛 465 Huntington Ave., Boston
☎ (617) 267-9300（テープによる毎週のイベント、チケットなどの案内）
URL www.mfa.org
⏰ 毎日10:00～16:45（水～金～21:45）
🚫 4月第3月曜、7/4、11月第4木曜、12/25、1/1
💴 大人$25、シニア・学生$23、7～17歳は$10（平日15:00以降、土・日は無料）。
水曜の16:00以降は寄付制（$25が目安）
行き方 Ⓣ グリーンライン（E）Museum of Fine Arts駅下車、徒歩約2分。オレンジラインRuggles駅下車、徒歩約10分。市バスはHuntington Ave.を走る#39で、右手にギリシャ神殿風の建物が見えたら下車。バス停はMuseum of Fine Arts

撮影には注意をしよう
館内で写真、ビデオの撮影が許可される部屋は決まっている。特別展の作品や美術館が管理を委託されているだけの作品は撮影できない

荷物はクロークへ
大きなかばんやコートはクロークへ預ける。なお、ミュージアムショップ、レストラン、図書館、オーディトリアムのみの利用は無料

見たい作品が見つからない場合
シャーフビジターセンターやギャラリーに常駐しているスタッフに画家名と作品名を言えば、その作品が飾ってある場所を教えてくれる

from Readers

ボストン美術館のチケット
入場券をFull Price（正規料金）で購入した場合、購入日を含め10日以内は再入場可能だった。
（東京都　YOU '13）['15]

歴史コラム

ボストン美術館　初期の歴史

アメリカでは、個人の美術愛好家が収集したコレクションや寄贈品によって、美術館が設立されることが多いが、ボストニ美術館は、多くのボストニアン美術愛好家の寄付によって成り立ってきた。1870年の母体となる組織の設立時は、美術品の多くがボストンの実業家からの寄贈品だった。彼らは世界各国と交易を行うかたわら、美術品収集にも余念がなかった。創建当初はボストン・アセニアムの2階に間借りする小規模なものであったが、その6年後の1876年、現在のコープリープレイスに建つコープリープラザ・ホテルの場所に移り、美術館としてオープンした。

収蔵品の増大にともない1909年、当時急速に発展しつつあった現在のフェンウエイに移転する。ギリシャ神殿風の本館の設計はガイ・ローウェルGuy Lowell。1981年には、中国系建築家I. M. ペイI. M. Peiのデザインによる西館が加わった。

※美術館の都合により、本書掲載作品が鑑賞できない場合もあります。

日本庭園・天心園

日本美術部長として活躍した岡倉天心（覚三）を記念し造られた庭園。春〜初秋の晴天時のみ見学できる。入口は西側駐車場の端にある。

一度外に出てこの門から入る

ヨーロッパモダニズムギャラリー

155室に、ポール・ゴーギャンPaul Gauguinの遺作ともいえる『我々はどこから来たのか、我々は何者か、我々はどこへ行くのかWhere do We Come From? What Are We? Where Are We Going?』やブルターニュで彫られたレリーフが並ぶ。アンリ・マティスHenri Matissの『横たわる裸婦Reclining Nude』やピカソ、ココシュカの作品も見逃せない。

ゴーギャンの遺作『我々は……』

アントニオ・ロペス・ガルシアAntonio López García『昼Day』の彫像が鎮座するフェンウエイ入口

The Fenway

ステイトストリートコーポレーション　フェンウエイ入口

Robert Dawson Evans Wing

日本庭園・天心園 EX13

チケット売場

152　　155

138A　138B

EV

153　ヨーロッパ美術　144　ヨーロッパ美術　142　　141　　140　138

フォスター・ギャラリー特別展示室

158

154

137

レミス・オーディトリアム

リレイ・156 セミナールーム

エデュケーションセンター

159　160

メイン・ブックストア＆ショップ

中庭

シャピロ・ファミリーコートヤード

134　135　136

南北アメリカ美術 植民地時代18世紀〜19世紀初期のアメリカ美術 132

舞台美術ギャラリー 125

161　テイスト P.102

EV

128　127　126

コンテンポラリーアート

ニューアメリカンカフェ P.102

162　163

写真 169　紙の作品 170　171　172

円形広間（ロタンダ）

紙の作品のためのモース・107 スタディルーム

105

108

121D

121C

グループ入口

Linde Family Wing for Contemporary Art

175

トーフギャラリー特別展示室 184

宝飾品 104

楽器 103

エジプト美術

109

121A　121B

168

ハンティントンショップ P.102

チケット売場

ATM

110

George and Margo Behrakis Wing

176

178　アジア、オセアニア、アフリカ美術

177

179

ハンティントン入口

バンクオブアメリカプラザ

Huntington Avenue Avenue of the Arts

古代美術

113

コンテンポラリーアート

現代美術が約50点展示されている。

サイラス・E・ダリンCyrus E. Dallin『偉大なる魂の訴えAppeal to the Great Spirit』が立つ正面玄関

アジア、オセアニア、アフリカ美術 —日本美術—

177室はテーマを変えて陶器や掛け物、着物、書などの日本美術や中国、韓国美術が展示されている。

メイン・ブックストア＆ショップ

写真やアートの美術書を買うならここ！所蔵品をモチーフにしたグッズも豊富に揃い、おしゃれ！

館内で最大規模

※美術館の都合により、本書掲載作品が鑑賞できない場合もあります。

シャーフビジターセンター メンバーシップ案内所

ハンティントン入口とフェンウェイ入口を結ぶ中央通路にある案内所。無料ツアーなどの出発点になっているほか、英語や日本語の館内図などのパンフレット類も充実。デスク後ろの画面にツアー情報が表示される。わからないことは質問しよう。

■南北アメリカ美術

植民地時代を飾るのは著名な肖像画家だったジョン・シングルトン・コープリー John Singleton Copleyの作品群。なかでも『真夜中の疾駆』のヒーローであり、銀細工師としても名をはせた独立戦争の志士を描いた『ポール・リビア Paul Revere』が有名。132室にはリビアの息子たちが創った銀細工も並ぶ。133室にはギルバート・スチュワート Gilbert Stuartによって描かれた『ジョージ・ワシントンの像 George Washington』やトマス・サリー Thomas Sullyの歴史画『デラウエアへの渡河 The Passage of the Delaware』が。128室には、ロンドンで歴史画を学んだコープリーの出世作『ワトソンと鮫 Watson and the Shark』がある。

スチュワート『ジョージ・ワシントンの像』とサリー『デラウエアへの渡河』が飾られた133室

▌シャピロ・ファミリーコートヤード

アメリカウイングと旧館をつなぐ吹き抜けスペース。ニューアメリカンカフェの一隅には、ワシントン州タコマ出身のガラス作家デイル・チフーリ Dale Chihulyのインスタレーション『ライムグリーン・アイシクルタワー Lime Green Icicle Tower』が立つ。

チフーリの『ライムグリーン・アイシクルタワー』が印象的なニューアメリカンカフェ

堂々たる『メンカウラー王の像』

アメリカウイングの外観

▌古代美術　エジプト美術

コレクションは、1905年から1942年に実施されたハーバード大学とMFAの共同発掘調査の賜物。ギザの第3ピラミッドと第1ピラミッド西側の墳墓から出土した名品を展示している。必見は埋葬美術室。エジプト・テーベ、デイル・エル・バハリから出土したネスムタートネルのミイラは、木造の外棺に第二、第三の棺が納められ、棺は死者に捧げる図像と銘文で埋め尽くされている。ネスムタートネルは末期王朝時代の第25王朝期、テーベの高僧の妻だった女性。前700年頃に亡くなったという。110室にあるバビロンの古代遺跡より出土した『ライオン Lion』も必見。

薄明かりの下にミイラが並ぶ

寺へ向かう行列通路の壁が120頭ものライオン像で飾られていたという

▌楽器

18〜19世紀のリコーダーやハープ、世界各地の民族楽器が見られる。笙、横笛、太鼓に交じり錫杖（しゃくじょう）も。

■ヨーロッパ印象派

255室は「ヨーロッパ印象派」の部屋。モネMonet、セザンヌCézanne、ルノワールRenoirなど日本でも人気の印象派の名画が並ぶ。ルノワール『ブージヴァルの踊りDance at Bougival』、モネ『睡蓮Water Lilies』、ゴッホVincent van Gogh『郵便配達人ジョゼフ・ルーランPostman Joseph Roulin』など代表作がめじろ押し。

モネMonetの『睡蓮Water Lilies』

モネMonet『日本娘（着物を着たカミーユ・モネ）La Japonaise(Camille Monet in Japanese Costume)』

■コンテンポラリーアート

ハイライトは、アンディ・ウォーホルAndy Warholの『赤い惨劇Red Disaster』。美しく展示された現代美術を心ゆくまで楽しんでみよう。

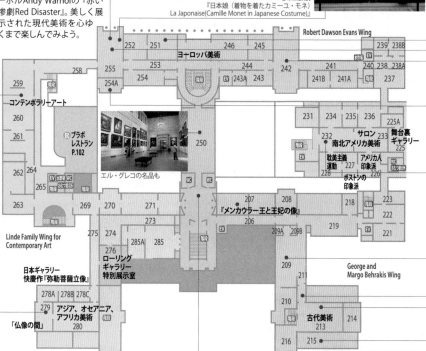

Robert Dawson Evans Wing

252	251		246	245			239	238B

ヨーロッパ美術

258　255　253　　244　242　　241　240 238 238A
259　254　254A　EV 243A 243　　241B 241A　237
コンテンポラリーアート

260　　プラボレストラン P.102　250

261

262 264

265

263　269　270　271

エル・グレコの名品も

231 234 235 236 225A
232　サロン　233 舞台裏ギャラリー 225
南北アメリカ美術
耽美主義運動 227 アメリカ人印象派 226
228　ボストンの印象派
『メンカウラー王と王妃の像』

207 208　　223
206　　218　222
209A 209B 219　221
273

275 274　285A 285
276 ローリング ギャラリー 特別展示室

209

211

George and Margo Behrakis Wing

日本ギャラリー
快慶作『弥勒菩薩立像』

278A 278B 278C
279 アジア、オセアニア、アフリカ美術
280

210

古代美術 214
213

216 215

「仏像の間」

■日本美術

漆喰と木材で造られた特別仕様の展示室は、日本美術を飾るのにふさわしい空間。なかでも279室「仏像の間Japanese Buddhist Temple Room」は圧巻。白鳳時代の法隆寺金堂にならい造られた格天井に漆喰の壁、エンタシスの柱が立ち、木組みの梁が印象的だ。ほの暗い展示室の中央に本尊・大日如来像を配し、釈迦如来、観音菩薩、愛染明王などが並ぶ。仏像コレクションにはビゲローが日本で収集したという鎌倉期の『聖観音菩薩坐像Seated Bodhisattva』もある。均整の取れた肢体が美しい快慶Kaikei『弥勒菩薩立像 Miroku, the Bodhisattva of the Future』も見逃せない。

「仏像の間」を飾る菩薩たち

■円形広間（ロタンダ）

ジョン・シンガー・サージェントJohn Singer Sargentが描いた荘厳な天井画。古代ギリシャ・ローマ神話に想を得て、スケッチから空間設計まで数年の歳月を経て完成された。

壁画のアップ

サージェントが設計したロタンダ

※美術館の都合により、本書掲載作品が鑑賞できない場合もあります。

■18世紀ヨーロッパ絵画

251室にはMFAが誇るミレー Jean-François Milletのコレクションがある。『種をまく人The Sower』などに出合える。

左がミレー『種をまく人』

■オランダ美術

242室はレンブラント Rembrandtなどのオランダ絵画を代表する画家の肖像画や宗教画が並ぶ。なかでもレンブラントの傑作『アトリエの画家Artist in His Studio』は秀逸。漆喰のはげ落ちた質素なアトリエでパレットと細い棒を手にたたずむ画家の絵だ。

左からレンブラント『黒い帽子を被る男 Portrait of a Man Wearing a Black Hat』『ミネルバ Minerva』『金のチェインを身にまとう夫人 Portlait of a Woman Wearing a Gold Chain』

■スペイン絵画

本館の南北をつなぐ通路に当たる250室には、エル・グレコEl GrecoやベラスケスVelázquezなどの名品がずらり。アンソニー・ヴァン・ダイク Anthony Van Dyck『チャールズ1世の娘、女王マリー Princess Mary, Daughter of Charles I』ほか、18世紀に盛んに描かれた静物画や宗教画も豊富にある。

ドガ Degas『郊外の競馬場にて Racehorse At Longchamp』

■カタロニアチャペル

チャペル風の造りの254A室。壁のフレスコ画はスペイン・カタロニア地方の教会の内陣を飾っていたもので、大きく目を開いたキリストと12使徒たちが描かれている。その前にたたずむ石像は、イタリアにあった12世紀の『聖母子像Madonna and Child』。マリアが成人のキリストを抱く珍しい聖母子像になっている。

254A室は祈りの時が流れる空間

■19世紀～20世紀初期のアメリカ美術

サージェント『エドワード・ダーリー・ボイトの娘たち』。絵の前には、絵画にも描かれた壺が飾られている

フランス印象派に影響を受けたアメリカ絵画だが、232室にはロタンダを制作したジョン・シンガー・サージェント John Singer Sargent初期の傑作『エドワード・ダーリー・ボイトの娘たち The Daughter of Edward Darley Boit』やサージェント作の肖像画が並ぶ。その奥233室は19世紀のサロンを思わせるギャラリー。226室にはボストンの印象派と呼ばれるチャイルド・ハッサム Childe Hassam『黄昏のボストンコモンAt Dusk (Boston Common at Twilight)』やアメリカ印象派の画家メアリー・カサット Mary Cassatt『紅茶The Tea』、日本の浮世絵に影響を受けた作品も並んでいる。

■ギリシャ・ローマ美術

展示室は211、213～215。絵画を残さなかったギリシャ美術だが、数々の陶器に古代オリンピック発祥の地らしいスポーツをする人々の姿が描かれている。

ギリシャ・アルカイック期の壺

■エジプト美術

207～209室には、ライスナー博士とハーバード大学＋MFA合同調査隊がギザから発掘した出土品が並ぶ。なかでも207室の『メンカウラー王と王妃の像King Menkaure and queen』は必見。左足を一歩前に突き出し、王の証である頭巾をかぶり、あごひげを付けた王の隣には、腕をからませつき従う王妃が楚々と立つ。1910年1月18日にギザから出土した名品だ。209室にはこれも名高い『センヌーイ夫人像Statue of Lady Sennuwy』がある。地方統治官の夫人だったセンヌーイ。夫妻はエジプトのアシュートに葬られたというが、出土したのはヌビアからだった。

ローマ帝政時代の『石棺Sarcophagus』には、飲み比べに負けよろめくヘラクレスの姿が刻まれている

『センヌーイ夫人像 Statue of Lady Sennuwy』

ℝESTAURANT

®ブラボ $$$
☎(617)369-3474（予約）
🍴ランチ月～金11:30～15:00、ディナー水～金17:30～20:30、ブランチ土・日11:30～15:00
西館2階のコンテンポラリーアート階にある高級レストラン。6月～8月上旬の天気のいい日にはパティオ席もオープン。

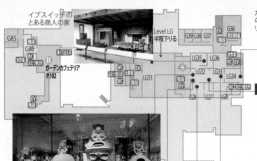

イプスイッチのとある商人の家

Level LG 半階下りる

カナダBC州州沿岸のネイティブアメリカンの工芸品

マヤの貴人の墓に使われた甕棺

紀元前1200年頃から紀元前後にメキシコ湾沿岸で栄えたオルメカ文明。巨石文化は美しき翡翠の仮面も生んだ

▌南北アメリカ美術

マヤ・インカのアメリカ古代美術、先住民美術、17世紀と海洋美術

ハイライトはLG32とLG33。今日、中米と呼ばれる地域で繁栄したメソアメリカ文明と南米で栄えたアンデス文明、そしてアメリカ・カナダの先住民アートだ。なかでもメキシコで出土した紀元前900～500年頃のオルメカOlmecの『マスクMask』やグアテマラ出土の人型陶器の甕棺が主要作品。いずれも貴人の墓を飾る副葬品として作られた。先住民文化ではカナダBC州ツィムシアン族のガウンや彫刻、アメリカ・ニューメキシコ州のアナサジ族の陶器など、アメリカ大陸で生まれた原始美術を堪能しよう。

スペインに滅ぼされたアンデスの黄金文化

ℝ RESTAURANT

Ⓡガーデンカフェテリア Ⓢ 🕐毎日10:00～16:00
リンデ・ファミリーウイング地階にあるセルフサービスのカフェ。サラダバーで好きなものをチョイスしてテーブル席で食べよう。

木造船のコレクションも充実

ジョージア・オキーフ Georgia O'Keeffe の『白バラとヒエンソウ No.2 White Rose with Larkspur No.2』

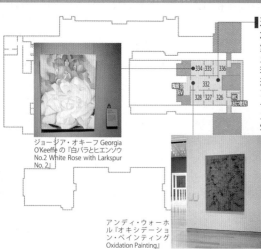

アンディ・ウォーホル『オキシデーション・ペインティング Oxidation Painting』

▌現代アメリカ美術

20世紀中期～1980年代までのアメリカ美術

第2次世界大戦後、アメリカ美術は転機を迎えた。ニューヨークを中心に広まった抽象表現主義、アブストラクションと呼ばれる芸術運動の発生だ。その中心的作家がジャクソン・ポロックJackson Pollock、アレキサンダー・カルダーAlexander Calder、フランク・ステラFrank Stella、スチュワート・デイビスStuart Davis、ジョージア・オキーフGeorgia O'Keeffe、アーサー・ダブArthur Dove、アンディ・ウォーホルAndy Warholなど。その流れは写真家たちにも及び、アルフレッド・スティーグリッツAlfred Stieglitzも新しい写真の可能性を探っていく。3階では、ヨーロッパ美術の借り物から脱却した真のアメリカ美術を堪能できる。

※美術館の都合により、本書掲載作品が鑑賞できない場合もあります。

南北アメリカ美術

アメリカウイング1階133室。ジョージ・ワシントンの像(右)と『デラウエアへの渡河』(左)

吹き抜けのシャピロ・ファミリーコートヤードを抜けると、地下1階地上3階建てのアメリカウイングが現れる。ギャラリー総数53室。地下1階にはグアテマラのマヤ遺跡から発掘された甕棺やオルメカのマスクなどの古代美術が充実。圧巻は1階と2階だ。ボストン出身の画家、ジョン・シングルトン・コープリーJohn Singleton Copleyが描いた『ポール・リビアPaul Revere』ほか、ボストンゆかりの政治家や名士たちの肖像画室は必見。コープリーは肖像画家からの脱却を図り『ワトソンと鮫Watson and the Shark』を描いた。133室にはギルバート・スチュワートGilbert Stuartが生涯手元に置いた初代大統領ジョージ・ワシントンの像も飾られている。2階にはロタンダ(円形広間)の天井画を描いたジョン・シンガー・サージェントJohn Singer Sargentの肖像画が並ぶ。初期の傑作『エドワード・ダーリー・ボイトの娘たちThe Daughter of Edward Darley Boit』や『エディス婦人Edith Lady Playfair』を見たら、メアリー・スティーブンソン・カサットMary Stevenson Cassattの『桟敷席にてIn the Loge』やチャイルド・ハッサム『黄昏のボストンコモンBoston Common at Twilight』など、アメリカ人印象派や風景画も楽しもう。3階にはジョージア・オキーフGeorgia O'Keeffe、ジャクソン・ポロックJackson Pollockなどのモダニズムや抽象主義の画家たちや写真家たちの作品が並ぶ。

ヨーロッパ美術

ヨーロッパ美術250室。『王女マリー』や『カルロス皇子と侏儒』などの名作が

全米でも屈指のヨーロッパ絵画のコレクションはフェンウェイ入口側の1階と2階、ロタンダから続く250室に、年代別、地域別に展示されている。「スペイン美術」は12世紀のフレスコ画をはじめ、ベラスケスVelázquez、ゴヤGoya、エル・グレコEl Grecoの作品がめじろ押し。なかでもヴァン・ダイクAnthony van Dyck『王女マリーPrincess Mary』やベラスケスVelázquez『カルロス皇子と侏儒Don Baltasar Carlos with a Dwarf』は必見。フランス絵画も見逃せない。同館はミレーの作品が多いことでも知られ、54点の油絵、百数点の素描画を所蔵している。なかでも251室の『種をまく人The Sower』は有名な名作だ。人気の「ヨーロッパ印象派」は255室。モネの作品は40点を超え、フランス以外では最高のコレクションを誇る。モネMonet『日本娘La Japonaise』、ルノワールRenoir、セザンヌCezanne、ゴッホGogh、マネManet、ドガDogasなど、どこかで目にした名画がずらりと並ぶ。オランダ絵画の巨匠レンブラントの名品が並ぶ242室も必見。1階155室はヨーロッパ・モダニズム・ギャラリーで、ゴーギャン『我々はどこから来たのか、我々は何者か、我々はどこへ行くのか』やピカソPicasso『サビニの女たちの略奪Rape of the Sabine Women』などが見られる。

南北アメリカウイング
●地下1階
マヤやインカのアメリカ古代美術、先住民美術、17世紀と海洋美術
●1階
植民地時代18世紀〜19世紀初期美術
コープリー、ギルバート・スチュワート、トーマス・サリー、ジョン・ニーグル
●2階
19世紀〜20世紀初期美術
サージェント、カサット、ハッサム
●3階
20世紀中期〜1980年代までのアメリカ美術
オキーフ、ポロック、フランク・ステラ、カルダー

展示物が見当たらない!?
美術館では、所蔵品の入れ替えや作品の貸し出しを行うのが常。目当ての作品がないこともあり得るので、ご了承を!

実話に基づく大作
『ワトソンと鮫Watson and the Shark』は、ロンドンに渡り、肖像画家からの飛躍を試みたコープリー初期の歴史画。若き日、ハバナ沖で海水浴中にサメに襲われたイギリス商人、ブルック・ワトソンの実話を基に描いた名作だ

『ワトソンと鮫』

チャペルを再現
254A室は、スペイン・カタロニア地方の小さな教会の後陣を飾っているフレスコ画『玉座のキリストと福音書記者のシンボル』が再現され、チャペルのようになっている。フレスコ画の前に置かれた『聖母子』像は、マリアが成人したキリストを抱く珍しいスタイル

日本に憧れたモネ
『日本娘』のモデルは、モネの最初の妻であったカミーユ。風景画を得意としたモネにしては異色の作品は、日本情緒たっぷりに描かれ、当時欧州を席巻したジャポニスムの影響が見て取れる

ボストン

フェンウェイ●おもな見どころ

古代美術

エジプト美術「メンカ
ウラー王と王妃の像」

エジプト・ヌビア・西アジア美術

古代エジプトとは？
古代エジプトは前3100年から前332年まで続き、歴史的には、強大な3つの王国（古王国、中王国、新王国）と、王国が衰えたあとにできた中間期に大別される。これらの王国のファラオ（王）は、在位期で31の王朝に細かく分けられる。メンカウラー王は、古王国時代第4王朝、前2490年から前2472年の間、在位した

エジプト美術の収集は1872年に始まっていたが、現コレクションの大半は、1905年から1942年まで続いた美術館とハーバード大学共同発掘調査隊の研究成果である。当初、発掘の陣頭指揮をとったのは、カリフォルニア大学調査隊にいたジョージ・ライスナーだった。その後カリフォルニア大学が発掘から撤退したため、ボストンが調査を引き継いだのだ。ライスナーは、ギザの第3ピラミッド以外にもエジプト全土の遺跡やスーダンにまで発掘の手を広げた。その結果、ギザのメンカウラー王のピラミッドと葬祭殿から『メンカウラー王と王妃の像King Menkaura (Mycerinus) and Queen』『アンクハフ王子の胸像Bust of Prince Ankhhaf』が出土。スーダンからは『センヌーイ夫人像Statue of Lady Sennuwy』が、エジプトテーベのデイル・エル・バハリからはミイラ展示室（109室）を飾る『ネスムタートネルの埋葬品群Tomb group of Nesmutaatneru』が出土した。ほかにもシュメールの『グデア頭像Head of Gudea』やバビロンの古代遺跡から出土した『ライオンLion』なども必見。

埋葬展示室のハイライト『ネスムタートネルの埋葬品群Tomb group of Nesmutaatneru』。手前のミイラは三重の棺に納まっていた

古典美術（ギリシャ・ローマ）

ミノワ文明に端を発するギリシャ・ローマ美術の展示室は、ギャラリー113、211、213～215にある。ギリシャの時代区分は、初期のアルカイック期、爛熟期のクラシック期、ヘレニズム期を経てローマ時代へと移行する。絵画を残さなかったギリシャ美術だが、陶器の絵柄に生活や精神のありようが生きいきと描かれ、見飽きることがない。水や穀物を貯蔵したアンフォラや水とワインを攪拌したクラテルなど、美しい陶器を堪能しよう。ローマ時代に入ると、彫像は端正を極め、テラコッタ『男の肖像Portrait of a Man』や大理石の『アウグストゥス帝像The Emperor Augustus』、詩人『ホメロスHomer』など見応えのある彫刻が並ぶ。ローマ帝政時代の『石棺Sarcophagus』にはバッカスとの飲み比べに負け、よろめくヘラクレスが刻まれている。コインやカメオ、タイルの『モザイク』なども見逃せない。

エジプト美術『センヌーイ夫人像Statue of Lady Sennuwy』（右）

南部イラクより出土した『グデア頭像Head of Gudea』

※美術館の都合により、本書掲載作品が鑑賞できない場合もあります。

アジア美術

アジア美術は同館が誇る主要コレクションのひとつ。日本をはじめパキスタン、インド、カンボジア、インドネシア、チベット、中国、韓国など所蔵品は50万点に及び、特に日本美術と中国美術が充実している。

日本美術はアジア、オセアニア、アフリカ美術を展示するギャラリーの1階と2階に展示されている。必見は2階279室の日本仏教寺院室（仏像の間）。平安時代後期の『大日如来坐像Dainichi, the Buddha of Infinite Illumination』を含む仏像が展示され、荘厳な雰囲気をたたえている。278C室には、1910年から1913年まで日本美術部長を務めた岡倉天心（覚三）の収蔵品だった快慶作『弥勒菩薩立像Miroku, the Budhisattva of the Future』がある。

美しい肢体にひきつけられる快慶作『弥勒菩薩立像』

日本美術

総数は約10万点。展示品は6世紀頃の仏教絵画をはじめ工芸品、風俗画、浮世絵、屏風、仏像、絵画と幅広く、各テーマごとに陳列されている。そのほとんどは明治時代、海外に流出した浮世絵や仏教美術だ。これは、2005年1月から2010年6月にかけて日本版画記録プロジェクトで判明したもので、時代的には、8世紀の称徳天皇の陀羅尼から21世紀の現代作家まで。なかでも多いのが江戸時代の浮世絵だ。浮世絵のコレクションは約5万4000点と、その規模は世界一。歌麿、北斎、春信、写楽、鳥居清長など有名浮世絵師たちの代表作品を網羅し、なかでも肉筆浮世絵と呼ばれる一点物の浮世絵を数多く所蔵している。工芸品のギャラリーには能装束、刀、根付、鎧、小柄など江戸時代からのものや陶磁器などもある。日本刀コレクションには銘刀「村正」も含まれる。

お目当ての浮世絵がない！

北斎の作品が見たい！ と思っても、浮世絵などの日本美術は退色などの問題があるため、重要なコレクションになればなるほど展示される確率は低い。お目当ての作品が見られない可能性もあることを了承していただきたい

ビゲローコレクション

日本美術の核となるのは、1882年から1889年まで日本に滞在し、さまざまな日本美術を収集したウイリアム・スタージス・ビゲロー＝William Sturgis Bigelowの収集品だ。裕福な外科医の息子だったビゲローは、1889年にボストンに戻り、1891年その収集品を正式にボストン美術館に寄贈した。その数3万4000点。現在の版画コレクションの約63％にも当たるという

季節によって展示は変わる

日本美術のコレクションも浮世絵同様、季節によって展示内容が変わる

仏教美術の解説はこれ

仏像の安置されている薄暗いギャラリーの中に、各仏像の説明が書かれた案内シートがあり、理解を深めるのに役立つ

日本美術と3人のニューイングランド人

日本国外では世界最高といわれる日本美術品を所蔵するボストン美術館の東洋部門設立には、3人のボストニアンが大きく貢献した。

まずはメイン州で生まれ、ハーバード大学で学んだエドワード・モース＝Edward Morse。大森貝塚の発見者として知られるモースは19世紀末、日本が西欧化の波を迎えていた明治時代に動物学者として来日。日本の陶磁器の美しさにひかれ、東京大学で教鞭を執るかたわら、日本各地を訪れ収集した陶磁器や民芸品は5000点以上に上る。さらにモースは、フェノロサFenollosaをはじめ多くのアメリカ人に訪日をすすめた。

そのフェノロサは、セーラム生まれでハーバード大学出身。1878年に東京大学へ哲学、経済学などの教授として赴任し、モース同様日本美術に魅せられた。彼のコレクションは絵画が中心。日本人すべての目が西洋に向けられていた頃、日本美術の価値を深く認め、その保存の必要性を説いた

ことは、わが国の文化保持にも重要な役割を果たしている。1890年フェノロサは、ボストン美術館初代日本部長として帰国。そのフェノロサの門下生のひとりが、後にボストン美術館日本美術部長になる岡倉天心（→P.101）である。

3人目はビゲロー＝Bigelow。医者としてパリに滞在していたビゲローは、モースの力説する日本美術に憧れ1882年に来日し、以来7年間日本に滞在する。その間、彼は、仏教画をはじめ絵画、彫刻、織物、刀剣、金工品など数万点にわたる品々を収集した。

ボストン美術館日本部門のコレクションは、モースやフェノロサのコレクションはもちろん、ビゲロー寄贈の数万点に加え、彼の友人であるウェルドがコレクションを寄贈したものなどの集大成だ。これが日本美術の所蔵、展示において日本国外で最高の水準を誇るボストン美術館東洋部門創立の基となったのである。

めったにお目にかかれない、日本美術の秘宝たち

日本美術のコレクションには、特別なときにのみ公開される重要美術品がある。日本にあれば間違いなく国宝・重要文化財に指定されるべき名品ばかりだ。

絵巻物

『平治物語絵巻　三条殿焼き討ちの図 Night Attack on the Sanjo Palace』は鎌倉時代13世紀の作で、日本にあれば国宝級の名品だ。平治元年（1159年）に起こった平治の乱を描いた鎌倉初期の軍記物『平治物語』を絵画化したものだ。藤原信頼と源義朝の軍が後白河上皇の三条殿を夜討ちし、その身柄を押さえる場面が描かれている。1882年の日本画展で見初めたフェノロサが、持ち帰ったものだ。

『平治物語絵巻　1巻　三条殿焼き討ちの図』

『吉備大臣入唐絵巻 Minister Kibi's Trip to China』は平安時代12世紀の作。遣唐使として唐に渡った吉備真備の物語が描かれている。出光美術館所蔵で国宝の『伴大納言絵巻』と同じく若狭の国の新八幡宮にあったが、古美術商を介し1932年ボストン美術館が購入した。国宝級の名品が流出したことで、日本政府は慌てて「重要美術品等ノ保存ニ関スル法律」を1933年に制定し、重要美術品の輸出規制に乗り出すことになった。

屏風絵

安土桃山時代の狩野永徳『龍虎図屏風 Tigar and Dragon』、江戸元禄期の代表作、尾形光琳『松島図屏風 Waves at Matsushima』がある。どちらも歴史や美術の教科書などで一度は目にしたことのある両大家の代表作だ。また近年日本に里帰り展示された葛飾北斎の『鳳凰図屏風 Phoenix』は、北斎が76歳のときに描いた肉筆画。金の切箔と砂子（金箔の粉末）を背景に神々しく羽ばたく鳳凰が描かれている。

江戸時代の屏風絵も季節によって展示を変えている

仏教美術

8世紀（奈良時代）の作『法華堂根本曼荼羅図 Mandara』は東大寺法華堂にあったものだが、廃仏毀釈の嵐のなか売りに出され、それをウィリアム・ビゲロー William Bigelow が1884年に購入した。部分的に欠失しているが、奈良時代に描かれた曼荼羅としては非常に貴重な絵図である。『大威徳明王像 Daiitoku Myoo』は平安時代11世紀の作。大威徳明王とは五大明王のひとつで毒蛇悪竜を退治する西方守護仏。勇猛果敢に描かれることが多く、戦勝祈願の本尊としても信仰された。鎌倉時代の仏師・快慶の『弥勒菩薩立像 Miroku, the Budhisattiva of the Future』も見ておきたい。胎内に納められた文書から、1189年、快慶の亡き両親と師の菩提を弔うために制作されたことが判明した。流麗で柔和な表情の弥勒菩薩だ。

『法華堂根本曼荼羅図』奈良時代8世紀の作

絵図

安土桃山時代から江戸時代の掛け軸も数多く所蔵する。フェノロサによって収集された狩野派、土佐派を代表する絵師らの作品は、時の流れを感じさせないほど色鮮やかな状態で保存されている。円山応挙、葛飾北斎、勝川春章らの作品や、枯れ木に遊ぶサルを描いた雪舟の『猿猴図 Monkeys in Trees』も見逃せない。

※注意　美術館の都合により、本書掲載作品が鑑賞できない場合もあります。

日本庭園・天心園

　西側の駐車場に面した一角に、石と草木で構成された枯山水風の美しい日本庭園がある。東洋美術部門の歴史に貢献した岡倉天心（覚三）の功績を記念して造られた「天心園 Tenshin-en」だ。設計者は「昭和の小堀遠州」といわれた中根金作。設計に当たって、ニューイングランドの美しい風景を織り込んだことで、禅寺で見る完璧な日本庭園とは異なる、おおらかな風情が漂う。天心園に点在する150個以上の石はボストン北部の海岸から、草木は日米両国からそれぞれ移植された。桜、ツツジ、松、モミジが植えられ、雨上がりにはコケの絨毯も美しい。庭園にあるひなびた味わいの手水鉢（ちょうずばち）と七重塔近くにある灯篭。これらもかつて展示されていた美術品のひとつだ。

改修工事が終わり2015年に再オープンした日本庭園

ボストン北部の海岸から収集された石を配す庭園

中国美術

　岡倉天心の跡を継いだ富田幸次郎が中心となって収集したコレクション。唐と宋の時代に描かれた伝閻立本『歴代十三帝王図巻The Thirteen Emperors』、徽宗帝『五色鸚鵡図巻The Five-Colored Parakeet』、伝徽宗帝『搗練図Ladies Preparing Newly Woven Silk』は特に注目されている。12世紀、北宋の皇帝で芸術家でもあった徽宗帝。本作は唐時代の画家・張萱の『搗練図』を模写したものだが、徽宗帝が宮廷画家たちに指示し描かせたという。周時代の銅像やワイングラス、漢、唐、宋、清朝の磁器も精緻な美しさに満ちている。唐時代の馬の姿が色鮮やかに描かれた陶器はシルクロードを彷彿させる逸品。

天心園
冒春～初秋（雨天や天候の悪い日は閉園）

搗練って何？
搗練（とうれん）とは、生絹（すずし・練られていない絹糸）を練って光沢のある練り絹を作ること。『搗練図』では官女たちが生絹を槌でたたき、練り糸を紡ぎ、火熨斗をかける姿が描かれている。重要美術品に当たる本作は、特別展でのみ公開される作品だ

MFA会員になると
ボストン美術館には「MFA Membership」というものがあり、会員になれば1年間無料で何度でも入場できるほか、売店で本やポスターを1割引きで買える。年会費$75。カップル会員Contributorは$110
MFA Membership
☎(617)369-3395

まず日本語の館内図をシャーフビジターセンターで入手しよう

東洋部門を世界最高に導いた男、岡倉天心

　岡倉天心（1863～1913）、本名は覚三。文久2年、明治維新の5年前に横浜で生まれた。貿易商の父の方針で幼少の頃より英語を学んだ天心は明治8（1875）年、東京開成学校（現東京大学）に入学。ここでニューイングランド地方から哲学、経済学など教師として招かれていたフェノロサの門下生兼通訳を務めることになる。

　長い鎖国のあと、国家を挙げての西欧化が叫ばれるなか、フェノロサの興味は忘れ去られようとしている日本の伝統美術にあり、その芸術的価値の高さと保存を説いた。天心は大学時代、このフェノロサの影響を大きく受ける。1880年大学卒業後に文部省に入省、美術官僚への道を歩み始める。欧米の美術館や美術博物館を視察し、明治22（1889）年、その視察旅行から修得した知識を生かして東京美術学校を開校した。翌年校長に就任するも、1898学校の紛争事件で校長を辞任。民間の美術団体「日本美術院」をつくる。ここでは横山大観や菱田春草らが学び、昔からの日本美術に新しいものを加えていく「朦朧体」と呼ばれる画風を創り出した。

　明治37（1904）年、天心はビゲローの紹介で東洋美術部門の責任者としてボストン美術館に招かれる。羽織袴スタイルで英会話の堪能な天心は、ボストン知識層の注目の的となり、そのなかには彼のよき理解者兼後見人であるイザベラ・スチュワート・ガードナー夫人の姿もあった。

　2度にわたるアジア旅行で感じた天心の唱える「アジアはひとつ」の哲学のもとに、ボストン美術館東洋部門の収集品は日本美術はもとより、中国、朝鮮まで範囲を広げていった。大正2（1913）年に亡くなるまで、1年の半分ずつをボストンと日本で過ごすという多忙な生活を送る。享年50歳。

おすすめ情報

美術館を楽しもう

ボストン美術館は、コレクションもさることながら、レストランやショップ、カフェなどの施設も充実している。鑑賞の合間に美術館のカフェやレストランでアートな休日を満喫しよう。

ミュージアムショップ Museum Shops

館内にはメイン・ブックストア&ショップ、ハンティントン・ショップ、グンドギャラリー特別展ショップの3店舗がある。特別展ショップは特別展専用なので、特別展ごとに品揃えが変わる。メイン・ブックストア&ショップは、ニューイングランド地方に特化した何千冊ものアートや写真、建築、デザイン、ファッションなどの本とミュージアムグッズが並び、壮観。ボストン美術館オリジナル商品もはがき、カード、ポスター、アクセサリー、食器まで揃い、ハイセンスな品揃えだ。スカーフやネクタイ、バッグなどのオリジナルグッズもある。商品の一部は、ウェブサイトから購入することもできる。

2011年にオープンした西館のメイン・ブックストア&ショップ。センスのいいグッズがずらりと並ぶ

きれいな色のスカーフ

Main Bookstore & Shop、Huntington Shop
[営]毎日 10:00 ～ 16:45（水～金～ 21:45）

カフェ&レストラン Cafe & Restaurants

ガーデンカフェテリア Garden Cafeteria

西館地階にあるセルフサービスのカフェ。中庭から入ることもでき、買ったランチを中庭のテラス席で食べることもできる。サラダバーのほかにハンバーガーやサンドイッチなど軽めのメニューが中心。レジで精算したら、テーブル席で食べよう。
[営]毎日10:00～16:00 [$]

ガーデンカフェの外には気持ちのいい中庭が広がる

ニューアメリカンカフェ New American Cafe

アメリカウイング正面のシャピロ・ファミリーコートヤードにあるおしゃれなカフェレストラン。バラエティに富んだ食事メニューのほかに、アメリカ産セレクトワインも用意され、友人同士でもひとりでも、リッチなひとときが楽しめる。
[営]毎日10:00～16:00（水～金～20:00） [$$]

地元の野菜で作られたラザニアとサラダ

ブラボ Bravo

西館2階のコンテンポラリーアート階にあるレストラン。高級感にあふれる落ち着いた雰囲気のレストランで、季節の食材を使ったボストンのモダン料理が味わえる。6月から8月上旬まで、天気のいい日にはパティオ席もオープンする。
☎(617) 369-3474（予約）
[営]ランチ月～金11:30～15:00、ディナー水～金17:30～20:30、ブランチ土・日11:30～15:00
[$$$]

シャピロ・ファミリーコートヤードのガラスのインスタレーションは、デイル・チフーリDale Chihuly作『ライムグリーンアイシクルタワーLime Green Icicle Tower』

テイスト Taste

1階西側に2011年にオープンしたカフェ。ガラス越しに本屋とショップが望め、カウンターでワインも注文できる。コーヒーなどのドリンクからランチ、軽めのディナーまでカジュアルな食事が楽しめる。美術鑑賞のあとはワインで乾杯！
[営]毎日10:30～16:30（水～金～21:00） [$$]

ボストンのおみやげに！

ボストンならでは！のおみやげなら、ボストン美術館内にあるミュージアムショップがいい。館内のコレクションを絵はがきにしたものは$1から。ボストン美術館のコレクションならMuseum of Fine Arts, Bostonの名入りも記念となる。ボストン美術館の美術書やイヤリング、ネックレスなどのアクセサリー類もとてもハイセンス。おすすめはスカーフ。美術館らしいしゃれたデザインのシルクスカーフが$65くらいで豊富に揃っている。サイズや形が違うので必ず店員さんに広げてもらうこと。ギフト用にボストン美術館名入りの薄いケースに入れてくれるので、とても見ばえがする。

個人コレクションの殿堂

イザベラ・スチュワート・ガードナー美術館
Isabella Stewart Gardner Museum

イザベラ・スチュワート・ガードナー美術館は、ボストンの大富豪、ジョン・ローエル・ガードナーの未亡人、イザベラ・スチュワート・ガードナーIsabella Stewart Gardner（1840～1924）のコレクションを展示する美術館である。

若い頃パリで学んだ夫人はヨーロッパ芸術に造詣が深く、ルネッサンス期の芸術品などを熱心に収集した。この美術館に収められた作品は、絵画290点、彫刻彫像280点、素描60点、版画130点のほか、調度品、タペストリー、陶磁器、ガラスなど2500点以上。個人コレクターの収集品数としては世界でもトップクラスである。芸術的価値も非常に高く、彼女の鑑識眼の高さがうかがえる。

2012年には、世界的に有名な建築家レンゾ・ピアノRenzo Pianoによる新館New Wingもオープンした。カフェやミュージアムショップが入る建物は全面ガラス張りで、旧館のフェンウエイコートとつながっている。

自然光で鑑賞するアート

現在、美術館として使われている建物は、正式名称をフェンウエイコートFenway Courtという。15世紀のベネチアの宮殿風に設計された邸宅で、庭に面したバルコニーから太陽の光がふんだんに降りそそぐ。自然光で芸術品の鑑賞を、という夫人の思想が生きた構造になっている。さらに単に絵画を飾るだけでなく、工芸品、織物、楽器、家具、陶磁器などが一緒に並び、美術館というよりも豪邸の美術品を鑑賞するといった雰囲気も特徴的だ。

館内は1～3階が美術館のフロアで、4階は夫人が生前住んでいたフロア。「ラファエロルーム」「タペストリールーム」などテーマやジャンルごとに部屋が分かれ、お目当てのものが探しやすい。

2012年に完成した新館

Isabella Stewart Gardner Museum
Ⓜ折込地図裏-B3、P.39-C3
🏠25 Evans Way, Boston
☎(617)566-1401
URL www.gardnermuseum.org
🕐水～月11:00～17:00（木～21:00）
🚫火、7/4、11月第4木曜、12/25、1/1、愛国者の日
💴大人$15、シニア（65歳以上）$12、学生$5
🚃①グリーンライン（E）Museum of Fine Arts駅下車、徒歩約5分

無料ツアー
すべてのツアーは先着順、新館1階のリビングルームでチケットを入手すること
・ブリーフトーク・ツアー
月・水～土12:30、14:30、所要20分
・コレクション・ハイライトツアー
月・水～金12:00、14:00、所要1時間

音楽コンサート
カルダーウッドホールでクラシックやジャズなどのコンサートが楽しめる。日程などはウェブサイトで確認を。チケットは、ウェブサイト、電話、美術館窓口で購入できる
Gardner Box Office
☎(617)278-5156
🕐水～月10:00～16:00（木～18:00）🚫火
💴大人$27、シニア$24、メンバー$17、学生・7～17歳$12（美術館入館料込み）、7歳未満不可

歴史コラム
イザベラ・スチュワート・ガードナー夫人の華麗なる一生

1840年4月14日、イザベラ・スチュワートはニューヨーク市に生まれた。実家のスチュワート家は1650年、ボストンに入植した初期の移民の一族。パリ在住時代、学友の兄ジョン・ローエル・ガードナーJohn Lowell Gardnerと知り合い結婚。ボストンに住むことになった。その3年後、夫妻は息子をもうけるが2年後に死亡。その傷を癒やすため、ガードナー夫妻はしばしば欧州旅行に出かけるようになる。

1885年イタリアのヴェネチアで、夫人はルネッサンス芸術に大きな衝撃を受け、本格的な美術収集家としての道を歩み始める。1870年代からは、希少価値の高い書物や草稿などを収集していたが、さらに領域は広がり、彫刻彫像、織物、家具、陶磁器、金属加工品などもその対象となっていく。美術品収集に精を出す一方、同時代の画家や音楽家のパトローネとして積極的な後援を行う。ボストン美術館東洋美術部門の責任者として渡米していた岡倉天心とも交流があった。

1898年12月末、夫のガードナーが亡くなると、58歳の夫人は、かねてから夫が計画していた美術館設立に力を注ぐ。現在、美術館が建つ場所に用地を購入し、フェンウエイコートFenway Courtと呼ばれる美術館兼屋敷を建設した。夫人の案が随所に採り入れられた屋敷が美術館として一般に公開されたのは1903年2月23日。彼女は1924年7月17日、84歳の生涯を閉じるまで、ここで過ごした。夫妻は今、ケンブリッジのAuburn Cemeteryに息子とともに眠っている。

Cafe G
☎(617)566-1088
🕐水〜月11:00〜16:00（木〜20:00)

豪奢なティツィアーノルーム
©Isabella Stewart Gardner Museum

※右下写真でサージェントが描いたフィスク・ウォレン夫人と娘レイチェルの肖像画は、後にボストン美術館に収蔵された

盗賊現る！
1990年3月18日、警察官に変装したふたりの泥棒によって、フェルメールの『コンサート』『ガリリーの海の嵐』など13点の美術品が盗まれた。盗品にはあいにく保険が掛けられておらず、その被害額は2億ドルともいわれている

展示作品は所蔵品の一部だが、ボッティチェリBotticelli、ティツィアーノTiziano(Titan)、ルーベンスRubens、レンブラントRembrandt、マネManet、マチスMatisseとそうそうたる名前が並ぶ。夫人は岡倉天心（→P.101）とも交流があり、屏風絵、掛け軸など、日本の絵画も収蔵されている。

ベニスの宮殿風の中庭
©Isabella Stewart Gardner Museum

中庭とガードナー夫人像は必見！

15世紀のベニスに迷い込んだような錯覚を覚える、中庭Courtyardを堪能したら、1階のスパニッシュクロイスターSpanish Cloisterの正面に掲げられた、ジョン・シンガー・サージェント John Singer Sargent『エル・ハレオEl Jaleo』を鑑賞しよう。夫人のいとこが所有していたものを譲り受け、絵に合うよう改装した場所に掛けられている。フラメンコの踊り子の動きを見事に捉えた傑作である。2階に上がると、初期イタリアルーム、ラファエロルーム、15〜17世紀のイタリアのタペストリーが掲げられたタペストリールームを経て、ダッチルームDutch Roomへといざなわれる。ここは美術館自慢の展示室で、レンブラントRembrandtの秀作『自画像Self-Portrait』や『ガリラヤ湖の嵐の中のキリストChrist in the Storm on the Sea of Galillee』などの傑作が並ぶ。ほかにもアンソニー・ヴァン・ダイクAnthony van Dyck『バラを持つ婦人 Portrait of a Woman with a Rose』もある。そして3階へ。ヴェロネーゼルームの隣、ティツィアーノルームTitian Roomには、イタリア・ルネッサンス期に活躍したティツィアーノ晩年の佳作『エウロペの略奪Rape of Europe』がある。廊下に出てチャペルを過ぎると、ゴシックルームGothic Room。この部屋はガードナー夫人の生前中、一度も公開されなかった場所だ。そのほの暗い部屋の一隅に白く輝くように浮かぶのが、アメリカを代表する画家ジョン・シンガー・サージェント作、夫人の等身大の肖像画『イザベラ・スチュワート・ガードナー夫人の肖像Portrait of Isabella Stewart Gardner』である。この神々しいまでに美しい夫人像は1887年12月に描かれたが、1903年からサージェントはここで何枚かの肖像画を描いたという。一説には、夫であるジョン・L・ガードナーはこの肖像画が公開されることを喜ばなかったともいわれている。美術ばかりか音楽も愛した夫人の美術館らしく、年間を通してカルダーウッドホールで音楽会も催されている。

ゴシックルームで絵を描くサージェント
©Isabella Stewart Gardner Museum

※美術館の都合により、本書掲載作品が鑑賞できない場合もあります。

ボストン・レッドソックスの本拠地

フェンウエイパーク
Fenway Park

　1912年に誕生したフェンウエイパークは、野球ファンでなくても、ぜひ訪れたい場所。名物は左翼にそそり立つグリーンモンスターだ。1926年と1934年の大火により左翼スタンドが崩落、コンクリートの壁に広告が貼られたが、1947年に緑色に塗られ、このように呼ばれるよ

ツアーに参加すれば球場を見学できる

うになった。大リーグ最古で最小の球場では、球場を巡るツアーBallpark Toursを催行している。ツアー（→P.158）に参加して高さ11メートルのグリーンモンスターや手動式のスコアボードを見学するのがいい。

Fenway Park
Ⓜ 折込地図裏-B3、P.39-C2〜D2
🏠 4 Yawkey Way, Boston
🚃 ⓉグリーンラインKenmore駅下車、徒歩約5分
球場ツアー／
🏢 Yawkey WayとVan Ness St.の角にあるゲートDのチケット売り場
☎(617)226-6666
催行／毎日9:00〜17:00の毎正時発。ただし、試合開催日は3時間前が最終ツアー。所要約1時間
🚫 おもな祝日
💰 大人$18、シニア$17、子供（3〜15歳）$12
※時期により異なるが、日本語のツアーが催行されることもある。チケット購入時に尋ねてみよう

■ダグアウトボックス
Dugout Box　**$361〜584**

■ステートストリート・ホームプレート・パビリオンクラブ
State Street Home Plate Pavilion Club　**$228**

■ステートストリート・パビリオンクラブ
State Street Pavilion Club　**$190**

■グリーンモンスター
Green Monster　**$120〜240**

■フィールドボックス
Field Box　**$105〜175**

■バドワイザー・ライトフィールド・ルーフデッキ
Budweiser Right Field Roof Deck　**$118〜155**

レッドソックスのショップが連なっている

■パビリオンボックス
Pavilion Box　**$63〜117**

■ロッジボックス
Loge Box　**$65〜137**

■パビリオン・リザーブド
Pavilion Reserved　**$35〜93**

■インフィールドグランドスタンド
Infield Grandstand　**$35〜78**

■ライトフィールド・ボックス
Right Field Box　**$35〜75**

■ライトフィールド・ルーフボックス
Right Field Roof Box　**$30〜75**

■ライトフィールド・ルーフテラス
Right Field Roof Terrace　**$35〜70**

■アウトフィールド・グランドスタンド
Outfield Grandstand　**$21〜43**

■バドワイザー・デッキ立ち見席
Budweiser Deck Standing Room　**$20〜30**

■ライトフィールド・ルーフボックス立ち見席
Right Field Roof Box Standing Room　**$20〜30**

■ブリーチャーズ
Bleachers　**$20〜40**

□ロウアーレベル・アウトフィールド立ち見席
Lower Level Outfield Standing Room　**$20**

■アッパーブリーチャー
Upper Bleacher　**$10〜20**

伝説の大統領、生誕の地

ジョン・F・ケネディの生家
John Fitzgerald Kennedy National Historic Site

John Fitzgerald Kennedy National Historic Site
Ⓜ P.38-A2
🏠 83 Beals St., Brookline
☎ (617)566-7937
URL www.nps.gov/jofi
🕐 生家敷地は通年オープン。
生家／5月下旬〜10月）水
〜日9:30〜17:00
🚫 生家／11月〜5月中旬
🚃 ① グリーンライン (C)
Coolidge Corner 駅下車。
Harvard St. を北へ、Beals
St. を右折。かなり奥に入った
右手のブルーの木造の家
屋。途中に標識がある。駅
からは徒歩10分ほど

ニューイングランドが生んだ第35代アメリカ大統領ジョン・F・ケネディJohn F. Kennedy, J. F. K.（1917〜1963）。彼はボストン郊外のブルックライン市（ボストン市の隣）ビールズ通りBeals St.で誕生した。1965年J.F.K.の生家は国の史跡として指定され、一般公開されている（パークレンジャーのガイドによる見学ツアーあり）。

実業家ジョセフ・P・ケネディJoseph P. Kennedy（1888〜1969）が、ボストン市の市長を父にもつローズ・フィッツジェラルドRose Fitzgerald（1890〜1995）と結婚したのは1914年10月のこと。以後、1921年まで一家はこの家に住み、その間、9人兄弟のうちジョンJohn、Rosemary（1918年）、Kathleen（1920年）がこの家で生まれた。

J. F. K. の生家は決して華美ではなく、後のケネディ家の栄華を考えると意外なほど平凡な家だ。内部はJ. F. K. が生まれた頃のままに近づけてある。1階の居間Living Roomは家族のレクリエーションの場。叔父から結婚祝いとして贈られたピアノを母ローズが弾き、それに合わせて子供たちが歌うこともしばしばあった。反対側はダイニングルームDining Room。小さなテーブルは子供たち用で、スープ皿、銀のフォークやスプーンは実際に長男ジョセフとジョンが使っていたもの。イニシャルが刻まれている。

J.F.K. はブルックライン市のこの家で生まれた

ツアー／10:00〜11:30、13:00〜15:30までの毎時30分発。12:00〜13:00、16:00〜17:00はセルフガイドで自由に見られる。ツアーの前、希望者にはビデオを見せてくれる。見たい人は20分前までに到着しておくこと。
日本語のオーディオガイドとパンフレットの貸し出しあり
🎫 無料

生家は当時のまま保存されている

1917年5月29日午後3時、2階のマスターベッドルームMaster Bedroomで次男のジョンは生まれた。時計はジョンの生まれた午後3時を示している。隣の子供部屋Nurseryは、ジョセフとジョンのふたりが使った部屋。椅子の上に置かれた『アーサー王物語 King Arthur And His Knights』は、幼いJ. F. K. のお気に入りの本だ。

教育熱心だった母
母ローズの意向で、兄弟は公立のエドワード・デボーション・スクールから私立のデクスター学校へすぐに転校させられた。教育熱心だったケネディ家の一面を伝えるエピソードだ

生家の見学が終わったらパンフレットをもらい、ブルックライン市に残るJ. F. K. ゆかりの地を訪ねてみよう。Abbotsford & Naples Rds. の角に建つ家は、1921年から1927年まで住んだ家。ここでユーニスEunice（1921年）、パトリシアPatricia（1924年）、ロバートRobert（1925年）が生まれた。Freeman St. の聖アイダン・ローマ・カトリック教会St. Aidan's Roman Catholic Churchはケネディ家がブルックラインに住んでいた間通っていた教会で、子供たちはここで洗礼を受けた。すぐ隣の現在アパートになっている場所はデクスター学校Dexter School

Abbottsford & Naples Rds.の家
🏠 51 Abbottsford Rd., Brookline
私宅なので一般公開されていない

St. Aidan's Roman Catholic Church
🏠 207 Freeman St., Brookline
現在は個人宅になっている

のあった所。ジョセフとジョンが通った私立の学校だ。Harvard St.沿いに現存するエドワード・デボーション・スクールEdward Devotion School（公立）はジョンたちが初めて通った学校である。

Edward Devotion School
M P.38-A2
住 345 Harvard St., Brookline

J.F.K.が通った小学校

歴史コラム

神話の主人公J.F.K.

ジョン・フィッツジェラルド・ケネディ（J. F. K.）は、1917年5月29日ボストン郊外のブルックライン市で生まれた。曽祖父はアイルランドからの移民、父ジョセフは第2次世界大戦当時は英国大使であった。J. F. K. は1940年、23歳のとき、ハーバード大学を卒業と同時に海軍に入隊し従軍するが、1943年の第2次世界大戦中、乗船した軍艦が太平洋で日本の駆逐艦に衝突され、沈没してしまう。その際、けがを負ったものの、幸運にも生き残った。

第2次世界大戦から帰還すると、ボストンから民主党の下院議員に出馬し、初当選を果たす。1953年には上院議員に転身。同年9月12日、36歳のときにジャクリーン・リー・ブーヴィエJacqueline Lee Bouvierと結婚、後に1男1女をもうけた。1955年、手術後の療養中に『勇気ある人々Profiles in Courage』を執筆すると、これがピュリッツァー賞（米国で報道・文学の優れた作品に贈られる賞）を受賞する。受賞をきっかけにJ. F. K. の名はアメリカ国民に知られていった。

1960年には大統領候補の指名を受け、大統領

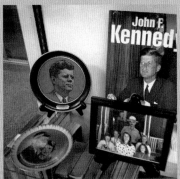

若くして亡くなった大統領を惜しむ声は大きい

選に出馬する。共和党のリチャード・M・ニクソンとのTV討論は、後世まで語り種となっている。選挙戦の結果、ニクソンに僅差で勝利を収め、アメリカ初のアイルランド系でありカトリック教徒の大統領が誕生した。このときJ. F. K. は43歳という、当時ではアメリカで2番目に若いアメリカ大統領となった。大統領就任演説での「国家が諸君（国民）のために何をしてくれるのかを問うのではなく、諸君（国民）が国家に対して何をなし得るかを問いたまえ。Ask not what your country can do for you—ask what you can do for your country」のメッセージはあまりにも有名である。

J. F. K. の政治、経済にわたる政策は、アメリカ人のまさに理想を具現化したものである。例えば、黒人を一般の大学へ入学させるなどの黒人やエスニックグループの解放問題、差別廃止への取り組み、アポロ計画に見られる宇宙開発プロジェクト、フロンティア政策、第2次世界大戦後、「冷戦」といわれた米ソ間の緊張を和らげた対ソ政策協調外交、貧困問題にも着手するなど、暗殺されるまでの約3年間、各方面において、神話のもととなる斬新かつ進歩的な政策を次々に展開していった。しかし、暗殺により、未達成で終わった政策も多い。

1963年11月22日、ダラスでのパレード

９人兄弟の次男がジョン

中、リー・ハーベイ・オズワルドLee Harvey Oswaldによって狙撃され、死亡するが、アメリカ人の3分の2はオズワルドの単独犯を否定し、陰謀説を支持しているという。1991年に大ヒットしたアメリカ映画『J. F. K.』は暗殺の陰謀説を真っ正面から訴えている。また、世論調査においてもJ. F. K. がアメリカ史上最も偉大な大統領という結果となることもある。志半ばで凶弾に倒れたためか、J. F. K. の人気は死後50年経過した現在でも根強く、神話が衰える気配はない。

ジョン（左）とロバート（右）の肖像画

ケンブリッジ

Harvard Square
MP.110-2
URL www.harvardsquare.com

行き方
地下鉄／Ⓣレッドライン
Harvard Square駅下車すぐ
バス／オレンジライン
Massachusetts Ave.駅、また
はグリーンラインSymphony
駅、Hynes Convention
Center駅周辺から#1で終点
まで

観光案内所
Visitor Information Booth
MP.110-2
住0 Harvard Sq., Cambridge
☎(617)441-2884
URL www.cambridgeusa.
org/visit/visitors-center
営毎日9:00～17:00（土・日～
13:00）
行き方ⓉレッドラインHarvard
Square駅下車、地上出口の
目の前

ケンブリッジ

ケンブリッジでいちばんにぎわっているスポット
ハーバードスクエア
Harvard Square

地下鉄レッドラインのHarvard Square駅から地上に上ってくる
とMassachusetts Ave.とJohn F. Kennedy St.に囲まれた中州に出
る。そこが、ハーバードスクエア
だ。スクエアの目の前には、ハー
バード大学のキャンパスが広が
り、周辺にはレストランやショッ
プが集まる。ハーバード大学の
学生が案内するUnofficial Tours
（→P.113）もここから出発。中州
には観光案内所と売店もある。

ハーバードの学生だけでなく多くの観光客
でにぎわうハーバードスクエア

アメリカを代表する最高峰の大学
ハーバード大学
Harvard University

1636年に創立されたアメリカ最古の大学。伝統も教育水準も合
衆国最高峰を誇る。前身となるハーバードカレッジHarvard
Collegeは、1636年、マサチューセッツ・ベイコロニーの最上級役
員会の評決により創設。ハーバードという名は、最初の後援者ジョ
ン・ハーバードJohn Harvardにちなんで名づけられた。卒業生に8
人の合衆国大統領、48人のノーベル賞、44人のピュリッツアー賞の
受賞者も含まれ、各界に優秀な人材が多数輩出している。

歴史コラム

ハーバード大学、栄光の歴史

宗教的指導者養成を目的に創立
アメリカで最も歴史のあるハーバード大学の創
立は1636年。ピルグリムファーザーズがプリマス
に降り立ってから16年後、アメリカが独立する100
年以上前のイギリス植民地だった頃のことだ。ハ
ーバードという名前は、初めての後援者であり、
牧師だったジョン・ハーバードJohn Harvardに由
来する。Harvard Collegeは、新しい植民地にふさ
わしい宗教的指導者の養成を目的とし、開設され
た。
初期は、ピューリタンの志を受け継ぐ宗教を中
核にすえた学校として運営されていたが、1708年、
聖職者ではない、初の選挙で選ばれたジョン・レ
バレットJohn Leverettが学長に就任すると、彼は
学校をピューリタニズムから知性の確立へと、方向
転換する努力を始める。18～19世紀にかけて、学校
が成長するとともに、学科分野の裾野も広がって
いった。詩人のヘンリー・ワッズワース・ロング
フェローHenry Wadsworth Longfellowや、ジェーム
ス・ラッセル・ローウェルJames Rusell Lowellも、
その頃の卒業生だ。

カレッジからユニバーシティへ
1869年から1909年の間、チャールズ・W・エリ
オットCharles W. Eliotが学長を務めていた頃、大
学はCollegeからUniversityになり、ビジネス、人文
科学の大学院も増えた。
1909年から1933年まで学長を務めたアボット・
ローレンス・ローウェルAbbott Lawrence Lowell
は、学生に自由主義教育を強力に推し進めたこと
で有名。
近年の学長、ニール・L・ルーデンスタインNeil
L. Rudensteinやデレック・ボクDerek Bokは、卓
越した調査研究の場としてのハーバード大学の役
割を維持するため、大学や大学院の教育プログラ
ムの強化を図ってきた。ルーデンスタインは積極
的な基金集めを行い、奨学金制度を充実させた。
ボクは、マイノリティグループや女性に教育の機
会を与えたり、大学の経営構造の改革などを手が
けた。2007年、28代学長にドリュー・ファウスト
Drew Faustが就任。ハーバード大学初の女性学
長として注目を浴びた。

ハーバード大学出身の歴代アメリカ大統領 第2代ジョン・アダムズJohn Adams、第6代ジョン・クインシー・アダム
ズJohn Quincy Adams、第10代ラザフォード・B・ヘイズRutherford B. Hayes、第26代セオドア・ルーズベルト

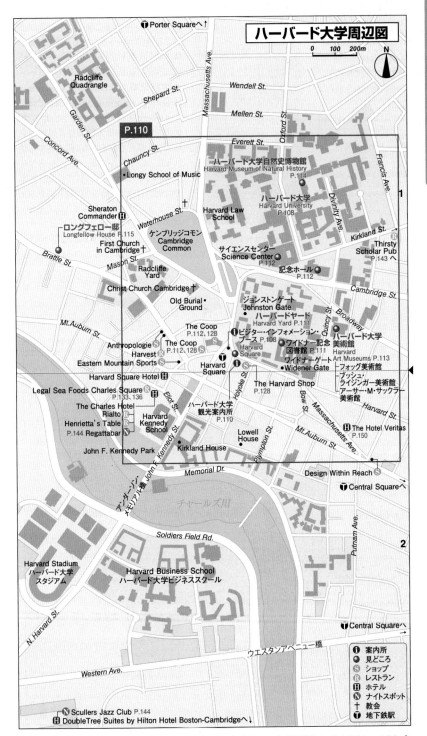

↘ Theodore Roosevelt、第32代フランクリン・D・ルーズベルトFranklin D. Roosevelt、第35代ジョン・F・ケネディ
John F. Kennedy、第43代ジョージ・W・ブッシュGeorge W. Bush、第44代バラク・オバマBarack Obama

Harvard University

M P.109-1〜2
住 1350 Massachusetts Ave., Cambridge
☎ (617)495-1000
URL www.harvard.edu

Harvard University Events & Information Center

M P.110-2
住 1350 Massachusetts Ave., Cambridge
☎ (617)495-1573
営 月〜土9:00〜17:00。イベント時は閉鎖
休 日
行き方 T レッドラインHarvard Square駅下車、Massachusetts Ave.を東に進むとすぐ右手にカフェAu Bon Painがある。その隣が入口

ハーバードヤードでいちばん人気は、ジョン・ハーバードの銅像

ハーバード大学は多くの旅行者が訪れる観光スポットとしても有名だ。まずは、スミスキャンパス・センターSmith Campus Center 1階にあるハーバード大学観光案内所Harvard University Events & Information Centerで地図やイベントプログラムを入手しよう。校舎内や図書館へは大学関係者以外の立ち入りは禁止されている。観光客でも訪れることができるのは、ハーバードヤードHarvard Yard（→P.111）や大学生協のコープThe Coop（→P.128）、インフォメーションセンターが入るスミスキャンパス・センター、サイエンスセンターScience Center。周辺には公共のトイレが少ないので、スミスキャンパス・センター2階にあるトイレは重宝する。

ハーバード大学

- ❶ 案内所
- ◉ 見どころ
- Ⓢ ショップ
- Ⓡ レストラン
- Ⓒ カフェ
- ✝ 教会
- Ⓣ 地下鉄駅

地図内の地名・施設名

Massachusetts Ave.
Garden St.
ロングフェロー邸へ↗
Francis Ave.

Perkins
Richards
Child
Maxwell Dworkin

Harvard Law School
Pierce
Langdell
Cruft
Oxford St.

Lyman
Hastings
Jefferson
Austin
Mckay
Music Bldg.
Hemenway Gym
Gannett
Littauer Center

比較動物学博物館 P.114
植物学博物館 P.114
ハーバード大学自然史博物館 Harvard Museum of Natural History P.114
ピーボディ考古学と民族学博物館 P.114
鉱物学と地質学博物館 P.114
Yenching Library
Kirkland St.
Divinity Ave.

ケンブリッジコモン Cambrige Common

P.125 Monella Ⓢ
Flat Patties Ⓡ
P.126 Free People Ⓢ
The Tannery Ⓢ
Market in the Square Ⓢ
The Just Crust Pizzeria Ⓡ
L.A. Burdick Handmade Chocolate P.142 Ⓡ
Harvest Ⓡ
Goorin Bros. Ⓢ
P.125 Concepts Ⓢ
Algiers Coffee House Ⓒ
Urban Outfitters Ⓢ
Harvard Square Hotel Ⓗ
Tealuxe Ⓒ
Shake Shack Ⓡ
Gyu-Kaku Ⓡ
P.128 The Curious George Store Ⓢ
Harvard Kennedy School
P.125 J. Press Ⓢ
John Harvard's Brewery & Ale House Ⓡ

Ⓒ Crema Cafe
Ⓢ Hidden Sweets
Ⓢ Border Cafe
The Coop P.126、128
LF
Ⓒ Harvard Coop Cafe
The Coop P.112、128
Ⓡ Otto Pizza
Old Burial Ground
Harvard Hall
ジョンストンゲート
Black Ink
Massachusetts Hall
ビジター・インフォメーション・ブース P.108
Wadsworth House

サイエンスセンター Science Center P.112
記念ホール P.112
記念教会 P.111
ジョン・ハーバードの銅像 P.111
ユニバーシティホール P.111
Sever Hall
ハーバードヤード P.111
ワイドナー記念図書館 P.111
ビューズィ図書館 P.112
Houghton Library
ワイドナー ゲート

グランドホール P.112
Church of New Jerusalem ✝
Sumner Rd.
Cambridge St.
フォッグ美術館
ブッシュ・ライジンガー美術館
アーサー・M・サックラー美術館
ハーバード大学美術館 Harvard Art Museums P.113
カーペンターセンター P.112
Quincy St.
Prescott St.
Ware St.
Broadway

Massachusetts Ave.
Brattle St.
Mt. Auburn St.
Winthrop St.
Eliot St.
John F. Kennedy St.

J.P. Licks P.143 Ⓢ

Ⓢ The Andover Shop P.125
The Harvard Shop P.128
ハーバード大学観光案内所 P.110
Au Bon Pain P.141
ハーバードスクエア P.108
Harvard Square

Ⓒ Cafe Pamplona P.142
Ⓡ Santouka Ramen
Ⓡ Mr. Bartley's P.141
Ⓢ Harvard Book Store
Ⓗ The Hotel Veritas P.150

0 100 200m
N

ハーバードスクエア周辺のおすすめカフェ　2階席もある。Crema Cafe **M** P.110-2 **住** 27 Brattle St., Cambridge **☎** (617)876-2700 **営** 毎日7:00〜21:00（土・日曜8:00〜）（三重県　ちぴと私 '13)['15]

ハーバードヤード周辺の校舎巡り

キャンパス散策は、ハーバード大学創立当初からあるハーバードヤードHarvard Yardから始めよう。意外に狭いキャンパスなので、建物だけを見学するのなら、すぐに終わってしまう。

まず、正門とされるジョンストンゲートJohnston Gate（1889年）から入ろう。ハーバードヤードにいくつかある門のうち、最も古いとされる門。この門をくぐり、左手にハーバードホールHarvard Hall（1766年）、右手にマサチューセッツホールMassachusetts Hall（1720年）、正面にユニバーシティホールUniversity Hall（1815年）と古い建物が並んでいる。

ハーバードホールは1764年火災に遭い、現在の建物は2代目。マサチューセッツホールは現存するハーバード最古の建物で、西側の時計の図は、昔その場所にあった時計台と鍵の名残だ。この奥にはハーバードのなかでは2番目に古い建物のワッズワースハウスWadsworth House（1726年）がある。そのほかハーバードヤードには、記念教会や記念ホール、図書館、学生寮などが点在している。

ハーバード大学正門、ジョンストンゲート

Harvard Yard
M P.109-1、P.110-2
行き方 ①レッドラインHarvard Square駅下車。地下鉄の階段を上がった所が、Harvard Squareで、そこから見える壁の向こうがハーバードヤード

2015年に100周年を迎えたワイドナー記念図書館

●ユニバーシティホール University Hall（1815年）

チャールズ・ブルフィンチCharles Bulfinch設計の御影石で造られたホール。建物の前には1884年ダニエル・チェスター・フレンチDaniel Chester French作のジョン・ハーバードの像 The Statue of John Harvardがある。

●記念教会 Memorial Church（1932年）

第1次、第2次世界大戦で亡くなったハーバード大生の鎮魂のための教会。

●ワイドナー記念図書館 Widener Memorial Library（1915年）

記念教会の向かいにある世界最大の図書館。タイタニック号の事故で亡くなった卒業生、ハリー・エルキンズ・ワイドナーHarry Elkins Widenerの母親エレノアEleanorが、希少本収集家のハリーの蔵書など、約3000冊を建物とともに寄贈したことが発祥となっている。

記念教会

歴史コラム
銅像に隠された3つの嘘 ——The Statue of John Harvard

ユニバーシティホール前のジョン・ハーバードの銅像の銘板には「John Harvard創設者1638年」と刻まれているが、この像は「3つの嘘の像」とも呼ばれている。それは、銘板に3つの嘘があるからだ。つまり、「大学が造られたのは1636年」「ジョン・ハーバードは創設時の恩人ではあっても、創設者ではない」「ダニエル・フレンチが銅像を制作したとき、ハーバードの肖像画が見つからなかったため、1880年頃、ハーバード大学で人気があった学生をモデルにした」という3点だ。何とも嘘のような本当の話。

また、この銅像の靴をなでると、幸運が訪れるといわれており、旅行者が順番待ちで靴をなでる光景をよく目にする。

銅像の足は多くの人々になでられて金ピカ

ステンドグラスが美しい、記念ホール

The Coop
M P.110-2
住 1400 Massachusetts. Ave., Cambridge
☎ (617)499-2000
URL store.thecoop.com
●Bookstore & Harvard Coop Cafe (Book Building)
M P.110-2
営 月～土9:00～22:00、日10:00～21:00
●Brattle/Palmer St. Coop
M P.110-2
営 月～土9:00～21:00、日10:00～19:00
ハーバード大学の記念品を買うならこちらの店

●ピューズィ図書館　Pusey Library（1976年）
　ハーバード大学の公文書やハーバードステージ（劇）のコレクションなどが保管されている。シーバーホールSever Hallは、著名な建築家H・H・リチャードソンH. H. Richardson作の建物。ロマネスク様式の外観が美しい。

●カーペンターセンター
Carpenter Center for the Visual Art（1963年）
写真やフィルムのコレクション、現代美術や写真のスタジオもあり、映画を見ることもできる。世界的に有名な建築家ル・コルビュジエLe Corbusierが北米で設計した唯一の建物。

●グンドホール　Gund Hall（1972年）
　ハーバード出身の銀行家ジョージ・グンドGeorge Gundの寄付によって建てられた。一面ガラス張りの外観は必見。

●記念ホール　Memorial Hall（1870～1877年）
　ゴシック風の大きな建物。南北戦争時、北軍に加わって戦死したハーバードの学生のために建てられ、壁には戦死した136人の名前が記されている。

●サイエンスセンター　Science Center（1973年）
　10階建てで、講堂、教室、研究室、コンピューター室、天文台、カフェテリアのほか、いろいろな学部のオフィスが入っている。

ハーバード大学巡りでいちばん楽しい場所?!
コープ（生協）
The Coop

　パルマーストリートPalmer St.を挟んで、10万冊以上の本が揃うBook Building（Massachusetts Ave.沿い）と、ハーバード大学のグッズや文房具などを扱うBrattle/Palmer St. Coopの2店（→P.128）がある。周辺には、たくさんの本屋があるが、項目別に整理された見やすさと、本の種類の多さではピカイチ。Book Building3階には、カフェ"Harvard Coop Cafe"もある。Brattle/Palmer St. Coopでは、ハーバードのロゴグッズがフロアいっぱいに並び、おみやげ探しに重宝しそう。ふたつの生協は、3階のブリッジで結ばれている。

おすすめ情報
ハーバード大学を心ゆくまで楽しもう

　キャンパスを効率よく回るのなら、ハーバード大学の学生がツアーガイドを務めるキャンパスツアーGuided Historical Toursに参加しては？英語が苦手な人は、スミスキャンパス・センター1階のハーバード大学観光案内所（→P.110）で、日本語のキャンパスガイド「ハーバードヤード」を購入すれば、優れたガイド本としてたいへん役に立つ。キャンパスツアーも案内所前から出発する。
　ツアー中、意外に興味を引くのが、校舎などの建築様式や彫刻の数々だ。コロニアル風あり、現代風ありで、ハーバードの歴史がひしひしと伝わってくる。博物館や美術館も充実しており、丸1日いても飽きることはないだろう。
　おみやげを買うなら、ハーバード大学のオリジナルグッズが揃っている生協The Coopへ行ってみよう。また休憩するなら、サイエンスセンター（→P.112）内のカフェテリア「グリーンハウスGreen House」へ。ここは、旅行者も自由に利用できる場所。ランチタイムを除けば、比較的すいている。

ツアーに参加しない人はぜひ手に入れてほしい

Guided Historical Tours
ツアー：月～土10:00～16:00の毎正時出発
URL www.harvard.edu/visitors/tours

ハーバード・コープ・カフェ　コープ・ブックストア3階にあるカフェのHarvard Coop Cafeは、吹き抜けの書店内にコーヒーの香りが漂い、いい雰囲気だった。コーヒーを片手に雑誌に目をとおしていると学／

印象派を筆頭に見応えあるコレクション

ハーバード大学美術館
Harvard Art Museums

日本人に人気の印象派の作品もある

フォッグ美術館Fogg Museum（1895年創設）、ブッシュ・ライジンガー美術館Busch-Reisinger Museum（1903年創設）、アーサー・M・サックラー美術館Arthur M. Sackler Museum（1985年創設）の3館からなる珠玉の美術館。6年にわたる大規模な改装工事を終え、2014年、再オープンした。

イザベラ・スチュワート・ガードナー美術館やパリのポンピドゥー・センターを設計した世界を代表する建築家レンゾ・ピアノRenzo Pianoのデザインにより、2014年、歴史ある3つの美術館（実業家ウィリアム・ヘイズ・フォッグWilliam Hayes Fogg のコレクションをもとに作られたフォッグ美術館、ドイツ語圏の美術を集めたブッシュ・ライジンガー美術館、アジアやイスラムの作品が豊富なアーサー・M・サックラー美術館）がひとつの建物に収められた。収蔵作品は25万点以上に及ぶ。

館内で必見の作品は、パブロ・ピカソPablo Picasso『母と子Mother and Child』、ゴッホGogh『自画像Self-Portlait』、ルノワールRenoir『坐る浴女Seated Bather』、モネMonet『サン・ラザール駅The Gare Saint-Lazare:Arrival of a Train』、マネManet『スケーティングSkating』などの19〜20世紀ヨーロッパ美術。そのほか、数ヵ月おきに特別展も開催されるので、訪れるたびに新しい作品を鑑賞することができる。また、ハーバードの学生による無料の館内ツアーも催行されているので、参加するのもいい。

Harvard Art Museums
- Fogg Museum
- Busch-Reisinger Museum
- Arthur M. Sackler Museum

M P.109-1、P.110-2
住 32 Quincy St., Cambridge
☎ (617)495-9400
URL www.harvardartmuseums.org
営 毎日10:00〜17:00
休 おもな祝日
料 大人$15、シニア$13、学生$10
ツアー 火・金 14:00、土・日 15:00に中庭のCalderwood Courtyardから出発、所要約50分
行き方 ⓣレッドラインHarvard Square駅下車、Massachusetts Ave.を東へ約200m行き、Quincy St.を左折。徒歩約8分

改装工事を終えた。ガラス張りの天井から太陽が降りそそぐ中庭

ハーバード大学の学生が案内するUnofficial Tours

大学構内をツアーで歩くなら、現役のハーバード大学生が案内するTrademark ToursのClassic Hahvahd Tourはいかが？ 構内に点在する歴史的な建物の背景を、ものすごい博識を披露しながら、おもしろおかしくガイドしてくれる人気のツアーだ。ハーバード大学の卒業生が2006年にツアーを開始するやいなやNew York TimesやBoston Heraldなどの新聞で取り上げられ、参加する観光客の数もうなぎ登り。英語による案内のため、英語が苦手な人にとっては少々難しいが、ガイドする学生たちは、このツアーのために訓練を重ねたエンターテイナー揃い。プロのガイド顔負けのガイドっぷりに魅せられる。ⓣレッドラインHarvard Square駅前から出発。雨天決行。約70分かけて構

内のおもなポイントを見学する。ジョンストンゲートから構内に入り、ハーバードヤードを抜け、サイエンスセンター前を通過、メモリアルホールの中を見学後、Quincy St.から図書館が並ぶ構内へと再び入り、ジョン・ハーバードの銅像などを見学後、解散となる。ワイドナーゲートの外でツアーは終了する。

Classic Hahvahd Tour
Free (1-855)455-8747
URL www.trademarktours.com **営** 毎日10:30〜16:30の30分ごとに出発
料 大人$9.95、シニア（60歳以上）・子供（4〜17歳）$8.50
場所 ⓣHarvard Square駅前の観光案内所前

HAHVAHDのTシャツを着た人が目印

(→ P.52)

Harvard Museum of Natural History
ⓂP.109-1、P.110-1
📍26 Oxford St., Cambridge
☎(617)495-3045
🔗hmnh.harvard.edu
📅毎日9:00～17:00
🚫11月第4木曜、12/24、12/25、1/1
💰大人$12、シニア（65歳以上）・学生$10、子供（3～18歳）$8
🚶‍♂️①レッドラインHarvard Square駅下車。ハーバードヤード、サイエンスセンターを越えたOxford St.沿い、徒歩約7分。入口は📍26 Oxford St., Cambridgeと📍11 Divinity Ave., Cambridgeの2ヵ所

Harvard University Herbaria
ⓂP.110-1
☎(617)495-2365
🔗huh.harvard.edu

Museum of Comparative Zoology (MCZ)
ⓂP.110-1
☎(617)495-2460
🔗www.mcz.harvard.edu

Mineralogical and Geological Museum
ⓂP.110-1
☎(617)495-4758
🔗mgmh.fas.harvard.edu

Peabody Museum of Archaeology and Ethnology
ⓂP.110-1
📍11 Divinity Ave., Cambridge
☎(617)496-1027

北米ネイティブアメリカンのトーテムポール

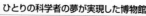

ひとりの科学者の夢が実現した博物館

ハーバード大学自然史博物館
Harvard Museum of Natural History

　地球上のあらゆる生物をひとつ屋根の下で研究したいという、スイスの自然科学者ルイ・アガシーLouis Agassizの発想を基に実現したのが、4つのハーバード大学自然史博物館群だ。それぞれの博物館はひとつの建物内でつながっており、入館料は4館共通。

植物学博物館
Harvard University Herbaria

ほんものの花そっくり

　ガラスで作られた「グラスフラワーGlass Flower」で有名な博物館。展示されている840点以上の実物大植物標本は、ドイツのガラス職人レオポルド＆ルドルフ・ブラシュカLeopold & Rudolph Blaschka親子によって1887～1936年の間に作られた。彼らは約50年の間に3000個以上の花を作り、そのうちよくできたものがここに飾られている。植物の大まかな部分は手作り、膨らみのある部分は熱したガラスを吹いて作られ、もろい部分はワイヤーで補強してある。

比較動物学博物館
Museum of Comparative Zoology（MCZ）

虎の剥製も

　剥製や化石、恐竜の骨格を中心に、人類が栄える以前の動物学の展示が充実。約2億年前の無せき椎動物や爬虫類の化石から現代の哺乳類までを、地域、種類、年代別に分類して陳列されている。

鉱物学と地質学博物館
Mineralogical & Geological Museum

　南北アメリカ大陸を中心に集められた鉱物標本を展示する。地球上に存在する鉱物の大部分をこの博物館で見学できるというから驚きだ。鉱石、宝石の原石、いん石など、3000点以上の地球の石が展示されている。鉱石は、金から始まり、黄銅鉱、硝石、鋼玉、鉛、石灰石、ホタル石、硫黄など、あらゆる種類の石が並ぶ。宝石の原石は、トパーズ、アメジスト、クリスタル、ひすい、緑柱石など、磨かれてはいないものの美しい輝きを放っている。

巨大なアメジスト

ピーボディ考古学と民族学博物館
Peabody Museum of Archaeology & Ethnology

　考古学と民族学を専門に扱う西半球で最も古い博物館。有史前から現代までの人類の歩み、人間の創造力や芸術性の産物などを展示する。特にマヤ遺跡と北、中央、南アメリカの先住民族に関する展示物は、大規模博物館にもひけを取らない充実ぶり。アフリカ、オセアニアの収蔵品や写真などは、博物館必見のコーナーとなっている。

詩人の愛した邸宅

ロングフェロー邸
Longfellow House

アメリカの著名な詩人、ヘンリー・ワッズワース・ロングフェロー Henry Wadsworth Longfellow（1807～1882）が1837年から1882年の45年にわたって住んだ邸宅。ロングフェロー邸の目の前からチャールズ川にかけて広がる公園を含めた一画は、内務省の指定を受け、**ロングフェロー国立歴史地区Longfellow National Historic Site**として一般公開されている。

邸宅は、1759年西インド諸島の大農園の息子であり、英国国王派のジョン・バッサールJohn Vassallによって建てられた。独立戦争の敗戦でバッサールが本国へ戻ったあと、ジョージ・ワシントンGeorge Washingtonが一時期連隊の本部として住み、1776年1月にはマーサとの17回目の結婚記念日をここで祝っている。ジョージ王朝風の屋敷はそのあと下宿として貸し出され、ロングフェローは1837年8月にここへ引っ越し、2階の2部屋を借りた。後、結婚の贈り物として、この邸宅を買い取った妻フランシス・ファニー・アップルトンFrancis Fanny Appleton（1817～1861）の父から譲り受けている。ロングフェローは、この家に住んだ間に『エバンジェリンEvangeline』や『ハイアワサの歌The Song of Hiawatha』を執筆。

名作が生まれたロングフェローの書斎

また文学界の多くの友人、ナサニエル・ホーソン、アンソニー・トロロープ、ラルフ・ウォルド・エマソンがここを訪れている。

世界中を旅し、交際範囲の広かったロングフェロー。彼の家は、贅沢にも世界中からの家具調度品で囲まれ、なかには日本製の家具もある。ダイニングルームはオリエンタル風。1840年代の壁紙の部屋には島津藩で作られたテーブル、ルネッサンス調の絵画、ロングフェロー家の家族の肖像画が飾られている。

書斎には、詩人らしくシェークスピアやダンテの胸像、多くの本棚、フランス語の詩集などが並んでいる。

2階はベッドルームと子供部屋。2階の窓からは、昔はチャールズ川と対岸のボストンまで見渡すことができたそうだ。修復された部分の多いロングフェロー邸だが、窓枠はすべて当時からのもの。キッチンや洗濯部屋も見学することができ、アメリカ独立の頃の生活器具などが保存されている。

邸宅の裏手が受付

Longfellow House
📍 P.109-1
🏠 105 Brattle St., Cambridge
☎ (617)876-4491
🌐 www.nps.gov/long
🕐 邸宅内は、レンジャーによるガイドツアーでのみ見学可。6～10月は水～日10:00～16:00の毎正時に出発。庭は毎日9:30～17:00までオープン
🚫 11月第4木曜、12/25、1/1
🎫 ガイドツアー：大人$3、庭園は無料
🚶 ⊤レッドラインHarvard Square駅下車、Brattle St.を北西に進み右側、徒歩約10分

ロングフェローの詩が、童謡『大きな栗の木の下で』のもとになっている

彼の妻は娘たちの髪を切り、それを記念に取っておくろうで封をしていた。その火が服に引火し、彼女はひどいやけどを負い、それが原因で不幸にも亡くなっている

ロングフェローの生家は、メイン州ポートランドにあり、史跡として大切に保存され、公開されている（ワッズワース・ロングフェロー・ハウス、→P.268）

邸宅の裏にあるコロニアルリバイバル風の庭園

Massachusetts Institute of Technology (MIT)
M P.116-A〜117-D
住 77 Massachusetts Ave., Cambridge
☎(617)253-1000
URL www.mit.edu
行き方 ①レッドラインKendall/MIT駅下車。Main St.の南側がキャンパス。②グリーンラインHynes Convention Center駅前からケンブリッジへ向かう市バス#1でMIT下車、バスはRogers Building前に停車

MIT Information Center
M P.116-B
住 Rogers Bldg., 77 Massachusetts Ave., Room 7-121, Cambridge
Massachusetts Ave.沿いの東キャンパス7号館内。ロジャーズビルディングを入って右側のルーム7-121
☎(617)253-4795
URL institute-events.mit.edu/information-center
営 月〜金9:00〜17:00
休 土・日

Campus Tour
ツアー 月〜金11:00、15:00にロジャーズビルディングを出発、所用約1時間15分
料 無料

最新技術、知能を育成する世界の頭脳
マサチューセッツ工科大学
Massachusetts Institute of Technology (MIT)

現代社会を支えるエレクトロニクス、コンピューターなどを含む最新技術を探究するマサチューセッツ工科大学、通称MITは、現代社会には不可欠となった優秀な技術者を育成し、世界最新のハイテク技術を研究、リードする、工科部門で世界ナンバーワンといわれる超エリート校だ。

カルダー作「ビッグセイル」

同じケンブリッジに位置する歴史の香り漂うハーバード大学の校舎とは対照的に、チャールズ川に面した近代的な建築群は、総面積約168エーカー（約0.68km²）の敷地に散らばっている。敷地内には約80もの建物がゆったりと並び、校舎の間には、有名作家の影像などが配され、まるで公園のようなたたずまいだ。世界100ヵ国以上から来た約1万人の学生が、日夜研究に明け暮れている。女子学生の占める割合も全体の約45%と高く、日本の企業から派遣される技術者も多数在籍する。ボストンからMassachusetts Ave.を北に向かうと、右手に東キャンパス、左手に西キャンパスが広がる。

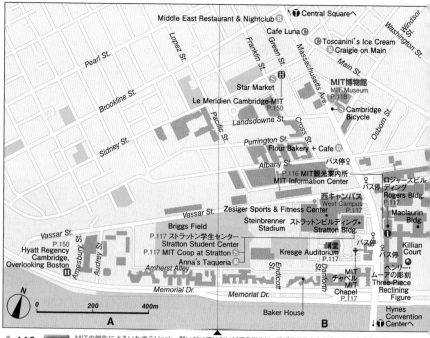

MITの学生によるいたずらHack　賢いだけではないMITの学生は、遊びごころあふれるいたずらを作り出すのもお手の物。Ray & Maria Stata CenterにあるパトカーPolice Cruiserは、1994年実際にマク↗

東キャンパス　East Campus

　マサチューセッツ通り沿いの入口から円柱が美しいロジャーズビルディングRogers Bldg.を進むと、MITを象徴するドーム型の建物マクローリンビルMaclaurin Bldg.に入る。正面のキリアンコートKillian Courtにはヘンリー・ムーアHenry Moore作の『衣装をまとって横たわる3つに分かれた人体Three-Piece Reclining Figure』がある。その東にそびえるグリーンビルディングGreen Bldg.は、I. M. ペイI. M. Peiの設計。そのグリーンビルディングとハイデン・メモリアル・ライブラリーHayden Memorial Libraryの狭間に鎮座する巨大なスタビル（金属や木による抽象芸術）は、アレクサンダー・カルダーAlexander Calder制作の『ビッグセイルThe Big Sail』だ。Ames St.を渡り、リスト・ビジュアル・アートセンターを過ぎ、Main St.を渡るとコープCoop at Kendall Sq.に着く。

西キャンパス　West Campus

　ロジャーズビルディングの向かいにあるのが、ストラットン学生センターStratton Student Center。コープCoop at Strattonやフードコートが入っている。学生センターの南のブロックでできた円筒形の建築物は、異宗派もOKのMITチャペルMIT Chapel。チャペルの屋上に立っているアルミニウムの彫像はセオドア・ローザックTheodore Roszakの作、鐘の代わりの像だ。隣の三角形をした建物で丸い屋根をもつクレスギー・オーディトリアムKresge Auditoriumは講堂。チャペルもオーディトリアムもエーロ・サーリネンEero Saarinenがデザインしたもので、1955年に完成した。

MITのハックHackを代表するパトカー

MIT Coop at Kendall Sq.
Ⓜ P.117-C
🏠 325 Main St., Cambridge
☎ (617)499-3200
🕐 月～金 9:30～18:30、土 10:00～18:00

Kendall Sq.のCoopは品揃えも豊富

MIT Coop at Stratton
Ⓜ P.116-B
🏠 84 Massachusetts Ave., Cambridge
☎ (617)499-3240
🔗 mit.edu/thecoop
🕐 月～金 8:45～17:30、土 10:00～16:00

マサチューセッツ工科大学

❶	案内所
❷	見どころ
Ⓢ	ショップ
Ⓡ	レストラン
Ⓗ	ホテル
✚	教会
Ⓣ	地下鉄駅

The Garment District Ⓢ
Ⓒ Tatte Bakery and Cafe
Ⓡ Cambridge Brewing Co.
Harvard St. Davis St. Portland St.
Fulkerson St.
6th St.
5th St.
3rd St.
Charles St.
Area Four
Technology Square
Catalyst Restaurant P.137
Galileo Galilei Way
Binney St.
Desfina Restaurant
P.123
CambridgeSide Galleria
Residence Inn Boston Cambridge Ⓗ
Broadway
Helmand Restaurant Ⓡ
Main St.
Vassar St.
Legal Sea Foods Ⓡ
Ames St.
MIT Coop at Kendall Sq. P.117
Ⓡ Tatte Bakery & Cafe
The Similans Ⓡ
1st St.
Shabu & Mein
Ray & Maria Stata Center
東キャンパス P.117
The Kendall Ⓗ
Ⓒ Boston Marriott Cambridge
Ⓣ Kendall / MIT
Athenaeum St.
リスト・ビジュアル・アートセンター
List Visual Arts Center
Kendall / MIT
Coal
Carleton St.
Hayward St.
Ⓡ Evoo Restaurant
Edwin H Land Blvd.
Green Bldg.
❷
アレクサンダー・カルダーのビッグセイル P.117
The Big Sail
Au Bon Pain
Wadsworth St.
Amherst St.
Sloan School of Management
Main St.
Cambridge Pkwy.
ハイデン・メモリアル・ライブラリー
Hayden Memorial Library
Memorial Dr.
チャールズ川
C
D
ロングフェロー橋

科学が苦手な人にも楽しめる博物館

MIT Museum
M P.116-B
🏠 265 Massachusetts Ave., Cambridge
☎ (617)253-5927
URL web.mit.edu/museum
🕐 毎日10:00～17:00
🚫 おもな祝日
💰 大人$10、シニア・学生・子供（5～18歳）$5
9～6月の最終日曜は無料
行き方 ①グリーンラインHynes Convention Center駅から市バス#1 "Harvard Square"行きでMassachusetts Ave. & Albany St.下車。もしくは、①レッドラインCentral Square駅下車、Massachusetts Ave.を南東へ約500m、徒歩約7分

身近な所にもあるMITの研究成果
MIT博物館
MIT Museum

　MITの研究成果を知ることができる博物館。工学の最先端を行くMITらしく好奇心と冒険心にあふれた展示でいっぱいだ。1フロアからなるギャラリーは期間限定の企画展と常設展からなる。見逃せないのは、世界で最大のホログラフィーコレクション「Holography's Enthusiasts」。1940年代から始まったホログラフィーの開発は紙幣やクレジットカードの偽造防止として使われている。その技術を芸術作品として世に広めた、マーガレット・ベニヨンMargaret Benyon、ルーディー・バーコウトRudie Berkhout、石井勢津子などのアーティストの作品が20点以上展示されている。

　その奥には機械工学の世界が楽しめる「Gestual Engineering：The Sculpture of Arthur Ganson」のコーナーScience & Technologyだ。エンジニアで振り付け師でもあるアーサー・ガンソンArthur Gansonによる電気で動く鋼の彫刻があり、実際に動かして楽しめる。

　「Sampling MIT」では、150年以上の歴史をもつMITがいかに科学技術の発展に寄与してきたかをビデオやパネルを使って紹介している。一介の高校生が、どのように名だたる科学者やエンジニアになったのか、MITの学生や教授がいかにしてロボットや人工衛星を開発設計し、遺伝子を解読できるようになったかを解説する。また、世界で初めてAI（Artificial Intelligence）を発明し、以後探究し続けるMIT研究所の成果を展示した「Robots & Beyond：Exploring Artificial Intelligence at MIT」も必見だ。

実際に動かせる彫刻が集まる

地下鉄でアクセスできるビーチを楽しもう

　ボストンのダウンタウンから地下鉄で20分ほどのリベアビーチは、ボストン市民にとって身近な海水浴スポット。アメリカ最古の公共のビーチは、夏がくると家族連れや若者でにぎわう。そんなビーチで人気なのが、リベアビーチ国際砂の彫刻フェスティバル**Revere Beach**

精巧な作りの砂の彫刻に毎年60万もの人が集まる

International Sand Sculpting Festival。2015年に12回目を迎えた夏の人気イベントで、砂浜に並ぶ、アーティストによる砂の彫刻を楽しめる。周りには、フードトラックや大道芸人、観覧車なども出てにぎやか。開催期間中の土曜の夜には花火も上がる。

Revere Beach International Sand Sculpting Festival
☎ (781) 902-9742
🕐 毎年7月中旬～下旬の金～日
URL reverebeach.com
行き方 ①ブルーラインRevere Beach駅下車、徒歩約2分、もしくは、①ブルーラインWonderland駅下車、徒歩約5分
💰 無料

ジョン・F・ケネディ・ライブラリーの建物にも注目　白と黒のコントラストが美しい建物は、中国系アメリカ人建築家I.M.ペイのデザイン。建物内部の巨大な吹き抜けの空間には星条旗が掲揚され、薄く黒い〴

サウスボストン

アメリカのカリスマ J.F.K.

ジョン・F・ケネディ・ライブラリー
The John F. Kennedy Presidential Library and Museum

第35代アメリカ大統領ジョン・フィッツジェラルド・ケネディ John Fitzgerald Kennedy, J.F.K.(1917～1963)。ボストン生まれ（正確にはボストンの隣のブルックライン市→P.106）、ボストン育ちのJ.F.K.の出身校は、地元のハーバード大学。J.F.K.の記念館設立の計画が出されたとき、当初は母校のハーバード大学内に建設しようとしたが、十分な敷地がなく、やむを得ずマサチューセッツ大学ボストン校University of Massachusetts, Bostonに建てられたといういきさつがある。とはいえ、ボストンの南、ドーチェスター湾を見渡すコロンビアポイントに建つジョン・F・ケネディ・ライブラリーは、ヨット好きであったケネディにふさわしい場所といえる。

館内案内

シアター　Theater
まず、1952年のTVインタビューを基に編集された映像を見よう。J.F.K.自身が語り手となって4代目のアイルランド系移民の両親のもとに生まれたところから、子供時代、ハーバード大学時代、米海軍入隊後の軍務、そして政治家になる頃までを紹介している。

コンベンションホール　Convention Hall
アメリカ各地で行われたJ.F.K.とニクソンの熱い選挙演説。「1960 Presidential Campaign」では壁続きにビデオを設置し、演説シーンや選挙戦のTV番組やコマーシャルなどを放映している。

そして、国民の投票を大きく左右したのはふたりの大統領候補者によるテレビ討論Kennedy-Nixon Debate。シカゴのテレビ局で行われた討論は、大統領選で初めてのテレビによる公開討論であった。次のElection Resultsのコーナーでは、開票当日の両者接戦の票のゆくえをCBSニュースが伝えている。結果的にはJ.F.K.がニクソンを僅差で破り、第35代アメリカ大統領の座に就いた。オープンシアターInaugurationでは、有名な大統領就任演説の模様が伝えられ、「Ask not what your country can do for you—ask what you can do for your country」の言葉が印象深く響き渡る。

大統領執務室　Oval Office
ホワイトハウス執務室の再現。机のみ複製だが、机上のペン、大砲の本立て、船の模型、地球儀などの備品すべてが本物で、当時と同じ場所に置かれている。

J.F.K.暗殺と過去の遺産
1963年11月22日、ダラスでの暗殺。この悲劇のシーンからJ.F.K.の死を伝える当時のニュース、葬儀までを字幕（英語）付きの映像で紹介している。

The John F. Kennedy Presidential Library and Museum
M P.32-B2
🏠 Columbia Point, Boston
☎(617)514-1600
Free (1-866)535-1960
URL www.jfklibrary.org
🕐毎日9:00～17:00
最後の映画の上映は15:55
📅11月第4木曜、12/25、1/1
💰大人$14、シニア（62歳以上）$12、子供（13～17歳）$10
行き方 ①レッドラインJFK/UMass駅下車。中央改札から右のバスターミナルに出る。そこから白色のシャトルバス#2 "UMASS/JFK"でライブラリーまで、無料。所要約12分で、毎日9:00～17:00の間20分おきに出発している

International Affairs
1961年、ウィーンで行われた旧ソ連のフルシチョフ首相との会談の様子。「西ベルリン」「ラオスへの民生援護」「核実験停止」がテーマの会談だった。1959年キューバのピッグス湾の上陸作戦失敗の件も加えての展示だ

Peace Corps
志願兵による編成の平和部隊の訓練データの展示とドキュメントフィルムの上映

Cuban Missile Crisis
1962年、対旧ソ連とのキューバミサイル危機を12分間のドキュメントフィルムで紹介

Space Program
J.F.K.とNASAとの宇宙開発プロジェクトの内容に迫る。1961年の有人ロケット打ち上げ（飛行士／アラン・シェパード）のシーンはいつ見ても感動的である

The Kennedy Family
J.F.K.の曽祖父がアイルランドから移住した頃から始まるケネディ家のルーツ、幅の広かった趣味、妻や子供との触れ合いのひとときなど、政治以外のホワイトハウスでの日々が語られている。ビデオコレクション、写真パネルなど、どの展示からも彼の素顔が写し出されている

☜色のついた窓ガラスからは海と対岸のトンプソン島やシティ・ポイント・ビーチを眺めることができる。

Edward M. Kennedy Institute

M P.32-B2
住 210 Morrissey Blvd., Boston
☎ (617)740-7000
URL www.emkinstitute.org
開 火〜日 9:00〜17:00（日 10:00〜）
休 月、11月第4木曜、12/25、1/1
料 大人$16、シニア（62歳以上）・18〜24歳$14、子供（6〜17歳）$8
行き方 ジョン・F・ケネディ・ライブラリーを参照
Today's Vote／火〜日12:00、14:00、16:00 から Senate Chamberで

クインジーQuincy
M P.32-B3

行き方

地下鉄／Ⓣレッドライン Braintree 行きで Quincy Center駅下車。改札を左に出ると、アダムズ国定歴史公園観光案内所がある Hancock St.に出る
車／ボストンの中心部から I-93を約9km南下、Exit 12で下り、MA-3AでQuincy方面へ。ボストンの中心部から約25分

観光案内所

Quincy Chamber of Commerce
住 180 Old Colony Ave., Quincy, MA 02170
☎ (617)471-1700
URL www.quincy2000.org

Adams National Historical Park Visitor Center
住 1250 Hancock St., Quincy, MA 02169
☎ (617)770-1175
URL www.nps.gov/adams
開〈4月中旬〜11月上旬〉毎日9:00〜17:00、〈11月中旬〜4月上旬〉火〜金 10:00〜16:00

Adams National Historical Park
M P.32-B3
住 135 Adams St., Quincy
☎ (617)770-1175
開 公園：毎日9:00〜17:00 生家やオールドハウス、図書室は観光案内所から出発するツアーでのみ見学可能 ツアー／〈4月中旬〜11月上旬〉毎日9:00〜15:15
料 大人$10、子供（16歳以下）無料

アメリカの政治体系を学ぼう

エドワード・M・ケネディ・インスティチュート
Edward M. Kennedy Institute

　2015年3月ジョン・F・ケネディ・ライブラリーの隣にできた博物館。J.F.Kの末弟で上院議員を40年以上務めたアメリカを代表する政治家、エドワード・M・ケネディEdward M. Kennedy（1932〜2009）に関する展示やアメリカの選挙制度についての解説が充実する。特に、ワシントンDCにある連邦議会議事堂を模して作られた会議場では、模擬決議Today's Voteが行われ、どのようにしてさまざまな政策が決まっていくのかという過程を実際に体験することができる。

忠実に再現されたエドワード・M・ケネディの執務室

第2代アメリカ大統領 & 第6代アメリカ大統領生誕の地

アダムズ国定歴史公園
Adams National Historical Park

　第2代アメリカ大統領ジョン・アダムズJohn Adams（1735〜1826）と息子の第6代アメリカ大統領ジョン・クインジー・アダムズJohn Quincy Adams（1767〜1848）の生家と一族の邸宅Old House & Stone Libraryがアダムズ国定歴史公園に指定され、一般公開されている。シーズン中は毎日、アダムズ国定歴史公園観光案内所前からトロリーが運行され、それらの史跡を見学できる。ツアーの所要時間は約3時間。邸宅内はアダムズ国定歴史公園観光案内所から出発するガイドツアーに参加しないと見学できない。

ジョン&クインジー・アダムズの生家
Birthplace of John & Quincy Adams

　第2代アメリカ大統領ジョン・アダムズは、1735年、Salt Boxと呼ばれる家に生まれた。そこから約20m離れた家で、妻アビゲイルと新婚時代を過ごし、息子のジョン・クインジー・アダムズ（第6代アメリカ大統領）が生まれた。父は政治と法律でキャリアを積み、自宅に法律事務所を開く。ここにサミュエル・アダムズとジェイムズ・ボードウィンが集い、あのマサチューセッツ法Massachusetts Constitutionを書きあげた。この州法は今なお使われており、アメリカの州法に多大な影響を与えているのだ。

オールドハウスと図書室　Old House & Stone Library

　生誕地から車で5分ほどのAdams St.に、1788年から1927年までアダムズ一族4代が暮らした邸宅Old Houseも残されている。飾り窓が美しい2階建ての木造家屋は、1731年に建てられた。建国当初は名士が集うサロンの役割も果たし、邸宅内にはオリジナルの工芸品を含む、一族の貴重な遺産が大切に保存されている。邸宅の隣には、クインジー・アダムズの発案で暖炉の煙から蔵書類を守るため、中世風の石造りの図書室が1872年に建てられ、約1万2000冊の貴重な歴史書を含む蔵書類が保管されている。邸宅を囲むように広がる庭は、農園やフォーマルガーデンとして利用され、四季折々に花々が咲き乱れる気持ちのいい場所だ。

Shops

ショップ

ショッピングの基礎知識
Shopping Information

ボストンのショッピングエリア

バックベイのニューベリー通りやボイルストン通りに、有名ブランド店が並ぶ。ローカル色の強いセレクトショップはビーコンヒルのチャールズ通りやハーバードスクエア近辺に軒を連ねる。

コープリープレイス（→P.123）やザ・ショップス・アット・プルデンシャルセンター（→P.123）、ケンブリッジサイド・ギャラリア（→P.123）は、ファストファッションから超高級ブランドまで集まるショッピングモールだ。時間がないときは、いろいろな店をいっぺんに巡ることができるので便利。

ボストンからいちばん近いアウトレットモールは、2014年にオープンしたアッセンブリーロウ（→P.130）。車があるなら、レンサムビレッジ・プレミアム・アウトレット（→P.130）へ。

セールスタックス

マサチューセッツ州のセールスタックス（日本の消費税に相当するもの）は6.25%だが、ボストンで靴や衣料品を購入する場合、1点$175まで免税。

営業時間

小売店の営業時間は、月〜土10:00〜20:00、日は12:00〜18:00ぐらい。ショッピングモールやアウトレットモールは、小売店より営業時間が長く、21:00頃まで営業している。

セールの時期

祝祭日に合わせて、バーゲンセールが行われる（→P.338）。

サイズ

服の場合、サイズ表記はインチInchが基準なので、注意すること（カジュアルなものは、Small、Medium、Large）。靴はメーカーやブランドによって、表記が異なる。まずは、度量衡（→P.366）を参考に目星をつけておくとよい。購入する前に、必ず試着すること。

S コープリープレイス
ボストンの買い物はまずここへ! Copley Place

ショッピングセンター／バックベイ／ **MAP** ▶ P.85-B2

ホテルやデパートも併設されたボストンを代表する巨大ショッピングセンター。Barneys New YorkやTiffany & Co.、Louis Vuitton、Tumi、Coach、Tory Burchなどの一流ブランドからBanana Republic、Victoria's Secretなどのカジュアルブランドまでも入っている。

住 100 Huntington Ave., Boston
☎ (617)262-6600
URL www.simon.com
営 月～土10:00～20:00、日12:00
～18:00 カード 店舗により異なる
行き方 ①オレンジラインBack Bay駅下車、徒歩約3分、グリーンラインCopley駅下車、徒歩約4分

S ザ・ショップス・アット・プルデンシャルセンター
ひときわ印象的な高層ビル The Shops at Prudential Center

ショッピングセンター＆デパート／バックベイ／ **MAP** ▶ P.85-A1～B1

コープリープレイスとガラス張りの廊下で結ばれているモール。コープリープレイスに比べてカジュアルな店が多く、アーケード中央に並ぶ屋台ショップもおもしろい。通路中央にプルデンシャルセンター観光案内所がある。

住 800 Boylston St., Boston
☎ (617)236-3100
URL www.prudentialcenter.com
営 月～土10:00～21:00、日11:00～
20:00 カード 店舗により異なる
行き方 ①グリーンライン (E)Prudential駅下車、徒歩約1分、グリーンライン (B)(C)(E)Hynes Convention Center駅下車、徒歩約5分

S ケンブリッジサイド・ギャラリア
デパートのMacy'sや専門店が並ぶ CambridgeSide Galleria

ショッピングセンター／ケンブリッジ／ **MAP** ▶ P.34-B1

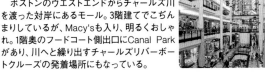

ボストンのウエストエンドからチャールズ川を渡った対岸にあるモール。3階建てでこぢんまりしているが、Macy'sも入り、明るくおしゃれ。1階奥のフードコート側出口にCanal Parkがあり、川へと繰り出すチャールズリバーボートクルーズの発着場所にもなっている。

住 100 CambridgeSide, Cambridge
☎ (617)621-8666
URL www.cambridgesidegalleria.com
営 月～土10:00～21:00、日12:00～19:00
カード 店舗により異なる
行き方 ①グリーンラインLechmere駅下車、徒歩約5分。レッドラインKendall駅から無料のシャトルバスあり

S ノードストロームラック
高級デパートのディスカウント店 Nordstrom Rack

デパート／ニューベリー通り＆ボイルストン通り／ **MAP** ▶ P.85-C1

おしゃれ系デパートのノードストロームで売れ残った商品を大幅に値引きして販売する。カジュアルな洋服や小物、鞄などが豊富。シーズン落ちのものがほとんどだが、日本に入ってきていないブランドやデザインのものを探す価値はある。

住 497 Boylston St., Boston
☎ (857)300-2300
URL shop.nordstrom.com
営 月～土10:00～21:00、日11:00～
18:00
カード A J M V
行き方 ①グリーンラインCopley駅下車、徒歩約3分

S ノース・リバー・アウトフィッター
30～40歳代のおしゃれさん御用達 North River Outfitter

ファッション／ビーコンヒル／ **MAP** ▶ P.79-B1

きれい目カジュアルを目指す地元の人が通うセレクトショップ。さまざまなブランドでアイビーファッションをコーディネートするのにいい。近年注目を浴びている靴のAldenの取り揃えも豊富。チャールズ通り沿いには子供服専門店とスポーツウエアを取り扱う支店もある。

住 122 Charles St., Boston
☎ (617)742-0089
URL www.northriveroutfitter.com
営 月～土10:00～19:00 (土～18:00)、日11:00～17:00 カード A M V
行き方 ①レッドラインCharles/MGH駅下車、徒歩約4分。チャールズ通り沿いに子供服専門店やスポーツ専門店あり

S J. マクラフリン
30～40歳代の男女に支持されている J. McLaughlin

ファッション／ビーコンヒル／ **MAP** ▶ P.79-B2

メンズとレディスのどちらも取り扱う。仕事着ほどかっちりしていないカットソーやワンピースの品揃えが多い。清潔感あふれる色使いとスタイルがよく見えるデザイン、着やすさが人気のポイント。

住 34 Charles St., Boston
☎ (617) 228-4195
URL www.jmclaughlin.com
営 月～土 10:00～19:00 (土～18:00)、日12:00～17:00
カード A M V 行き方 ①レッドラインCharles/MGH駅下車、徒歩約5分

S センスのいいインテリアにも注目

ファッション＆雑貨／ビーコンヒル／**MAP ▶ P.79-B1**

グッド
good

オーナーのポールさんがアメリカだけでなくヨーロッパやアジアなど世界中を旅して見つけてきたえりすぐりの品々を取り揃えるセレクトショップ。特にジュエリー（$75〜）や時計（$160〜）などの小物が充実する。スプーンやフォークなどのカトラリーはおみやげによさそう。

- 🏠 133 Charles St., Boston
- ☎ (617)722-9200
- URL www.shopatgood.com
- 🕐 月〜土10:00〜19:00（土〜18:00）、日12:00〜17:00
- カード M V
- 行き方 Ⓣレッドライン Charles/MGH駅下車、徒歩2分

S ニューイングランド地方で注目されているブランド

ファッション＆雑貨／ボイルストン通り／**MAP ▶ P.85-A1〜B1**

ヴィニヤードバインズ
Vineyard Vines

幼少の頃からマーサス・ヴィニヤード（→P.224）で夏を過ごしていた兄弟が立ち上げたブランド。避暑地で快適に過ごせるファッションをテーマにしながらも、仕事着としても通用するようにデザインされている。クジラがトレードマーク。

- 🏠 800 Boylston St., Boston（プルデンシャルセンター）☎ (617)927-0490
- URL www.vineyardvines.com
- 🕐 月〜土10:00〜21:00、日11:00〜20:00
- カード A M V 行き方 Ⓣグリーンライン (E)Prudential 駅下車、徒歩約1分、グリーンライン(B) (C) (D) Hynes Convention Center駅下車、徒歩約5分

S ボストン発のセレクトショップ

ファッション／ボイルストン通り／**MAP ▶ P.89-B2**

タナリー
The Tannery

20代から40代のおしゃれさんに支持されている。靴の品揃えが豊富だが、センスのよい清潔感あふれる洋服もあり、ジャケットやパンツからブーツ、アクセサリーまで全身をコーディネートできる。地下はアウトドア系のカジュアルなもの、1、2階はスタイリッシュなものが並ぶ。

- 🏠 711 Boylston St., Boston
- ☎ (617)267-5500
- URL www.thetannery.com
- 🕐 月〜土9:00〜21:00（土〜20:00）、日10:00〜19:00
- カード A J M V
- 行き方 ⓉグリーンラインCopley駅下車、徒歩2分

S こてこてのアメカジファッションを極めたい

ファッション／ニューベリー通り／**MAP ▶ P.89-B2**

ボール・アンド・バック
Ball and Buck

ボストニアンに人気のセレクトショップ。取り扱う商品はすべてMade in Americaをうたう。New BalanceやPendleton、Red Wing、Dannerなどのブランドのほか、オリジナルのデニム（$220〜）も取り扱う。併設して理容室もあり。

- 🏠 144B Newbury St., Boston
- ☎ (617)262-1776
- URL ballandbuck.com
- 🕐 毎日11:00〜20:00
- カード A D J M V
- 行き方 ⓉグリーンラインCopley駅下車、徒歩約1分

S 日本の芸能人もファンになるほどのかわいらしさ

ファッション＆雑貨／ニューベリー通り／**MAP ▶ P.89-B2**

アンソロポロジー
Anthropologie

ガーリーなライフスタイル全般をトータルコーディネートしてくれるセレクトショップ。洋服をはじめ雑貨や石鹸、日用品などアメリカらしいデザインの品物が豊富だ。清楚な雰囲気の女性向けだが、男性はおみやげ探しに立ち寄ってもいい。

- 🏠 203 Newbury St., Boston
- ☎ (617)262-0545
- URL www.anthropologie.com
- 🕐 月〜土10:00〜21:00、日11:00〜19:00
- カード A J M V
- 行き方 ⓉグリーンラインCopley駅下車、徒歩約4分

S 日本未上陸の注目ブランド

ファッション／ニューベリー通り／**MAP ▶ P.89-A2**

メイドウェル
Madewell

J. Crewの姉妹ブランドで、20〜30歳代の女性がターゲット。ちょっとおしゃれしたいが、高級ブランドで着飾りたくない人に人気がある。流行に左右されないデザインがいい。ニット$70〜、ミニスカート$50〜。

- 🏠 329 Newbury St., Boston
- ☎ (617)424-0904
- URL www.madewell.com
- 🕐 月〜土10:00〜20:00（金・土〜21:00）、日11:00〜19:00
- カード A D J M V 行き方 ⓉグリーンラインHynes Convention Center駅下車、徒歩2分

S／アーバンアウトフィッターズ

全米の若者から支持されている

ファッション＆雑貨／ニューベリー通り／ MAP▶ P.89-A2

Urban Outfitters

20〜30歳代向けのカジュアルなメンズ＆レディスの洋服がメイン。お手頃な値段なので、気に入ったら即買いも可能だ。そのほかに、アメリカらしい小物や雑貨も揃っているのでおみやげ探しにもいい。ハーバードスクエアとクインシーマーケットにも店舗あり。

住 361 Newbury St., Boston
☎ (617)236-0088
URL www.urbanoutfitters.com
営 月〜土11:00〜22:00（金・土〜23:00）、日11:00〜21:00
カード A J M V
行き方 ⓉグリーンラインHynes Convention Center駅下車、徒歩約1分

S／ボッデガ

ストリート系のブランドが多い

ファッション＆雑貨／バックベイ／ MAP▶ P.85-A2

Bodega

バークリー音楽大学の近くにある20〜30歳代の若者に人気があるショップ。ウインドーディスプレイには、洗濯洗剤がところ狭しと並べられ、本当にここが洋服屋なのか疑ってしまうほど凝った造り。NikeやAdidasなどのスニーカーが豊富だ。

住 6 Clearway St., Boston
☎ (617)421-1550
URL shop.bdgastore.com
営 毎日11:00〜18:00（木〜土〜20:00、日12:00〜）
カード A J M V
行き方 Ⓣ グリーンライン Hynes Convention Center駅下車、徒歩約4分

S／アンドーバーショップ

ハーバード大学の目の前

ファッション／ケンブリッジ／ MAP▶ P.110-2

The Andover Shop

1世紀以上、ハーバード大学のおしゃれな学生や教授に愛されている。アイビースタイルを極めたい人は見逃せない店だ。ジャケットやスーツ、ボタンダウンシャツなどがあり、スタッフがていねいに採寸してくれる。

住 22 Holyoke St., Cambridge
☎ (617)876-4900
URL theandovershop.com
営 月〜土9:00〜17:30 休 日
カード A M V
行き方 ⓉレッドラインHarvard Square駅下車、徒歩約2分

S／J. プレス

アイビースタイルの原点がある

ファッション／ケンブリッジ／ MAP▶ P.110-2

J. Press

紺ブレやチノパンを代表するアイビースタイルをアメリカや日本に広めた老舗ブランド。ハーバード大学生を中心に多くのファンをもち、ジョージ・W・ブッシュやビル・クリントンなどの歴代大統領、チェリストのヨーヨー・マも愛用する。

住 82 Mt. Auburn St., Cambridge
☎ (617)547-9886
URL www.jpressonline.com
営 月〜土9:00〜18:00（土〜17:30）
休 日
カード A J M V
行き方 ⓉレッドラインHarvard Square駅下車、徒歩約2分

S／モネラ

いろいろなブランドを試着できる

ファッション／ケンブリッジ／ MAP▶ P.110-2

Monella

ボストンのおしゃれ女子が通うセレクトショップ。James Perse や Earnest Sewn、J Brand、Jeffrey Campbellなどの有名ブランドを取り扱う。スタッフのセンスがよく、多くの人がお手本にしているとか。

住 29 Brattle St., Cambridge
☎ (617) 876-6100
URL monellaboston.com
営 月〜土10:00〜20:00、日12:00〜19:00
カード A M V
行き方 Ⓣ レッドライン Harvard Square駅下車、徒歩約2分

S／コンセプト

スタッフはフレンドリー

ファッション／ケンブリッジ／ MAP▶ P.110-2

Concepts

ハーバードスクエア近くにあるスケーター御用達のショップ。VansやConverse、Nikeなどの靴の在庫は豊富で、普段使いとしても着用できるものばかり。スタッフはこわもてだが、話しかけると親身になって相談にのってくれる。

住 37 Brattle St., Cambridge
☎ (617)868-2001
URL www.cncpts.com
営 毎日10:00〜19:00
カード A M V
行き方 Ⓣ レッドライン Harvard Square駅下車、徒歩約2分

S アメリカのセレブリティも着用する

ファッション ／ ケンブリッジ ／ **MAP ▶ P.110-2**

フリーピープル
Free People

全米20～30歳代の女性に大人気のセレクトショップ。女性らしさを強調したマキシ丈のワンピースからヒッピー風のベルボトムジーンズまで幅広いアイテムが揃う。特に、花柄のデザインは、ガーリー＆ボヘミアンスタイルを目指す女子にぴったり。

🏠 63 Church St., Cambridge
☎ (617)497-4350
URL www.freepeople.com
🕐 月～土10:00～19:00（金・土～20:00）日11:00～18:00
カード A J M V
行き方 Ⓣ レッドライン Harvard Square駅下車、徒歩約5分

S アメリカ生まれの革靴ブランド

靴 ／ ニューベリー通り ／ **MAP ▶ P.89-C1**

アレンエドモンズ
Allen Edmonds

できるビジネスマンに人気の革靴メーカー。あらゆる足形にフィットするようにサイズ展開されているのが人気の秘訣。長時間履いても疲れないのがいい。1足あれば、フォーマルからカジュアルまでどんな場面にも対応できる。

🏠 36 Newbury St., Boston
☎ (617)247-3363
URL www.allenedmonds.com
🕐 月～土9:30～19:00、日12:00～18:00
カード A J M V
行き方 Ⓣ グリーンラインArlington駅下車、徒歩約3分

S ボストンマラソンのゴール地点にある

スポーツ用品 ／ ボイルストン通り ／ **MAP ▶ P.85-B1**

マラソンスポーツ
Marathon Sports

ボストンマラソンのゴール地点前にある、地元の人に愛されているスポーツショップ。Boston StrongのTシャツをはじめ、NikeやNew Balanceの運動靴、ランニングウエアなど、ジョギングに必要なものがすべて揃う。

🏠 671 Boylston St., Boston
☎ (617)267-4774
URL www.marathonsports.com
🕐 月～土10:00～19:30（木～20:00、土～18:00）、日11:00～18:00
カード A M V
行き方 Ⓣ グリーンラインCopley駅下車、徒歩約1分

S レッドソックス・グッズはここで!

プロスポーツショップ ／ フェンウェイ ／ **MAP ▶ P.39-C2**

ヨーキーウエイ・ストア
Yawkey Way Store

フェンウェイパークの目の前にあるレッドソックスチームストア。選手の名前入りTシャツや帽子、ピンやタオルなど、レッドソックスウエアが何でも揃う、球団お墨付きのスポーツショップだ。店の奥には、MLB、NHL、NBA、COLLEGEとブランド契約を結んだNineteen47もある。

🏠 19 Yawkey Way, Boston
☎ (617)421-8686
Free (1-800)336-9299
URL www.yawkeywaystore.com
🕐 毎日9:00～17:00（試合開催時は延長） カード A J M V
行き方 Ⓣ グリーンラインKenmore駅下車、徒歩約5分

S センスのいい小物を取り揃える

雑貨＆ギフト ／ ビーコンヒル ／ **MAP ▶ P.79-B2**

フラット・オブ・ザ・ヒル
Flat of the Hill

キャンドルや文具から女性用のバッグまで取り揃える雑貨店。ディスプレイもかわいらしく、オーナーのセンスのよさがうかがえる。こぢんまりとしているが、取り扱い品数は豊富。ナプキンやペーパーウエイト、石鹸などが充実している。

🏠 60 Charles St., Boston
☎ (617)619-9977
URL www.flatofthehill.com
🕐 火～金11:00～18:00、土・日10:00～17:00（日12:00～） 休 月
カード A J M V
行き方 ⓉレッドラインCharles/MGH駅下車、徒歩約6分

S 1982年のオープン以降、数々の雑誌に取り上げられている

雑貨＆ギフト ／ ビーコンヒル ／ **MAP ▶ P.79-B2**

ブラックストーンズ・オブ・ビーコンヒル
Blackstone's of Beacon Hill

地元ボストン在住アーティストの製品を中心に、ニューイングランド地方で作られている雑貨も扱う。特に、メイン州ポートランドで作られているヨットのセイル生地のトートバッグ（$165～）はボストニアン人気の品。ペーパーナプキンやクリスマスカードはおみやげにもよさそう。

🏠 46 Charles St., Boston
☎ (617) 227-4646
URL www.blackstonesbeaconhill.com
🕐 月～土10:00～18:30（木～19:00)、日11:00～17:00
カード M V
行き方 ⓉレッドラインCharles/MGH駅下車、徒歩約7分

アウトドア用品店 オリジナルブランドのほかに、North FaceやPatagonia、Columbiaなどの衣類、かばんなどを取り揃える。Eastern Mountain Sports URL www.ems.com ボストン店 M P.38-A1 🏠 1041 Commonwealth ↗

クレイト&バーレル
シンプルで飽きのこない生活アイテム

雑貨&ギフト／ボイルストン通り／**MAP** ▶ **P.85-B1**

Crate & Barrel

店は2階建て。インテリアから食器、陶器などのハウスウエアやステーショナリーまで、おしゃれでセンスのいいデザインの生活用品が揃う。カラフルで実用的なキッチン小物はお手頃な値段がうれしい。

🏠 777 Boylston St., Boston
☎ (617)262-8700
URL www.crateandbarrel.com
🕐 月～土10:00～20:00、日12:00～18:00
カード A J M V　行き方 ⊤ グリーンラインCopley駅下車、徒歩約4分

ペーパーソース
かわいらしい文房具の品揃えが豊富

雑貨&ギフト／ボイルストン通り／**MAP** ▶ **P.89-C1**

Paper Source

ギフトカードや封筒、カレンダー、手帳、ラッピングペーパーなどの文房具が揃う。かわいらしいデザインのものが多く、おみやげ探しにもいい。「Happy Birthday」のスタンプ（$6.95～）は日本でも使えそう。

🏠 338 Boylston St., Boston
☎ (617)536-3444
URL www.paper-source.com
🕐 月～土10:00～19:00（土～18:00）、日11:00～18:00
カード A M V
行き方 ⊤ グリーンラインArlington駅下車、徒歩約1分

バス&ボディワークス
入浴剤やキャンドルなど生活雑貨の専門店

雑貨&ギフト／ダウンタウン／**MAP** ▶ **P.67-A2**

Bath & Body Works

バスアイテムを中心にボディソープ、ローション、アロマテラピーまでさまざまな香りのグッズがたくさん揃う。全米では日常使いとしてティーンからご婦人まで人気がある。お手頃な値段の小物が多く、パッケージがきれいなのでおみやげにもいい。

🏠 425 Washington St., Boston
☎ (617)451-2793
URL www.bathandbodyworks.com
🕐 月～土9:00～20:00（土～19:00）、日11:00～18:00　カード A J M V
行き方 ⊤ グリーンラインPark St.駅下車、徒歩約4分、レッドラインDowntown Crossing駅下車、徒歩約1分

クリスマス・イン・ボストン
クリスマス飾りはここで

雑貨&ギフト／ダウンタウン／**MAP** ▶ **P.67-A1**

Christmas in Boston

クリスマスツリーに飾るサンタクロースの人形や靴下、レッドソックスのオーナメントなどを1年中販売する専門店。ハンバーガーやくるみ割り人形、豚の貯金箱、アメリカンフットボールなどアメリカらしいものが豊富だ。

🏠 1 S. Market St., Boston（ファニュエルホール・マーケットプレイス）
☎ (617)248-9517
URL www.christmasandcity.com
🕐 月～土10:00～21:00、日11:00～19:00
カード A M V　行き方 ⊤ ブルーライン、オレンジラインState駅下車、徒歩約3分

ウィリアムズソノマ
料理好き必見のキッチン用品の店

雑貨&ギフト／バックベイ／**MAP** ▶ **P.85-B2**

Williams Sonoma

美しいキッチンショップ。ル・クルーゼやカルファロンなど、プロ仕様の最高品質の鍋やフライパンがある。自社出版の料理本はカラー写真がふんだんに使われ、贈り物にも最適。食材コーナーには、パウンドケーキ、チョコデザートなどのミックスが豊富にある。

🏠 100 Huntington Ave., Boston（コープリープレイス）
☎ (617)262-3080
URL www.williams-sonoma.com
🕐 月～土10:00～20:00、日12:00～18:00　カード A J M V
行き方 ⊤ グリーンラインCopley駅下車、徒歩約4分

セフォーラ
化粧品を買うならここ！

コスメ&ギフト／バックベイ／**MAP** ▶ **P.85-A1～B1**

Sephora

世界中の有名化粧品のほとんどが揃う店。品数や品番、カラーもデパートより多い。美容部員に気兼ねなく品定めできたり、テスターが充実しているのも魅力。自社ブランドのセフォーラ・コレクションの口紅、リップグロスは$12～、アイシャドーは$13～。

🏠 800 Boylston St., Boston（プルデンシャルセンター）
☎ (617)262-4200
URL www.sephora.com
🕐 月～土10:00～21:00、日11:00～20:00
カード A J M V　行き方 ⊤ グリーンラインPrudential駅下車、徒歩約1分、Copley駅下車、徒歩約5分

↘ Ave., Boston ☎ (617)254-4250　🕐 月～土10:00～21:00（土～20:00）、日11:00～18:00。ハーバードスクエア店
M P.109-1　🏠 1 Brattle Sq., 2nd Fl., Cambridge ☎ (617) 864-2061　🕐 毎日10:00～21:00（日～18:00）

コープ

S　名門大学に留学した気分で　　　　雑貨&ギフト ／ ケンブリッジ ／ **MAP** ▶ P.110-2

The Coop

ハーバード大学の生協（→P.112）。ハーバードスクエアに面して、本屋と洋品店のふたつ店舗があるが、3階の渡り廊下でつながっている。洋品店には、トレーナーやTシャツなどからマグカップ、ノートなどの雑貨まで揃い、ありとあらゆるハーバード大学グッズが買える。

🏠 18 Palmer St., Cambridge
1400 Massachusetts Ave., Cambridge
☎ (617)499-2000
URL store.thecoop.com
🕐 月～土9:00～21:00、日10:00～19:00(本屋／月～土9:00～22:00、日10:00～21:00)
カード A M V　行き方 ⓣレッドラインHarvard Square駅下車、徒歩約2分

ハーバードショップ

S　観光案内所の隣で便利　　　　雑貨&ギフト ／ ケンブリッジ ／ **MAP** ▶ P.110-2

The Harvard Shop

ハーバード大学観光案内所隣にあるHarvard Students Agencies (HSA) 直営ショップ。ハーバード大学の学生たちによって運営されている。小さな店だが、しゃれた感じのTシャツや文具類が置かれていて、おみやげ選びに重宝しそうだ。

🏠 1350 Massachusetts Ave., Cambridge
☎ (617)496-6928
URL theharvardshop.com
🕐 毎日7:30～19:00
カード A J M V
行き方 ⓣ レッドライン Harvard Square駅下車、徒歩約1分

キュリアスジョージ・ストア

S　幼児向けのおみやげ探しにいい　　　　雑貨&ギフト ／ ケンブリッジ ／ **MAP** ▶ P.110-2

The Curious George Store

アニメ映画にもなった『おさるのジョージ（ひとまねこざる）』のアンテナショップ。物語に登場するキャラクターのぬいぐるみやブランケット、Tシャツなどが揃う。赤ちゃん用の前掛けなどはプレゼントに最適。英語版の書籍もある。

🏠 1 John F. Kennedy St., Cambridge
☎ (617)547-4500
URL www.thecuriousgeorgestore.com
🕐 毎日10:00～18:00（金・土～20:00）
カード A M V　行き方 ⓣレッドラインHarvard Square駅下車、徒歩約1分

ベストバイ

S　旅行中に足りなくなったカメラのメモリカードはここで　　　　電化製品 ／ ケンブリッジ ／ **MAP** ▶ P.34-B1

Best Buy

家電から携帯電話、カメラ、コンピューターまでおもな電気製品を取り扱う大型店。カメラのメモリーカードや電池など旅行中に必要になったものも入手できる。フェンウェイ店は2014年11月に閉鎖した。

🏠 100 CambridgeSide, Cambridge
（ケンブリッジサイド・ギャラリア）
☎ (617)577-8866
URL www.bestbuy.com
🕐 月～土10:00～21:00、日11:00～20:00
カード A J M V
行き方 ケンブリッジサイド・ギャラリア（→P.123）を参照

ビーコンヒル・チョコレート

S　中毒になるほどおいしいチョコレート　　　　食品 ／ ビーコンヒル ／ **MAP** ▶ P.79-B1

Beacon Hill Chocolates

世界中を旅して味覚を磨いたオーナーショコラティエのパウラさんが作るトリュフはまるで芸術作品のようだ。良質なカカオや乳製品を独自の配合で調合しているここだけのもの。かわいらしい箱に入ったチョコレートボールはおみやげにも最適。

🏠 91 Charles St., Boston
☎ (617) 725-1900
URL www.beaconhillchocolates.com
🕐 月～土11:00～19:00、日12:00～17:30
カード A M V
行き方 ⓣ レッドライン Charles/MGH駅下車、徒歩約5分

シュガーヘブン

S　アメリカンなキャンディショップ　　　　食品 ／ ボイルストン通り ／ **MAP** ▶ P.85-B1

Sugar Heaven

昔懐かしの駄菓子屋を思い出させるキャンディショップ。グミの量り売りやM & M'sのチョコレートを自分の好みでブレンドできる。ちょっと甘いものをつまみたいときに立ち寄るといい。

🏠 669 Boylston St., Boston
☎ (617)266-6464
URL www.sugarheaven.us
🕐 毎日10:00～23:00（木～土～24:00）
カード A J M V
行き方 ⓣグリーンラインCopley駅下車、徒歩約1分

S マックスブレナー

バックベイで話題のレストランに併設するギフトショップ　食品＆雑貨／ボイルストン通り／MAP▶P.85-B1

Max Brenner

パリで修業したチョコレート職人が開いたレストランに入っているギフトショップ。キュートな小箱に入ったチョコレートやココアはおみやげに喜ばれそう。ほかにもかわいらしいオリジナルマグカップをはじめボディソープやココアバターの自然派石鹸などユニークな小物がたくさん。

🏠745 Boylston St., Boston
☎(617)274-1741
URL www.maxbrenner.com
🕐月〜金9:00〜24:00(金〜翌1:00)、土・日9:00〜翌1:00(日〜23:00)
カード A D J M V
行き方 ⓉグリーンラインCopley駅下車、徒歩3分

S タザ・チョコレート

メキシコで作られている伝統的なチョコレート　食品／サマビル／MAP▶折込地図裏-B1

Taza Chocolate

オーナーのアレックスさんがメキシコ旅行中に食べたチョコレートの味に魅了されて始めた店。昔からメキシコに伝わる石臼ですりつぶす製法のチョコレートは、カカオ豆のつぶつぶを味わうことができる。使用するカカオは、すべてオーガニック。45分の工場ツアーもある。

🏠561 Windsor St., Somerville
☎(617) 284-2232
URL www.tazachocolate.com
🕐毎日11:00〜18:00(土・日10:00〜)
カード A M V 行き方 ハーバードスクエアからバス#69でCambridge St. & Windosr St.下車、徒歩約4分。ツアーはウェブサイトから要事前予約

S ホールフーズ・マーケット

新鮮な食材や、エコバッグを入手したい　スーパーマーケット／ビーコンヒル／MAP▶P.79-C1〜D1

Whole Foods Market

オーガニック系スーパーを代表するスーパーマーケット。無農薬野菜やフルーツ、コスメ、スキンケア商品を取り扱う。多少値段が高いことでも有名。芸能人をはじめ健康志向の人から絶大な支持を受けている。

🏠181 Cambridge St., Boston
☎(617)723-0004
URL www.wholefoodsmarket.com
🕐毎日7:00〜22:00
カード A J M V
行き方 ⓉブルーラインBowdoin駅下車、徒歩約4分。レッドラインCharles/MGH駅下車、徒歩5分

S トレーダージョーズ

お菓子のおみやげ探しに重宝する店　スーパーマーケット／ボイルストン通り／MAP▶P.85-A1

Trader Joe's

世界の優良品を歩いて探し、製造元から直接大量に安く仕入れ、自社ラベルで販売しているユニークな食料品店。通常のメーカー価格よりも安く購入できる。シンプルパッケージのクッキー類はおみやげに最適。日本で人気のエコバッグは99¢もあり、デザインも頻繁に変わるので要チェックだ。

🏠899 Boylston St., Boston
☎(617)262-6505
URL www.traderjoes.com
🕐毎日8:00〜22:00
カード A J M V 行き方 ⓉグリーンラインHynes Convention Center駅下車、徒歩約3分。※Ⓣグリーンライン(C)Coolidge Corner駅前にもあり

S スターマーケット

朝食やランチの食材調達に便利　スーパーマーケット／バックベイ／MAP▶P.85-B1〜B2

Star Market

庶民的価格がうれしいスーパーマーケット。水やお菓子の調達に重宝する。サラダバーやテイクアウトが充実。切り売りのフルーツはおやつや朝食にも最適だ。ビールやワインの取り扱いもある。

🏠53 Huntington Ave., Boston
☎(617)262-4688
URL www.starmarket.com
🕐毎日24時間営業
カード A J M V
行き方 ⓉグリーンラインCopley駅下車、徒歩5分

S シービーエスファーマシー

バックベイのドラッグストアならここ！　ドラッグストア／ニューベリー通り／MAP▶P.89-B2

CVS Pharmacy

ボストンのいたるところで見かけるCVSの看板。薬から化粧品や雑貨、水、お菓子まで何でも揃う薬局。コープリースクエア前のボイルストン通りや地下鉄レッドラインCharles/MGH駅前などにもある。

🏠240 Newbury St., Boston
☎(617)236-4007
URL 毎日7:00〜24:00
カード A J M V
行き方 ⓉグリーンラインCopley駅下車、徒歩5分

ブルックライン店 MP.38-82 🏠1028 Beacon St., Brookline ☎(617)202-0550 🕐毎日8:00〜22:00
行き方 Ⓣグリーンライン(C) St. Mary's St.駅下車、徒歩約1分

S インテリアセンスを磨くのに最適　　アンティーク／ビーコンヒル／MAP▶P.79-B1

デニッシュ・カントリー・ヨーロピアン&アジアン・アンティークス　Danish Country European & Asian Antiques

17世紀以降の北欧諸国と中国の食器や家具、絵画、アクセサリーを専門に扱うアンティークショップ。オーナーのジムさんは、毎年数度自らが北欧に買い付けに行く。特にRoyal Copenhagenのプレートやティーカップが豊富。日本人に人気のイヤープレートもある。

🏠 138 Charles St., Boston
☎ (617)227-1804
URL europeanstyleantiques.com
🕐 毎日10:30～18:00(金・土～17:00)
休 8月の日・月
カード A M V
行き方 Ⓣレッドライン Charles/
MGH駅下車、徒歩約2分

S スタイリストも御用達　　古着／サウスエンド／MAP▶P.37-D3

ボビー・フローム・ボストン　　Bobby From Boston

全米から買い付けに来る人がいるほど有名なビンテージショップ。おもに、デニムやボタンダウン、アロハシャツなどを取り扱う。少し値ははるが、すべての品がきちんと補修されているので、状態がいいのがうれしい。奥には、ワンピースやブーツなど女性ものもある。

🏠 19 Thayer St., Boston,
☎ (617)423-9299
URL bobby-from-boston.com
🕐 火～日12:00～18:00　休 月
カード A M V　行き方 Ⓣシルバーラ
インのE. Berkeley St.下車、徒歩
約3分。もしくは、Ⓣオレンジライ
ンBack Bay駅下車、徒歩約20分

S ボストンで最大規模を誇る　　アンティーク／ケンブリッジ／MAP▶P.34-A1

ケンブリッジ・アンティーク・マーケット　　Cambridge Antique Market

ボストン近郊では最大規模のアンティークマーケット。5階建ての建物に150以上のディーラーが集まる。Firekingなどの掘り出し物が見つかるかも。レターセット、キーホルダー、小物入れなどの雑貨のほか、家具もある。

🏠 201 Monsignor O'Brien Hwy.,
Cambridge
☎ (617)868-9655
URL marketantique.com/
cambridg.htm
🕐 火～日11:00～18:00　休 月
カード A M V　行き方 Ⓣグリーンラ
インLechmere駅下車、徒歩約4分

S ボストンからいちばん近いアウトレット　　アウトレット／サマビル／MAP▶P.32-B2

アッセンブリーロウ　　Assembly Row

Brooks BrothersやBanana Republic、J. Crewなど人気ブランドが30店以上集まるアウトレットモール。Legal Sea Foodsなどの有名レストランのほか、映画館やテーマパークのレゴランド・ディスカバリー・センターも入っている。ボストンダウンタウンから地下鉄で約15分。

🏠 340 Canal St., Somerville
☎ (617)440-5565
URL www.assemblyrow.com
🕐 月～土10:00～21:00、日11:00～
18:00
カード 店舗により異なる
行き方 ⓉオレンジラインAssembly
駅下車、徒歩約3分

S ボストン発祥の靴のブランド　　アウトレット／ブライトン／MAP▶P.38-A1外

ニューバランス・ファクトリーストア　　New Balance Factory Store

扁平足を直すインソールや矯正靴を製造するメーカーとして誕生したスニーカーブランドのアウトレット店。ランニング用からカジュアルなものまで在庫も豊富にある。ほとんどのものが正規価格より20～50%引き。ボイルストン通りには正規店（MP.85-C1）あり。

🏠 173 Market St., Brighton
☎ (617)779-7429
URL nbfactorystores.com
🕐 月～土9:00～20:00、日10:00～
18:00　カード A M V
行き方 ハーバードスクエアからバス
#86でMarket St. & Vineland
St.下車、徒歩約1分

S ボストンから最も近い大型アウトレットモール　　アウトレット／レンサム／MAP▶32-A3外

レンサムビレッジ・プレミアム・アウトレット　　Wrentham Village Premium Outlets

ボストンから車で50分ほどの所にあるアウトレットモール。約170のブランドとフードコートが集まる。Barney's New YorkやBrooks Brothers、Coach、Salvatore Ferragamo、Tory Burchなど人気の店が多い。

🏠 1 Premium Outlets Blvd.,
Wrentham
☎ (508)384-0600
URL www.premiumoutlets.com
🕐 毎日10:00～21:00（日～18:00）
行き方 ボストンからI-93を約25km、
I-95を約24km南下。I-495を約8km
北進し、Exit 15で下りる

ボストンの大学生が通う古着屋　The Garment District MP.117-C 🏠 200 Broadway, Cambridge
☎ (617)876-5230 URL garmentdistrict.com 🕐 毎日11:00～24:00（土9:00～）カード M V

Restaurants &
Night Spots

レストラン & ナイトスポット

Seafood

ボストンで食べたいシーフード

アメリカ東海岸はマグロやロブスターなどの
海産物が豊富に水揚げされるシーフード天国。
なかでもその筆頭に挙げられるのが、クラムチャウダーだ。
ランチに迷ったら、まずはチャウダーを召しあがれ！
それぞれの店がおふくろの味を競っている。

Rowes Wharf Sea Grille
🐟 ローズワーフ・シーグリル

素材の持ち味が生きる

ボストンでいちばんおいしいかも？と評判なのが、ウオーターフロントのランドマークホテル、ボストンハーバー・ホテルにあるこのレストラン。値段は少々高めだが、本格的なシーフードが食べられる。総料理長はボストンではその名を知られたダニエル・ブルース。素材本来の味を存分に引き出し、盛りつけにも気を配る名シェフだ。そのクラムチャウダーの味は、クリーム系であっさりとしたスープ仕立て。さまざまな魚介のエキスがしみ出し、コクとうま味がまろやかに調和した絶品だ。生ガキやホタテのグリル、サーモンのマリネなどを組み合わせれば極上ディナーとなる。高級店なので、ディナーにはおしゃれをして行こう。(→ P.136)

上／生ガキの盛り合わせ
左／サーモンのマリネは絶品　右／香ばしいホタテのグリル

Atlantic Fish
🐟 アトランティックフィッシュ

どこにも負けない新鮮さがウリ

プルデンシャルセンターそばにあり、立地も申し分ない高級レストラン。1978年のオープン以来ビジネス客を中心に、ボストン市民の舌をうならせてきた。20世紀初頭からニューイングランド地方で水産業を営む漁師から毎日仕入れる食材は新鮮そのもの。最大でも漁獲後2日以内にはテーブルに並ぶというこだわりがおいしさの秘訣だろう。ボストンのクラムチャウダー・フェスティバルで数度優勝しているクラムチャウダーは塩分が少なくクリーミーだ。夜は、ちょっと着飾って訪れたい。(→ P.135)

上／ロブスターの丸焼きにサラダを添えたMaine Lobster
左／クラブミートとトマト、アボカドの盛り合わせ Lobster Crab Louie　右／メイン州産のLobster Roll

Island Creek Oyster Bar
アイランドクリーク・オイスターバー

ボストンで予約が取りにくいレストランのひとつ

ボストン近郊で15年以上カキの養殖に携わってきたスキップ・ベネットが、2010年ケンモアスクエアにオープンしたレストラン。ボストンから南に約50km行ったダックスベリー湾にカキの養殖場をもち、レストランまで直送されている。漁師とシェフがチームを組んでいるから、新鮮でおいしい料理をお手頃の値段で食べられるのだ。

仕入れ状況によりメニューは毎日変わるが、ベーコンやビスケットが入ったクラムチャウダーやムール貝の酒蒸し、ロブスターロールなどは定番料理として常時提供されている。看板メニューの新鮮なカキはボストン随一の呼び声が高い。食材の新鮮さと雰囲気のよさ、取り扱うワインの種類の豊富さが話題になり、数々の雑誌に取り上げられている名店のひとつ。（→ P.135）

右上／バーカウンター横には生ガキが並べられている　中左／シーフードがふんだんに入ったパスタのLobster Roe　中右／ちょっとおしゃれして出かけたい雰囲気　右下／いちばん人気の前菜はカキフライが挟まれたサンドイッチのOyster Slider

Legal Sea Foods Charles Square
リーガルシーフード・チャールズスクエア

ボストニアンに愛される老舗のシーフード

家族や友人と連れだって、あるいはひとりで、気軽においしいシーフードを食べるなら、リーガルシーフードがいちばん！

ポリシーはなんたって新鮮！「フレッシュでなければシーフードじゃない！」と言い続けて60年あまり。今も変わらず支持される老舗の味だ。ごく簡単に済ますなら、雰囲気のよいバーカウンターで地ビールとクラムチャウダー、生ガキなどを肴に自家製パンをいただけば、立派な夕食になってしまう。ここのチャウダーはクリーム系でとろりとしたオーソドックス派。夏から秋はメイン州特産のロブスターもメニューに並び、豪華な夕食も楽しめる。ローガン空港やパークスクエア、コープリープレイス、ケンドールスクエアにも支店があるので、気軽にお試しあれ。（→ P.136）

右上／餃子も付くLegal Experience　右下／バーカウンター　左／家族連れにも最適の店内

レストランの基礎知識
Dining Information

■ボストンのグルメスポット

　ニューベリー通りやボイルストン通りには、ファストフード店から高級レストランまで軒を連ねる。イタリア人街があるノースエンドは、ボストンで最高峰のイタリアレストランが集まるエリア。近年話題なのは、シーポートディストリクトだろう。チップを気にせず気軽に食事をしたいなら、ケンブリッジサイド・ギャラリア（→P.123）やクインシーマーケット（ファニュエルホール・マーケットプレイス、→P.65）のフードコートが便利だ。

■レストラン探しのコツ

　店の入口に、定評のあるグルメガイド『ザガット・サーベイZagat Survey』や、人気のクチコミサイト『イェルプYelp』のステッカーがある店は評判のよい店である可能性が高い。

■営業時間

　レストランの営業時間は、ランチ11:00〜15:00、ディナーは17:00〜22:00が一般的だ。ボストンでは、ランチからディナーまで休みがないところが多い。

■ボストンの名物料理

　ボストンの名物は何といっても、シーフード。メイン州をはじめ近隣の州で取れるロブスターは絶対に食べたい。お手軽に食べるなら、ロブスターとサラダを挟んだサンドイッチのロブスターロール（$15〜）がおすすめ。クラムチャウダーや生ガキも忘れてはならない。地ビールでは、サミュエル・アダムズ（→P.143）とハープーン（→P.143）が有名。

予算マーク（ひとり当たりの合計金額の目安）
$ $20以下　**$$** $21〜45　**$$$** $46〜80　**$$$$** $81以上

●MEMO　ハッピーアワー　酒類を取り扱うレストランやバーで、夕食前に通常より割安価格で前菜や食事メニューを提供していることがある。時間帯は店によって異なるが、平日10:00 -10:00が多い。

R／アトランティックフィッシュ

テラス席でセレブな気分を味わおう $$$$ シーフード／ボイルストン通り／ MAP▶P.85-B1

Atlantic Fish

1978年にオープンした、価格や料理の質、雰囲気のどれを取ってもボストンで最高峰といわれているシーフードレストラン。メニューは毎日入荷状況によって変わるので、常に新鮮な料理が楽しめる。ニューイングランド・クラムチャウダー$6、エビとホタテのリゾット$35など。

🏠 761 Boylston St., Boston
☎(617)267-4000
URL www.atlanticfishco.com
🕐毎日11:30～23:00(金・土は～24:00)、土・日は11:00～15:30までブランチメニューあり
カード A M V 行き方 ⓣグリーンラインCopley駅下車、徒歩約3分

R／ユニオン・オイスター・ハウス

ボストンのシーフードの老舗 $$ シーフード／ダウンタウン／ MAP▶P.67-A1

Union Oyster House

1826年にできたボストン最古のレストラン。観光客も多く訪れ、1階にはオイスターバーもある。ジョン・F・ケネディ大統領も愛した店で、彼の名前が彫られたお気に入りのテーブル（ケネディブース）が2階に残されている。入口には、ギフトショップもあり。

🏠 41 Union St., Boston
☎(617)227-2750
URL www.unionoysterhouse.com
🕐毎日11:00～21:30(金・土～22:00)、バーは24:00まで
カード A M V
行き方 ⓣオレンジ、グリーンラインHaymarket駅下車、徒歩約2分

R／ボストン・チャウダ・カンパニー

気軽にロブスターロールを $ シーフード／ダウンタウン／ MAP▶P.67-A1

The Boston Chowda Co.

クインシーマーケットのフードコートにあるテイクアウト専門の店。ロブスターロールとポテトチップスのセットが$19.75～とお手頃な価格。購入後は、マーケット中央にあるテーブル席で食べるといい。

🏠 Quincy Market Bldg., Boston
☎(617)742-4441
URL www.bostonchowda.com
🕐毎日10:00～21:00(日～18:00)
カード A J M V 行き方 ⓣブルーライン、オレンジラインState駅下車、徒歩約3分。グリーンラインGovernment Center駅下車、徒歩約5分

R／サマーシャック

有名シェフが演出するカジュアルな店 $$ シーフード／バックベイ／ MAP▶P.85-A1

Summer Shack

評判のシェフ、ジャスパー・ホワイトがプロデュースするカジュアルなシーフードレストラン。何といってもおすすめはロブスター。店の一角にはロブスターの泳ぐ水槽もあり、甘くプリプリした新鮮なロブスターが食べられる。雰囲気がよく、味も抜群にいい。

🏠 50 Dalton St., Boston
☎(617)867-9955
URL www.summershackrestaurant.com
🕐毎日11:30～22:00(金・土～23:00) カード A M V
行き方 ⓣグリーンライン(E) Prudential駅下車、徒歩約5分。Hilton Hotel隣

R／アイランドクリーク・オイスターバー

新鮮なシーフードを味わう $$$ シーフード／フェンウエイ／ MAP▶P.36-A2

Island Creek Oyster Bar

地下鉄グリーンラインKenmore駅前にあるおしゃれなシーフード店。漁師から直接入手した食材を提供しているので、どの料理も新鮮だ。特にカキは常時15種類以上がカウンターに並ぶ。事前に予約を入れたほうがいい。

🏠 500 Commonwealth Ave., Boston ☎(617)532-5300
URL islandcreekoysterbar.com
🕐月～金16:00～23:00、土11:30～23:30,日10:30～23:00 カード A M V
行き方 ⓣグリーンラインKenmore駅下車、徒歩約1分

R／ネプチューンオイスター

いつも行列ができる $$$ シーフード／ノースエンド／ MAP▶P.71-1

Neptune Oyster

ノースエンドにあるこぢんまりとしたレストラン。予約を受け付けないので、いつも順番待ちの行列ができている。大きな窓からはケースに入ったカキやホタテなどのシーフードが見渡せ、食欲をそそる。カキの盛り合わせ（$69～）から始めたい。

🏠 63 Salem St., Boston
☎(617)742-3474
URL www.neptuneoyster.com
🕐毎日11:30～22:00(金・土～23:00)
カード A M V
行き方 ⓣオレンジ、グリーンラインHaymarket駅下車、徒歩約3分

from Readers 居酒屋風レストランで新鮮なロブスターを 週末ともなれば、早い時間から地元の人で満席。The Barking Crab MAP P.67-B2 🏠88 Sleeper St. Boston ☎(617)426-2722 (東京都 クルテク '11) ['15]

R | 高級ホテルの創作シーフード

$$$ シーフード／ウオーターフロント／**MAP ▶ P.67-A1**

ローズワーフ・シーグリル
Rowes Wharf Sea Grille

名シェフと呼び声が高いダニエル・ブルースが総料理長を務める、ボストンハーバーホテルの1階にある高級シーフード店。窓越しにローズワーフを望み、地元産の新鮮な食材を使った創作料理がおいしい。スープ風のクラムチャウダーはボストンでも指折りの味。

🏠 70 Rowes Wharf, Boston
(Boston Harbor Hotel)
☎ (617)856-7744
URL www.roweswharfseagrille.com
🕐 毎日6:30〜22:00（土・日7:00〜）
カード A D M V　行き方 ⓣブルーラインAquarium駅下車、徒歩約4分

R | 老舗の味をカジュアルに!

$$ シーフード／ケンブリッジ／**MAP ▶ P.109-2**

リーガルシーフード・チャールズスクエア
Legal Sea Foods Charles Square

カジュアルなシーフードレストランの老舗。チャールズホテルのコートヤードに建つ同支店も「フレッシュでなければ、リーガルではない!」を合い言葉に創業当時の味が守られている。シーフードメニューは実に40種類以上。スタッフも気さくで親切。バーカウンターもある。

🏠 20 University Rd., Cambridge
☎ (617)491-9400
URL www.legalseafoods.com
🕐 毎日11:00〜22:00（金・土〜23:00）
カード A M V
行き方 ⓣ レッドラインHarvard Square駅下車、徒歩約5分

R | 味も雰囲気も申し分なく、後悔しない

$$$$ ニューイングランド料理／ボイルストン通り／**MAP ▶ P.85-B1**

レスパリエ
L'espalier

特別なディナーや接待に申し分ない味とサービスを提供してくれる最上級のレストラン。ディナーは3コース$95から。一流パティシエが作るスイーツが食べられるアフタヌーンティー（土・日のみ）は$30〜40。ドレスアップしてゆっくり時間を取って楽しみたい。要予約。

🏠 774 Boylston St., Boston
☎ (617)262-3023
URL www.lespalier.com
🕐 月〜金11:30〜14:30、17:30〜22:30。土・日12:00〜13:45（アフタヌーンティー13:30〜15:00）、17:30〜22:30
カード A J M V　行き方 ⓣグリーンラインCopley駅下車、徒歩約4分

R | ボストンでも高級のステーキを

$$$$ アメリカ料理／ボイルストン通り／**MAP ▶ P.85-B1**

エーブ&ルイーズ
Abe & Louie's

ボイルストン通り沿いにある高級ステーキハウス。ゆっくり時間をかけてローストしたプライムリブ（$48）やニューヨークサーロイン（$50）などがおすすめ。シーフードもある。ビジネス客の利用が多い。ドレスコードはないが、セミフォーマルで。要予約。

🏠 793 Boylston St., Boston
☎ (617)536-6300
URL www.abeandlouies.com
🕐 月〜金11:30〜23:00（金〜24:00）、土・日11:00〜15:00、16:00〜24:00（日〜23:00）　カード A M V
行き方 ⓣグリーンラインCopley駅下車、徒歩約4分

R | お手頃の値段でステーキを食べたい

$ アメリカ料理／ボイルストン通り／**MAP ▶ P.85-A1**

ウイスキーズステーキハウス
Whiskey's Steakhouse

外観はパブやバーの雰囲気が漂うが、家族連れでも安心のレストラン。カジュアルにステーキが食べられるとあって地元の人に人気だ。ステーキ各種はサラダとサイドディッシュが付いて$20〜27、ハンバーガーは$8〜。

🏠 885 Boylston St., Boston
☎ (617)262-5551
URL www.whiskeysboston.com
🕐 毎日11:30〜翌2:00
カード M V
行き方 ⓣ グリーンラインHynes Convention Center駅下車、徒歩約4分

R | ボストンが一望できる高級レストラン

$$$ アメリカ料理／バックベイ／**MAP ▶ P.85-A1〜B1**

トップ・オブ・ザ・ハブ
Top of the Hub

プルデンシャルセンターの52階にある。ディナー$80〜。ラウンジエリアでは毎晩ジャズ演奏が行われ、ラウンジのカバーチャージはないが、20:00以降はミニマムオーダー1人$25。きれいな夜景が楽しめる。ドレスアップした人が多いのでカジュアルはさけたい。

🏠 Prudential Tower 52nd Fl., 800 Boylston St., Boston
☎ (617)536-1775
URL topofthehub.net
🕐 毎日11:30〜翌1:00（日11:00〜）
カード A M V
行き方 ⓣグリーンラインPrudential駅下車、徒歩約1分

---

from Readers 有名なシーフードレストランは混むので注意　6〜8月にかけて、ボストンは観光シーズンなためか、平日でも街は観光客であふれていた。火曜と水曜の夜に、リーガルシーフードやユニオン・オイスター・ハウスなどの有名

R / レ・ジーゴーマット・ワイン・バー・ビストロ

生演奏に耳を傾けつつワインを味わう　**$$**　アメリカ料理＆ワインバー／ダウンタウン／**MAP▶P.67-A2**

Les Zygomates Wine Bar Bistro

1994年にオープンして以来、数々の地元誌に取り上げられているレストラン＆ワインバー。150席あるが、週末は順番待ちの行列ができる。ローストチキン（$26）やホタテのバター焼き（$32）が人気のメニュー。火〜土曜の夕方は、ジャズのライブコンサートも行われる。

🏠 129 South St., Boston
☎ (617)542-5108
URL www.winebar129.com
🕐 月〜金11:30〜22:00(金〜23:00)、土・日17:30〜23:00 🚫 日
カード A M V　行き方 ⓣレッドラインSouth Station下車、徒歩約4分

R / ボストン・ビア・ワークス

新鮮な生ビールを味わおう　**$**　アメリカ料理／フェンウエイ／**MAP▶P.39-C2**

Boston Beer Works

フェンウエイパークそばにあるレストラン＆スポーツパブ。店内には大型テレビが設置され、ボストン・レッドソックスの試合は常時放映している。ハンバーガーやサンドイッチは$10〜。明るい雰囲気なので家族連れでも楽しめる。

🏠 61 Brookline Ave., Boston
☎ (617)536-2337
URL www.beerworks.net
🕐 毎日11:00〜翌1:00
カード A M V
行き方 ⓣグリーンラインKenmore駅下車、徒歩約5分

R / サンセットグリル＆タップ

若者でにぎわうアメリカスタイルのパブ　**$**　アメリカ料理／ブルックライン／**MAP▶P.38-A1外**

Sunset Grill & Tap

ボストン在住のビール好きなら必ず知っている有名店。100種類以上のビールを常時取り揃える。大学のそばにあるので、客層は20〜30歳代が多い。ナチョス（$9〜）やサラダ（$8〜）などをシェアするのがいい。

🏠 130 Brighton Ave., Allston
☎ (617)254-1331
URL www.allstonsfinest.com
🕐 毎日11:30〜翌1:00
カード A M V
行き方 ⓣグリーンライン(B)Harvard Ave.駅下車、徒歩約6分

R / モートンズ

極上ステーキを食べるなら　**$$$**　アメリカ料理／ウオーターフロント／**MAP▶P.67-B2**

Morton's

コンベンションセンターからも歩いてすぐ。良質なステーキハウスの有名チェーン店だが、ボストン店はロブスターやシーフードも評判だ。マホガニーの家具で統一された店内はとてもフォーマルな雰囲気。看板メニューのPorterhouse Steak（$57）が人気。

🏠 2 Seaport Ln., Boston
☎ (617)526-0410
URL www.mortons.com
🕐 月〜土11:30〜23:00（土17:00〜）、日17:00〜22:00
カード A D J M V
行き方 ⓣシルバーラインWorld Trade Center駅下車、徒歩約4分

R / カタリストレストラン

夫婦連れやカップルに人気のおしゃれなレストラン　**$$**　アメリカ料理／ケンブリッジ／**MAP▶P.117-C**

Catalyst Restaurant

MITの関係者と地元の人たちでにぎわうレストラン。地元で取れたオーガニック食材を、シンプルな味つけで調理するので、野菜本来のうま味を堪能することができる。ローストチキンやサーモンのクリームあえなどのメインは$22〜。

🏠 300 Technology Sq., Cambridge
☎ (617)576-3000
URL www.catalystrestaurant.com
🕐 日〜金11:00〜14:30、17:00〜22:00（日〜23:00、金〜23:00）、土17:00〜23:00、バーは延長あり
カード A M V　行き方 ⓣレッドラインKendall/MIT駅下車、徒歩約5分

R / メントン

ボストンで最高峰のフレンチレストラン　**$$$$**　フランス料理／ウオーターフロント／**MAP▶P.67-B2**

Menton

ボストンで現在いちばん注目を浴びているシェフのバーバラ・リンチが経営する店。数々の賞を受賞し、料理本も出版する彼女が作り出す創作料理は、味覚だけでなく視覚でも楽しませてくれる。記念日や接待などで出かけたい店だ。要予約、ドレスアップ。

🏠 354 Congress St., Boston
☎ (617)737-0099
URL mentonboston.com
🕐 毎日17:30〜22:00（日・月〜21:00）
カード A M V
行き方 ⓣレッドラインSouth Station下車、徒歩約10分

レストランで食事をしようとしたが、どこも30分〜2時間待ち。もしもこの時期にボストンでシーフードを食べたいなら、前もって予約をしておくか、レストランが混み合う18:00前に行くことをおすすめします。(東京都　んぴりあ '11)「10」

137

R バックベイでイタリア料理を食べるなら
SS イタリア料理／ニューベリー通り／**MAP** ▶ **P.89-B2**

パパラッチ
Papa Razzi

おしゃれな雰囲気のなか手頃な値段で食事が楽しめる、ニューベリー通りにある人気のレストラン。スパゲティ・ボロネーゼ（$19）は、子牛のひき肉とトマトがほどよく混ざり、しっかりした味つけだ。裏メニューのカルボナーラは頼めば作ってくれる。

📍 159 Newbury St., Boston
☎ (617)536-9200
URL www.paparazzitrattoria.com
⏰ 月〜金11:30〜22:00（金〜23:00）、土・日10:00〜22:00（土〜23:00）、バーは23:30まで　カード A J M V
行き方 ⓉグリーンラインCopley駅下車、徒歩約2分

R 気軽に本格イタリア料理を
SS イタリア料理／ノースエンド／**MAP** ▶ **P.71-2**

デイリーキャッチ
Daily Catch

行列ができる人気店。ランチなら12:00前、ディナーなら18:00前に入ろう。おすすめは、フライパンに入ったパスタ各種。特にリングイネのクラムソースやシュリンプは絶品だ。ソースは白か赤か聞かれるので、好みを選ぼう。ブルックラインとロングワーフに支店あり。

📍 323 Hanover St., Boston
☎ (617)523-8567
URL thedailycatch.com
⏰ 毎日11:00〜22:00
カード 不可、現金のみ
行き方 Ⓣグリーン、オレンジラインHaymarket駅下車、徒歩約5分

R テラス席もあり、くつろげる雰囲気
SS イタリア料理／ノースエンド／**MAP** ▶ **P.71-2**

トラットリア・イル・パニーノ
Trattoria Il Panino

イタリア人街でも人気のイタリアレストラン。1987年にオープンしてから観光客だけでなく地元の人に愛されてきた。イタリアの地中海に面したアマルフィの郷土料理がメイン。パスタは$20以下で、ボンゴレやロブスターパスタ、カルボナーラがおすすめ。

📍 11 Parmenter St., Boston
☎ (617)720-1336
URL www.trattoriailpanino.com
⏰ 月〜土11:00〜22:00（金・土〜23:00）、日12:00〜23:00
カード A J M V
行き方 Ⓣオレンジライン、グリーンラインHaymarket駅下車、徒歩約5分

R サングリアとスペイン小皿料理の店
SS スペイン料理／ニューベリー通り／**MAP** ▶ **P.89-A2**

タペオ
Tapeo

ニューベリー通りにあるスペイン料理店。1階にバー、2階にダイニングがある。ここではタパスと呼ばれる小皿料理を何品か注文し、スペインの地酒サングリアも味わいたい。タパスはひと皿$7〜12。シーフード、肉料理など各種ある。雰囲気、味ともに楽しめる店だ。

📍 266 Newbury St., Boston
☎ (617)267-4799
URL www.tapeo.com
⏰ 月〜金17:00〜22:00（金〜23:00）、土・日12:00〜23:00（日〜22:00）
カード A M V
行き方 ⓉグリーンラインHynes Convention Center駅下車、徒歩約5分

R ひとりでも立ち寄りやすい雰囲気
SS スペイン料理／サウスエンド／**MAP** ▶ **P.37-C3**

バルセロナ・ワイン・バー＆レストラン
Barcelona Wine Bar & Restaurant

旬の食材を使った小皿料理（$6〜）がメインのスペイン料理のタパスバー。カウンター席なら目の前で調理される料理を観察できる。季節ごとにメニューは変わるが、エビのガーリックオイル煮やししとうの素揚げ、生ハムは定番の品。ブルックラインにもある。

📍 525 Tremont St., Boston
☎ (617)266-2600
URL www.barcelonawinebar.com
⏰ 毎日16:00〜翌1:00（土・日11:00〜）
カード A D M V
行き方 ⓉオレンジラインBack Bay駅下車、徒歩約10分。グリーンラインArlington駅下車、徒歩約12分

R 透明であっさりしたスープのフォーを食べたい
S ベトナム料理／チャイナタウン／**MAP** ▶ **P.35-C3**

フォーパスツール
Pho Pasteur

チャイナタウンのワシントン通りにあるベトナム料理の老舗。おすすめのフォーは極薄のビーフが載ったTAI（Rare Steak）。揚げハルマキ、生ハルマキもある。フォーの麺は2種類あり、イエローヌードルと注文すれば、極細ラーメンになる。

📍 682 Washington St., Boston
☎ (617)482-7467
URL phopasteurboston.net
⏰ 毎日9:00〜22:45
カード A J M V　行き方 ⓉグリーンラインBoylston駅下車、徒歩約5分。オレンジラインChinatown駅下車、徒歩約3分

R｜ボストン中心部から外れるが、足を延ばす価値あり

S タイ料理／ブルックライン／**MAP** ▶ **P.38-A2**

ドック・ブア・タイキッチン
Dok Bua Thai Kitchen

タイ人が太鼓判を押す、ブルックラインの住宅街にある人気店。常に、地元の常連客でいっぱいだ。写真入りのメニューなので、タイ料理が初めての人でも選びやすい。酒類は扱っていないが、持ち込みが可能なのもうれしい。

🏠 411 Harvard St., Brookline
☎ (617)232-2955
URL www.dokbua-thai.com
営 毎日11:00〜22:00
カード A J M V
行き方 ⓣグリーンライン(C)Coolidge Corner駅下車、徒歩約7分

R｜小腹がすいたときに利用したい

S メキシコ料理／ダウンタウン／**MAP** ▶ **P.37-D2**

ボロッコ
Boloco

ボストン周辺で15店舗展開するメキシコ料理のファストフード店。トルティーヤの生地で包まれたブリートとおわんに入ったブリートボウルがある。サイズは4種類あり、肉は8種類、ソースは4種類から選べる。女性ならSmallでおなかいっぱいになるだろう。

🏠 176 Boylston, St., Boston
☎ (617)778-6772
URL boloco.com
営 毎日7:00〜23:00
カード A J M V
行き方 ⓣグリーンラインBoylston駅下車、徒歩約3分

R｜あの小澤征爾も愛した店

S 中国料理／ダウンタウン／**MAP** ▶ **P.35-C3**

香港小食
Hong Kong Eatery

おすすめは$5.50と安価な雲呑麺 (Wonton with Noodle)。麺の上に載ったエビワンタンはどんぶりからあふれそう！ お客の大半が注文していることからも、人気うかがえる。あっさりスープに細い麺とエビがたっぷり入ってゴマ油が効いている。

🏠 79 Harrison Ave., Boston
☎ (617)423-0838
URL www.hongkongeatery.com
営 毎日9:00〜22:30
カード 不可、現金のみ
行き方 ⓣオレンジラインChinatown駅下車、徒歩約3分。グリーンラインBoylston駅下車、徒歩約5分

R｜まるで香港の食堂に迷い込んだよう

S 中国料理／ダウンタウン／**MAP** ▶ **P.35-C3**

小桃園
Peach Farm

店内で食事しているのは中国人が多い。豆科のツルを炒めた清炒豆苗や蒸しガキの黒豆ソース、ロブスターのネギとショウガ炒めなど、シーフードメニューが豊富。水槽の魚を調理してもらえるが、魚介類は量り売りなので、オーダー前に価格を確認して。

🏠 4 Tyler St., Boston
☎ (617)482-3332
URL peachfarmboston.com
営 毎日11:00〜翌3:00
カード J M V
行き方 ⓣオレンジラインChinatown駅下車、徒歩約5分。グリーンラインBoylston駅下車、徒歩約7分

R｜あっさりとしたものを食べたいなら

S 中国料理／ダウンタウン／**MAP** ▶ **P.35-C3**

海之味
Taiwan Cafe

チャイナタウンでこぢんまりとたたずむレストランは、ボストン在住の台湾人も太鼓判を押すほどのおいしさ。食事時は常に順番待ちの行列ができる。肉汁たっぷりの小籠包 ($6.95)を味わいたい。

🏠 34 Oxford St., Boston
☎ (617)426-8181
URL taiwancafeboston.com
営 毎日11:00〜翌1:00
カード A J M V
行き方 ⓣレッドラインChinatown駅下車、徒歩約5分。グリーンラインBoylston駅下車、徒歩約7分

R｜ロケーションが抜群

SS 日本料理／ニューベリー通り／**MAP** ▶ **P.89-A2**

いただき
Itadaki

バックベイで日本食を食べたくなったら訪れたい1店。若干アメリカナイズされているが、トンカツやエビフライをはじめ、日本人でも満足できる料理が食べられる。マカロニグラタンやカニクリームコロッケなどが人気。

🏠 269 Newbury St., Boston
☎ (617)267-0840
URL www.itadakiboston.com
営 毎日11:30〜22:00(金・土〜22:30、日〜21:30)
カード A J M V 行き方 ⓣグリーンラインHynes Convention Center駅下車、徒歩約5分

↘ Cambridge, Totto Ramen **M** P.38-A1外 🏠 169 Brighton Ave., Boston, Yume Wo Katare **M** P.32-B2 🏠1923 Massachusetts Ave., Cambridge

R 日本的なもてなしに触れられる

四季
Shiki

$$ 日本料理／ブルックライン／MAP▶P.38-A2

ボストンで評判の日本料理店。こざっぱりした店内は雰囲気もよく、ビジネスや接待にも重宝する。天丼や親子丼などの丼から、うどんやそばなどの麺類、寿司以外にも、ランチにはご飯と味噌汁が付いた定食もある。盛りつけも繊細で、日本に帰ってきたかのような味わい。

住 9 Babcock St., Brookline
☎ (617)738-0200
URL shikibrookline.com
営 ランチ：火～日12:00～15:00、ディナー：火～土17:30～22:00(金・土～23:00)、日17：00～21:30　休 月
カード A J M V　行き方 Ⓣグリーンライン
(C)Coolidge Corner駅下車、徒歩約3分

R 現地在住の日本人も太鼓判を押す

行っとく
Ittoku

$$ 日本料理／ブライトン／MAP▶P.38-A2外

2013年11月にオープンしてから連日、学生や社会人でにぎわう日本風居酒屋。寿司の盛り合わせ（$14～）やサバの押し寿司（$8.50）などから、豚の角煮（$8.50）、焼き鳥（$1.50～）、などまで、メニューも豊富。日本酒や梅酒もある。日本食が恋しくなったら立ち寄りたい。

住 1414 Commonwealth Ave., Brighton
☎ (617)608-3630
営 毎日17:00～23:00（金・土～23:30）
カード M V
行き方 Ⓣ グリーンライン(B) Allston St.駅下車、徒歩約2分

R がっつり白米とカルビで満腹

コリアンガーデン
Korean Garden

$$ 韓国料理／ブルックライン／MAP▶P.38-A1外

アジア各国のレストランが集まるオールストンのなかでいちばんおすすめの韓国料理レストラン。カルビ（$22.95）やプルコギ（$18.95）などがっつりと肉やお米が食べたくなったら訪れたい。スンドゥブチゲ（$12）も美味。無料で付いてくるナムルの種類も豊富だ。

住 122 Harvard Ave., Allston
☎ (617)562-8989
URL www.koreangardenboston.com
営 毎日11:30～22:00（木～土～23:00）
カード A J M V
行き方 Ⓣグリーンライン(B)Harvard Ave.駅下車、徒歩約4分

R ヘルシー派のボストニアンに人気のサンドイッチショップ

フラワーベーカリー＋カフェ
Flour Bakery + Cafe

$ サンドイッチ／バックベイ／MAP▶P.85-C2

コンサルタントとして活躍していたハーバード大学卒の才女、ジョアン・チャンさんがニューヨークの有名店で修行後にサウスエンドにて創業。現在では、ボストン近郊に4店舗もつ。ツナやターキーのサンドイッチは$8.50。焼きたてのベーカリーもおすすめ。

住 131 Clarendon St., Boston
☎ (617)437-7700
URL flourbakery.com
営 月～金7:00～20:00、土8:00～18:00、日9:00～17:00　カード A M V
行き方 ⓉオレンジラインBack Bay駅下車、徒歩約3分。グリーンラインCopley駅下車、徒歩約5分

R 2015年5月にオープンした話題の一店

ポール
Paul

$ サンドイッチ／ダウンタウン／MAP▶P.67-A1

フランス北部のリールで誕生した老舗ベーカリーのボストン店。フランス産の食材で作られたクロワッサンやパン・オ・ショコラはバターの風味をしっかりと味わえると評判がいい。フランスビストロ風の店内は、カフェとレストランが併設されている。

住 201 Washington St., Boston
☎ (617)725-2713
URL www.paul-usa.com
営 月～金7:00～20:00、土・日8:00～19:00
カード A M V
行き方 ⓉブルーラインState駅下車、徒歩約1分

R 朝食・ランチに最適なカフェ

パネラ・ブレッド・ベーカリーカフェ
Panera Bread Bakery-Cafe

$ サンドイッチ／ブルックライン／MAP▶P.38-B2

オウ・ボン・パンとして創業後、1999年に社名変更、独立したベーカリーカフェの草分け。Wi-Fi環境も整い、居心地抜群。パンはどれもおいしいが、You Pick Twoのスープ、1/2サラダ、1/2サンドからふたつを選ぶコンボがお得。ドリンクは会計後にカップをもらいセルフで。お代わり自由。

住 888 Commonwealth Ave., Boston　☎ (617)738-1501
URL www.panerabread.com
営 月～土6:00～22:00、日7:00～21:00　カード A D J M V
行き方 Ⓣグリーンライン(B)St. Paul駅下車、徒歩約1分

ニューヨークで人気のハンバーガーショップ　看板メニューのShack Burger（$5.19～）をはじめ、ホットドッグやアイスクリームもある。Shake Shack URL www.shakeshack.com　ボストン店 M P.89-B2

R／カフェとしても利用できるファストフード店
S サンドイッチ／ケンブリッジ／MAP ▶ P.110-2

オウ・ボン・パン
Au Bon Pain

映画『グッド・ウィル・ハンティング』にも登場したハーバードスクエアのアイコン的存在。テラス席もあり、気軽に立ち寄ることができるサンドイッチのファストフードチェーン店だ。ドリンクだけでも長居できるので使い勝手がいい。

🏠 1100 Massachusetts Ave., Cambridge
☎ (617)354-4144
URL www.aubonpain.com
🕐 月～金6:00～21:00、土・日7:00～20:30（日～20:00） カード A M V
行き方 ⓣ レッドラインHarvard Square駅下車、徒歩約1分

R／ハーバード大学の目の前
S ハンバーガー／ケンブリッジ／MAP ▶ P.110-2

ミスターバートレイズ
Mr. Bartley's

1960年創業の老舗ハンバーガーショップ。食事時は行列ができるほど。メニューには、オバマ大統領やマーク・ザッカーバーグなど、ボストンゆかりの有名人の名前がつけられている。ボリューム満点のハンバーガーに付くオニオンリングも絶品！

🏠 1246 Massachusetts Ave., Cambridge
☎ (617)354-6559
URL www.mrbartley.com
🕐 月～土11:00～21:00 休 日
カード 不可、現金のみ
行き方 ⓣ レッドラインHarvard Square駅下車、徒歩約5分

R／野菜不足なあなたに
S サラダ／ボイルストン通り／MAP ▶ P.85-B1

スイートグリーン
Sweetgreen

地元の農家で取れたオーガニック野菜で盛りつけられたサラダは、新鮮で体によさそう。6種類のオリジナルメニューのほか、店頭で好きな食材やドレッシングを選ぶことができるMake Your Ownもある。カロリーも明記されているので、ダイエット中の人も安心。

🏠 659 Boylston St., Boston
☎ (617)936-3464
URL sweetgreen.com
🕐 毎日10:30～22:30
カード A M V
行き方 ⓣ グリーンラインCopley駅下車、徒歩約1分

R／ボストンいちおいしいと話題のパンやケーキを
S カフェ＆ベーカリー／ビーコンヒル／MAP ▶ P.79-B2

ターテ・ベーカリー・アンド・カフェ
Tatte Bakery and Cafe

2007年にボストン市内のファーマーズマーケットで販売していたところ、評判がよく、現在、ボストン周辺に5店舗開くまでになった。全体的に甘さ控えめで、日本人の口にも合うはず。アップルタルト（$6）やチョコレートブリオッシュ（$4）など美味。

🏠 70 Charles St., Boston
☎ (617)723-5555
URL www.tattebakery.com
🕐 月～土7:00～20:00（土8:00～）、日8:00～19:00 カード A M V
行き方 ⓣ レッドラインCharles/MGH駅下車、徒歩6分

R／ケーキ好きにはたまらない名店
SS カフェ／バックベイ／MAP ▶ P.34-B3

フィナーレ
Finale

甘さを抑えた日本人好みのケーキが食べられる。特にボストンクリームがおすすめ。このほかに、ランチタイムはハーフサイズのスープとサンドイッチのメニューもある。チョコレートムース（$11.99）、チーズケーキ（$8.99）などもおいしい。

🏠 1 Columbus Ave., Boston (Park Plaza Hotel) ☎ (617)958-4040
URL www.finaleboston.com
🕐 カフェ：毎日10:00～16:00、レストラン：毎日17:00～22:00、バーは月～木23:00まで、金・土24:00まで
カード A J M V 行き方 ⓣ グリーンラインArlington駅下車、徒歩約4分

R／ボストンの読書家に人気のブックカフェ
S カフェ／ニューベリー通り／MAP ▶ P.89-A2

トライデント・ブックセラーズ＆カフェ
Trident Booksellers & Cafe

ニューベリー通りで30年以上営業している独立系書店に併設するカフェ。店内はコーヒー豆を挽く音が響き、こうばしい香りが漂う。スープ（$3.95～）やサンドイッチ（$9.95～）、サラダ、デザートなどメニューも豊富。2012年に2階もオープンし席数が増えた。Wi-Fi無料。

🏠 338 Newbury St., Boston
☎ (617)267-8688
URL tridentbookscafe.com
🕐 毎日8:00～24:00（時期により異なる）
カード A D J M V 行き方 ⓣ グリーンラインHynes Convention Center駅下車、徒歩約1分

🏠 234-236 Newbury St., Boston ☎ (617)933-5050 🕐 毎日11:00～23:00、ハーバードスクエア店
MAP.110-2 🏠 92 Winthrop St., Cambridge ☎ (617)758-8495 🕐 毎日11:00～23:00

R／人気の本格的コーヒーを堪能して
シンキングカップ

S カフェ／ダウンタウン／ MAP ▶ P.35-C3

Thinking Cup

2010年にオープンした、ボストンでいちばんおいしいコーヒーが飲めると話題のカフェ。ボストンで最初にStumptown Coffeeの取り扱いを始めた。ボストンコモンの前にあり、いつも混み合っている。ビーコンヒルやノースエンドにもあり。

住 165 Tremont St., Boston
☎ (617)482-5555
URL thinkingcup.com
営 毎日7:00 ～22:00（木 ～ 日 ～23:00）
カード A J M V
行き方 ⓉグリーンラインBoylston駅下車、徒歩約2分。グリーンラインPark St.駅下車、徒歩約4分

R／イタリア人街で大人気の老舗カフェ
カフェヴィットリア

S カフェ／ノースエンド／ MAP ▶ P.71-2

Caffe Vittoria

1929年オープンのボストン最古のイタリアンカフェ。クラシックな店内は、食事のあとのデザートやお茶を楽しむ客で毎日にぎわっている。ここのデザート類は全部手作り。おすすめはビスケット地にホイップクリームが入った"Cannolis"。ティラミスもGood。

住 296 Hanover St., Boston
☎ (617)227-7606
URL www.caffevittoria.com
営 毎日7:00 ～24:00（金・土 ～翌0:30）
カード 不可、現金のみ
行き方 ⓉグリーンラインHaymarket駅下車、徒歩約5分

R／観光客でいっぱいの人気店
マイクズパストリー

S カフェ&スイーツ／ノースエンド／ MAP ▶ P.71-2

Mike's Pastry

ノースエンドで最も有名なイタリア伝統の焼き菓子の店。古色をおびたショーケースには甘そうな焼き菓子がズラーリ。夏ともなればたいへんな混雑で50席あるカフェはいつも満席。ここの名物カンノーリは円筒のサクッとした皮にリコッタチーズのクリームを詰めたもの。

住 300 Hanover St., Boston
☎ (617)742-3050
URL www.mikespastry.com
営 毎日8:00 ～22:00（水・木 ～22:30、金・土 ～23:00）
カード 不可、現金のみ
行き方 ⓉグリーンラインHaymarket駅下車、徒歩約5分

R／地元民いち押しのケーキ屋さん
モダーンパストリー

S カフェ&スイーツ／ノースエンド／ MAP ▶ P.71-2

Modern Pastry

イタリア人街のハノーバー通りでナンバーワンと、ローカルの間で評判のケーキ屋。イタリア伝統のクッキーやパイ、ケーキなどいずれも手作りで新鮮。甘さも控えめでイタリアの伝統は引き継いでいるものの現代風にアレンジしてある。店内のテーブル席で味わおう。

住 257 Hanover St., Boston
☎ (617)523-3783
URL www.modernpastry.com
営 毎日8:00 ～22:00（金 ～23:00、土 ～24:00）
カード 不可、現金のみ
行き方 ⓉグリーンラインHaymarket駅下車、徒歩約4分

R／ハーバード観光に疲れたらひと息つきたい
カフェパンプローナ

S カフェ／ケンブリッジ／ MAP ▶ P.110-2

Cafe Pamplona

ハーバードスクエアの隠れ家的なカフェ。Massachusetts Ave.から南に1ブロック行った所にあるので、ゆっくりとくつろぐことができる。おすすめはほどよい甘さのプリン（$4.50）。店内の天井が低いので、注意するように。

住 12 Bow St., Cambridge
☎ (617)492-0352
営 毎日11:00 ～24:00
カード A J M V
行き方 Ⓣレッドライン Harvard Square駅下車、徒歩約5分

R／歩き疲れたら、極上ココアを!
L.A.バーディック・ハンドメイド・チョコレート

S カフェ&チョコレート／ケンブリッジ／ MAP ▶ P.110-2

L.A. Burdick Handmade Chocolate

ケンブリッジ・スクエアの喧騒から少し離れた手作りチョコレートの店。ネズミとペンギンの手作りチョコで有名だが、人気メニューは、ホットチョコレート。ホワイト、ブラック、ミルクの3種類があり、小さなカップで$3ほど。ミルク風味も甘さ控えめで美味。

住 52 Brattle St., Cambridge
☎ (617)491-4340
URL www.burdickchocolate.com
営 毎日8:00 ～21:00（金・土 ～22:00）
カード A M V
行き方 Ⓣレッドライン Harvard Square駅下車、徒歩約5分

R ボストンでアイスクリームといえば
J. P. リックス
J.P. Licks

S アイスクリーム／ケンブリッジ／MAP ▶ P.110-2

26歳のビンスさんが1981年にボストン郊外でオープンしたアイスクリームショップ。数々の賞を受賞しているアイスクリームは、コクのあるなめらかな舌触りと濃厚な香りが高い評価を得て、現在ボストン近郊に12店舗構えるまでになった。ビーコンヒルなどにもあり。

住 1312 Massachusetts Ave., Cambridge
☎ (617)492-1001
URL www.jplicks.com
営 毎日7:00〜24:00（土・日8:00〜）
カード M V
行き方 ⓣレッドラインHarvard Square駅下車、徒歩約2分

R ボストン生まれの地ビールの工場
サミュエル・アダムズ・ブリュワリー
Samuel Adams Brewery

S 地ビール／ボストン／MAP ▶ P.32-B2

パブで味わうSamuel Adamsもいいが、どうせなら製造過程を見学するビール工場見学ツアーはいかが？ ツアー最後に試飲会もあり、Tシャツやキーホルダーなどを販売するギフトショップも充実。パスポートなどの身分証明書を必ず持参すること。

住 30 Germania St., Boston
☎ (617)368-5256
URL www.samueladams.com
営 ツアー：月〜木・土10:00〜15:00、金10:00〜17:30、45分ごと
料 $2の寄付金 行き方 ⓣオレンジラインStony Brook駅下車、徒歩約5分。地上でBoylston St.を左に曲がり、最初の信号Amory St.を右折

R 試飲もできる地ビールの工場
ハープーンブリュワリー
Harpoon Brewery

S 地ビール／ウオーターフロント／MAP ▶ P.67-B2外

欧州旅行で地ビールに目覚めたリッチとダンが1986年にボストンで創業。バーモント州ウィンザーにも工場がある。ボストンの工場では、できたてのビールが味わえるビール工場ツアー（料 $5）を催行している。ビールは、定番のIPAから季節ものまで約10種類ほど。ハープーンとは捕鯨銛のこと。

住 306 Northern Ave., Boston
☎ (617)456-2322
URL www.harpoonbrewery.com
営 ショップ＆試飲／毎日11:00〜19:00（木〜土〜23:00）、ツアー／月〜金12:00〜17:00（木・金〜18:00）、土11:20〜18:00、日11:30〜17:30
行き方 ⓣシルバーライン（SL2）で

R レッドソックスファンなら一度は訪れたい
キャスクンフラゴン
Cask'n Flagon

S パブ＆アメリカ料理／フェンウエイ／MAP ▶ P.39-C2〜D2

アメリカの典型的なスポーツバー。スポーツ専門ケーブルTV局が選ぶスポーツバー第2位にもなった店だ。店内にはレッドソックスのメモラビリアがぎっしり飾られ、陽気なファンたちでにぎわう。ここでのおすすめはフェンウエイバーガー（$13）。

住 62 Brookline Ave., Boston
☎ (617)536-4840
URL casknflagon.com
営 月〜金11:00〜翌1:00（木・金〜翌2:00）、土・日11:00〜翌2:00（日〜翌1:00）
カード A M V
行き方 ⓣグリーンラインKenmore駅下車、徒歩3分

R 野球も見たいけど、食事もしっかり取りたいなら
ゲームオン！
Game On!

S パブ＆アメリカ料理／フェンウエイ／MAP ▶ P.39-C2

キャスクンフラゴンの斜め向かいにあり、こちらはちょっと落ち着いた、おしゃれな雰囲気。ビール、ワイン、カクテルの種類も多く、食事もしっかりしているので家族連れにも人気。選手もときおり現れ、選手主催のイベントなども行われる。

住 82 Lansdowne St., Boston
☎ (617)351-7001
URL gameonboston.com
営 毎日11:00〜翌1:00
カード A M V
行き方 ⓣグリーンラインKenmore駅下車、徒歩約4分

R 有名な映画が撮影されたバー＆レストラン
サースティ・スカラー・パブ
Thirsty Scholar Pub

パブ＆アメリカ料理／リマビル／MAP ▶ 折込地図裏-A1

映画『ソーシャル・ネットワーク』の冒頭部分で登場するバー＆レストラン。店内には劇中で使用されたテーブルや椅子が置かれ、ポスターや写真が飾ってある。ハンバーガーやサンドイッチなどがあり、お酒を飲まなくても気軽に立ち寄れるので安心だ。ハーバードなど近隣の大学生が集まる。

住 70 Beacon St., Somerville
☎ (617)497-2294
URL www.thirstyscholarpub.com
営 毎日17:00〜翌1:00（土・日11:00〜）
カード A M V
行き方 ⓣレッドラインCentral Square駅よりバス#83か91。レッドラインHarvard Square駅、グリーンラインLechmere駅よりバス#69。レッドラインCentral Square駅から徒歩約17分

MEMO 若者に人気のカップケーキ Georgetown Cupcakes M P.89-C1 住 83 Newbury St., Boston ☎ (617)927-2250 URL www.georgetowncupcake.com 営 毎日10:00〜21:00（日〜20:00）

143

ジョニーディーズ
あらゆるタイプの音楽が満喫できる
Johnny D's

ライブハウス／サマビル／MAP▶P.32-B2

　地元ボストンや全米のアンダーグラウンドミュージシャンが出演する玄人好みの店。月曜以外は、ほとんど毎日ライブがあり、ブルース、ジャズ、カントリー、フォークなど、多様なジャンルの演奏が楽しめる。土・日はジャズブランチ8:30〜14:30あり。

🏠 17 Holland St., Somerville
☎ (617)776-2004
URL www.johnnyds.com
🕐 毎日16:00〜翌1:00（土・日8:30〜
💴 $8〜20
カード AMV
行き方 ⓉレッドラインDavis駅下車、徒歩約1分

ハウス・オブ・ブルース
幅広いジャンルが魅力
House of Blues

ライブハウス／フェンウエイ／MAP▶P.36-A2

　全米で10店舗以上支店を出すクラブ。1992年ハーバードスクエアに1号店を出したのが始まり。フェンウエイパークの隣にも出店。ブルース以外にジャズ、ロックなども聴ける。コンサート時間外もレストランとギフトショップはオープン。

🏠 15 Lansdowne St., Boston
☎ (617)266-2583　Free (1-888)693-2583
URL www.houseofblues.com
🕐 毎日19:00〜22:00に開演（ショーにより異なる）。レストラン／毎日11:00〜23:00　カード AJMV
行き方 ⓉグリーンラインKenmore駅下車、徒歩約5分

ビーハイブ
旅行者でも気軽に訪れられる雰囲気
The Beehive

ライブハウス／サウスエンド／MAP▶P.37-C3

　サウスエンドにある食事も充実したライブスポット。店内も明るい雰囲気でとてもおしゃれ。ライブは日替わりで行われ、ジャズ以外にもブルース、R&B、レゲエ、カントリーなどの演奏も。土・日のジャズブランチ（10:30〜15:00）を試してみては？

🏠 541 Tremont St., Boston
☎ (617)423-0069
URL www.beehiveboston.com
🕐 月〜金17:00〜翌1:00（木・金〜翌2:00）、土・日10:00〜翌2:00（日〜翌1:00）　カード AMV
行き方 ⓉオレンジラインBack Bay駅下車、徒歩約10分

スカラーズ・ジャズ・クラブ
地元の人が通う正統派ジャズクラブ
Scullers Jazz Club

ジャズクラブ／ボストン／MAP▶P.109-2外

　DoubleTree Suites by Hilton Hotel Boston-Cambridgeの2階にあるジャズクラブ。過去には、ハリー・コニック・ジュニアやトニー・ベネットなど世界的に有名なゲストが演奏している。ホテル内にあるので、帰りのタクシーもひろいやすい。ショーは通常20:00と22:00の2回。

🏠 400 Soldiers Field Rd., Boston
☎ (617)562-4111
URL www.scullersjazz.com
🕐 日〜火12:00〜24:00、水〜土20:00〜24:00（ショーにより異なる）
💴 $20〜。演奏者により異なる
行き方 Ⓣレッドライン Central Square駅下車、バス#64で約6分

レガッタバー
全米でも有名なジャズスポット
Regattabar

ジャズクラブ／ケンブリッジ／MAP▶P.109-2

　ハーバードスクエアそばのCharles Hotelの3階にあるバー。有名ミュージシャンが出演するバーで、ライブ数は多くはないが、スケジュール次第で有名人にも会える。ステージは通常2回。有名人出演時は要予約。禁煙。内容によりドレスコードあり。

🏠 1 Bennett St., Cambridge (Charles Hotel 3階)　☎ (617)661-5000
チケット(617)395-7757
URL www.regattabarjazz.com
🕐 ライブはおもに水〜土19:30〜、22:00〜
💴 $15〜40、225席　カード AMV
行き方 ⓉレッドラインHarvard Square駅下車、徒歩約3分

ライルス
インターナショナルダンスも必見
Ryles

ジャズクラブ＆ライブハウス／ケンブリッジ／MAP▶折込地図裏-B1

　Inman Squareの顔ともいえるジャズクラブ。1階はライブハウス、2階はダンスフロアになっている。日曜はサンデイジャズブランチ10:00〜15:00もあり。2階は曜日ごとにインターナショナルダンスを開催。ショーによるがだいたい20:00頃からの営業。スケジュールはウェブサイトで要確認。

🏠 212 Hampshire St., Cambridge
☎ (617)876-9330
URL www.rylesjazz.com
💴 $5〜12　カード AMV　行き方 Ⓣレッドライン Central Square駅よりバス#83か#91。レッドラインHarvard Square駅、グリーンラインLechmere駅よりバス#69。レッドライン Central Square駅から徒歩約12分。

ボストンにも牛角がある　Gyu-Kaku ボストン店 Ⓜ P.39-C2 🏠 1002 Beacon St., Brookline ☎ (617) 264-6100。ハーバードスクエア店 Ⓜ P.110-2 🏠 16 Eliot St., 2nd Fl., Cambridge ☎ (857) 259-6666

Hotels

ホテル

ホテルの基礎知識

Hotel Information

ボストンのホテル事情

バックベイやダウンタウン、ウオーターフロントには、中級から最高級までさまざまなランクのホテルが集まる。少し離れたフェンウエイやブルックライン、ケンブリッジには、エコノミーホテルも点在する。ただし、全米でもトップクラスの観光地なだけあり、5〜11月はほかの時期と比べると$100〜200ほど跳ね上がる。

部屋の種類

シングルⓈ ベッドがひとつあるひとり用の部屋。日本でいうダブルサイズのベッドが多い。

ダブルⒹ ダブルベッドがひとつある部屋。日本でいうクイーンサイズやキングサイズが多い。

ツインⓉ ベッドがふたつある部屋で、多くの場合それぞれがダブルベッドであることが多い。

スイート[Su] 寝室と居間が分かれているタイプの部屋で、中級以上のホテルに多い。なかにはスイートルームだけのホテルもある。

料金の仕組み

ホテル料金は人数単位ではなく、ひと部屋単位が基本。シングル、ダブル、ツイン、スイートなどの種類で表記され、ひと部屋の料金でその部屋の定員数まで宿泊できる。

ホテルタックス

ボストンとケンブリッジのホテルタックスは14.45%。

コーヒーメーカー / ミニバー/冷蔵庫 / バスタブ / ヘアドライヤー / 室内金庫 / ルームサービス / レストラン / フィットネス/プール / コンシェルジュ / 日本語スタッフ / ランドリー/クリーニング / Wi-Fi / 駐車場 / 車椅子

超一流ホテルなので、欲張り派も大満足　最高級／バックベイ／MAP▶P.89-B2

H マンダリンオリエンタル・ボストン Mandarin Oriental Boston

プルデンシャルセンターに直結している。広々とした客室は、清潔で快適。内装のアースカラーは目にも体にも優しく、ホテル全体がほのかなアロマに包まれ、とてもリラックスできる。メンバーに登録すればWi-Fi無料。

[住]776 Boylston St., Boston, MA 02199
☎(617)535-8888 [Free](1-866)796-5475
[FAX](617)535-8889
[URL]www.mandarinoriental.com/boston
[料]ⓈⒹⓉ$545～975、[Su]$1395～8000、148室 [カード][A][D][J][M][V]
[行き方]Ⓣグリーンライン Copley駅下車、徒歩約4分

ビーコンヒルの丘の上に建つ　最高級／ビーコンヒル／MAP▶P.79-D2

H フィフティーンビーコン XV Beacon

築100年以上たつボザール様式の建物に入るブティックホテル。1999年にオープンしてから2006年、2012年に改装工事が行われた。すべての部屋に暖炉が設置され、カシミア製のブランケットを使用。Wi-Fi無料。

[住]15 Beacon St., Boston, MA 02108
☎(617)670-1500 [Free](1-877)982-3226
[FAX](617)670-6925
[URL]www.xvbeacon.com
[料]ⓈⒹⓉ$375～820、[Su]$1700～2650、63室
[カード][A][D][J][M][V] [行き方]Ⓣグリーンライン、レッドラインPark St.駅、グリーンライン、ブルーラインGovernment Center駅下車、ともに徒歩約5分

重厚な雰囲気が人気　最高級／ビーコンヒル／MAP▶P.79-B1

H リバティホテル The Liberty Hotel

1850年から1990年まで刑務所として使用されていた建物を改装して2007年にオープンしたホテル。オープンエアの吹き抜けのロビーは落ち着いた雰囲気だ。洗練された雰囲気が漂う客室はシニア層の旅行者にも好評だ。Wi-Fi無料。

[住]215 Charles St., Boston, MA 02114
☎(617)224-4000 [Free](1-866)961-3778
[FAX](617)224-4001
[URL]www.libertyhotel.com
[料]$365～849、[Su]$645～、298室
[カード][A][D][M][V]
[行き方]Ⓣレッドライン Charles/MGH駅下車、徒歩約1分

ローズワーフのランドマーク　最高級／ウオーターフロント／MAP▶P.67-A1

H ボストンハーバー・ホテル Boston Harbor Hotel

ウオーターフロントのランドマーク的存在。8～16階の客室からは、Atlantic Ave.とボストン湾を一望できる。全230室のうち、22室が1ベッドスイート。プール、レストラン完備。埠頭へも徒歩圏内だ。Wi-Fi無料。

[住]70 Rowes Wharf, Boston, MA 02110
☎(617)439-7000 [Free](1-888)752-7077
[FAX](617)330-9450
[URL]www.bhh.com
[料]ⓈⒹⓉ$280～870、[Su]$555～1500、230室
[カード][A][D][J][M][V] Ⓣブルーライン Aquarium駅下車、徒歩約5分

ダウンタウンの名門ホテル　高級／ダウンタウン／MAP▶P.35-C2

H ボストン・オムニ・パーカー・ハウス・ホテル Boston Omni Parker House Hotel

1850年代に建てられた歴史的な建物をリノベーションしたホテル。オープンしてから160年たつが、その間にビル・クリントン元大統領やコリン・パウエル元国務長官、フランクリン・D・ルーズベルト元大統領などあまたの政治家が利用してきた。その証として、地下には数多くの著名人の写真が展示されているほか、2階にはケネディ大統領が演説をしたプレスルームも残されている。立地のよさから予約が取れないことが多いが、少なくともこのホテルで生まれたボストン・クリームパイだけは味わってほしい。Wi-Fi$9.95。

[住]60 School St., Boston, MA 02108
☎(617)227-8600
[FAX](617)742-5729
[URL]www.omnihotels.com
[料]ⓈⒹⓉ$199～449、[Su]$324～665、551室
[カード][A][D][J][M][V]
[行き方]Ⓣグリーン、レッドライン Park St.駅、ブルー、オレンジラインState駅下車、ともに徒歩約3分

ボストンの中心で、落ち着きと洗練を　　高級／ダウンタウン／MAP▶P.35-C3

ハイアット・リージェンシー・ボストン　Hyatt Regency Boston

ボストンコモンやチャイナタウンにも近く、買い物や観光に便利。近年、全面改装され、美しくなった。宿泊客はビジネス客が中心。空港へのアクセスもよい。プールで気分転換を。車椅子対応25室。Wi-Fi無料。

[住]One Avenue de Lafayette, Boston, MA 02111
☎(617)912-1234　[FAX](617)451-2198
[URL]www.regencyboston.hyatt.com
[料]ⓈⒹⓉ$269～634、[Su]$344～2459、502室　[カード][A][D][J][M][V]
[行き方]Ⓣレッドライン Downtown Crossing駅下車、徒歩約5分

レストランやバーも人気がある　　高級／ダウンタウン／MAP▶P.85-C2

ロウズ・ボストン・ホテル　Loews Boston Hotel

元ボストン市警の本部だった建物を全面改築した。広い客室には、大型ベッド、大型液晶TV、コーヒーメーカー、ソファが設置されている。レストランStanhope Grilleとアイリッシュバ―Cuffsもあり。Wi-Fi無料。

[住]154 Berkeley St., Boston, MA 02116
☎(617)266-7200　[Free](1-855)495-6397
[FAX](617)266-7203
[URL]www.loewshotels.com
[料]ⓈⒹⓉ$259～549、[Su]$579～1079、224室　[カード][A][D][J][M][V]
[行き方]Ⓣグリーンライン Arlington駅下車、徒歩約5分

エレガントで機能的な超一流ホテル　　高級／ダウンタウン／MAP▶P.35-D2

ランガム・ホテル・ボストン　The Langham Hotel Boston

1922年に建てられた連邦準備銀行を改装しオープンした名門ホテル。諸外国のエグゼクティブに支持されている。荘厳で古風な外観とは対照的にロビーや客室は近代的。半径2マイルまで無料の送り迎えサービスあり。Wi-Fi無料。

[住]250 Franklin St., Boston, MA 02110
☎(617)451-1900　[FAX](617)423-2844
[URL]boston.langhamhotels.com
[料]ⓈⒹⓉ$219～545、[Su]$495～2500、318室　[カード][A][D][J][M][V]
[行き方]Ⓣオレンジ、ブルーライン State駅下車、徒歩約8分

ペット同伴可能のデザインホテル　　高級／ダウンタウン／MAP▶P.35-C2

ナインゼロ　Nine Zero

大理石のバスルームや高級ブランドのアメニティなど、いたるところに高級感があふれている。夕方には、ロビーで無料のワインサービスあり。Wi-Fi$12.99。無料で登録できるKimpton InTouchメンバーはWi-Fi無料。

[住]90 Tremont St., Boston, MA 02108
☎(617)772-5800　[Free](1-866)906-9090
[FAX](617)772-5810
[URL]www.ninezero.com
[料]ⓈⒹⓉ$209～529、[Su]$329～1500、190室　[カード][A][D][J][M][V]
[行き方]Ⓣグリーンライン、レッドライン Park St.駅下車、徒歩約3分

ボストンの有名人が集う　　高級／バックベイ／MAP▶P.85-C1

フェアモント・コープリー・プラザ・ボストン　The Fairmont Copley Plaza Boston

政治家や有名人がしばしばパーティを開く、格調の高いホテル。客室は重厚な家具とシックなインテリアでまとめられ、上品。コープリースクエアが目の前にあり、コープリープレイスやニューベリー通りも近く、地下鉄駅も近い。Wi-Fi$9.95。

[住]138 St. James Ave., Boston, MA 02116　☎(617)267-5300
[FAX](617)267-7668
[URL]www.fairmont.com
[料]ⓈⒹⓉ$289～724、[Su]$399～5000、383室
[カード][A][D][J][M][V]　[行き方]Ⓣグリーンライン Copley駅下車、徒歩約2分

バックベイの中心的存在　　高級／バックベイ／MAP▶P.85-B1～C1

ウェスティン・コープリープレイス　The Westin Copley Place

数多くの雑誌で高評価を得ているホテル。映画館なども入ったコープリープレイス（→P.123）内にある。プール、ラウンジ、レストラン、バーなども完備。大理石の浴室は高級感漂う。Wi-Fi$14.95。

[住]10 Huntington Ave., Boston, MA 02116　☎(617)262-9600
[Free](1-888)627-7216　[FAX](617)424-7483
[URL]westincopleyplaceboston.com
[料]ⓈⒹⓉ$279～449、[Su]$339～、803室　[カード][A][D][J][M][V]　[行き方]Ⓣグリーンライン Copley駅、オレンジライン Back Bay駅下車、ともに徒歩約3分

H レノックスホテル
典型的なクラシックホテル　　　　　　　高級／バックベイ／MAP▶P.85-B1
The Lenox Hotel

　コープリースクエアから徒歩約2分のBoylston St.に面し、町を遊び尽くすのに絶好の環境。その歴史は20世紀初頭に遡り、1963年からサンダース一族により守り継がれてきた。1階にレストラン&バーがある。Wi-Fi無料。

🏠61 Exeter St., Boston, MA 02116　☎(617)536-5300
Free(1-800)225-7676
📠(617)267-1237
URL www.lenoxhotel.com
💰ⓈⒹⓉ$275〜545、Ⓢⓤ$335〜1035、214室　カード A D M V
行き方ⓉグリーンラインCopley駅下車、徒歩約2分

H ボストン・パーク・プラザ・ホテル
1927年創業のホテル　　　　　　　高級／バックベイ／MAP▶P.34-B3
Boston Park Plaza Hotel

　豪華なロビーとは裏腹に、アメニティ類の効率化やロビーのゴミ箱の分別化など、時代にマッチしたエコロジーに努める。パブリックガーデン近くで白鳥のロゴマークが目印だ。Wi-FiはFacility Fee（$17.17）に含まれている。

🏠50 Park Plaza, Boston, MA 02116
☎(617)426-2000　📠(617)426-5545
URL bostonparkplaza.com
💰ⓈⒹⓉ$103〜411、Ⓢⓤ$187〜788、1054室　カード A D J M V
行き方ⓉグリーンラインArlington駅下車、徒歩約2分。オレンジラインBack Bay駅下車、徒歩約3分

H コロネードホテル
雰囲気は明るくカジュアル　　　　　　高級／バックベイ／MAP▶P.85-B2
The Colonnade Hotel

　プルデンシャルセンターの目の前にある高級ホテル。大きな窓とヨーロピアンテイストの客室がおしゃれ。屋上には眺めのよいプールがあり、家族連れに好評だ。バックベイの中心にあり、どこに行くにも便利。Wi-Fi無料。

🏠120 Huntington Ave., Boston, MA 02116　☎(617)424-7000
Free(1-800)962-3030　📠(617)424-1717
URL www.colonnadehotel.com
💰ⓈⒹⓉ$279〜545、Ⓢⓤ$609〜1079、285室　カード A D J M V
行き方ⓉグリーンラインPrudential駅下車、徒歩約1分

H シェラトン・ボストン・ホテル
ショッピングモールに隣接　　　　　高級／バックベイ／MAP▶P.85-A1
Sheraton Boston Hotel

　日本発のパックツアーにも指定されている大型ホテル。ホテルからプルデンシャルセンターを経てコープリープレイス（→P.123）まで連絡通路でつながっているので、雨にぬれることなく、食事、買い物、観光を楽しめる。本館、タワー館に分かれ、高層階からは夜景も一望の下。バークリー音楽大学の近くにあり、夜遅くなってもホテル周辺には人通りがある。太陽がさんさんと降り注ぐプールはボストン市内にあるホテルのなかでも指折りの快適さ。Wi-Fi$9.95。

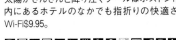

🏠39 Dalton St., Boston, MA 02199
☎(617)236-2000
Free(1-888)627-7054
📠(617)236-1702
URL www.sheratonbostonhotel.com
💰ⓈⒹⓉ$169〜381、Ⓢⓤ$268〜524、1220室
カード A D J M V
行き方ⓉグリーンラインPrudential駅下車、徒歩約3分

H ホテルコモンウェルス
フェンウエイパークを望む客室　　　　高級／フェンウエイ／MAP▶P.36-A2
Hotel Commonwealth

　フェンウエイパークの近くにある名門ホテル。スタッフのサービスも超一流だ。客室から球場を望むフェンウエイルームが有名で、球場ツアーのチケット付きパック料金もある。ビジネス客やシニア層にも人気だ。Wi-Fi無料。

🏠500 Commonwealth Ave., Boston, MA 02215
☎(617)933-5000　📠(617)266-6888
URL www.hotelcommonwealth.com
💰ⓈⒹⓉ$199〜519、Ⓢⓤ$279〜1039、149室　カード A D J M V
行き方ⓉグリーンラインKenmore駅下車、徒歩約1分

H ニューイングランド水族館のすぐそば

高級／ウオーターフロント／MAP▶P.67-A1

ボストン・マリオット・ロングワーフ Boston Marriott Long Wharf

ウオーターフロントでいちばんにぎやかな場所。すべての客室から海が見渡せ、夜景の美しさは格別だ。クインシーマーケットも徒歩圏内にあり、ボストン観光に最適。フリーダムトレイル沿いで便利だ。Wi-Fi$14.95。

[住]296 State St., Boston, MA 02109
☎(617)227-0800
[FAX](617)227-2867
[URL]www.marriott.com
[料]ⓈⒹⓉ$259～679、[Su]$429～929、412室 [カード][A][D][J][M][V]
[行き方]Ⓣブルーライン Aquarium駅下車、徒歩約1分

H MITの関係者が定宿にしている

高級／ケンブリッジ／MAP▶P.116-A

ハイアット・リージェンシー・ケンブリッジ・オーバールッキング・ボストン Hyatt Regency Cambridge, Overlooking Boston

マサチューセッツ工科大学の隣にあるホテル。ボストンダウンタウンにあるハイアットホテルよりお手頃価格なので、ビジネス客のリピーターが多い。ボストンのスカイラインを見渡せるプールやフィットネスセンターを無料で利用できるのうれしい。多少追加料金がかかるが、日の出と日没が眺められるチャールズ川沿いの部屋を予約したい。ハーバードスクエアやケンドールスクエア、ケンブリッジサイド・ギャラリアまで無料のシャトルバスサービス(7:00～21:00)がある。Wi-Fi無料。

[住]575 Memorial Dr., Cambridge, MA 02139
☎(617)492-1234
[Free](1-800)233-1234
[FAX](617)491-6906
[URL]cambridge.hyatt.com
[料]ⓈⒹⓉ$179～524、481室
[カード][A][D][J][M][V]
[行き方]Ⓣグリーンライン(B) Boston University Centralから徒歩約16分

H 近未来的な空間が広がるクールなホテル

高級／ケンブリッジ／MAP▶P.116-B

ル・メリディアン・ケンブリッジ-MIT Le Meridien Cambridge-MIT

マサチューセッツ工科大学の協力で、随所に革新的でユニークなデザインを取り込んだホテル。洗練された内装に目を見張る。目の前にはスーパーマーケットもあり便利だ。Wi-Fi無料。

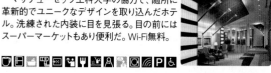

[住]20 Sidney St., Cambridge, MA 02139
☎(617)577-0200
[FAX](617)494-8366
[URL]www.starwoodhotels.com
[料]ⓈⒹⓉ$319～750、[Su]$390～800、210室 [カード][A][D][J][M][V]
[行き方]Ⓣレッドライン Central駅下車、徒歩約8分

H ケンブリッジのブティックホテル

高級／ケンブリッジ／MAP▶P.34-B1

ホテルマーロウ Hotel Marlowe

テーマカラーがゴールドとえんじ、アニマル柄とベルベットのブティックホテル。毎朝、ロビーホールで無料のコーヒーサービスを実施している。ペットフレンドリーな宿なので、愛犬家が多く泊まっている。Wi-Fi$12.99。

[住]25 Edwin H. Land Blvd., Cambridge, MA 02141
☎(617)868-8000 [Free](1-800)825-7140
[FAX](617)868-8001
[URL]www.hotelmarlowe.com
[料]ⓈⒹⓉ$229～514、[Su]$324～1294、236室 [カード][A][D][J][M][V]
[行き方]Ⓣグリーンライン Lechmere駅下車、徒歩約7分

H ケンブリッジの高級イン

高級／ケンブリッジ／MAP▶P.110-2

ホテルベリタス The Hotel Veritas

1880年代に建てられた個人の邸宅を改装した高級ブティックホテル。内装はクールかつエレガントだ。バスタブのある客室は4室のみだが、シャワー室も快適。フロント横に24時間無料のコーヒーが用意されている。Wi-Fi無料。

[住]1 Remington St., Cambridge, MA 02138 ☎(617)520-5000
[Free](1-888)520-1050
[FAX](617)649-8043
[URL]www.thehotelveritas.com
[料]ⓈⒹⓉ$229～449、31室
[カード][A][J][M][V] [行き方]Ⓣレッドライン Harvard Square駅下車、徒歩約5分

ブティックホテルへと変身　中級／バックベイ／MAP▶P.85-B1

H コープリースクエア・ホテル Copley Square Hotel

1891年創業の中級ホテル。バックベイのランドマーク的な存在の外観をそのままに、ブティックホテルに大改装、シックなインテリアの客室がモダンに変貌した。地下にはライブでにぎわうクラブもある。Wi-Fi無料。

[住]47 Huntington Ave., Boston, MA 02116
☎(617)536-9000 [Free](1-800)225-7062
[FAX](617)421-1402
[URL]www.copleysquarehotel.com
[料]ⓈⒹⓉ$239～679、[Su]$419～929、143室 [カード][A][J][M][V]
[行き方]Ⓣグリーンライン Copley駅下車、徒歩約3分

ファニュエルホールまで徒歩約3分と立地がいい　中級／ダウンタウン／MAP▶P.67-A1

H ヒルトン・ボストンダウンタウン・ファニュエルホール Hilton Boston Downtown/Faneuil Hall

日本人にも評判がいいヒルトンホテル。場所柄ビジネス客の利用が多いが、クインシーマーケットやニューイングランド水族館に近いので観光にも適している。客室の天井は高く、広々とした印象。Wi-Fi$14.95。

[住]89 Broad St., Boston, MA 02110
☎(617)556-0006 [Free](1-800)445-8667
[FAX](617)556-0053
[URL]bostonfinancial.hilton.com
[料]ⓈⒹⓉ$219～349、[Su]$399～589、403室 [カード][A][D][J][M][V]
[行き方]Ⓣブルーライン、オレンジラインState駅、ブルーラインAquarium駅下車、ともに徒歩約5分

夜も人通りが多いシアターディストリクトにある　中級／ダウンタウン／MAP▶P.37-D2

H コートヤード・ボストン・ダウンタウン Courtyard Boston Downtown

ダウンタウンの中心部へ徒歩圏内に位置し、一定の設備が揃っているので、ビジネス客に好評のホテル。ロビーでは無料のコーヒーサービスがある。チャイナタウンまで歩いて3分ほどなので食事には困らない。Wi-Fi無料。

[住]275 Tremont St., Boston, MA 02116
☎(617)426-1400 [Free](1-888)236-2427
[FAX](617)482-6730
[URL]www.marriott.com
[料]ⓈⒹⓉ$199～559、[Su]$299～599、315室 [カード][A][D][M][V]
[行き方]Ⓣグリーンライン Boylston駅下車、徒歩約4分

数々の賞を獲得したレストランが入る　中級／ダウンタウン／MAP▶P.34-B3

H リビアホテル Revere Hotel

2012年4月にオープンしたスタイリッシュなホテル。ロビーエリアにはおしゃれな彫刻が展示され、センスのよさが見て取れる。夏季はルーフトップバーもオープン。30～40歳代のカップルに人気だ。Wi-Fi無料。

[住]200 Stuart St., Boston, MA 02116
☎(617)482-1800 [FAX](617)451-2750
[URL]www.reverehotel.com
[料]ⓈⒹⓉ$239～549、[Su]$429～719、356室 [カード][A][D][J][M][V]
[行き方]Ⓣグリーンライン Arlington駅、Boylston駅、オレンジラインTufts Medical Center駅下車、ともに徒歩約5分

劇場街、チャイナタウンそばの快適ホテル　中級／ダウンタウン／MAP▶P.35-C3

H ダブルツリー・バイ・ヒルトン・ホテル・ボストン・ダウンタウン DoubleTree by Hilton Hotel Boston Downtown

2014年に大規模な改装工事を終えたヒルトン系列のホテル。チャイナタウンが近いこともあり、デザイン、家具の配置などに風水のコンセプトを取り入れている。部屋は暖色系で優雅にまとめられ、居心地抜群。2階のロビーエリア前にあるレストランは6:00から23:00まで開いているので、チェックイン後に出歩く必要がないのもありがたい。プールやフィットネスセンターは、隣にあるYMCAの施設を無料で利用できる。チェックインの際にもらえるチョコチップクッキーもおいしい。Wi-Fi$9.95。

[住]821 Washington St., Boston, MA 02111
☎(617)956-7900
[Free](1-800)222-8733
[FAX](617)956-7901
[URL]doubletree3.hilton.com
[料]ⓈⒹⓉ$139～359、267室
[カード][A][D][J][M][V]
[行き方]Ⓣオレンジライン Tufts Medical Center駅下車、徒歩約1分

ウインダム・ボストン・ビーコンヒル Wyndham Boston Beacon Hill

ビジネス街だが、見どころも近い

中級／ビーコンヒル／MAP▶P.79-C1

親切な対応で定評の中級ホテル。ロビーにはツアーデスクもあり、旅のアレンジも可能だ。屋外の温水プールでリラックスもできる。フィットネスセンター、ビジネスセンターも完備。Wi-Fi無料。

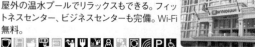

[住]5 Blossom St., Boston, MA 02114
☎(617)742-7630 [Free](1-877)999-3223
[FAX](617)742-4192
[URL]www.wyndhambeaconhill.com
[料]ⓈⒹⓉ$199～429、[Su]$289～499、304室 [カード][A][D][J][M][V]
[行き方]Ⓣレッドライン Charles／MGH駅下車、徒歩約5分

チャンドラー・イン・ホテル Chandler Inn Hotel

サウスエンドのお手頃価格の宿

中級／サウスエンド／MAP▶P.37-C2

外観は古いが、客室はリノベーションされたばかりでとてもきれいだ。バス、トイレはコンパクトにまとまり、シャワーのみ。宿泊客は30～50歳代のカップルが中心だ。Wi-Fi無料。

[住]26 Chandler St., Boston, MA 02116
☎(617)482-3450 [FAX](617)542-3428
[URL]www.chandlerinn.com
[料]ⓈⒹⓉ$129～269、56室
[カード][A][D][J][M][V]
[行き方]Ⓣオレンジライン Back Bay駅下車、徒歩約5分

バーブホテル The Verb Hotel

フェンウエイパークの裏にある

中級／フェンウエイ／MAP▶P.36-A2

2013年にリニューアルオープンしたブティックホテル。地下鉄の最寄り駅からは少し離れているが、ボストン美術館やイザベラ・スチュワート・ガードナー美術館まで歩いて行けるので便利だ。Wi-Fi無料。

[住]1271 Boylston St., Boston, MA 02215
☎(617)566-4500
[URL]www.theverbhotel.com
[料]ⓈⒹⓉ$229～359、94室
[カード][A][D][M][V]
[行き方]Ⓣグリーンライン Kenmore駅下車、徒歩約10分

コートヤード・ボストン・ブルックライン Courtyard Boston Brookline

ロビーで楽しむ無料のコーヒー

中級／ブルックライン／MAP▶P.38-A3

Ⓣグリーンライン(C)クーリッジコーナー駅の近く。8階建ての瀟洒な建物でロビー階にレストランや中庭、カップ麺などを売る売店もある。客室は広く設備も万全。付近はレストラン街なので食事にも困らない。Wi-Fi無料。

[住]40 Webster St., Brookline, MA 02446
☎(617)734-1393 [Free](1-888)236-2427
[FAX](617)734-1392
[URL]www.marriott.com
[料]ⓈⒹⓉ$199～379、[Su]$249～459、188室 [カード][A][D][J][M][V]
[行き方]Ⓣグリーンライン(C)Coolidge Corner駅下車、徒歩約3分

ホリデイ・イン・ボストン-ブルックライン Holiday Inn Boston-Brookline

屋内プールも完備

中級／ブルックライン／MAP▶P.38-B2

日本人ツアー客もよく利用するホテル。ブルックラインの中心地にある。ホテル裏手は屈指の高級住宅街で、閑静な環境。ダウンタウンへも地下鉄を使えば20分ほどで到着する。レストランやカフェもあり、居心地がよい。Wi-Fi無料。

[住]1200 Beacon St., Brookline, MA 02446 ☎(617)277-1200
[FAX](617)734-6991
[URL]www.ihg.com
[料]ⓈⒹⓉ$181～409、[Su]$245～409、226室 [カード][A][D][J][M][V]
[行き方]Ⓣグリーンライン(C)St. Paul St.駅下車、徒歩約1分

ロイヤル・ソネスタ・ボストン Royal Sonesta Boston

チャールズ川の眺望が美しい

中級／ケンブリッジ／MAP▶P.34-B1

チャールズ川に面したリゾートのような4つ星ホテル。ロビー階にはアート作品が飾られ美術館のよう。客室は都会的で機能性に富んでいる。5月下旬～9月初旬まで無料の貸し自転車、レモネードとクッキーのサービスあり。Wi-Fi無料。

[住]40 Edwin Land Blvd., Cambridge, MA 02142
☎(617)806-4200 [FAX](617)806-4232
[URL]www.sonesta.com/boston
[料]ⓈⒹⓉ$199～539、[Su]$299～599、400室 [カード][A][D][J][M][V]
[行き方]Ⓣグリーンライン Lechmere駅下車、徒歩約8分

H ケンブリッジにある穴場のホテル　中級／ケンブリッジ／MAP▶P.34-A1

ハンプトンイン・ボストン／ケンブリッジ Hampton Inn Boston/Cambridge

シンプルな造りだが、ビジネス客にも家族連れにも対応している。最寄りの地下鉄Lechmere駅からダウンタウンまでグリーンラインで約10分。ケンブリッジサイド・ギャレリアも徒歩圏内なので不自由しない。朝食、Wi-Fi無料。

[住]191 Monsignor O'Brien Hwy., Cambridge, MA 02141　☎(617)494-5300　[Free](1-800) 426-7866　[FAX](617)494-6569　[URL]hamptoninn3.hilton.com　[料]ⓈⒹⓉ$169～409、114室　[カード][A][D][J][M][V]　[行き方]Ⓣグリーンライン Lechmere駅下車、徒歩約2分

H 空港敷地内にある　中級／エアポート／MAP▶P.41

ヒルトン・ボストン・ローガン空港 Hilton Boston Logan Airport

ローガン国際空港と連絡通路でつながっているホテル。ターミナルAとEからホテルまで徒歩で5分ほどのうえ、24時間無料の空港シャトルバスも運行している。夜遅い到着便や朝早い出発便を利用する人に評判がいい。周辺にはレストランやショップはないが、館内にはレストランやバーラウンジがあるほか、ちょっとしたおみやげも揃うお店もあるので不便ではない。ボストンダウンタウンまでは、空港から地下鉄のシルバーラインを利用すれば、約20分で到着できる。Wi-Fi無料。

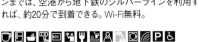

[住]1 Hotel Dr., Boston, MA 02128　☎(617)568-6700　[Free](1-800)774-1500　[FAX](617)568-6800　[URL]www3.hilton.com　[料]ⓈⒹⓉ$159～519、[Su]$499～669、559室　[カード][A][D][J][M][V]　[行き方]ローガン国際空港から徒歩約5分

H 空港周辺でお手頃価格　中級／チェルシー／MAP▶P.32-B2

ウィンダム・ボストン・チェルシー Wyndham Boston Chelsea

ローガン国際空港の北約2.5kmのチェルシー市にあるホテル。空港からホテルまで無料のピックアップサービスがあるので車がない人でも不自由しない。レストランやバーラウンジ、ビジネスセンター、フィットネスセンター、プールなどが揃っている。徒歩圏内にはスーパーマーケットやレストランが集まったモールもあり便利だ。歩いて約9分のChelsea駅からコミューターレイルNewburyport/Rockport線でボストンのNorth Stationまで約15分。ホテルの半径2マイル以内は無料のシャトルサービス(4:00～24:00)がある。Wi-Fi無料。

[住]201 Everett Ave., Chelsea, MA 02150　☎(617)884-2900　[Free](1-877)999-3223　[FAX](617)884-7888　[URL]www.wyndham.com　[料]ⓈⒹⓉ$149～289、180室　[カード][A][D][J][M][V]　[行き方]コミューターレイルChelsea駅から徒歩約9分

H 観光に便利なロケーションでこの値段　エコノミー／バックベイ／MAP▶P.85-A2

ミッドタウンホテル The Midtown Hotel

プルデンシャルセンターまで徒歩約3分と立地がいいわりに、お手頃の値段で宿泊できるとあって、日本人にも人気があるホテル。設備はいささか古いが、親切なスタッフと必要なものが揃っている客室に不自由さは感じない。Wi-Fi無料。

[住]220 Huntington Ave., Boston, MA 02115　☎(617)262-1000　[Free](1-800)343-1177　[FAX](617)262-8739　[URL]www.midtownhotel.com　[料]ⓈⒹⓉ$99～300、159室　[カード][A][D][J][M][V]　[行き方]Ⓣグリーンライン(E)Prudential駅、Symphony駅下車、ともに徒歩約2分

H｜ レッドソックスの試合を見に行くなら
ホテルバックミンスター

エコノミー／フェンウエイ／**MAP ▶ P.36-A2**

Hotel Buckminster

地下鉄の駅がそばにあり、フェンウエイパークまで徒歩約3分。客室内に一定のものは揃い、無料の朝食が付くのでコストパフォーマンスがいい。建物はボストン公共図書館を建築したスタンフォード・ホワイトによるもの。Wi-Fi無料。

🏠645 Beacon St., Boston, MA 02215　☎(617)236-7050
Free (1-800)727-2825 ☎(617)262-0068
URL www.bostonhotelbuckminster.com
料 Ⓢ Ⓓ Ⓣ $130～280、Ⓢ $140～450、132室　カード AJMV
行き方 ⓉグリーンラインKenmore駅下車、徒歩約2分

H｜ 2012年に移転した若者に人気のユースホステル
ホステリング・インターナショナル・ボストン

ホステル／ダウンタウン／**MAP ▶ P.35-C3**

Hostelling International Boston

地下鉄駅から徒歩約4分のチャイナタウンにある。キッチン、シャワーは共同だが、清潔。スタッフも親切で、美術館やハーバード大学などへの無料ツアーをはじめイベントも各種開催される。混み合う夏は予約したほうがいい。朝食、Wi-Fi無料。

🏠19 Stewart St., Boston, MA 02116　☎(617)536-9455
Free (1-888)464-4872 ☎(617)426-2158
URL www.bostonhostel.org
料 ドミトリー$35～67、個室$100～200、481ベッド　カード AJMV
行き方 ⓉグリーンラインBoylston駅、オレンジラインChinatown駅下車、ともに徒歩約4分

H｜ シャワーなどは共同でも個室なので安心
40バークレー

ホステル／サウスエンド／**MAP ▶ P.37-C2**

40 Berkeley

おしゃれなカフェや店が増え、近年注目を浴びるようになったサウスエンドにある。トイレやシャワー、洗面所が共同の部屋が多いが、清潔。中庭やロビーも広く、くつろぐことができる。Wi-Fi無料。

🏠40 Berkeley St., Boston, MA 02116　☎(617)375-2524
Free (1-877)748-2758 ☎(617)375-2525
URL www.40berkeley.com
料 Ⓢ $70～185（バス、トイレ共同）、Ⓢ $110～370（バス、トイレ付き）、200室
カード AJMV 行き方 ⓉオレンジラインBack Bay駅下車、徒歩約8分

H｜ Ⓣチャールズ駅すぐそば
ジョン・ジェフリーズ・ハウス

B&B／ビーコンヒル／**MAP ▶ P.79-B1**

John Jeffries House

ビーコンヒルの北西端にあるれんが造りの大邸宅風の外観。客室のほとんどが冷蔵庫や電子レンジを備えたキチネットなので、食材を買えば自炊もできる。地下鉄駅もすぐ近くなので、観光にはたいへん便利だ。朝食、Wi-Fi無料。

🏠14 David G. Mugar Way, Boston, MA 02114　☎(617)367-1866
☎(617)742-0313
URL www.johnjeffrieshouse.com
料 Ⓢ Ⓓ $117～164、Ⓢ $148～199、46室　カード ADJMV
行き方 ⓉレッドラインCharles/MGH駅下車、徒歩約2分

H｜ 静かな環境にある美しいイン
バートラムイン

B&B／ブルックライン／**MAP ▶ P.38-B3**

The Bertram Inn

ブルックラインの町並みに溶け込むように建つ1907年築造の建物を改装したイン。無料の朝食は1階のパティオでいただく。客室は優雅に整えられ、贅沢な気分を満喫できる。有料だが駐車場があり、車利用者にはありがたい。Wi-Fi無料。

🏠92 Sewall Ave., Brookline, MA 02446　☎(617)566-2234
Free (1-800)295-3822 ☎(617)277-1887
URL www.bertraminn.com
料 Ⓢ Ⓓ Ⓣ $139～269、14室
カード AMV
行き方 Ⓣグリーンライン(C) St. Paul St.駅下車、徒歩約3分

H｜ 日本人オーナーのなごみの宿
T(ティ)おばさんの家(ハウス・オブ・ボストン)

レントルーム／ブルックライン／**MAP ▶ P.38-B2**

House of Boston

オーナーの自宅を改築したもので、客室はスイートを含め11室。毎日オーナー手作りの朝食（和食と洋食が1日おき）が楽しめる。長期滞在者のためのキッチンやランドリーもあり、冷蔵庫や鍋などの台所用品も完備。Wi-Fi$3。

🏠10 Dummer St., Brookline, MA 02446
☎(617)734-8714 ☎(617)731-5201
URL www.tbbboston.com
e-mail info@tbbboston.com
料 Ⓢ $90～129、Ⓣ $139～209、Ⓢ 1人$170～、2名室は各50%増し。11室　カード 不可（現金、T/Cのみ）　行き方 ⓉグリーンラインBoston University West駅下車、徒歩約3分

Sports

スポーツ

プロスポーツを観戦しよう

MLB 大リーグ（野球）
ボストン・レッドソックス

Boston Red Sox
URL boston.redsox.mlb.com
シーズン 4月上旬〜10月上旬
リーグ アメリカンリーグ東地区
American League East Division
ホームグラウンド Fenway Park
（→P.105）
M P.36-A2
住 4 Yawkey Way, Boston
Free (1-877)733-7699（チケット）
座席数：ナイター3万7673、デイゲーム3万7227
チケット $12〜220
行き方 T グリーンライン(B)(C)(D) Kenmore 駅下車。Commonwealth Ave.を西へ約50m行き、Brookline Ave.を左折。I-90の陸橋を渡れば目の前が球場だ。駅から徒歩約5分。試合当日は大勢の人が歩いているので、そのあとをついて行けば、間違いなし。
球場にはA〜Eの5つのゲートがある。チケットを確認して自分の席にいちばん近いゲートから入場しよう。試合開始90分前にゲートは開く

2012年で創立100周年を迎えた球場

日本でも知名度は抜群のボストン・レッドソックス。アメリカ東海岸でニューヨーク・ヤンキースと人気を二分する名門チームだ。本拠地をボストン、フェンウエイパークFenway Parkにおく。2007年松坂大輔投手が移籍してから、上原浩治投手や田澤純一投手など日本人選手の獲得にも積極的で、日本でのTV中継も増えている。

さて、そのレッドソックス。意外に知られていないが、アメリカ野球史上、最も偉大な大打者ベーブ・ルースがメジャーデビューを飾ったのが、この球団である。さらに、最後の4割打者といわれるテッド・ウィリアムズを生み出したのもこのチームだ。1901年のアメリカンリーグ創設と同時に、予定地のニューヨーク州バッファローからボストンへ本拠地を移し、1903年の第1回ワールドシリーズを制覇した。

歴史のあるわりにはなかなか優勝することができず、宿敵ヤンキースのファンからは、長いこと揶揄されてきた。2003年、プレイオフの死闘といわれたALCS（アメリカンリーグ・チャンピオンシリーズ）では、最終戦のそのまた延長戦でサヨナラホームランを浴び、ヤンキースに惜敗。2004年に再びALCSでヤンキースとまみえるも、3連敗。しかし、そこから奇跡の4連勝を呼び、見事リーグ優勝を果たした。その勢いでワールドシリーズも勝ち進み、86年ぶり6度目のワールドチャンピオンに輝いた。

2007年には3年ぶりにワールドシリーズに進出。コロラド・ロッキーズをスイープ（4連勝）して、再びボストンへと凱旋した。2008、2009年はワイルドカードでプレイオフにコマを進めるが、投手力の弱さからファーストステージで敗退。2010年、2011年は地区3位、2012年は地区最下位に終わった。2013年はジョン・ファレル新監督に替わり、チーム状況が一新。上原浩治投手と田澤純一投手の活躍により、6年ぶり8度目の世界一に輝いた。レッドソックスが本拠地ボストンでワールドシリーズを制覇したのは1918年以来95年ぶりのこと。

2014、2015年は優勝候補に挙げられていたものの、地区最下位に沈んだ。2015年11月、球界を代表する抑え（クローザー）のクレイグ・キンブレル投手をサンディエゴ・パドレスからトレードで獲得し、ワールドシリーズ進出を目指す。

ボストン・レッドソックスを応援しよう

左翼の巨大な緑の壁（グリーンモンスター）が印象的なフェンウエイパークは、何よりもレッドソックスを愛するボストン市民で、常に超満員だ。ファンの熱い思いが大きな後押しとなって、レッドソックスは誰もが注目する強いチームに成長した。ボストンを訪れる際は、球場でレッドソックスを応援したい!!

約1世紀にわたって国民に愛されている球場だ

地面積で最小の球場。ノスタルジーを感じさせる球場は、古きよきアメリカの伝統を今も伝えている。観客席と選手の距離がとても近く、その近さを見るだけで感激してしまうはず。

そんな球場でプレイするレッドソックスの創設は、1901年。1918年まで5回の世界制覇を達成するものの、以後86年間優勝から遠ざかっていた。その間5回ワールドシリーズに出場したが、試合終了直前に痛恨のエラーが出るなど、まるでのろわれた（バンビーノののろい→P.159）かのようにあと一歩のところで負け続けた。

アメリカンベースボールの原点が楽しめる球場

大リーグファンだけでなく、アメリカ人が一生のうち一度は訪れたい球場の筆頭に挙げられるのが、ボストンのフェンウエイパークだ。歴史的な理由や特別な雰囲気はもちろん、どうやら熱狂的なファンの応援を見るのもその理由らしい。観光とはまったく違う、最もアメリカらしい体験ができる場所なのだ。

誰もが憧れるフェンウエイパーク

レッドソックスの本拠地、フェンウエイパークは、1912年に建てられた全米最古、かつ敷

レッドソックスのファン気質

優勝もかなわず、長い間煮え湯を飲まされ続けたボストン市民のレッドソックスに対する愛は、海よりもずっと深い。おそらく全米一深い。裏を返せば、裏切られたときは、すさまじいほどの憎悪となる。そして、ニューヨーク・ヤンキースを心より憎むことがレッドソックス・ファンには宿命づけられている。合言葉は「ヤンキース・サック Yankees Suck!（くたばれ、ヤンキース）」

チケット入手の奥の手

レッドソックス観戦はチケットの確保が難しいとされてきたが、近年は、観戦したい試合の数日前ならウェブサイトからでも入手できる確率が高い。確保できなかった場合は、下記の方法がある。

ゲートE / 当日売りに並ぶ

ゲートEで試合開始1時間前から当日券を100枚から200枚ほど（日によって異なる）販売する。3人で見る場合、必ず3人とも並ぶ必要があるが、当日券を入手できる率が高い。試合開始2〜3時間前には並んでおきたい。

ゲートC / スキャルプフリーゾーン Scalp Free Zone で当日券ゲット!

当日のチケットを持っている人がその日に行けない場合、誰でもチケットを売りに来られる場所がここ！　ダフ屋行為は違法なので、球団スタッフの監視の下で売買が行われ、安全。定価もしくはそれ以下での売買のみ許可されており、格安チケットを入手できる可能性大！　試合開始90分前からゲートCで。

オフィスに電話をかける

英語力が必要だが、球場に電話をかける。当日、企業や団体、相手チームなどに出したチケットがキャンセルされ、回ってくる場合もあるので、当日でもトライして！　並びの席を探したり、チケットに関するアドバイスももらえる。

●フェンウエイ・チケットオフィス Free (1-877)733-7699
●24時間自動音声案内 Free (1-888)733-7696

まず希望の日程、次に必要な席数、Best Available でチケットを割り当ててもらうか、自分で席の種類を選ぶか選択する。席を選び、確定したら、クレジットカード情報を入力、最後に予約番号 Confirmation Number をもらう。ただし、シーズンによって異なる場合もある。

ツアーではグリーンモンスターの上にも行くことができる

試合当日、球場前は縁日のようなにぎわい

球場見学ツアー

雰囲気も抜群にすばらしく、誰もが行ってみたいと思う全米最古の球場を案内するツアーが、1年をとおして行われている。ツアーでは、名物のグリーンモンスター、記者席、レッドソックスの殿堂などを回る（訪れるエリアは、時期により異なる場合がある）。

バドワイザー・ライトフィールド・ルーフデッキで説明を聞くツアー客

Fenway Park Tour
☎(617)226-6666
営行 毎日9:00～17:00（シーズン中は試合開始の3時間前のツアーが最終）の1時間おきに出発。チケットは、Yawkey WayとVan Ness St.の角にあるゲートDのチケット売り場で購入できる。約1時間。大人$18、シニア17、子供（3～15歳）$12。日本語でガイドできるスタッフも在籍しているので、チケットオフィスで確認を！

観戦前に球場を歩く

球場ゲートは試合開始の90分前に開く。できれば開場時間と同時に入場して、いろいろなことを楽しもう。ただし、いったん入場したあと、スタジアムの外に出てもう一度入場することは不可能なので注意するように。また、入場前には荷物検査もある。

球場がオープンする頃、だいたいどちらかのチームが練習をしている。レッドソックスが練習をしていなくても、何人かの選手はストレッチ運動をしているはず。もし、近くにいたらサインをおねだりしよう。選手によっては自分からサインを始める人もいる！　次はブルペンへ。先発をはじめとする投手の練習風景を見ることができる。

また、球場探検もかねて、とにかくぶらぶら歩いてみよう。子供がゲームに興じていたり、名物ビールに列を作っていたり、さまざまなものが目に飛び込んでくる。熱狂的なレッドソックス・ファンのなかには有名人も多いから、意外な人物に出会えるかも。

球場内には写真撮影スポットがいたる所にある

ライトフィールドのブリーチャー席に1席だけ赤く塗られた座席がある。Section 42、Row 37、Seat 21。この場所こそ、1946年6月9日、テッド・ウィリアムズTed Williamsが放ったフェンウエイ史上最長のホームランが落下した所だ。

ライトフィールド・ブリーチャーには赤い席がひとつ

バドワイザーのネオンサインが立つライトフィールド・ルーフデッキには、試合中オープンするビールバーがある。そのルーフデッキにはホームベースとボールがデザインされたテーブル席も設置されている。

バドワイザー・ルーフデッキのテーブル席

ヨーキーウエイ・ストアで買い物

できれば、試合開始前にじっくりおみやげを物色したい。球場向かいにあるヨーキーウエイ・ストア Yawkey Way Store（→ P.126）は、面積も広く、グッズの品揃えは抜群だ。定番のTシャツをはじめ、ボール、キーチェーン、赤ちゃんのよだれかけや往年の選手のレプリカグッズなど、ファンなら感涙もののメモラビリアまで並んでいる。特にキャップとTシャツの種類の多さは、ほかでは決して見られないほど。また、女性用のかわいいものがこれだけ取り揃えてあるのは、全米の球場のなかでもおそらくここだけだろう。

レッドソックス・ファンなら時間を取りたいショップだ

フェンウエイ名物を食べる

1番のおすすめは、フェンウエイフランクと呼ばれるホットドッグ。ソーセージの塩とスパイスの加減がほどよく、レギュラーサイズとフットロングサイズの2種類がある。実は、あのイチロー選手もフェンウエイパークのホットドッグが大好き。スポーツ専門TV局のインタビューに答えていたほどだ。

2番目のおすすめが、ボストン名物のクラムチャウダー。うれしいことに、フェンウエイパークでもクラムチャウダーが販売されている。しかも、シーフードで評判のリーガルシーフード店のクラムチャウダーなのである。特に寒い季節にはおすすめ。

レッドソックス・ファン憧れの観戦方法が、ライトスタンド後方のビールスタンドから、ビールを片手に飲みながらの観戦。アメリカで最もポピュラーなビールである「バドワイザー」を味わいながら、大声で思いっきり応援しよう！

球場で食べるリーガルシーフードのクラムチャウダーも、おつ

グリーンモンスターにあるコカ・コーラの売店は、グリーンモンスターカラーで統一されている

「バンビーノののろい」とは？

1918 年に優勝してから、再びワールドチャンピオンに輝くまで、86 年を要したレッドソックス。その長い間、優勝できなかった理由が「バンビーノののろい」といわれている。バンビーノとはジョージ・ハーマン・ルース・ジュニア George Herman Ruth Jr.（ベーブ・ルース）のあだ名で、ルースはかつてレッドソックスに在籍していた。当時のオーナー会社が業績悪化したとき、ベーブ・ルースをヤンキースにトレードしたお金で経営の建て直しを図ったのである。ルースはヤンキースで目覚ましい活躍をするものの、ボストンでの平和な生活が一変し、酒や女に溺れ、うらみを残してこの世を去ったといわれている。そのうらみが「バンビーノののろい」といわれていて、生き長らえていたわけだ。

スポーツバーで観戦

チケットが入手できなかった場合は、球場の下にあるバー The Bleacher Bar や付近のレストランバー Cask'n Flagon（→ P.143）と Game On!（→ P.143）などで観戦するといい。

ブリーチャーバー
The Bleacher Bar

🗺 P.39-D2
🏠 82A Lansdowne St., Boston
☎ (617)262-2424
🕐 毎日11:00〜翌1:00（木〜土〜翌2:00）
カード Ａ Ｍ Ｖ

チケットがなくても、ここから観戦ができる

知る人ぞ知る、観戦の穴場がここ。外野スタンド席の下にあり、もともとはバッティングケージだった場所。実は、球場に入らなくてもネット越しに試合を観戦できるのだ（多くの人に見てもらうため、時間制限あり）。ちょっと店内は暗いが、カクテル光線に浮かび上がったフェンウエイパークは、感激もの。

〽「カッケン。カッケン」（コットンキャンディ）といって販売している綿あめはボストン名産クランベリーの香りがほのかにした。（神奈川県 稲葉光子 '12）['15]

159 ◆

New England Patriots

Free (1-800)543-1776（チケット）
URL www.patriots.com
URL www.nfljapan.com
シーズン 9月上旬〜翌年2月（1月中旬からプレイオフ）。各カンファレンスの優勝者が出場するスーパーボウルは、世界で最もTV視聴率が高く、毎年40%を超す
リーグ アメリカンフットボール・カンファレンス／東地区 American Football Conference/East Division
ホームグラウンド Gillette Stadium
座席数 6万6829
料 $75〜370
住 One Patriot Pl., Foxborough
行き方 I-93を南へ約26km、I-95で南へ向かい、Exit 9で下り、US-1を南へ約5km。ボストンから車で約50分
※ホームゲームがある日は、ボストンのSouth StationとBack Bay駅から試合開始約2時間前にFoxboro駅行きの特別コミューターレイルが運行される。往復$15。人気があるので事前予約・購入すること。試合当日の2週間前からSouth Station、Back Bay駅、North Stationで購入可能。詳細は下記へ
MBTA
URL www.mbta.com

ペイトリオッツのチケットは入手困難
©Office W2/NFL JAPAN.COM

Boston Celtics

Free (1-866)423-5849（チケット）
URL www.nba.com/celtics
シーズン 10月下旬〜翌年6月上旬（4月中旬からプレイオフ）
リーグ イースタンカンファレンス大西洋地区 Eastern Conference Atlantic Division
ホームアリーナ TD Garden
M P.71-1
住 100 Legends Way, Boston
座席数 1万9600
料 $29〜329
行き方 Ⓣグリーン、オレンジラインNorth Station下車、徒歩約1分

バスケットはアリーナが小さいだけに大迫力
©Brian Babineau/MOTT

NFL アメリカンフットボール
ニューイングランド・ペイトリオッツ

　1959年誕生のAFL（アメリカンフットボール・リーグ＝後にNFLに吸収合併）創設メンバーとして始動。25年間プレイオフで勝てない状況が続くが、1985年、地区3位という位置から初のスーパーボウル出場を成し遂げ、周囲を驚かせた。しかしその後もクラシカルなヘルメットロゴ同様、冴えないシーズンは続く。1993年、ヘッドコーチにビル・パーセルズを迎えた際、ヘルメット・ロゴを現在のものに改め、翌年に現オーナーがチームを買収、チームに変革の時が訪れた。すべてが新しくなったチームは階段を上るように1996年に2度目のスーパーボウル出場をものにした。しかし彼が退くと星を減らし続け、再び地区下位に沈み込む。真の変貌期は2000年、パーセルズ門下であるビル・ベリチックがヘッドコーチに就任、2001年、エースQBをけがで失う悲運に見舞われるが控えのトム・ブレイディがリーグ屈指の成績をあげ、チーム念願のスーパーボウルでの勝利もつかむ。さらに2003、2004年と4シーズンで3度の頂点を極め、その後も地区1位、プレイオフ常連の座を占め続けた。しかし2007、2011年と、スーパーボウルで連続敗退、「王朝」の衰退が囁かれたが、2014年、このコンビは4度目の栄冠を手にしている。チームカラーはネイビー・ブルー、レッド、シルバー、ホワイト。

NBA バスケットボール
ボストン・セルティックス

　1946年、NBAの前身であるBAA（バスケットボール・アソシエーション・オブ・アメリカ）発足時に誕生した11チームのうちのひとつ。創設当初の5シーズンは低迷したが、1950-1951シーズンから5割以上の成績を重ね、1956年以降の13シーズンに8連覇を含む11度のファイナル優勝、1966-1967シーズン以外はすべてファイナルに出場するという驚異的な好成績を刻んだ。さらに1970年代にいたっても2度の制覇、1979年に登場したバード、パリッシュ、マクヘイルの「BIG 3」の牽引により、1980年代にも3度のファイナル制覇とコンスタントに頂点を手にする強さを誇っていた。1990年代にいたり、三本柱が退くと勝率は5割を割り込み、プレイオフも遠く、長い低迷に陥ってしまう。転換期は2006-2007シーズン、20連敗という不名誉な記録にファンが激昂し、これを機にようやく経営陣がチーム改革に乗り出した。2007年、ミルウォーキー・バックスとの2対3のトレードでレイ・アレンを、ミネソタ・ティンバーウルブズからは前代未聞の1対7のトレードでケビン・ガーネットを獲得、こうして1998年ドラフトの全体10位指名の生え抜きポール・ピアースとの新たな「BIG 3」が誕生すると、2007-2008シーズン、8割を超す勝率を上げる。ファイナルではライバルのロスアンゼルス・レイカーズを退け、リーグ最多の17度目の栄冠を手にした。2009-2010シーズン、再び頂点への期待がかかるが、レイカーズの前に屈した。「BIG 3」も瓦解、チームは世代交代を求められ、下降する成績のなか、新たな指針を探し求めているところだ。ニックネームは移民としてこの周辺に多かった「ケルト人」を表す。チームカラーはグリーン、ゴールド、ブラウン、ブラック、ホワイト。

NHL アイスホッケー
ボストン・ブルーインズ

1924年に創設されたアメリカ最古の名門チーム。大恐慌や第2次世界大戦中も休まずに存続し続けた他の5チームとともに敬意を込めてオリジナル6と呼ばれている。1968年から1996年まで29年連続プレイオフ出場というプロスポーツ史上に燦然と輝く大記録を打ち立て、近年も2008年から2014年まで7年連続でプレイオフ出場を果たし、2011年には39年ぶりにリーグ制覇を成し遂げた。2014年はリーグ最多の117ポイントをマークし、翌2015年も8年連続プレイオフ出場は確実と思われたが最後の最後にピッツバーグ・ペンギンズに出場権を奪われ、わずか2ポイント差でカンファレンス9位に沈んだ。

現在のチームは鉄壁のゴールキーパー、テュッカ・ラスクとリーグ最強のディフェンスマンであるズデノ・チャラを中心に守り勝つスタイル。攻撃陣はチームのポイント王パトリース・バージェロンを中心にブラッド・マーシャンドら中堅どころが脇を固める。しかし次世代を担う若手がまだ育っておらず強豪ひしめく東カンファレンスで上を狙うにはやや心もとない。

ブルーインズはニューイングランド地方では圧倒的な支持を集めておりチケットは毎試合完売する。また1948年から使われている伝統のロゴを胸に大きくあしらったユニフォームはファッションとしても人気。2016年の元日にはカナディアンズを迎えて、NFLペイトリオッツのジレット・スタジアムにて屋外試合が予定されている。

Boston Bruins
☎ (617)624-2327（チケット）
URL bruins.nhl.com
シーズン 10月上旬〜翌5月（4月中旬からプレイオフ）
リーグ イースタンカンファレンス北東地区 Eastern Conference Atlantic Division
ホームアリーナ TD Garden
MAP P.71-1
住所 100 Legends Way, Boston（バスケットボールNBAのボストン・セルティックスと同じ）
収容観客数 1万9600
料金 $95〜465
行き方 ①グリーン、オレンジラインNorth Station下車、徒歩約1分

古豪ブルーインズも巻き返しを図る
©Brian Babineau/MOTT

MLS サッカー
ニューイングランド・レボリューション

MLS（メジャーリーグ・サッカー）は1996年に発足したアメリカプロサッカーのトップリーグ。2016年はカナダの3チームを含む20チームで構成されるが、2017年にアトランタ、2018年にはロスアンゼルス第2のチームが加入予定。世界各国の代表・元代表選手も多く所属する。ほとんどのチームがサッカー専用スタジアムをホームとし、リーグ平均観客数は2万人弱。最も人気のあるシアトルは平均4万3000人以上の観衆を集める。

ニューイングランド・レボリューションは、MLSイースタン・カンファレンスに所属する。リーグ決勝（MLSカップ）に5回進出したことがある強豪チームだが、リーグタイトルはまだ獲得していない。しかし2007年にはUSオープンカップ（アメリカにおける天皇杯）で優勝している。

ここ数年は日本代表の権利をもつザグリー・エリボなどのユースから上がってきた若手選手と、アメリカ代表選手や元日本代表の小林大悟などのベテランがうまくかみ合い、いいチームができあがっている。2013年からは3年連続プレイオフに進出。2014年は決勝まで進み、ロサンゼルス・ギャラクシーに敗れた。成績の向上とともに年々集客数も増えている。

試合ではミッドナイト・ライダースとレベリオンというふたつのサポーターグループが協力して応援する。試合後には選手と直接交流ができるイベントも行われている。ホームグラウンドのジレット・スタジアムでは海外クラブを招いての親善試合やアメリカ代表戦なども行われることがあるのでチェックしよう。

New England Revolution
Free (1-877)438-7387
URL www.revolutionsoccer.net
シーズン 3月〜12月上旬（10月下旬から12月にかけてプレイオフ）
リーグ イースタンカンファレンスEastern Conference
ホームグラウンド Gillette Stadium（アメリカンフットボールNFLのニューイングランド・ペイトリオッツと同じ）
料金 $26〜68
行き方 アメリカンフットボールNFLのニューイングランド・ペイトリオッツと同じ（ただし、Foxboro駅行きの特別コミューターレイルは運行されないので、車でアクセスする以外ない）

プロサッカーもアメリカに根づきつつある

プロスポーツのチケットの買い方

1. 各球場やアリーナのボックスオフィスBox Office、オフィシャルショップで

　ホームグラウンドやアリーナのチケット売場（Box Office）では、手数料もかからず、空いている日、取れる席をチェックしながら買うことができる。

2. ウェブサイトから購入

　各チームのウェブサイトから "Tickets" の項を呼び出し、必要事項を英文で打ち込む。代金（チケット料金＋手数料）はクレジットカードからの自動引き落としとなる。購入すると予約番号Confirmation Numberがメールで返信されるので、そのメールをプリントアウトし、試合当日、各球場やアリーナの "Will Call" の窓口でパスポートとクレジットカードを見せてピックアップする。近年では、このウェブサイトから直接チケットを発券することもある。最後にプリントアウトし、特にバーコードの部分を汚さないよう、現地に持っていこう。

3. チケットブローカー（専門業者）に頼む

　一般にはなかなか出回らない「プレミアムチケット」はチケットブローカーに頼むのがいちばん。「ブローカー」はチケットを専門に扱う業者で、当日、会場前で声をかけてくるダフ屋（スキャルパー）とはまったく違うので、間違えないように。

ボストン最大のスポーツイベントを楽しもう
ボストンマラソン

アメリカ屈指かつ最古のマラソンレース

　アメリカで最も古いスポーツ行事のひとつ。ボストンマラソン Boston Marathon の起こりは、あの『真夜中の疾駆 Paul Revere's Midnight Ride』とのこと。1897年に始まった当時、ランナーはたったの15人、そのうち完走したのは10人だったという。

　毎年4月の第3月曜日ペイトリオッツデイ Patriots' Day（愛国者の日、マサチューセッツ州の祝日）に行われる。2016年で120回を迎える歴史ある大会なのだ。大会2、3日前から市内は大会当日に向けて彩られていく。コープリーにあるゴール地点では、さまざまな準備が始まり、ボストン公共図書館の横のゴール地点には、"FINISH" の輝かしい6文字が書き入れられる。さらに、ゴール近くにはビッグスクリーンも登場。当日はExeter St. より先は、一般人は通行止めとなる。
ボストンマラソンの情報
URL www.baa.org

ショートコースに挑戦！

　ボストン・アスレチック・アソシエーション B.A.A. が主催するボストン・マラソンは、18歳以上の健康な男女であれば申し込めるが、B.A.A. が設定した参加資格タイムが設けられているため、市民ランナーが気軽にエントリーできるほど甘い大会ではない。しかも、人気があるためエントリー受付初日に埋まってしまう。そこで、違う方法でチャレンジしてみてはいかがだろうか？

　B.A.A. 主催のマラソンには、B.A.A.5km、B.A.A. ハーフマラソンなどがある。5kmマラソンは、パブリックガーデンとボストンコモンの間の Charles St. から出発し、バックベイを東西に貫くコモンウェルス通りを走り抜ける爽快なルートが特徴だ。起点となるボストンコモンには記念品やTシャツを販売する売店もオープンし、お祭り気分も味わえる。
B.A.A.5km : 2016年4月16日、B.A.A. ハーフマラソン:2016年の日付は未定（2015年は10月11日）

Entertainment

エンターテインメント

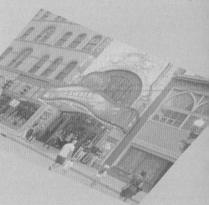

Boston Lyric Opera
📍11 Avenue de Lafayette, Boston
☎(617)542-4912
URL blo.org

Boston Ballet
📍19 Clarendon St., Boston
☎(617)695-6950
URL www.bostonballet.org

Broadway in Boston
URL boston.broadway.com

おもな劇場

Boston Opera House
📍539 Washington St., Boston
☎(617)259-3400
URL www.bostonoperahouse.com

Charles Playhouse
📍74 Warrenton St., Boston
☎(617)426-6912
URL www.charlesplayhouse.com

Citi Wang Theatre
📍270 Tremont St., Boston
☎(617)482-9393
URL www.citicenter.org

Cutler Majestic Theatre
📍219 Tremont St., Boston
☎(617)824-8000
URL cutlermajestic.org

Paramount Center
📍559 Washington St., Boston
☎(617)824-8000
URL artsemerson.org

Shubert Theatre
📍265 Tremont St., Boston
☎(617)482-9393
URL www.citicenter.org

映画

AMC Loews Boston Common 19
📍175 Tremont St., Boston
☎(617)423-5801
URL www.amctheatres.com

Regal Fenway Stadium 13 & RPX
📍201 Brookline Ave., Boston
Free (1-844)462-7342
URL www.regmovies.com

Assembly Row 12
📍395 Artisan Way, Somerville
☎(617)440-4192
URL www.amctheatres.com

Boston Lyric Opera
ボストン・リリック・オペラ

　1976年に創設されたニューイングランド地方最大のオペラカンパニー。毎年10〜5月に4作品が上演される。公演回数は多くないが、質が高く評判がいい。特に、現代オペラ作品を得意としている。本拠地は、シューベルトシアターShubert Theatre。

Boston Ballet
ボストンバレエ

　1963年に創設されたニューイングランド地方唯一のプロフェッショナル・クラシックバレー・カンパニー。全米でもトップ3に入るといわれている。シーズンは10〜5月で、約10作品が上演される。特に11月下旬〜12月下旬に行われる『くるみ割り人形The Nutcracker』は毎年、家族連れでにぎわう風物詩だ。本拠地は、ボストン・オペラ・ハウスBoston Opera House。

Broadway Musical
ブロードウエイミュージカル

　全米で好評のミュージカルが巡業でボストンを訪れる。会場は、チャールズプレイハウスCharles Playhouse、ボストン・オペラ・ハウスBoston Opera House、シティ・ワングシアターCiti Wang Theatreなど。日程や題目の詳細は、Broadway in Bostonのウェブサイトで確認しよう。

Movie
映画

　アメリカ人に囲まれて見る最新のロードショーは、日本とは違った雰囲気を味わえる。言葉がわからなくても、観客の笑いのつぼを観察するだけでも楽しい。映画館はボストンコモン前やフェンウエイパークそば、アッセンブリーロウなどにある。

おすすめ情報

ボストンの当日半額チケット売り場

　ボストンで行われるイベントやショーの当日券を半額で売り出しているチケットオフィス。取り扱うチケットの種類は、ミュージカルやコンサート、スポーツイベントなど多岐にわたる。当日朝、窓口にイベント名が掲示されるのでチェックするといい。コープリープレイスとファニュエルホール・マーケットプレイスにある。

BosTix
☎(617)262-8632
URL www.bostix.org

Copley Square店
M P.85-C1
📍Boylston & Dartmouth Sts.
🕐火〜土10:00〜18:00、日11:00〜16:00　休月　カード AMV

Faneuil Hall Marketplace店
M P.67-A1
📍ファニュエルホール・マーケットプレイス
🕐火〜土10:00〜18:00、日11:00〜16:00　休月　カード AMV

コープリースクエアの一角にあるチケットオフィス BosTix

ボストンで見る映画　通常12:30〜22:00頃までに複数回上映される。午後の数回はマチネといって、通常より割安で見ることができるのでお得。

Boston Symphony Orchestra (BSO)
ボストン交響楽団

　小澤征爾が音楽監督として長年在籍し、日本でも知名度の高いボストン交響楽団Boston Symphony Orchestra（BSO）は、人気、実力ともに全米トップクラス。年間250回以上のコンサートを行い、ゲスト指揮者、ソリストの顔ぶれも毎年超一流だ。10月上旬から4月下旬までを本拠地シンフォニーホールSymphony Hall（→P.87）で定期公演、6月中旬から9月上旬はタングルウッドTanglewood（→P.166）で公演を行う。音楽監督は、2014年からラトビア出身のアンドリス・ネルソンズAndris Nelsonsが務める。

金色の飾り板にベートーベンの文字が

オープンリハーサル　Open Rehearsal

　本公演のリハーサルの模様を見ることができるのが、オープンリハーサルだ。基本的に木曜の10:30から始まるが、行われない日もあるのでウェブサイトなどで確認を。原則本公演の全演目を演奏するものの、途中で指揮を中断したり、指導したりする場合もあり、それも公開リハーサルならではのおもしろさ。9:30からは、演奏される曲目について30分程度のレクチャーが行われる。席は指定席ではないので早い者勝ち。

Boston Pops
ボストン・ポップス

　創立は1885年。BSO創立者ヘンリー・ヒギンソンHenry Higginsonの「夏向きに何か軽快な感じのコンサートが行えないか」との発想から誕生した。映画音楽やミュージカルナンバーなど、クラシックほど格式ばらず、気軽に楽しめる。キース・ロック

ボストン・ポップス最高常任指揮者キース・ロックハート氏
©Stu Rosner、©Boston Symphony Orchestra

ハートKeith Lockhartが最高常任指揮者を務め、BSOのシーズンが終わると一部のBSOの団員がポップス音楽を演奏するという仕組み。5月初旬から7月4日独立記念日のハッチ・メモリアル・シェルでの無料コンサートまではシンフォニーホールで行い、その後、場所をタングルウッド（→P.166）に移し、9月上旬までタングルウッドで演奏会を行う。12月に再びシンフォニーホールで、Holiday Popsが開かれる。7月4日の無料コンサートはテレビ中継されるほどのビッグイベントだ。

Symphony Hall
M P.36-B3
住 301 Massachusetts Ave., Boston
☎(617)266-1492
☎(617)266-1200（チケット）
☎(617)266-2378（プログラム情報）
Free(1-888)266-1200
URL www.bso.org
（ボストン交響楽団、ボストン・ポップス、タングルウッド音楽祭共通）
行き方 シンフォニーホール →P.87参照

Boston Symphony Orchestra
チケットの種類
レギュラーチケットとラッシュチケット（→下記●MEMO）、シーズンチケットがあるが、一般的にはレギュラーチケットを購入する。
公演日はウェブサイトでチェックできる
レギュラーチケット
料 $30〜135
オープンリハーサル
料 $18〜30
※チケットの購入方法などについて、日本語で問い合わせできる
Email Japan@bso.org

Boston Pops
チケットは$31〜140。フロア席なら残席があることも多いので、シングルチケットならギリギリでも確保できる可能性あり

食べながら楽しむ1階席
厳選なシンフォニーのときとは舞台装飾も華やかに一変し、1階のシートをすべて取り除き、テーブルシートとなる。ドリンクやサンドイッチをつまみながら演奏を楽しむことができる。なおソロ演奏中を除いて、係員の行き来があるので、それが気になる人にはバルコニーシートをすすめる。バルコニーシートは飲食不可

7月4日の無料コンサート
ハッチ・メモリアル・シェル（→P.88）で行われる独立記念日のコンサートは、ボストン市民にとって毎年恒例のイベント。20:30からボストン・ポップスによるコンサートが始まり、終了後の22:30には、花火も打ち上がる。よい場所で鑑賞したい場合は、ゲートが開く9:00頃にハッチ・メモリアル・シェルに着いておきたい。
Boston Pops July 4th
URL www.july4th.org
料 無料

●MEMO　**BSOのラッシュチケット**　シンフォニーホールで行われる火・木曜の夜公演と金曜の昼公演のチケットが$9で入手できる。夜公演は当日17:00から、昼公演は10:00からシンフォニーホール窓口で販売。

165 ◆

タングルウッド音楽祭

Tanglewood Music Festival
シーズンは、6月下旬〜9月上旬
Lenox ☎(413)637-1600
Boston ☎(617)266-1200
MAP P.247
🏠 297 West St., Lenox
URL www.bso.org

行き方 車／ボストンの中心部から、I-90を約198km行き、Exit 2で下りる。US-20を約6.4km北進し、MA-183 S/Walker St.で左折。約1.6km西へ進むとLenoxの中心だ。そこから、MA-183 S/West St.を約2.7km西へ行った左側。約3時間

Tanglewood Concert Line
☎(413)637-1666
開門
金17:30、土17:30 or 9:00 (オープンリハーサル)、日12:00 or コンサート開始1時間前
チケットの予約方法
3とおりの方法がある
❶ 電話予約
BSO's Symphony Charge
☎(617)266-1200
Free (1-888)266-1200
❷ ウェブサイトで予約
URL www.bso.org
❸ タングルウッドのボックスオフィスで購入
Tanglewood Box Office
🏠 Tanglewood Box Office, at Tanglewood's Main Entrance, 297 West St., Lenox
開 6月中旬より販売開始：毎日10:00〜18:00。コンサートのある日は、コンサートの休憩時間まで開いている

タングルウッド音楽祭の料金
クーゼビッツキー・ミュージック・シェッド
$32〜121、芝生席$20〜30
セイジ・オザワ・ホール
$34〜99、芝生席$11〜20
オープンリハーサル
$13〜32
音楽祭開催中の7〜8月の土曜、朝10:30から始まるBSOのリハーサル風景を見学できる。ただし、プレリハーサル1時間30分のみ。当日現地のボックスオフィスでチケットを購入し、シェッドに9:30集合

園内ツアー
ボランティアによるツアーがタングルウッド音楽祭開催中に催行されている。クーゼビッツキー・ミュージック・シェッドやセイジ・オザワ・ホールを回りながら、タングルウッドの歴史について解説する
☎(617)638-9394
開 火13:30、水10:30、土13:30にビジターセンターに集合。所要約1時間　料 無料

　夏にボストンを訪れるなら、タングルウッドTanglewood（→P.248）で行われるシンフォニーオーケストラの音楽祭に行こう。6月下旬から9月上旬までの間、マサチューセッツ州西部のバークシャー地方、レノックスLenoxの町にあるタングルウッドセンターという野外音楽場で、ボストン交響楽団をはじめとして有名な指揮者、ソリストが多数公演を行う（ボストン市のシンフォニーホールでは、この期間、ボストン交響楽団の公演は行われない）。現在では1シーズンに35万人もの人が訪れるニューイングランド地方を代表する一大イベントだ。

　タングルウッド音楽祭が誕生したきっかけは、夏の時期バークシャーに滞在していた人々が1934年ニューヨーク・フィルハーモニックをレノックスに呼び寄せてコンサートを開催したことだった。その2年後から、ニューヨーク・フィルハーモニックに変わりボストン交響楽団がコンサートを行うようになる。1937年、コンサート中の雷雨をきっかけにそれまでのテントから屋根のあるコンサート会場を造るための募金が始まり、翌年シェッドShedが完成。1959年に改装され、現在のクーゼビッツキー・ミュージック・シェッドになった。1986年には隣接する土地を買収し、1994年に小澤征爾の記念ホール、セイジ・オザワ・ホール Seiji Ozawa Hallを完成させた。

クラシックファン憧れの地。州道138号線沿いのメインゲート

　約300エーカーある敷地には、ふたつのコンサート会場、劇場、図書館、ビジターセンターなどが点在している。クーゼビッツキー・ミュージック・シェッドKoussevitzky Music Shedは、壁のない屋根付きの会場。ステージが客席より1段高くなっており、それを屋根付きの座席Shed（シェッド）、芝生席Lawn（ローン）が順に扇形に取り囲む形になっている。敷地東側にあるのは、少し小さめの小澤征爾の名前がついた記念ホールのセイジ・オザワ・ホールSeiji Ozawa Hall。このホールも演奏会の際にはドアが開け放たれ、芝生席でも聴くことができる。

楽しむための知識

▶クーゼビッツキー・ミュージック・シェッド席、セイジ・オザワ・ホールでの指定席

　開演時間より十分な余裕をもって着席すること。遅れた場合は係員の誘導に従い、楽章の途中に入る。コンサート中は席を立ったり、飲食はできない。5歳以下の入場は不可。

▶芝生席チケット、オープンリハーサル

　屋根のある指定席は、人気のある曲や演奏家だとかなり早い時期に売り切れてしまうが、諦めることはない。当日会場で芝生席チケットやオープンリハーサルのチケットが手に入るからだ。ただし、両チケットともインターネットや電話でも予約できるので、早めに申し込みたい。芝生席のチケットは、席の指定はなく、開門前であればいつ

タングルウッドへの往復のシャトルバスが運行している　タングルウッド音楽祭開催中の10日間、ボストンコモン・コーチがコンサート時間に合わせて、ボストンとタングルウッドを往復するシャトルバスを運行している。事前に▶

買っても同じだが、前のほうに座りたい場合は早めに買い、開門前に並ぶこと。

▶芝生席での楽しみ方

芝生席はコンサートというよりピクニックに近い感じだ。必需品は敷き物。折りたたみの椅子（$5）やクッション（$2）は会場で借りられる。アメリカ人はこのほか、小さなテーブル、日傘、クーラーボックスなどを持ってきている。敷地内にはカフェやスナック売店もあり簡単な軽食は調達できる。ウェブサイトであらかじめランチボックスを予約しておくのもよいだろう。夜の公演の場合は、厚手のセーターや毛布、ランプなどがあると便利。夏場はドラッグストアでCitrus Candleなどの名称で蚊よけを兼ねたバケツ型キャンドルや虫よけスプレーBug Sprayが調達できる。

▶タングルウッド周辺のモーテル、ショッピング

ボストンから車で3時間程度なので日帰りもできるが、夜の公演やいくつか連続で聴く場合は、付近のB&Bまたはモーテルを利用してもいい。もともとホテル数が少なく、タングルウッド音楽祭開催中はリピーターで混み合うので、チケットの購入と同時進行で早くから予約をしよう。宿代は、$100〜250で週末はミニマム2泊以上というホテルもある。情報はBerkshire Visitors Bureauのウェブサイトを利用するという方法もある。

US-7/20沿いにはモーテルをはじめレストラン、衣類、小物、雑貨、食料品店など何でもある。

▶タクシーを予約する

このあたりは何もない所なので、早めに手配しておかないと、空車がなくて長時間待つことになる。料金を事前に確認のうえ、待ち合わせ場所は、タングルウッドの正門あたりがよいだろう。

ツアー／
●Berkshire Tour Company
☎(781)438-8620
URL www.berkshiretourcompany.com
●日帰り：$69〜、1泊2日：$225〜
7月と8月に日帰りと1泊2日のツアーを催行する。事前予約のこと

観光案内所
Berkshire Visitors Bureau
🏠66 Allen St., Pittsfield, MA 01201
☎(413)743-4500
URL www.berkshires.org
Pittsfield Visitors Center
🏠1 Columbus Ave., Pittsfield, MA 01201
☎(413)499-9747
URL www.discoverpittsfield.com

バークシャー地方のリムジンサービス
●Abbott's Limousine & Livery Service
🏠435 Greylock St., Lee
☎(413)243-1645
URL www.abbottslimo.com

映画音楽の偉大な作曲家、ジョン・ウィリアムズ

数多くの映画音楽を手がけ、40回以上アカデミー賞にノミネートされ、5度アカデミー賞を受賞してきた作曲家が、ジョン・ウィリアムズJohn Williams（1932〜）。彼は、1980年から1993年まで、ボストン・ポップスの音楽監督を務めた人物でもある。1932年ニューヨーク州ロングアイランド生まれ。カリフォルニア大学ロスアンゼルス校（UCLA）を卒業後、ニューヨークの名門音楽学校であるジュリアード音楽院でピアノを学び、後にハリウッドの映画会社に職を得る。作曲家としての道を歩み始めた頃は、テレビドラマの音楽を数多く担当。『宇宙家族ロビンソンLost in Space』、『巨人の惑星Land of The Giants』などで知名度を高めたが、当時出会ったなかのひとりがスティーブン・スピルバーグであった。スピルバーグはウィリアムズの才能に惚れ込み、『ジョーズJaws』『未知

ボストン・ポップス名誉音楽監督ジョン・ウィリアムズ

との遭遇Close Encounters of the Third Kind』『E.T. E.T.』など自身の映画音楽を次々と任せるようになっていく。

スピルバーグ監督作品以外にも『スターウォーズStar Wars』『ホーム・アローンHome Alone』『ハリー・ポッターHarry Potter』など、手がけた作品の多さはいうまでもなく、ウィリアムズの優しく、大胆なメロディは、日本をはじめとするさまざまな国の人々に親しまれてきた。ボストン・ポップスの音楽監督時代には、1987年、1990年、1993年と3度の来日も果たした。また、その偉大な功績から、現在はボストン・ポップスの名誉音楽監督にも就任しており、今なおボストン・ポップスのタクトを振っている重鎮である。タイミングがよければウィリアムズが指揮するコンサート（John Williams' Film Night）をタングルウッドで鑑賞することができるかも。

で電話にて予約すること ボストンコモン前のBoylston StとTremont Stの角にあるダンキンドーナツ前から出発。Boston Common Coach ☎(617)773-2784 URL www.bostoncommoncoach.com ●4人までは1人$50、5人以上は1人$40

167

タングルウッド音楽祭

BSOに偉大な足跡を残した音楽監督の名前がつけられたシェッド

　木陰に入るとそよ風が気持ちいい夏のタングルウッド。「クーゼビッツキー・ミュージック・シェッド」前の芝生席には、パラソルの花が咲き、ワイン片手にラフな格好で名演奏に聴き入る家族連れの輪ができている。ようやく隙間を見つけ、芝生に座って目をつぶると、モーツァルトの『フィガロの結婚』が心にしみる。そう、タングルウッド音楽祭の醍醐味は、この芝生席で、心地よい風に身を委ねながら、ボストン交響楽団（BSO）やボストン・ポップスの名演奏を楽しむことにある。そんな極上の休日がたった＄20ほどでかなうのだから、すごい！

　タングルウッドは、ボストンから車で3時間ほどのバークシャー地方の西の町、レノックスにある。ボストンからバスが通じてはいるが、レノックスの町からタングルウッドまでかなりの距離を歩かねばならないし、帰りのことを考えれば、やはり車で行くべき場所。コンサートは6月下旬から9月上旬まで開かれているが、平日の演奏は夜が中心で、昼間に演奏されるのは土・日曜だけ。約300エーカーの広さを誇るこの土地には「クーゼビッツキー・ミュージック・シェッド」と「セイジ・オザワ・ホール」のふたつの音楽堂が建ち、コンサート中は扉を開け放ち、芝生席にその美しい音色を響かせている。

　ちなみに「タングルウッド」とはこのコンサート会場を指す言葉で、その言葉の由来となった大木が、シェッド東側のハイウッド・マナー・ハウス Highwood Manor House 前に茂っている。現在、敷地はBSOの所有地だが、1936年の冬、広大な土地と夏の別荘を所有するタッパン家から、当時BSOの常任指揮者だったクーゼビッツキーへと贈られたもの。後に財団の所有となり、1937年8月5日の第1回コンサートから現在まで、第2次世界大戦で中断された数年を除き、毎年夏に開かれる恒例行事なのだ。あの小澤征爾もBSOの音楽監督を長年務め、ボストンで高く評価される名士。彼の名前を冠したホールは、ソニー元名誉会長の故大賀典雄の寄付で造られ、小澤の栄誉をたたえ、大賀が名づけたものだ。

　タングルウッド音楽祭は、こうしたクラシック音楽をこよなく愛する人々の手で支えられてきた。そこには戦争ともテロとも無縁な、平和なアメリカの姿がある。

20世紀アメリカを代表する作曲家のひとり、アーロン・コープランドの像

タッパン家の夏の別荘だったマナー・ハウス

　タングルウッド音楽センター　タングルウッド音楽祭の時期にあわせて、若手音楽家を集めて夏季講習会が行われている。過去には、レナード・バーンスタインや小澤征爾などが指導にあたった。

NEW ENGLAND ニューイングランド地方

ニューイングランド地方で体験したい6つのこと

アメリカ北東部に位置するニューイングランド地方。大西洋岸にあるメイン州やニューハンプシャー州から、山々に囲まれたバーモント州、アメリカ建国の中核として貢献したマサチューセッツ州まで、豊かな自然と歴史に彩られた6州からなる。ここでは、このエリアで楽しめる6つのことを紹介しよう。

1 モホークトレイル
Mohawk Trail ☞P.176

四季折々の景色が楽しめるマサチューセッツ州のなかでも、モホークトレイルは、ニューイングランド地方随一の紅葉が見られる景勝道路として名高い。10月上旬には、沿道沿いの木々は赤や黄色に染まる。

マサチューセッツ州バークシャー地方を走るモホークトレイルへは、ボストンから車で2時間30分ほど

2 ロブスター・ボート
Lobster Boat ☞P.275

メイン州の名産品であるロブスターは、1年に1億2500万パウンド（5万7000トン）ほどメイン州沿岸で収穫される。バーハーバーにあるロブスター船会社は、30年以上漁業に携わってきたキャプテンが実際にロブスター釣りを実演してくれるボートツアーを催行している。

小型のボートでツアーに出るので、ロブスターも目の前で見ることができる

3 コグ・レイルウエイ
Cog Railway ☞P.287

アメリカ北東部の最高峰、ワシントン山を登るマウントワシントン・コグ・レイルウエイは、世界で初めて誕生した登山列車。ガタガタと音を立てながら進む列車は、急勾配を物ともせず約1917mの頂上を目指す。

朝一番の列車のみアンティークの蒸気機関車が走る
©Mt. Washington Cog Railway

4 トラップ・ファミリー・ロッジ
Trapp Family Lodge ☞P.314

日本人にも人気の映画『サウンド・オブ・ミュージック』のモデルとなったトラップファミリー。彼らがオーストリアからアメリカに渡り、終の住みかとしたのがバーモント州ストウだ。彼らの歴史を解説するトラップ・ファミリー・ヒストリーツアーも催行されている。

現在は宿泊施設としてオープンしている

5 ニューポートマンションズ
Newport Mansions ☞P.326

19世紀末から20世紀にかけて、アメリカ東部に住む大富豪が、競ってロードアイランド州ニューポートに夏の別荘を建てた。なかでも、鉄道業で巨万の富を築いたコーネリアス・ヴァンダービルドの子孫が建てたブレーカーズは、ニューポート随一の大豪邸として知られている。

13エーカーの敷地に建つブレーカーズ

6 マーク・トウェインの家＆ミュージアム
The Mark Twain House & Museum ☞P.331

『トム・ソーヤの冒険』『ハックルベリー・フィンの冒険』などの名著を残したマーク・トウェインが1874年から1891年まで住んでいた家が、コネチカット州ハートフォードにある。このアメリカの国民的作家は、好んで田舎暮らしを楽しんでいた。現在、邸宅は博物館となっており、館内見学できる。

マーク・トウェインが『トム・ソーヤの冒険』を執筆した部屋もツアーで見ることができる

ニューイングランド地方で楽しむ
アウトドアスポーツ

バーモント州をはじめとするニューイングランド地方は豊かな自然に囲まれ、アウトドアスポーツが盛んなエリア。夏はハイキングやサイクリング、冬はスキーやスノーボードが楽しめる。四季が織りなす自然の美しさを堪能できるのも、この地域ならではのこと。ここでは、数あるハイキングコースやスキー場のなかでも、人気の場所を紹介しよう。

© Stowe Mountain Resort

ハイキング

左／ヘンリー・デビッド・ソローやマーク・トウェインも登山し、執筆のインスピレーションを得たといわれている
右／案内所はホワイトドット・トレイルの入口にある

トレイル情報

標高	964m
トレイル全長	約57km
トレイル数	39
コース構成	
初心者	11
中級者	21
上級者	7

M P.278-B3
住 116 Poole Rd., Jaffrey, NH 03452
☎ (603)532-8862 **URL** www.nhstateparks.org/explore/state-parks/monadnock-state-park.aspx
開 一年を通じて **料** 大人 $5、子供（6～11歳）$2、5歳以下無料 **行き方** ボストンからMA-3を北西へ約27km進み、US-3に入る。約24km北上し、Exit 33でMA-40に移り、約15km 西へ。MA-119、NH-124を北西へ約49km行き、Dublin Rd.を約2km北進、Poole Rd.を約1.3km西へ行った突き当たり。ボストンから所要約2時間

モナドノック州立公園　Monadnock State Park

モナドノック山は、ニューハンプシャー州南西部にあり、ニューイングランド地方で最も登山者数が多い山。先住民アブナキ族の Monadnock（孤高の山）に由来する。その名のとおり、周囲をはばかるものがない山頂からは、バーモント州やマサチューセッツ州だけでなく、メイン州までも見渡すことができる。ホワイトドット・トレイルを利用した場合、山頂への往復3～4時間。

キャメルズハンプ州立公園
Camel's Hump State Park

バーモント州で3番目に高い山、キャメルズハンプ山は、約2万1000エーカーのキャメルズハンプ州立公園内にある。山頂がラクダのふたこぶのように見られることから、キャメルズハンプと名づけられた。アメリカ最古のハイキングトレイルといわれるロングトレイルが南北に走るほか、第2次世界大戦中に墜落したアメリカ空軍機B-24の残骸も残されている。モンロートレイルとディーントレイルを利用した場合、山頂への往復5～6時間。

トレイル情報

標高	1244m
トレイル全長	約50km
トレイル数	9
コース構成	
初心者	2
中級者	3
上級者	4

M P.302-A2
住 3452 Camel's Hump Rd., Huntington, VT 05462 **☎** (802)879-6565
URL www.vtstateparks.com/htm/camelshump.htm **開** 5月下旬～11月下旬（降雪期）
行き方 ボストンからI-93を約100km、I-89を約200km北進し、Exit 10で下りる。VT-100、River Rd.を西へ約15km進み、Camel's Hump Rd.に入る。約5.7km南へ。ボストンから所要約4時間20分

上／朝に登山を開始すれば、山頂でお昼休憩を取れる
下／モンロートレイル沿いに墜落したB-24の残骸がある

ジェイピーク・リゾート
Jay Peak Resort

カナダとの国境近く、バーモント州北部に位置する。積雪量はニューイングランド地方最多を誇り、シーズン中の平均気温は日中でも氷点下だ。上級コースが多いため、初心者は少ない。Hotel Jay & Conference Center や Tram Haus Lodge などの宿泊施設はスキー場の目の前にある。バーモント州最大のインドアパーク、28 のレストラン、スケート場などをもつ大型リゾートだ。

M P.302-A1　住 830 Jay Rd., Jay, VT 05859
☎ (802)988-2611
URL www.jaypeakresort.com/skiing-riding/the-mountain　営 11月中旬〜 5月中旬
料 リフト 1日券:大人（19 〜 64 歳）$79、シニア（65歳以上）$55、子供（6 〜 18 歳）$62。半日券（午後）：大人（19 〜 64 歳）$64、子供（6 〜 18 歳）$52（ウェブサイトでは $5 割安）　行き方 ボストンから I-93 を約 272km、I-91 を約 54km 北上する。Exit 26 で US-5/VT-58 に移り北へ 約 10km。VT-105/VT-14 を約 8km、VT-100 を約 10km 北西へ進む。VT-101 を北へ約 6.5km、VT-105 を西へ約 13km。ボストンから約 4 時間 40 分

上／ 60 人乗りのトラムで頂上まで約 7 分　下／屋内プールがあるインドアパークで楽しむのもいい

ゲレンデ情報

標高	1209m
面積	385 エーカー
コース構成	
初心者	16
中級者	28
上級者	34
リフト数	9

© Jay Peak Resort

ストウ・マウンテン・リゾート
Stowe Mountain Resort

バーモント州北部のストウにあり、マンスフィールド山とスプルースピークのふたつの山からなる。中級コースが充実しているので、あらゆるレベルの人に最適だ。Stowe Mountain Lodge がスキー場の目の前にある。ストウのダウンタウンに近いので、アフタースキーは町遊びに繰り出してもいい。

© Stowe Mountain Resort

左／ 120 のコースがあるので、気ままに滑ることができる
右／スノーボード専用のハーフパイプもある

ゲレンデ情報

標高	1339m
面積	485 エーカー
コース構成	
初心者	18
中級者	65
上級者	37
リフト数	13
ゴンドラ	2

M P.302-A2　住 7416 Mountain Rd., Stowe, VT 05672　☎ (802)253-3000　URL www.stowe.com　営 11月下旬〜 4月中旬　料 リフト 1日券：大人（13 〜 64 歳）$79 〜 110、シニア（65 歳以上）$79 〜 100、子供（6 〜 12 歳）$69 〜 90。半日券（午後）：大人（13 〜 64 歳）$92、シニア（65 歳以上）$82、子供（6 〜 12 歳）$72（時期により異なる）　行き方 ボストンから I-93 を約 100km、I-89 を約 200km 北上。Exit 10 で VT-100 に移り北へ約 16km。Mountain Rd. ／ VT-108 を北西へ約 13km。ボストンから約 4 時間

マサチューセッツ州

世界的に有名な音楽の祭典が催されるタングルウッド

スミス・カレッジの紅葉
© The Botanic Garden of Smith College

バーモント州
ニューハンプシャー州
ニューヨーク州
コネチカット州

ウィリアムズタウン
Williamstown P.251
ノースアダムズ P.253
North Adams
モホークトレイル P.176、253
Hancock
Deerfield
ピッツフィールド
Pittsfield
P.249
バークシャー地方
Berkshires
P.242
エミリー・ディキンソン博物館
Emily Dickinson Museum
P.240
アマースト
Amherst
Leominster
コンコード
Concord
P.184
レノックス
Lenox P.247
ノーザンプトン
Northampton
P.239
エリック・カール絵本美術館
The Eric Carle
Museum of Picture Book Art
P.240
ウースター
Worcester
ストックブリッジ
Stockbridge
P.244
リー
Lee
スミスカレッジ・ボタニック・ガーデン
The Botanic Garden of Smith College
P.240
ホリヨーク
Holyoke
Massachusetts Turnpike
スプリングフィールド
Springfield
ネイスミス・メモリアル・
バスケットボールの殿堂
Naismith Memorial
Basketball Hall of Fame
P.240
スタープリッジ
Sturbridge
P.236
Providence

モホークトレイル
ノースオブ
ボストン
セーラム
セントラル
マサチューセッツ
ピッツフィールド
ボストン
ウエスタン
マサチューセッツ
スタープリッジ
グレーター
ボストン
プリマス
バークシャー地方
サウスオブ
ボストン
おもな都市
ハイアニス
ケープコッド
ナンタケット島
マサチューセッツ州観光行政区
マーサス・ヴィニヤード

ロードアイランド州

ニューイングランド地方の中心であるマサチューセッツ州は、穏やかな自然に抱かれた観光エリア。ボストン周辺にはセーラム、プリマス、レキシントンといった歴史にゆかりのある町や、ケープコッド、ナンタケット島といった海浜リゾート、西側には紅葉の美しさで知られるバークシャー地方が広がっている。ボストン郊外から西へ向かう州道2号線（MA-2）は、「ウエスタンマサチューセッツ」に入ると「モホークトレイル」と名前を変え、ニューイングランド地方きっての紅葉街道として真っ赤に輝く。いずれもボストンから車で2〜4時間と近い。

メイン州
バーモント州
ニューハンプシャー州
マサチューセッツ州
コネチカット州
ロードアイランド州

C

D

マサチューセッツ州

95	インターステートハイウエイ
90	MassPike (有料道路)
1	U.S.ハイウエイ
28	ステートハイウエイ
Ⓜ	ミュージアム
Ⓗ	ホテル

Newburyport
Rockport
Gloucester
セーラム P.192
Salem
レキシントン P.180
Lexington
ボストン
Boston P.31

大　西　洋

N

0　10　20km

プロビンスタウン P.212
Provincetown
プリマス
Plymouth P.198
ケープコッド湾
サンドウィッチ P.204
Sandwich P.208
ケープコッド
Cape Cod
チャタム P.211
Chatham
ニューベッドフォード
New Bedford P.231
フェアヘブン
Fairhaven P.232
ハイアニス P.206
Hyannis
ファルマス
Falmouth P.211
ヴィニヤード・ヘブン
Vineyard Haven P.228
オークブラフ P.226
Oak Bluffs
エドガータウン P.227
Edgartown
マーサス・ヴィニヤード
Martha's Vineyard P.224
ナンタケットタウン
Nantucket Town P.218
ナンタケット島
Nantucket Island P.218

1
2
3

マサチューセッツ州
Commonwealth of Massachusetts

州都	面積
ボストン	2万7336km²

人口
674万5408人
（2014年推定）

州税
セールスタックス（消費税）
6.25%
（食料品や衣料品などは$175まで免税）
ミールタックス（飲食税）
7%
ホテルタックス（ホテル税）
14.45%（都市部）
＊税金は市や町で異なる

時間帯
東部時間（EST）
（日本より−14時間、夏時間は−13時間）

アメリカ人も憧れる夏のリゾート地、ケープコッド

マサチューセッツ州の
紅葉を楽しむ
ニューイングランド地方のドライブルート
モホークトレイル

Mohawk Trail
ボストン ⟷ ウィリアムズタウン

紅葉真っ盛りの10月中旬、ボストンを起点にドライブを楽しむなら、コンコードのウォルデン湖近くから西へと続く、MA-2（州道2号線）をドライブするのがいい。マサチューセッツ州北部を東西に結ぶこのハイウエイは、モホークトレイル Mohawk Trailと呼ばれ、紅葉を満喫できるMA州最古の景勝道路だ。なかでもそのハイライトは、Ervingの先、コネチカット渓谷を抜け、バークシャー地方へと向かう山間にある。

MA-2を下り、Orangeの町近くで見たマタワ湖
Lake Mattawaの秋

基本情報
モホークトレイルとは、マサチューセッツ（MA）州北西部を東西に貫くMA-2（州道2号線）の別名。マサチューセッツ州とニューヨーク州を結ぶ100kmのドライブルートだ。開通は1914年10月22日。MA州最古の景勝道路である

紅葉シーズン（Foliage Season）
10月上旬〜中旬（年によって異なる）

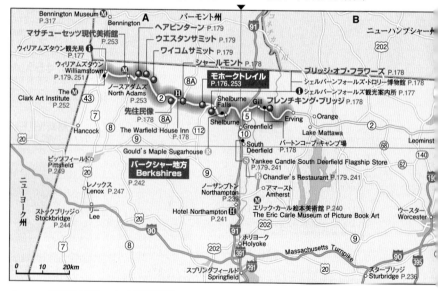

マサチューセッツ州の紅葉情報　マサチューセッツ州観光局のウェブサイトで入手できる。
URL www.massvacation.com/fall

モホークトレイルの走り方

フレンチキング・ブリッジの橋のたもとに店開きしたアップルサイダーの店

早朝にボストンを出発して、一気にマサチューセッツ州西端のウィリアムズタウンへと走ってもよいが、途中寄り道しながらドライブの旅を楽しむのがいい。ボストンから西へ走るルート上には、**フレンチキング・ブリッジ**、**シェルバーンフォールズ**、**ウエスタンサミット**などの見どころがある。ウエスタンサミット展望台のすぐ下にある急カーブ、ヘアピンターンではスピードの出し過ぎにご注意を！ 下りきると、現代美術館「マス・モカ」で知られる**ノースアダムズ**（→P.253）の町がある。さらに西進すればバークシャー地方のカレッジタウン、**ウィリアムズタウン**（→P.251）に着く。ここからUS-7を北上すれば20分ほどでバーモント州ベニントン（→P.316）に到着。小さな町のベニントン美術館でグランマ・モーゼスの素朴画に対面できる。

フレンチキング・ブリッジの先で、モホークトレイルからI-91を南下し、**ノーザンプトン**（→P.239）を起点にエリック・カール絵本美術館（→P.240）やヤンキーキャンドル・サウスディアフィールド・フラッグシップストア（→P.241）へ足を延ばすプランもおすすめ。

早朝のシャールモント

ウィリアムズタウンの秋

モホークトレイル

ジョニー・アップルシード観光案内所 P.177

コンコード Concord P.184

ウォルデン湖 P.190

レキシントン Lexington P.180

セーラム P.192 Salem

ボストン Boston P.31

大西洋

凡例:
- ―― モホークトレイル MA-2
- ▬ 紅葉のハイライト区間
- 🅓 見どころ
- ℹ 案内所
- Ⓢ ショップ
- Ⓡ レストラン
- Ⓜ ミュージアム
- Ⓗ ホテル

観光情報／観光案内所

Johnny Appleseed Visitor's Center
Ⓜ P.177-B1
🏠 1000 George W. Stanton Hwy. (MA-2), Lancaster, MA 01523
☎ (978)534-2302　URL www.appleseed.org

The Mohawk Trail Association
🏠 P.O. Box 1044, N. Adams, MA 01247
☎ (413)743-8127　Free (1-866)743-8127
URL www.mohawktrail.com

Shelburne Falls Area Business Association
Ⓜ P.176-A1
🏠 75 Bridge St., Shelburne Falls, MA 01370
☎ (413)625-2526　URL www.shelburnefalls.com

Williamstown Chamber of Commerce
Ⓜ P.176-A1
🏠 7 Denison Park Dr., Williamstown, MA 01267
☎ (413)458-9077
URL www.williamstownchamber.com

紅葉のモホークトレイル2泊3日の旅

1日目

8:10	ボストン
	⬇ MA-28、MA-2
9:00	コンコード・ウォルデン湖
	⬇ MA-2
9:30	ジョニー・アップルシード観光案内所
	⬇ MA-2、Exit 14で下り、Holtshire Rd.を南下
10:30	寄り道 マタワ湖
	（写真撮影の穴場。午前中に立ち寄りたい）
	⬇ MA-2
12:30	フレンチキング・ブリッジ
	⬇ MA-2、US-5 S.かI-91 S.
15:30	寄り道 ノーザンプトン

Hotel Northampton宿泊

2日目

9:30	ノーザンプトン
	⬇ MA-9、Bay Rd.
10:00	寄り道 エリック・カール絵本美術館
	⬇ Bay Rd.、MA-47、MA-116、US-5 N.
13:30	寄り道 ヤンキーキャンドル・サウスディアフィールド・フラッグシップストア
	⬇ US-5 N.、I-91N.、MA-2、MA-112
16:00	シェルバーンフォールズ＆ブリッジ・オブ・フラワーズ
	⬇ State St.、MA-2
17:00	シャールモント

The Warfield House Inn宿泊

3日目

8:00	シャールモント
	⬇ MA-2
8:10	先住民像
	⬇ MA-2
9:10	ウエスタンサミット
	⬇ MA-2
9:20	ヘアピンターン
	⬇ MA-2
9:30	ノースアダムズ
	⬇ MA-2
9:40	ウィリアムズタウン
	⬇ MA-2、US-7 N.
10:00	ベニントン美術館（バーモント州）

フレンチキング・ブリッジ
French King Bridge　[M]P.176-B1

ErvingとGreenfieldの間を流れるコネチカット川に架かる鉄製の橋。橋の名前はフレンチ・インディアン戦争の先住民部隊を指揮したオフィサーの名前に由来する。全長238メートル、幅14メートル。紅葉シーズンにはこの橋の上から、悠々たるコネチカット川と黄葉の森が眺められる。橋のたもとに駐車場があり、秋にはアップルサイダーの露店が店開きしてにぎわう。橋を西へと渡ったGillに、カヌーやキャンプが楽しめる**バートンコーブ・キャンプ場Barton Cove Recreation & Camping Area**がある。

フレンチキング・ブリッジからコネチカット川を眺める

ブリッジ・オブ・フラワーズ（花の橋）
Bridge of Flowers　[M]P.176-A1

MA-2からMA-112（Main St.）へと入ると**シェルバーンフォールズShelburne Falls**に到着。中心を流れるディアフィールド川Deerfield Riverには、車が通れるBridge St.の鉄橋と平行して、名物**「花の橋」**がある。1908年に造られた5スパンのコンクリートの橋で、もともとトロリーが走る軌道橋だったが、1927年に鉄道会社が破産。荒れ放題の橋を、地元の婦人会の有志が花や樹木を植えて見事な散歩道へと造り替えた。橋とは思えないほど樹木であふれ美しい。Water St.とState St.の間にあり、春

約120mの長さの橋には色とりどりの花が咲く

川底に穴があいた甌穴（おうけつ）

から晩秋まで無料で渡れる。

川のそばには廃線となったトロリーを動態保存した**シェルバーンフォールズ・トロリー博物館Shelburne Falls Trolley Museum**もある。また、「花の橋」下流には、**サーモン滝Salmon Falls**があり、氷河が花崗岩の川床を削って穴をあけた**甌穴Potholes**が観察できる。甌穴へはBridge St.からDeerfield Ave.を突き当たりまで行く。中心街のBridge St.界隈でカフェに立ち寄るといい。

シャールモント
Charlmont　[M]P.176-A1

1744年に入植が始まったディアフィールド川沿いの小さな集落。タウンホールや学校のほかB&Bやインも点在する。**ウォーフィールド・ハウス・インThe Warfield House Inn**は530エーカーの敷地に立つB&B。

山越え手前のモホーク公園には、モホーク族の男が手を広げて天を仰ぐ**先住民像Hail to the Sunrise Statue**が立っている。モホークトレイルとは、一帯の渓谷に暮らしていたモホーク族をはじめとする先住民5部族が、交易や移動のために使った踏み跡が道へと発展したものなのだ。この先、道は山越えとなる。

1932年に完成した天を仰ぐ先住民像

Barton Cove Recreation & Camping Area
[M]P.176-B1 [住]82 French King Hwy(MA-2)., Gill
☎(413)863-9300
[営]5月最終月曜～9月第1月曜
カヌーは2時間$25

Bridge of Flowers
[M]P.176-A1 [URL]bridgeofflowersmass.org
[営]4～10月

Shelburne Falls Trolley Museum
[M]P.176-A1 [住]14 Depot St., Shelburne Falls
☎(413)625-9443 [URL]www.sftm.org
[営]〈5月下旬～10月下旬〉土・日・祝日11:00～17:00（7～8月は月曜13:00～17:00も営業） [料]トロリー乗車：大人$4、子供$2

The Warfield House Inn
[M]P.176-A1 [住]200 Warfield Rd., Charlemont, MA 01339
☎(413)339-6600
[URL]warfieldhouseinn.com
[料]ⓈⒹⓉ$220～325

Hail to the Sunrise Statue
[M]P.176-A1
[住]512 Mohawk Trail, Charlemont(Mohawk Park内)

MEMO　シェルバーンからシェルバーンフォールズの間にあるレストラン　モホークトレイル沿いで評判のいいパンケーキ屋。Gould's Maple Sugarhouse [M]P.176-A1 [住]570 Mohawk Trail, Shelburne Falls↗

山越えはモホークトレイルのハイライト

ウエスタンサミット＆ヘアピンターン
Western Summit & Hairpin Turn Ⓜ P.176-A1

　紅葉シーズンの**山越え**は、色彩の豊かさに圧倒される。峠の最高地点は標高662メートルの**ワイコムサミットWhitcomb Summit**。山頂からはバーモント州南部とニューハンプシャー州の山々が遠望できる。西へ抜けると西側の展望台、**ウエスタンサミット**。眼下にノースアダムズを望み、バーモント南部の山々からMount Greylockを含むマサチューセッツ北西部の山並みが広がる。展望台のすぐ下には、MA-2いちばんの大曲がり、**ヘアピンターン**がある。スピードの出し過ぎには注意しよう。大曲がりの脇にある有名な休憩スポットの**ゴールデン・イーグル・レストランThe Golden Eagle Restaurant**（→

P.253 ◇MEMO）で一服したい。ヘアピンターンを下りきったノースアダムズの町で、現代美術の殿堂**マス・モカMassachusetts Museum of Contemporary Art**（→P.253）を訪れても楽しい。

1982年にオープンしたThe Golden Eagle Restaurantで休憩を

ウィリアムズタウン
Williamstown Ⓜ P.176-A1

　モホークトレイルの西端、US-7と交差する町、ウィリアムズタウンにはリベラル・アーツ・カレッジの名門校、ウィリアムズカレッジがある。紅葉を満喫したら、ニューイングランドの風情を味わいながら、フランス印象派の名品が揃う**クラーク美術館The Clark Art Institute**（→P.252）で、モネやルノワール、ドガやミレーなどの印象派の作品を鑑賞しよう。

モホークトレイル周辺

　MA-2からGreenfieldでI-91を南下し、ノーザンプトン（→P.239）に宿を取り、**エリック・カール絵本美術館The Eric Carl Museum of Picture Book Art**（→P.240）やヤンキーキャンドル・サウスディアフィールド・フラッグシップストアへ足を延ばしてもいい。紅葉時期は農家の庭先や沿道のメープルが真っ赤に染まり、牧歌的な風景に癒やされる。

ヤンキーキャンドル・サウスディアフィールド・フラッグシップストア（本店）Ⓜ P.176-B1
Yankee Candle South Deerfield Flagship Store

　1969年に創業したキャンドルの製造直売で知られる老舗。その旗艦店がここだ。広大な敷地にはニューイングランド地方らしい建物が並び、秋には、紅葉したメープルと色とりどりの菊が咲き乱れる美しい庭もある。本店らしく蜜ろうを使った昔のキャンドル作りを紹介する**キャンドル博物館**や200種類の香りのなかからオリジナルの香りと色を選び、オリジナルキャンドルを作るコーナー、手形ろうそく作り体験、ロマンティックなクリスマスグッズであふれたバーバリアン・クリスマスビレッジなど、見て体験して遊んで買う、キャンドルのテーマパークのような存在だ。併設されたレストラン、**シャンドラーズレストランChandler's Restaurant**（→P.241）で絶品のアメリカ料理を味わうのもいい。ワインのセレクションも豊富なので、大人のディナータイムにもぴったりだ。

本店にあるキャンドル博物館

ヤンキーキャンドルの本店にあるシャンドラーズレストランでおいしいランチを

レキシントン

Lexington

独立戦争発端の記念碑、ミニットマンの像

1775年4月19日、コンコードの植民地兵士軍とイギリス連隊がレキシントンで衝突。約8年間にわたる独立戦争の火ぶたが切って落とされた。この「レキシントン・コンコードの戦い」はアメリカ独立への第一歩として、アメリカ史に深く刻まれている。

レキシントンは、独立戦争発端の町。緑豊かな町のあちこちに、独立以前の居酒屋や個人の邸宅が史跡として残され、博物館とともに一般公開されている。歴史に彩られた町は、ニューイングランド地方特有の自然に抱かれ、秋、街路樹の紅葉は美しさを増す。

行き方

MBTA地下鉄&バス／
ボストンから①レッドラインでAlewife駅下車。駅前から#62、76のバスで約25分。#62、76のバスは日曜運休。バスは町の中心を走るMassachusetts Ave.沿いを通るので、レキシントン・バトル・グリーン付近（住Massachusetts Ave. & Clarke St.）で下車。ボストンの中心部から約1時間
URL www.mbta.com
車／ボストンの中心部からは、地下鉄のHynes Convention Center駅前を走るMassachusetts Ave.を北に約18km進めば約45分で町の中心であるレキシントン・バトル・グリーン周辺に着く

レキシントンの観光案内所

レキシントンの歩き方

　ボストンからも近く、半日観光も可能。ただし、ハンコック・クラーク邸、バックマンタバーン、マンロータバーンの3ヵ所を訪れるのなら半日ではきつい。町の散策を含めて1〜2日は必要だ。まずは、町の中心、レキシントン・バトル・グリーン前にあるレキシントン観光案内所で地図や資料を入手して、ミニットマンの像 Minute Man Statueから歩き始めよう。おもな史跡は徒歩圏内にある。

観光案内所

レキシントン観光案内所

　レキシントンの戦いを表したジオラマを展示している。

ミニットマン観光案内所

　「1775年4月19日の独立軍対英国軍の戦い」の再現フィルム『The Road to Revolution』を上映する（30分ごと）。

ミニットマンって何？　民間人の兵士のことで、普段は農業などに従事しながら、いざ事が起きると数分のうちに銃を手に集まり軍隊を組織することから、こう呼ばれた。

現地発のツアー

リバティライド

　バックマンタバーンやハンコックー・クラーク邸、オーチャードハウスなどレキシントンとコンコードのおもな見どころを回る、乗り降り自由のナレーション付きトロリーツアー。1周約1時間30分。

おもな見どころ

観光の中心はここ
レキシントン・バトル・グリーン
The Lexington Battle Green

　レキシントンの中心にある三角形の緑地帯で、レキシントンコモンLexington Commonとも呼ばれている。1775年4月19日、ジョン・パーカーJohn Parkerをはじめとする独立軍の農民兵士（ミニットマン）77名がボストンから侵攻してくるイギリス軍を待ち受けた場所だ。早朝ここで両者はにらみ合いとなり、ついに戦いが始まる。これが、このあと9年にわたって各地で繰り広げられたアメリカ独立戦争のいわば1発目の銃砲となったものだ。

　バトル・グリーンの隅には銃を手にした独立軍の農民兵士ミニットマンの像Minute Man Statueが立っている。

　また兵士の像の道を挟んだ向かいには、戦いに参加したミニットマンの名前が刻まれたミニットマンの記念碑 Minute Man Memorialもある。

ひっそりとたたずむミニットマン記念碑

観光案内所

Lexington Chamber of Commerce & Visitors Center
P.181-A1
1875 Massachusetts Ave., Lexington, MA 02420
(781)862-2480
URL www.lexingtonchamber.org
〈4〜11月〉毎日9:00〜17:00、〈12〜3月〉毎日9:00〜16:00

Minute Man Visitor Center
P.181-A1外
250 N. Great Rd., Lincoln, MA 01773
(781)674-1920
URL www.nps.gov/mima
〈4〜10月〉毎日9:00〜17:00
11〜3月

Liberty Ride
URL tourlexington.us/libertyride.html
大人$28、5〜17歳$12
出発地／レキシントン観光案内所（1875 Massachusetts Ave., Lexington)
出発時間／〈4〜5月〉土・日 10:00、11:30、13:00、14:30〈6〜10月〉毎日10:00、11:30、13:00、14:30
チケット販売場所／レキシントン観光案内所、コンコード・コロニアル・イン（→P.191)、もしくは車内で
問い合わせ先／
(781)698-4586

The Lexington Battle Green
P.181-A1
Massachusetts Ave. & Bedford St., Lexington

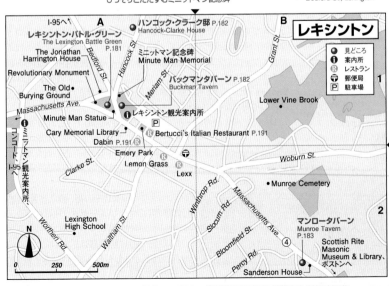

レキシントン

○ 見どころ
ⓘ 案内所
Ⓡ レストラン
⊕ 郵便局
P 駐車場

I-95へ
レキシントン・バトル・グリーン
The Lexington Battle Green P.181
ハンコック・クラーク邸 P.182
Hancock-Clarke House
The Jonathan Harrington House
ミニットマン記念碑
Minute Man Memorial
Revolutionary Monument
Bedford St.
Hancock St.
Meriam St.
バックマンタバーン P.182
Buckman Tavern
Grant St.
Lower Vine Brook
The Old Burying Ground
Massachusetts Ave.
Minute Man Statue
レキシントン観光案内所
Cary Memorial Library
Dabin P.191 Ⓡ
Bertucci's Italian Restaurant P.191
Emery Park
Lemon Grass
Lexx
Woburn St.
Munroe Cemetery
Clarke St.
Winthrop Rd.
Slocum Rd.
Massachusetts Ave.
Lexington High School
Waltham St.
Worthen Rd.
Bloomfield St.
Percy Rd.
マンロータバーン
Munroe Tavern
P.183
Scottish Rite Masonic Museum & Library、ボストンへ
Sanderson House
コンコード・I-95へ
ミニットマン観光案内所へ
N
0　250　500m

MEMO　スコティッシュ・ライト・マゾニック博物館&ライブラリー　独立戦争時の工芸品などが飾られ、当時の生活がわかる。Scottish Rite Masonic Museum & Library　33 Marrett Rd., Lexington　URL www.monh.org

181

Buckman Tavern

MP.181-A1

住 1 Bedford St., Lexington

☎(781)862-5598

営〈4月中旬〜5月中旬〉土・
日10:00〜16:00、〈5月下旬〜
10月〉毎日10:00〜16:00

休11月〜4月上旬

料大人$8、6〜16歳$5、5歳
以下無料

※3館共通入場券（→下記
MEMO）

行き方レキシントン・バトル・
グリーンのなか、Hancock
St.側にある

戦いの本部となった
バックマンタバーン
Buckman Tavern

ミニットマンの像のすぐそばにある、独立軍の本部として使われた居酒屋。77名の兵士たちは戦い前夜からここに集結し、4月19日の夜明け前にレキシントン・バトル・グリーンへ出ていってイギリス軍を迎え撃った。戦いが始まると多くの負傷兵がここへ運ばれて手当てを受けたという。

このバックマンタバーンは1710年に建てられ、町でいちばん人気の居酒屋だった。人々が集まる教会が近くにあり、また市場への牛の通り道でもあったために繁盛した。ちなみに、このタバーンができた頃は、身長で飲酒の許可が下りたそうだ。カウンター越しにバーテンと酒の注文をやりとりするわけだが、実はそのカウンターがものさしの役割を兼ねており、身長がそのカウンターを超えたなら年齢に関係なく飲酒が許されたという。

現在の建物は1920年代になって忠実に復元されたもので、1階と2階にはそれぞれ4部屋ある。小銃の弾痕が残るドアや暖炉などオリジナルも多く、戦いの様子をしのばせる資料なども展示されている。セルフオーディオツアーで見学するが、酒場、ダンスホール、屋根裏部屋など当時の典型的な居酒屋として見ても興味深い。

居酒屋は戦争指令の本部にもなった

Hancock-Clarke House

MP.181-A1

住 36 Hancock St., Lexington

☎(781)861-0928

営〈4月中旬〜5月中旬〉土・
日10:00〜16:00、〈5月下旬〜
10月〉毎日10:00〜16:00

ツアー約30分間のガイドツアー
で見学する。16:00まで毎
正時出発

休11月〜4月上旬

料大人$8、6〜16歳$5、5歳
以下無料

※3館共通入場券（→下記
MEMO）

行き方レキシントン・バトル・
グリーン前のBedford St.が
Hancock St.に分かれた約
500m先、徒歩約6分

ポール・リビアPaul Revereが駆け込んできた家
ハンコック・クラーク邸
Hancock-Clarke House

レキシントン・バトル・グリーンから北東へ500mほどの所にある家で、1737年から1738年にハンコック牧師Reverend Hancockが建てたとされている。1775年の戦いの際、ここには彼の孫ジョン・ハンコックJohn Hancockとジョナス・クラークJonas Clarkeのふたりの牧師が住んでいた。クラークは説教が上手で、人々に独立心や愛国心を説いて回っていたという。また、ハンコックはサミュエル・アダムズSamuel Adamsとともに独立軍のリーダー的な存在だったためイギリス軍の標的になっていた。

4月18日の夜、かのポール・リビアPaul Revere（→P.73）が駆け込んできたのがこの家。彼はイギリス軍の侵攻をいち早く察知してボストンから馬を走らせてきたのだ。おかげでハンコックとアダムズはイギリス軍から逃れることができた。このジョン・ハンコックはその後、独立宣言に1番目に署名し、マサチューセッツ州コモンウェルス地区の初代知事に就任することになる。

2.5階建ての建物内部は、コロニアル調の家具装飾品があしらわれていて、ガイドツアーで見学できる。

建国の英雄、ポール・リビアはここまで馬を走らせた

イギリス軍の視点から戦いを知ることができる

マンロータバーン
Munroe Tavern

レキシントン・バトル・グリーンより約1マイル（約1.6km）南東にあり、1770年から1827年にかけて独立軍の兵士だったウィリアム・マンローWilliam Munroeが開いていた居酒屋。

1775年4月19日の午後、ここはイギリス軍に占拠され、ボストンへの撤退を決めるまでの数時間イギリス軍の本部と病院として使われていた。ダイニングルームには負傷兵が担ぎ込まれ、食料や飲み物は兵士たちによって食い尽くされてしまったという。酒場の天井に空いている穴は、飲んだくれた兵士が銃を撃った跡だ。

マンロータバーンの花壇には、入植時代の花々が植えられている

なお、この戦いから14年後の1789年、アメリカ初代大統領に就任したばかりのジョージ・ワシントンGeorge Washingtonが独立戦争の戦跡地を訪れ、このマンロータバーンでランチを取ったそうだ。2階の部屋には今でもワシントンの座った椅子やテーブルが残されている。

ワシントンも食事をした居酒屋

Munroe Tavern
Ⓜ P.181-B2
🏠 1332 Massachusetts Ave., Lexington
☎ (781)862-0295
🕐〈4月中旬〜5月中旬〉土・日曜10:00〜17:00、〈5月下旬〜10月〉毎日12:00〜16:00
🚫 11月〜4月上旬
ツアー 16:00まで毎正時出発
💰 大人 $8、6〜16歳 $5、5歳以下無料
※3館共通入場券（→P.182 MEMO ）
行き方 レキシントン・バトル・グリーンからMassachusetts Ave.を南東へ約1.6km、徒歩20分ほど

歴史コラム

1775年4月19日に何が起こったのか！

ボストン虐殺事件（→P.63歴史コラム）に続いてボストン茶会事件（→P.68歴史コラム）が起こると、イギリス軍と植民地軍の間での衝突が重なり、双方の緊張がますます高まっていった。ボストンに連隊本部をおいたイギリス軍は、植民地軍の連隊（おもに農民兵）が駐屯し、武器弾薬が隠匿されているコンコードに進攻することを決め、1775年4月18日の晩、連隊をボストンコモンに集結させた。

このイギリス軍の集結にいち早く気づき、敵の野営するボストンコモンの横を通って、一目散にコンコードの中継点であるレキシントンへ向けて馬を走らせたのが、ポール・リビアであった。

翌19日早朝リビアの急報を受けた植民地軍は、レキシントンに布陣し、イギリス兵の進軍を待ち伏せた。午前5時、バックマンタバーンで敵を待ち受けていたジョン・パーカー隊長率いる77人のミニットマン（農民兵）たちは、イギリス軍を確認する。兵700人のイギリス軍に対し、植民地軍はわずかその10分の1。数のうえでの劣勢を悟ったパーカー隊長が撤退を命じるが、時すでに遅し。ミニットマンたちはイギリス軍に向かっていった。

よく訓練されたミニットマンたちは予想以上に奮戦し、死者8名、けが人10名の被害にとどまった。逆にイギリス軍は勝利を収めたものの、それとは対照的に、コンコードへ向けての連隊再編成を余儀なくされた。そして、イギリス軍と植民地軍の戦いは、コンコードへと移っていく。それが、**レキシントン・コンコードの戦いThe Battles of Lexington and Concord**である。

戦争時はミニットマンと呼ばれる農民兵が大活躍した

市外局番 ● **978**

コンコード

Concord

バーモント州　ニューハンプシャー州
コンコード　Boston
マサチューセッツ州
コネチカット州　ロード
アイランド州

ヘンリー・デイビット・ソローの小屋のレプリカとソローの像

アメリカがイギリスの植民地だった頃、コンコードは、植民地軍の武器弾薬の保管基地だった。その後19世紀になると、アメリカを代表する文学者たちがここに暮らした。『若草物語』の作者ルイザ・メイ・オルコット、ルイザの父ブロンソン・オルコットとともに「超越主義」を唱えたラルフ・ウォルド・エマソン、『ウォールデン―森の生活』の作者ヘンリー・デイビッド・ソロー、『緋文字』の作者ナサニエル・ホーソンなど、19世紀のアメリカ文学界を代表する作家たちの家も残され、彼らの生き様をたどることができる。

行き方

MBTAコミューターレイル／ボストンのノースステーションからFitchburg Lineでコンコード駅下車。所要40～50分。平日1日16便、土・日は運休。駅からコンコードセンターまで徒歩約10分
🚃大人$8.50～11.50 (ゾーン5)
URL www.mbta.com
Concord Station
Ⓜ P.185-A1～A2
🏠 90 Thoreau St., Concord

車／I-95のExit 29Bで下り、MA-2A (Cambridge Tnpk.)を約7km西進。ボストンの中心部から約45分

The Concord Visitor Center
Ⓜ P.185-A1
🏠 58 Main St., Concord, MA 01742
URL concordchamberof commerce.org
🕐〈4～10月〉毎日10:00～16:00

コンコードの歩き方

　見どころはそれぞれが離れているため、車があると便利。車がない人は、ボストン発のツアーに参加するか、コミューターレイルでコンコードまで来て、見どころを絞って歩き始めるとよい。シーズン中ならウォーキングツアー (→P.185) に参加すると効率的。なお、町の中心をコンコードセンター (中央ロータリー広場) という。すべての見どころを訪れるなら2日必要だ。

観光案内所

●コンコード観光案内所

　コンコード商工会議所が運営するこの観光案内所で、歴史スポットの地図や情報を入手しよう。

●ノースブリッジ観光案内所

　ミニットマン国立歴史公園内のオールドノース橋を渡った奥の丘の上にある。案内所には、独立戦争当時をしのぶ品々が展示されている。

コンコードとレキシントンを回るトロリーツアー　コンコードセンターやオーチャードハウス、オールドノース橋をはじめとするコンコードのおもな見どころとレキシントンの見どころをめぐる乗り降り自由の

現地発のツアー

ウオーキングツアー

　コンコード商工会議所が主催するウオーキングツアーConcord Guided Walking Toursが、The Concord Visitor Center（→P.184）から出発。コンコードで起きたできごとを、歴史的背景まで含めて細かく説明してくれる。所要約2時間。ウオーキングツアーのほかに、バスで見どころを回るHistoric Concord TourやRevolutionary Concord Tour、コンコードに住んでいた著名作家ゆかりの地を巡るConcord Authors Tourもある。なお、スケジュールは流動的なので、事前に必ず日時の確認と予約をすること。

ウオーキングツアーのほかに、レンジャートークも行われる

North Bridge Visitor Center
M P.185-A1
174 Liberty St., Concord, MA 01742 (Minute Man National Historical Park)
☎(978)318-7810
〈4〜10月〉毎日9:00〜17:00、〈11〜12月〉火〜土9:00〜15:00
11月第4木曜、12/25、1〜3月

Concord Walking Tour
☎(978)369-3120
URL concordchamberofcommerce.org
所要 約2時間
出発〈4〜10月〉金13:00、土11:00、13:00、日12:00。要予約
大人$20、60歳以上・13〜18歳$18、12歳以下$5

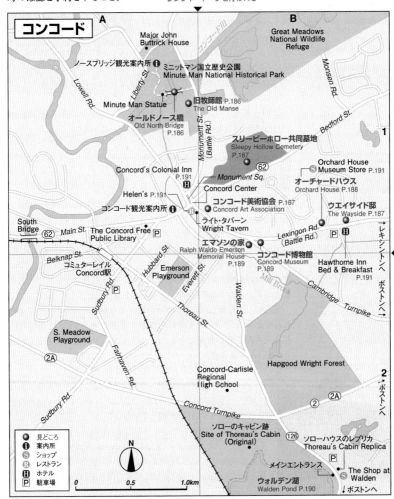

コンコード

- Major John Buttrick House
- Great Meadows National Wildlife Refuge
- ノースブリッジ観光案内所
- ミニットマン国立歴史公園 Minute Man National Historical Park
- 旧牧師館 P.186 The Old Manse
- Minute Man Statue
- オールドノース橋 Old North Bridge P.186
- スリーピーホロー共同墓地 Sleepy Hollow Cemetery P.187
- Concord's Colonial Inn P.191
- Monument Sq.
- Concord Center
- コンコード美術協会 P.187 Concord Art Association
- Orchard House Museum Store P.191
- オーチャードハウス Orchard House P.188
- Helen's P.191
- コンコード観光案内所
- ライト・タバーン Wright Tavern
- ウエイサイド邸 The Wayside P.187
- South Bridge
- Main St.
- The Concord Free Public Library
- エマソンの家 Ralph Waldo Emerson Memorial House P.189
- Lexingon Rd. (Battle Rd.)
- コンコード博物館 Concord Museum P.189
- コミューターレイル Concord駅
- Emerson Playground
- Hawthorne Inn Bed & Breakfast P.191
- Mill Brook
- S. Meadow Playground
- Cambridge Turnpike
- Hapgood Wright Forest
- Concord-Carlisle Regional High School
- Concord Turnpike
- Site of Thoreau's Cabin (Original)
- ソローのキャビン跡
- ソローハウスのレプリカ Thoreau's Cabin Replica
- メインエントランス
- The Shop at Walden
- ウォルデン湖 Walden Pond P.190

凡例
- 見どころ
- 案内所
- ショップ
- レストラン
- ホテル
- 駐車場

0　0.5　1.0km

のツアー、リバティライド（→P.181）が便利。

Old North Bridge

ダニエル・チェスター・フレンチ

アメリカを代表する彫刻家のひとり。1850年ニューハンプシャーに生まれ、コンコードで彫刻を学んだ。ミニットマンの像は、フレンチの初期の代表作。フレンチについての詳細は、バークシャー地方の「チェスターウッド」(→P.246) 参照

イギリス軍の進軍経路

オールドノース橋から南へ延びるMonument St.、東へ延びるLexington Rd.、レキシントンへ続くMassachusetts Ave.は、バトルロードBattle Roadと呼ばれ、イギリス兵が進軍した道だ

The Old Manse

ホーソン夫妻が暮らした旧牧師館

おもな見どころ

ここでの発砲が独立戦争の発端

オールドノース橋
Old North Bridge

コンコード川に架かるこの橋は、イギリス占領下の1775年4月19日、イギリス兵 (約100人) とアメリカ農民兵 (約400人) が衝突した場所。アメリカでは有名な言葉、"全世界に響き渡った発砲 Shot heard 'round the world"の発祥地でもある。この発砲が発端となり、独立戦争が始まった。橋のそばには、多くの戦死者を出したイギリス軍のために「イギリス兵たちの墓Grave of British Soldiers」という鎮魂碑がたたずむ。また、橋の向こう岸にあるミニットマンの像The Minute Man

背後から見た姿は農夫を思わせるミニットマンの像

(ダニエル・チェスター・フレンチDaniel Chester French制作) は、コンコードの戦闘を記念して1875年に建てられた。

この一帯はレキシントンとあわせてミニットマン国立歴史公園Minute Man National Historical Parkになっている。

19世紀のアメリカ文学が花開いた地

旧牧師館
The Old Manse

1770年、牧師であった、ラルフ・ウォルド・エマソンRalph Waldo Emersonの祖父ウィリアム・エマソンWilliam Emersonによって建てられたことからオールドマンス (manse＝牧師館) の名がついた。町の中心から離れ、道路から少し引っ込んだ緑の茂るなかにある。2.5階建てのこま形切妻屋根をもつ邸宅に、ナサニエル・ホーソンとソフィア夫妻Nathaniel & Sophia Hawthorneが結婚直後の「生涯で最も幸福な時期」の約3年間 (1842～1845年) を過ごした。

建物は、建造後240年以上たった現在でもすべて当時のままに保存されており、ビクトリア王朝風の壁紙や豪華な家具からは、当時の裕福な人々の生活が想像できる。ホーソンが毎日3～4時間仕事をしたという書斎の窓のひとつには、ホーソンと妻ソフィアがダイヤモンドで書いた落書き、「人間の偶然事は神の意図なり ソフィア・A・ホーソン 1843」「ナス・ホーソン ここが彼の書斎である 1843」「1843年4月3日没時、夫によって刻まれる 金色の光に包まれて S. A. H.」が残っている。

邸宅の裏を流れるコンコード川は、エマソンやヘンリー・デイビッド・ソローHenry David Thoreauの憩いの場所で、彼らは魚釣りやボート遊びを楽しんだという。また、エマソンの処女作『自然Nature』の第1稿はこの家で書き上げられた。

文学者たちが永遠に眠る

スリーピーホロー共同墓地
Sleepy Hollow Cemetery

この丘の墓地には、コンコードが生んだ多くの作家とその家族が眠っている。木々に覆われた墓地北側にはエマソン家の人々が葬られており、先のとがった墓石がラルフ・ウォルド・エマソンRalph Waldo Emersonのもの。ヘンリー・デイビッド・ソローHenry David Thoreauの墓石は、生前の彼をしのばせる簡素なもので、両親と4人の兄弟が一緒に埋葬されている。ナサニエル・ホーソンNathaniel Hawthorneの墓の横には、妻のソフィアと娘のユナの記念碑（ふたりはロンドンで死亡）。その斜め向かいはオルコット家の墓となっており、超越主義者の父ブロンソン、『若草物語』のルイザ・メイ・オルコットLouisa May Alcott、母や姉妹が眠る。そのほか、ミニットマンの像の制作者ダニエル・チェスター・フレンチDaniel Chester Frenchの墓もある。

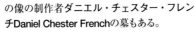

中央がルイザ・メイ・オルコットの墓

ホーソンの墓

エマソンの墓

Sleepy Hollow Cemetery
MP.185-B1
34 Bedford St., Concord
☎(978)318-3233
URL www.concordnet.org/pages/ConcordMA_Cemetery/sleepy
毎日7:00～日没
コンコードセンターからBedford St. (MA-62)を東へ約500m、徒歩約6分

多くの著名人の墓の場所

エマソン、ソロー、ホーソン、オルコット家の人々の墓は、Prichard Gateを入り、駐車場を過ぎてすぐに現れるオーサーズリッジAuthors Ridgeの石柱を目印に、丘の上へと上っていく。19、20、21が作家たちの眠る墓所。墓の地図はオーチャードハウスの売店で購入できる

18世紀の家屋を利用した現代美術の小さなギャラリー

コンコード美術協会
Concord Art Association

現代美術を集めたギャラリーで、1階には多くの芸術家による作品が展示され、一部販売されている。その作品は装飾品からアクセサリー、安価なものから高価なものまで多種多様だ。2階はギャラリーになっており、おもに現代美術、工芸品が展示されている。

なお、美術協会向かいには集会場Meeting Houseがある。その北の古い赤茶色の木造建物はライトタバーンWright's Tavern。1775年4月19日の早朝にはミニットマンたちの本部がおかれた所だ。

Concord Art Association
MP.185-B1
37 Lexington Rd., Concord
☎(978)369-2578
URL www.concordart.org
火～土10:00～16:30、日12:00～16:00
月
無料
コンコードセンターのMain St.とLexington Rd.が交差する近く

有名人たちが移り住んだ家

ウエイサイド邸
The Wayside

『若草物語』の作者、ルイザ・メイ・オルコットLouisa May Alcott一家が1845年4月から1848年11月まで住んだ家だ。彼らはここをヒルサイドHillsideと呼んだ。1852～1870年には、ホーソン一家が居住している。ちなみにウエイサイド邸からオーチャードハウスに向かう緑の道は、ホーソンの散歩道だったそう。この家は、独立戦争時コンコードのミニットマンの隊長であるサミュエル・ホイットニーSamuel Whitneyの屋敷でもあった。1700年の建設当初、ウエイサイド邸はわずか4部屋であったが、住人が変わるたびに増築されて現在の状態になったという。

The Wayside
2015年10月現在、改修工事のため閉館中。下記は閉館前の2013年のデータ
MP.185-B1
455 Lexington Rd., Concord
☎(978)318-7863
URL www.nps.gov/nr/travel/pwwmh/ma47.htm
〈5月中旬～10月〉水～日9:30～17:30
ツアー 水～日10:00、11:00、13:00、14:00、15:00、16:30。所要約40分
大人$5、16歳以下無料
コンコードセンターからLexington Rd.を南東に約1.4km、徒歩約17分

傷みが激しいウエイサイド邸

Orchard House
Ⓜ P.185-B1
🏠 399 Lexington Rd., Concord
☎ (978)369-4118
URL www.louisamayalcott.
org
館内はツアーによる見学の
み。所要時間30分
🕐〈4～10月〉毎日10:00～
16:30（日13:00～）、〈11～3
月〉月～金11:00～15:00、土・
日10:00～16:30（日13:00～）
🚫 イースター、11月第4木
曜、12/25、1/1、1/2
💰 大人$10、シニア・学生
$8、6～17歳$5、ファミリー
（大人2人、子供4人）$25
※ツアーの事前予約は不
可。先着順
🚶 行き方 コンコードセンターか
らLexington Rd.を東へ約
1.1km上ると、左側にオーチ
ャードハウス "Home of the
Alcotts" という表示がぶら
下がっている。徒歩約14分

ジョーに扮した Jan Turnquist さん

庭の一画にある哲学学校

■ オルコットが『若草物語』を執筆した家

オーチャードハウス
Orchard House

ルイザ・メイ・オルコットLouisa May Alcott一家が、1858年
から1877年まで暮
らした家。この家
の2階にあるルイ
ザの部屋で、名作
『若草物語Little
Women』は生まれ
た。ルイザ36歳、
1868年5月から7月
のことだった。

名作『若草物語』が生まれた家

物語には、4人の姉妹が登場する
が、オルコット家の4姉妹がモデルとな
っている。長女メグはルイザの姉アン
ナ・オルコット・プラットAnna Alcott
Pratt、次女ジョーはルイザ本人、三女
ベスは妹エリザベス・シーウォル・オ
ルコットElizabeth Sewall Alcott、四女エイミは
末娘メイ・オルコット・ニューリカーMay Alcott
Nieriker。そして父エイモス・ブロンソン・オル
コットAmos Bronson Alcottと、母アビゲイル・
メイ・オルコットAbigail May Alcottである。

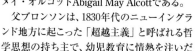

ルイザの机に置かれた『若
草物語』の草稿と初版本

父ブロンソンは、1830年代のニューイング
ランド地方に起こった「超越主義」と呼ばれる哲
学思想の持ち主で、幼児教育に情熱を注いだ
が、世間には受け入れられず、現実の生
活にも無関心だったため、一家は困窮を
極めた。その暮らしを支え続けたのは、
マサチューセッツ州初のソーシャルワー
カーとして働いた母アビゲイル（通称ア
バ）だった。そして、ルイザが『若草物語』
を書き、それがベストセラーとなったこ
とで、一家はようやく貧困から解放される。

ブロンソンの書斎

家は、ルイザの父ブロンソンが、1857年に購入したもので、周りをリ
ンゴ畑に囲まれていたことからオーチャードハウスOrchard Houseと
呼ばれる。当初はふたつの建物が建っ
ていたが、父ブロンソンと四女メイの手
でひとつの大きな建物に改築された。

ツアーでのみ見学することができる
館内で最も印象深い部屋は、やはり2階
にあるルイザの部屋。窓際には父が手
作りした棚板のような小さな机が張り

リンゴが置いてあった台所

付いている。ここであの名作が生まれたのだ。右手の書棚には彼女の
大好きな本が並んでいたそうだが、今は約40ヵ国語に翻訳されている
著作のなかから寄贈された何冊かが並べられている。

1階のダイニングルームには四女メイが描いたルイザとエリザベスの肖像画が掛けられている。隣は菜食主義者だった父や隣人が集った居間兼客間。ブロンソンの書斎も1階にある。そして売店の脇に当たる場所が、当時の暮らしを最もよく伝える台所だ。

敷地の一画には、**コンコード・サマースクール・オブ・フィロソフィーThe Concord Summer School of Philosophy**がある。これは、ブロンソンが1879年に開いた哲学学校で、40年間研究し続けた「超越主義」の思想を教えた場所。この哲学学校は、アメリカの成人教育のはしりとなり、現在も夏の間だけ開校されている。

売店で人気のおみやげは、陶器の置物や子供用「若草物語」など

文士たちが集い、語り合った家

エマソンの家
Ralph Waldo Emerson Memorial House

ラルフ・ウォルド・エマソンRalph Waldo Emersonが旧牧師館（→P.186）を去り、1835年から79歳で亡くなる1882年まで住んだ家。白い大きな箱のような邸宅は、ビクトリア朝風。家具調度品はエマソンが亡くなる前と同じ状態で保存され、現在エマソン記念館として一般公開されている。

1880年代の状態で保存されている

家の中に飾られている多くの肖像画はすべてエマソンの妻や娘たち。寝室はブルーを基調とし、ダニエル・チェスター・フレンチ作のエマソンの胸像が鎮座する。暖炉を囲み、多くの人が集まった居間には、エマソンが敬愛したトーマス・カーライルの肖像画が掛けられている。この家に、ソロー、ホーソン、チャイニング、オルコット父娘が毎日のように集い、お互いの執筆活動や考え方、「超越主義」について論議し合ったのだ。

独立前からのコンコードの遺産ともいうべき品々が陳列

コンコード博物館
Concord Museum

コンコードの文学者たちの志を強く感じる場所だ

18～19世紀の骨董品、銀食器、時計、机、椅子、また作家のソローがウォルデン湖の小屋で使っていた鉛筆、ペーパーナイフ、メモやソロー自身の手による手作りの家具が展示されている。なかでもエマソンの書斎が丸ごと当時のままの状態で保存されている部屋は必見だ。書斎の中央には丸いテーブル、椅子、巨大な書棚などがある。ポール・リビアの「真夜中の疾駆（→P.73）」で、リビアが確認したオールドノース教会に掲げられたあのランタンも展示されている。

Ralph Waldo Emerson Memorial House
M P.185-B1
住 28 Cambridge Tnpk., Concord
☎(978)369-2236
館内は、ツアーによる見学のみ。所要約30分
営〈4月中旬～10月〉木～日10:00～16:30（日13:00～）
休月～水、11月～4月上旬
料大人$8、シニア・7～17歳$6
行き方 コンコードセンターからLexington Rd.を南東へ行き、Cambridge Tnpk.に入った右側、徒歩約7分

幼いルイザも訪れていた
エマソンはルイザのいちばんの友人でもあった。『若草物語』に登場するローレンス氏は、エマソンがモデルともいわれている

Concord Museum
M P.185-B1
住 53 Cambridge Tnpk., Concord
☎(978)369-9763
URL www.concordmuseum.org
営〈4～12月〉毎日9:00～17:00（日12:00～）、〈1～3月〉毎日11:00～16:00（日13:00～）
休イースター、11月第4木曜、12/25
料大人$10、62歳以上・学生$8、6～17歳$5
行き方 エマソンの家の斜め前

MEMO ダニエル・チェスター・フレンチ ワシントンDCのリンカーン像やハーバード大学構内にあるジョン・ハーバードの像などを制作した彫刻家。ストックブリッジに彼が晩年過ごした別荘がある（→P.246）。

189

夏場はボストン在住の人が暑さをしのぎにやってくる湖

Walden Pond
- 📍P.185-B2
- 🏠915 Walden St., Concord
- ☎(978)369-3254
- 行き方 コンコードセンターからWalden St.を南へ約2.7km、徒歩約35分。駐車料金（$8～10）を徴収されるが、効率的に回るには車で行くことをすすめる

遠浅で水温も暖かいので夏は水遊びの場としてもにぎわう湖。週末はレンジャートークがある。ウォルデン湖は、ハイキングやカヌー、釣りに最適

『ウォルデン―森の生活』はここでの実生活がモデル

ウォルデン湖
Walden Pond

名著『ウォルデン―森の生活』を書いたヘンリー・デイビッド・ソローHenry David Thoreauが、1845年7月から1847年9月まで森の暮らしを実践した場所。実体験から導き出された自然哲学に裏打ちされた思索は、多くのアメリカ人の心を魅了した。現在、湖と周辺の森は州立保護区に指定され、湖を1周するトレイルも整備されている。駐車場脇には小屋のレプリカとソローの立像が立つ。オリジナルサイトは、メインゲートから湖畔へと下ったメインビーチから、反時計回りに湖岸沿いを15分ほど歩いた森の中。自然石で囲まれたサイトの脇には名著の一節が刻まれたボードが立っている。

1945年、Roland Wells Robbinsによって発見された住居跡。その脇の石積みに「私が森で暮らそうと思ったのは、人生の根源と真正面から向き合いたかったから……」と名著の一節が刻まれている

歴史コラム

コンコードの文学者たち

ヘンリー・デイビッド・ソロー
Henry David Thoreau

1817年7月12日、コンコードに生まれる。成績優秀であったソローは、16歳のときにハーバード大学に奨学生として入学。1837年に卒業すると兄のジョンとともに私塾を開くが、ジョンが病気になり1841年に閉塾。その後ソローは、エマソンの書生となり、超越主義に基づく自然思想を実践するため、1845年7月から1847年9月までの2年3ヵ月を、ウォルデン湖畔に築いた森の小屋で過ごす。その生活は大工や測量技師として働く以外は、書物を読み思索を深めることと、森を歩き自然と対峙することに費やされた。そのシンプルな生活から導き出された自然思想が結実したものが、名著『森の生活』だった。ソローは人頭税（個人の所得によって納税するのではなく、ひとり当たり同じ金額を納税する）を拒んだため、牢獄に入れられたこともあった。これが『市民的不服従』を書くきっかけとなる。1862年結核のため44歳の若さで亡くなった。

小屋のレプリカとソローの像

ラルフ・ウォルド・エマソン　Ralph Waldo Emerson

1803年ボストンに生まれる。エマソン家は代々牧師の家系。父のウィリアムは、キリスト教のユニテリアン派で、ボストン第一教会の牧師である。父はラルフが7歳のとき病気で亡くなるが、母親の徹底した教育方針により、14歳でハーバード大学に入学。卒業後も大学院で神学の研究に取り組み、家業の牧師を継ぐ。しかし、牧師の仕事に疑問をもち始めたラルフは、1832年29歳のときに牧師の職を辞任する。そのあとのヨーロッパ旅行が彼の進むべき道を大きく変えた。尊敬していたトーマス・カーライルThomas Carlyleと出会ったことで、神と自然の関係性を導く真理にいたり、後に執筆する『自然論Nature』へとつながっていく。エマソンが求めたものは魂の探求であり、自然は自己と宇宙の真理にいたる手段に過ぎなかった。つまり、自然に身を置くことでさまざまな束縛から解放され、真に自己と対面できると説いたのである。この超越主義の思想は、ソローやナサニエル・ホーソンをはじめブロンソン・オルコットやルイザ・メイ・オルコットまでコンコード周辺の知識層に多大な影響を及ぼした。

ルイザ・メイ・オルコット　Louisa May Alcott

1832年、ペンシルバニア州ジャーマンタウン生まれ。1840年、コンコードに移り住む。ルイザは、教育者であり哲学者だった父のブロンソンの影響を受け、8歳のときに『最初のロビン』という詩を作る。ルイザが17歳のとき、一家はコンコードを一度離れるが、ルイザの創作活動は継続、19歳のとき『張り合う画家たち』がオリーブ・ブランチ誌に掲載される。21歳のときには『花物語』という本を出版している。25歳で再びコンコードへ戻り、南北戦争が始まると北軍に看護師として参加。しかし、このとき腸チフスにかかり、長い闘病生活を送ることになる。『若草物語』は、ルイザが35歳のときに発表した作品。全米で反響を呼んだこの本は、ベストセラーとなり多額の収入を得る。これにより、一家の借金生活に終止符を打つことができた。ルイザは、実質的に一家の生活を支え、その後も生涯独身を通した。

S 物語の思い出となるおみやげ

雑貨／コンコード／**MAP▶P.185-B1**

オーチャードハウス・ミュージアムストア　Orchard House Museum Store

子供用から大人用まで揃った『若草物語』の英語版は、英語を勉強中の人へのおみやげに最適。珍しいところでは、姉妹の部屋が飛び出す、本型のペーパードールハウス、若草物語がテーマの刺繍セット、かわいいネズミのフィギュアScrabbleなど。愛らしいおみやげ探しなら、ここ！

🏠 399 Lexington Rd., Concord
☎(978)369-4118
URL www.louisamayalcott.org
営〈4〜10月〉毎日10:00〜16:30(日13:00〜)、〈11〜3月〉月〜金11:00〜15:00、土10:00〜16:30、日13:00〜16:30　休11月第4木曜、12/25、1/1、1/2　カード A M V

R 地元の人でにぎわうイタリアン

S イタリア料理／レキシントン／**MAP▶P.181-A1**

バルトゥッチズ・イタリアン・レストラン　Bertucci's Italian Restaurant

カジュアルだがおしゃれな雰囲気。ランチはパスタやサンドイッチなどが$10前後で食べられるうえに、サラダは食べ放題だ。特におすすめは、れんがのかまどで焼くピザ。シンプルなチーズピザもいいが、30種類あるトッピングを加えて自分好みにするといい。

🏠 1777 Massachusetts Ave., Lexington
☎(781)860-9000
URL www.bertuccis.com
営 毎日11:00〜21:30(金・土〜22:00、日〜21:00)
休11月第4木曜、12/25
カード A M V

R 焼肉でスタミナをつけよう

SS 日本料理&韓国料理／レキシントン／**MAP▶P.181-A1**

ダビン　Dabin

Dabinとはオーナーのキョンさん命名の「大勢のお客さん」という意味の言葉。その甲斐あっていつもにぎわっている。店内は明るく、清潔。ランチタイムにはお弁当($10.95〜)、天丼($9.50)のほか、天ぷらうどん、石焼きビビンバ、握り寿司もある。

🏠 10 Muzzey St., Lexington
☎(781)860-0171
URL dabinlexington.com
営 月〜土11:30〜14:30、17:00〜22:00(金・土〜23:00)、日17:00〜22:00
カード A J M V

R 3代続く老舗カフェ

S カフェ／コンコード／**MAP▶P.185-A1**

ヘレンズ　Helen's

かつてBrigham's Cafeと呼ばれた3代続く老舗カフェが、内装を一新。以前にも増して、にぎわっている。特にカリカリのベーコンにトマトやレタスを挟み、マヨネーズで味つけしたBLT Sandwich($7.50)やBrigham'sのアイスクリームがおすすめ。

🏠 17 Main St., Concord
☎(978)369-9885
営毎日7:00〜21:00(日9:00〜)
カード不可、現金のみ

H コンコードセンターにある老舗ホテル

高級／コンコード／**MAP▶P.185-A1**

コンコード・コロニアル・イン　Concord's Colonial Inn

1716年創建の建物で、ホテルの営業は1889年から。全56室と小規模だが、名門の風格を漂わせている。客室はニューイングランドスタイルで優雅な雰囲気。建物のそこここに風雅さがある。月〜金は無料の朝食も評判。Wi-Fi無料。

🏠 48 Monument Sq., Concord, MA 01742　☎(978)369-9200
Free (1-800)370-9200
FAX (978)371-1533
URL www.concordscolonialinn.com
料 S D T $134〜287、Su $215〜395、コテージ$314〜431、56室、2コテージ　カード A D M V

H アンティークに囲まれた大人のB&B

B&B／コンコード／**MAP▶P.185-B1**

ホーソン・イン・ベッド&ブレックファスト　Hawthorne Inn Bed & Breakfast

ウエイサイド邸の向かいに建つB&B。愛らしい外観に反し、室内はとても粋。日本の浮世絵やアンティーク家具がセンスよく配され、とても趣味がいい。朝食も豪華。なんと、ご主人は鉄のアーティスト。Wi-Fi無料。

🏠 462 Lexington Rd., Concord, MA 01742
☎(978)369-5610
FAX (978)287-4949
URL www.concordmass.com
料 S D $149〜359、1人追加$30、7室　カード A M V

セーラム

Salem

海に関する展示が必見のピーボディ・エセックス博物館

セーラムとは、ヘブライ語の「平和Shalom」に由来している。その名のとおり、石畳の小道やれんが造りの町並みには、しっとりと落ち着いた風情が漂う。かつて、この町で「魔女狩りWitch Hunt」が行われた。17世紀末、ヨーロッパを震撼させた「魔女狩り」が、この地にも飛び火してきたのだ。実際に魔女裁判が行われ、罪のない尊い命がいくつも失われた。そのため、今も、そこここに魔女のサインや看板がシンボルのように掲げられている。ハロウィーンの季節（10月末）には、魔女目当てに全米から観光客が押し寄せる、文字どおり魔女の町だ。

行き方

MBTAコミューターレイル／
URL www.mbta.com
圏 ボストン市内から$7〜10
(Zone3)
平日30便、土・日13便の運行
Salem Station
M P.193-A1
住 252 Bridge St., Salem
観光案内所まで徒歩約5分

MBTAバス／
URL www.mbta.com
圏 ボストン市内からチャーリーカード$3.65、チャーリーチケット＆現金$4.75
#459は平日12便、土・日運休。#450は平日22便、土・日運休
所要 約1時間10分

車／ボストンの中心部からI-93 N.、I-95 N.、MA-128に入り、Exit 25AでMA-114 E.に乗り換える。セーラム観光案内所まで約40km、約45分

セーラムへの行き方

鉄道／ボストンのノースステーションからコミューターレイルNewburyport/Rockport Lineでセーラム駅まで約30分。
バス／ボストンからMBTAバス#459（Downtown Crossing発）や#450（Haymarket駅発）がセーラム駅まで運行されている。ただし、セーラム駅ではなくFederal St.で降りたほうがおもな見どころに近い。

セーラムの歩き方

　小さな町だが、セーラム魔女博物館や七破風の家などはツアーでのみ見学が可能なので、意外に時間を要する。ボストンからの日帰りも可能だが、港町セーラムに泊まってみるのも悪くない。
　セーラム駅（Bridge & Washington Sts.）から町の中心へは、駅階段を上り、南へ延びるWashington St.を下る。Essex St.を左折するとセーラムの目抜き通りであるエセックスストリート・モールEssex St. Mallだ。その先のNew Liberty St.との角に観光案内所がある。

フェリーでセーラムに行こう　ボストンのロングワーフからセーラムのフェリーターミナル（M P.193-B1）までフェリーが運航している。Salem Ferry 住 10 Blaney St.／Salem

おもな観光ポイントは、観光案内所から始まるヘリテージトレイ ルHeritage Trail（→P.194）のなかに含まれているので、約2km の赤い線に沿って歩くといいだろう。

観光案内所

セーラム観光案内所／ ナショナルパークサービス観光案内所

Essex St. MallとNew Liberty St.の角に位置する、町とナショナル パークサービスの合同観光案内所。資料のほか、町の歴史を解説す る展示やショップ、トイレなどがある。入植者の歴史、貿易産業にま つわる展示物などがあり、ビデオも1時間おきに上映している。

現地発のツアー

セーラムトロリー

ガイド付き観光トロリーがピッカリングワーフやセーラム魔女博 物館、魔女の地下牢博物館、魔女の家、七破風の家など、おもな見 どころを約1時間で回っている。セーラム観光案内所前から発着。乗 り降り自由。

観光案内所

Salem Visitor Center / National Park Service Visitor Center
M P.193-A1〜A2
📍 2 New Liberty St., Salem, MA 01970
☎ (978)740-1650
URL www.nps.gov/sama
URL www.salem.org
🕐 毎日9:00〜17:00
🚫 11月第4木曜、12/25、1/1

セーラムの観光案内所

Salem Trolley
📍 8 Central St., Salem
☎ (978)744-5469
URL www.salemtrolley.com
🕐 〈4〜10月〉毎日10:00〜17:00、 11〜3月は要問い合わせ
🎫 1日有効チケット：大人 $15、シニア$14、6〜14歳$5。 チケットはセーラム観光案 内所のほかドライバーから も購入可

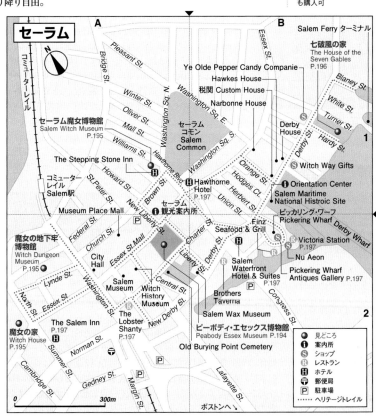

地図内の文字：

セーラム

A　　　　B

Salem Ferry ターミナル

コミューターレイル

Pleasant St.
Bridge St.
Essex St.

七破風の家
The House of the Seven Gables
P.196

Ye Olde Pepper Candy Companie
Hawkes House
税関 Custom House
Narbonne House

Blaney St.
White St.
Turner St.

Winter St.
Oliver St.
Mall St.

Washington Sq. N.
Washington Sq. E.

セーラム魔女博物館
Salem Witch Museum
P.195

Williams St.

セーラム コモン
Salem Common

Derby House

Hardy St.

Derby St.

🅢 Witch Way Gifts

The Stepping Stone Inn

Hawthorne Blvd.

Washington Sq. S.

Orange St.

Hodges Ct.

ⓘ Orientation Center
Salem Maritime National Histroic Site

コミューター レイル Salem駅

St. Peter St.

Howard St.

Brown St.

ⓗ Hawthorne Hotel
P.197

セーラム 観光案内所

Herbert St.
Union St.

ピッカリング・ワーフ
Pickering Wharf

Derby Wharf

Museum Place Mall

Federal St.

🅟

New Liberty St.

Charter St.

Derby St.

Finz
Seafood & Grill

🅢 ⓡ Victoria Station
P.197

魔女の地下牢 博物館
Witch Dungeon Museum
P.195

Church St.

City Hall

Essex St. Mall

Central St.

Liberty St.

Derby St.

Nu Aeon

Salem Waterfront Hotel & Suites
P.197

Pickering Wharf Antiques Gallery P.197

Lynde St.

Salem Museum

Witch History Museum

Brothers Taverna

North St.

Essex St.

Washington St.

The Lobster Shanty
P.197

New Derby St.

Congress St.

Salem Wax Museum

魔女の家
Witch House
P.195

The Salem Inn
P.197

Norman St.

ピーボディ・エセックス博物館
Peabody Essex Museum P.194

Old Burying Point Cemetery

Summer St.

Cambridge St.

Gedney St.

Margin St.

🅟

🅟

Lafayette St.

ボストンへ↓

0　　　300m

1

2

凡例：
ⓘ 見どころ
ⓘ 案内所
🅢 ショップ
ⓡ レストラン
ⓗ ホテル
〒 郵便局
🅟 駐車場
○○○ ヘリテージトレイル

🕐〈5月中旬〜10月〉日〜金9:30、11:30、14:30、17:30、20:00、土9:30、11:30、14:30、17:30、21:00発。所要 約1時間 🎫片道：大人$25、子供$20。往復：大人$45、子供$35 URL www.bostonharborcruises.com/salem-ferry

193

Peabody Essex Museum
M P.193-A2
住 East India Sq., 161 Essex
St., Salem
☎(978)745-9500（テープに
よる案内）
Free(1-866)745-1876
URL www.pem.org
圖 火～日10:00～17:00（第3
木曜は21:00まで）
休 月、11月第4木曜、12/25、
1/1
料 大人$18、シニア$15、学
生$10、16歳以下は無料。
Yin Yu Tangは$5の追加
ツアー 博物館スタッフによる
無料ツアーが行われている。
インフォメーションブースや
ウェブサイトでスケジュー
ルを確認しよう
行き方 セーラム観光案内所の
斜め前

クイーン・エリザベス号の
模型

船首の飾り像や海に関する
絵画が展示してある East
Indian Marine Hall

埴輪やお地蔵さまから江戸
時代の根付けまで、貴重な
日本美術は必見だ

セーラムは東京都大田区と
姉妹都市提携を結んでいる。

エドワード・モースは1922
（大正11）年に勲2等瑞宝章
を受けた

太陽が降り注ぐ1階のカフ
ェエリア

おもな見どころ

ピーボディ・エセックス博物館
Peabody Essex Museum

　ピーボディ・エセックス博物館は、海に関する収蔵品と江戸後期
から明治期にいたる、「日本コレクション」が充実していることで名
高い。太陽光を上手に取り入れた館内はとても明るく、広々とした印
象を与える。1799年に創設された東インド・マリン協会が博物館の
前身。当時セーラムに住む貿易商が世界中で集めた貴重な品々が展
示されている。2003年に建築家モシェ・サフディMoshe Safdieの設
計で、18世紀の中国様式の家Yin Yu Tangやレストランカフェを備え
た中庭、新しい展示室が加わり、以前の約2倍に拡張された。現在コ
レクションは建造物も含め180万点を超え、そのうちのほんの一部を
見ることができる。

■海の美術品　Maritime Art
　海に関する美術品は群を抜き、なかでも見逃せないのが、珍しい船
首の飾り像Figureheadsの展示だ。船のいちばん先端に飾られた船の
守り神の像で、女性の像が大半を占める。

　海に関する絵画も充実していて、全米でも有数のコレクシ
ョンを誇る。Fitz Hugh Lane、Robert Salmon、James
Buttersworthらの描く港、海、船舶は、ときには力強く、とき
には繊細だ。そのほかにも、セーラムに関する船の模型、航
海用の地図、18世紀に使われた捕鯨用の道具、東洋との交易
で持ち帰った中国の陶器、インドの綿製品などが陳列されて
いる。1820年のセーラム港を再現したジオラマは見逃せない。

■アジアの輸出美術品　Asian Export Art
　16世紀以降、中国や日本、インドが欧米に向けて輸出した美術品が
並んでいる。陶磁器、絵画、家具調度品、絹製品など、いかにも東洋的
な図柄のものが多い。なかでも1839年に完成した中国の象牙の彫刻
"Carved Elephant Tusk and Stand"
は、3代にわたって彫られたもので、非
常に見事だ。日本の陶器は、18世紀後
半の徳川幕府が鎖国政策を敷いてい
た時代、長崎から中国やオランダに輸
出された貴重なもの。

細部まで目を凝らしてみてほしい中国
の象牙の彫刻

■日本コレクション　Japanese Art
　大森貝塚を発見したエドワード・モースEdward Morseが、動物学
者として訪日した際、日本美術に魅せられ、精力的に多岐にわたる日本
美術を収集した。帰国後モースは、1880年から1916年までピーボディ博
物館の理事を務め日本部門を設立している。収蔵されているモースの
日本コレクションは約2万点、そのうち展示されているものはほんのわず
かだが、1850年から1925年までの庶民の生活に密着したものが多く、現
代の日本には数少なくなってしまった日本の重要な文化遺産といえる。

魔女裁判の事件を発端から結末までがわかる劇仕立ての博物館

セーラム魔女博物館
Salem Witch Museum

博物館というより1692年にセーラムで実際に起こった魔女狩りを、実物大のろう人形を使って、芝居仕立てで解説するアトラクションといったほうがいい。

ヨーロッパの魔女狩りがアメリカに飛び火し、セーラムに住むひとりの少女の幻覚から発せられた言葉がこの町を地獄へと陥れていくさまを、13の場面に分けて見せてくれる。今考えればナンセンスに思えることも、当時はかなりセンセーショナルなことであったことがうかがえる。17世紀の魔女狩りとはどんなものであったかを知る、いいチャンス。魔女裁判は30分おきに始まる。

いちばん人気がある博物館

なお、魔女博物館では、日本語のテープを貸し出しているので、入場料金を支払うときに、テープを借りよう（料無料）。ショーが始まると同時にカセットのスイッチを入れると、英語と同じ速度で日本語の説明が聞ける。

不気味な地下牢劇場

魔女の地下牢博物館
Witch Dungeon Museum

まず、ギフトショップの奥にある劇場で、魔女裁判を再現した10分ほどの芝居を見よう。小さな舞台とはいえかなり熱が入っている演技は迫力満点だ。芝居が終わるとこの芝居の出演者が地下の牢獄まで案内してくれる。地下牢はマネキンなどによって再現されたもの。この地に地下牢があったわけではない

魔女と見なされた人たちは牢獄に入れられた

が、マネキンのおどろおどろしい表情、悲痛な叫びはさすがに不気味だ。本物の地下牢は近くの電話会社の下にあったそうだ。

実は魔女の家ではない

魔女の家
Witch House

魔女裁判の裁判官のひとりジョナサン・コーウィンJonathan Corwinが住んでいた邸宅で、1642年に建造された。その後修復され、魔女裁判当時の家屋として現在公開されている。内装は17世紀後半のニューイングランドで流行したもので、当時の生活様式を知ることができる。

当時の暮らしがわかる魔女の家

Salem Witch Museum
M P.193-A1
住 19 1/2 Washington Sq. N., Salem
☎ (978)744-1692
URL www.salemwitchmuseum.com
営〈9～6月〉毎日10:00～17:00、〈7～8月〉毎日10:00～19:00
休 11月第4木曜、12/25、1/1
ツアー所要約25分。プレゼンテーションは30分おき
料 大人$10.50、シニア$9、6～14歳$7.50
行き方 セーラム観光案内所からEssex St. Mallを東へ行き、Hawthorne Blvd.まで出て、そこを左折した突き当たり。徒歩約3分

セーラムでは男女合わせて19人が魔女狩りの犠牲となり、絞首刑で殺され、150人以上もの人が牢獄に送られた

Witch Dungeon Museum
M P.193-A2
住 16 Lynde St., Salem
☎ (978)741-3570
URL www.witchdungeon.com
営〈4～11月〉毎日10:00～17:00
休 12～3月
料 大人$9、シニア$8、4～13歳$7
行き方 セーラム観光案内所からEssex St. Mallを西へ行き、Washington St.を右折。1ブロック先のLynde St.を左折してすぐ。徒歩約7分

Witch House
M P.193-A2
住 310 1/2 Essex St., Salem
☎ (978)744-8815
URL www.witchhouse.info
営〈3月中旬～11月中旬〉毎日10:00～17:00
冬季は予約制
休 11月下旬～3月上旬
料 大人$10.25、シニア$8.25、子供（6～14歳）$6.25、5歳以下無料
行き方 セーラム観光案内所からEssex St. Mallを西へ向かい、North & Summer Sts.が交差する角。徒歩約7分

MEMO　映画で知る魔女裁判　1997年に公開された映画『クルーシブルThe Crucible』は、17世紀末にセーラムで起こった魔女狩りをテーマにしたもの。サスペンスあふれるストーリーは当時の雰囲気が伝わってくる。

小説の舞台となった切妻屋根の館
七破風の家
The House of the Seven Gables

ナサニエル・ホーソンの生まれた建物

The House of the Seven Gables
M P.193-B1
🏠 115 Derby St., Salem
☎ (978)744-0991
URL www.7gables.org
🕐〈1月中旬～6月中旬〉毎日10:00～17:00、〈6月下旬～10月〉毎日10:00～19:00、〈11～12月〉毎日10:00～17:00
🚫 11月第4木曜、12/25、1月上旬
💰 大人$12.50、シニア（65歳以上）$11.50、5～12歳$7.50
特別なイベント開催時は、入場料に変更あり
🚶 町の東、海に面した所にある。セーラム観光案内所からCongress St.を南へ進み、Derby St.を約500m、徒歩約11分

　アメリカの文学者であり、作家であるナサニエル・ホーソンNathaniel Hawthorneの代表作『七破風の家敷』。この敷地内には、小説の舞台になった七破風の家のほかにもリタイア・ベケット邸The Retire Beckett House（1655年築）、フーパー・ハサウエイ邸The Hooper-Hathaway House（1682年築）、ナサニエル・ホーソンの生まれた家The Nathaniel Hawthorne's Birthplace（1750年築）、The Counting House（1830年築）などの建物が集まり、まとめてThe House of the Seven Gables Historic Siteと呼ばれている。

　七破風の家（The Turner-Ingersoll Mansion）は船長であり、貿易商人であったジョン・ターナーJohn Turnerによって1668年に完成した。ニューイングランド地方で現存する唯一の17世紀の大邸宅であるこの家は、ホーソンの小説のとおり7つの切妻屋根をもっている。邸宅の内部はツアー（所要45分）でのみ見学可能だ。7つの屋根と、『七破風の家敷』に書かれているからくりを謎解きしてくれる。天井の低い家で、戸を押しても開かなかったり、思わぬところに入口があったり……。1階から3階に通じる細い不気味な階段、迷路のような部屋の配置など、小説を読んでいなくてもけっこうおもしろい。建物内の家具調度品も17世紀のニューイングランド地方のオリジナルや当時の複製が多く、博物館を見学しているようだ。中庭の花壇や、そこから見る大西洋の景色も美しいので、ツアーのあとに散策してみよう。

全米でいちばん古いというチョコレートショップ　七破風の家の目の前にあるイ・オールド・ペッパー・キャンディ・カンパニー は、1806年創業の、チョコレートやキャンディを扱う店。チョコレートの詰め合わせは$11～。

セーラムのショップ、レストラン、ホテル

S 古い町だからこそアンティーク　ギャラリー／セーラム／MAP ▶ P.193-B2

ピッカリング・ワーフ・アンティーク・ギャラリー　Pickering Wharf Antiques Gallery

アメリカでアンティークの宝庫といえばニューイングランド地方。ここは、1983年に造られたアンティークギャラリー。マサチューセッツ州をはじめ、メイン州、ニューハンプシャー州のディーラーが30店以上集まって造ったものだ。

[住]Pickering Wharf, 69 Wharf St., Salem
☎(978)741-3113
[URL]www.pickeringwharfantiquesgallery.com
[営]毎日11:00〜17:00
[カード][A][M][V]

R 海を眺めながらのダイニングもすてき　[$$]　シーフード／セーラム／MAP ▶ P.193-B2

ビクトリアステーション　Victoria Station

ハーバーを眺めながら食事ができる雰囲気のいいレストラン。おすすめはプライムリブ（8oz、$20〜）やロブスター、食べ放題のサラダバー。シーフードがおすすめで、スティーマーと呼ばれる地元産の貝の蒸し物は美味。落ち着いた店内でゆっくりと食事を楽しもう。

[住]Pickering Wharf, 86 Wharf St., Salem
☎(978)745-3400
[URL]www.victoriastationsalem.com
[営]毎日11:30〜21:30（木〜土〜22:30）、バーは日〜水24:00まで、木〜土翌0:30まで
[カード][A][M][V]

R ロブスターを食べるならこの店!　[$$]　シーフード／セーラム／MAP ▶ P.193-A2

ロブスターシャンティ　The Lobster Shanty

新鮮なロブスターを焼いたり、ボイルしたりとお好みの方法で楽しめる。生カキ、自家製クラムチャウダー、スティーマー（貝を蒸したもの）などもおすすめ。夏の間は外のテーブルで食事をすることもできる。予約不可。

[住]25 Front St., Salem
☎(978)745-5449
[URL]www.lobstershantysalem.com
[営]毎日11:00〜22:00（金・土〜23:00、日〜21:00）、バーは翌1:00まで
[カード][A][M][V]

H セーラムでは唯一プールがあるホテル　中級／セーラム／MAP ▶ P.193-B2

セーラム・ウオーターフロント・ホテル&スイーツ　Salem Waterfront Hotel & Suites

観光案内所から徒歩約5分、ピッカリングワーフの隣にある。フィットネスセンターやプール、レストラン、駐車場がありビジネス客に人気だ。2004年にオープンした、セーラムではいちばん新しいホテル。Wi-Fi無料。

[住]225 Derby St., Salem, MA 01970
☎(978)740-8788
[Free](1-888)337-2536
[FAX](978)740-8722
[URL]www.salemwaterfronthotel.com
[料]ⓈⒹⓉ$143〜398、[Su]$209〜442、86室
[カード][A][D][M][V]

H 海の風を感じて過ごす　中級／セーラム／MAP ▶ P.193-A1〜B1

ホーソンホテル　Hawthorne Hotel

魔女博物館そばの公園Salem Commonに面し、ダウンタウンや海へも徒歩で行ける。18世紀のニューイングランド風に建てられたホテルだ。アンティークな雰囲気で、古きよきアメリカが香る。Wi-Fi無料。

[住]18 Washington Sq. W. (On the Common), Salem, MA 01970
☎(978)744-4080
[Free](1-800)729-7829
[FAX](978)745-9842
[URL]www.hawthornehotel.com
[料]ⓈⒹⓉ$129〜249、93室
[カード][A][M][V]

H 魔女の家に近い　中級／セーラム／MAP ▶ P.193-A2

セーラムイン　The Salem Inn

1834年建造の船長宅を改装したもので、ひと部屋ずつ異なる内装。ジャクージ付きの部屋や、6人まで同室利用できるスイートもある。歴史的なホテルだが、室内設備は充実している。無料の朝食付き。Wi-Fi無料。

[住]7 Summer St., Salem, MA 01970
☎(978)741-0680
[Free](1-800)446-2995
[FAX](978)744-8924
[URL]www.saleminnma.com
[料]ⓈⒹ$129〜229、Ⓣ[Su]$179〜299、40室
[カード][A][M][V]

↘Ye Olde Pepper Candy Companie [M]P.193-B1 [住]122 Derby St., Salem ☎(978) 745-2744 [URL]www.peppercandy.net [営]〈7〜10月〉毎日10:00〜18:00、〈11〜6月〉毎日10:00〜17:00

マサチューセッツ州

プリマス

Plymouth

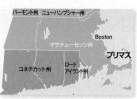

改修工事が終わり、2015年夏に再オープンしたメイフラワー2世号

「アメリカ発祥の地」として知られるプリマス。独立以前の入植の歴史と当時の生活を知る貴重な場所だ。16世紀頃からいくつもの清教徒団が宗教的弾圧を逃れ、大西洋を渡って来たが、食料不足や厳冬の気候に耐えきれず、容易に定住できなかった。しかし、その後の1620年、メイフラワー号に乗ってやってきた清教徒102人が、プリマスの地に定着。先住民の協力を得て、初めて新大陸での生活を確立できた。その一団は、ピルグリムファーザーズPilgrim Fathersと呼ばれ、彼らの成功を機にイギリス植民地、アメリカへの移民は増えていったのだ。

行き方

バス／
Plymouth & Brockton (P & B)
P & B Bus Center
MAP P.199
住 5 Long Pond Rd., Plymouth
☎(508)746-0378
URL www.p-b.com
料 ローガン国際空港から／
片道$21、往復$38
ボストンのサウスステーションから／片道$15、往復$27
ローガン国際空港より月〜金6:15から約1時間おきにバスが運行、夜23:25発まで。土・日6:15〜23:15まで1時間〜2時間おき、所要約1時間15分

おもな見どころは冬季閉鎖するところが多い

プリマスへの行き方

バス／ローガン国際空港、ボストンのサウスステーションからプリマス＆ブロックトン社Plymouth & Brocktonのバスで、プリマスの近郊のMA-3のExit 5 P & B Bus Center下車。プリマス・エリアリンクかタクシーでダウンタウンへ。

車／ボストンの中心部からI-93 S、MA-3 S、US-44 E.を南東へ進む。US-44とWater St.が交差する周辺がプリマスの中心。ボストンの中心部から約1時間。

プリマスの歩き方

　見どころは大きく分けて、メイフラワー2世号やプリマスロックがあるダウンタウンと、プリマスプランテーションの2ヵ所。ダウンタウン内は徒歩で十分だが、ダウンタウンからプリマスプランテーションまでは徒歩では無理。観光の足はプリマス・エリアリンクかシャトルバスを利用するか、もしくは、ボストンからのツアーに参加しよう。

市内交通

プリマス・エリアリンク（市バス）

　プリマスのダウンタウン周辺では4路線を運行している**プリマス・エリアリンクPlymouth Area Link**。月〜土曜は1〜2時間に1本、日曜は運休。ボストンからプリマス&ブロックトン社のバスで来た場合、下車するバス停（Exit 5 P & B Bus Center）もエリアリンクMayflower Linkのルート上にある（Exit 5 P & B Bus Centerは8:39〜17:39の間1時間に1本出発、プリマスのダウンタウンまで所要約10分）。また、エリアリンクMayflower Lineはプリマスプランテーションにも停まる（プリマスのダウンタウンから所要約30分）。

シャトルバス

　6月下旬〜8月の毎日、**アメリカズ・ホームタウン・シャトルAmerica's Hometown Shuttle**のバスがダウンタウンと郊外を循環している。メイフラワー2世号前を出発し、ウオーターフロント観光案内所、ジョン・カーバー・イン&スパ、プリマスプランテーションなどの見どころやダウンタウンのホテルを回る。メイフラワー号2世から9:45〜16:50の間、約1時間ごとに出発。乗り降り自由。

観光案内所

Waterfront Visitor Information Center
MP.199
🏠130 Water St., Plymouth, MA 02360
☎(508)747-7525
URL www.seeplymouth.com
🕐毎日9:00〜17:00（夏季は延長あり）

Plymouth Area Link
☎(508)732-6010
URL www.gatra.org
🎫大人$1、学生50¢。1日券$3、学生$1.50

America's Hometown Shuttle
☎(508)746-0378
URL www.p-b.com/ahs.html
🎫大人$15、6〜18歳$7.50、5歳以下無料（1日乗り降り自由）

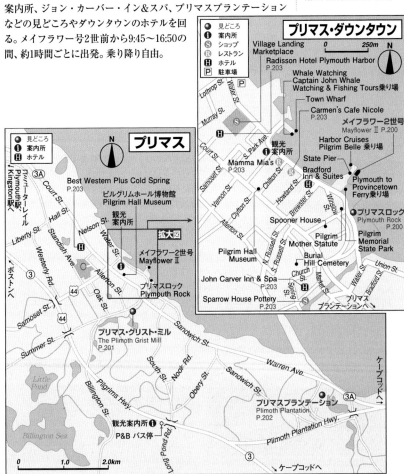

プリマス・ダウンタウン

見どころ／案内所／ショップ／レストラン／ホテル／駐車場

Village Landing Marketplace
Radisson Hotel Plymouth Harbor P.203
Whale Watching
Captain John Whale Watching & Fishing Tours乗り場
Town Wharf
Carmen's Cafe Nicole P.203
メイフラワー2世号 Mayflower Ⅱ P.200
Harbor Cruises Pilgrim Belle 乗り場
State Pier
Mamma Mia's P.203
観光案内所
Bradford Inn & Suites
Plymouth to Provincetown Ferry乗り場
プリマスロック Plymouth Rock P.200
Spooner House
Pilgrim Mother Statute
Pilgrim Memorial State Park
Pilgrim Hall Museum
Burial Hill Cemetery
John Carver Inn & Spa P.203
Sparrow House Pottery P.203
プリマスプランテーションへ

プリマス

見どころ／案内所／ホテル

コミューターレイル Kingston駅へ／Plymouth駅へ
Best Western Plus Cold Spring P.203
ピルグリムホール博物館 Pilgrim Hall Museum
観光案内所
拡大図
メイフラワー2世号 Mayflower Ⅱ
プリマスロック Plymouth Rock
ボストンへ
プリマス・グリスト・ミル The Plimoth Grist Mill P.201
Little Pond
Billington Sea
観光案内所 P&B バス停
プリマスプランテーション Plimoth Plantation P.202
ケープコッドへ
Plimoth Plantation Hwy.
ケープコッドへ

0　1.0　2.0km

Mayflower II

M P.199

住 At State Pier, Plymouth

☎ (508)746-1622

URL www.plimoth.org

営(3月下旬〜11月下旬)毎
日9:00〜17:00(7〜8月は
19:00まで)

料大人\$12、シニア\$11、5〜
12歳\$8
プリマスプランテーション
と、プリマス・グリスト・ミ
ルのコンビネーションチケ
ット(Heritage Pass)/大
人\$36、シニア\$32.25、5〜12
歳\$22

行き方 ウオーターフロント観
光案内所からWater St.を南
東へ約500m。Pilgrim
Memorial State Park先の
State Pierへ、徒歩約8分

パネル展示
船の出口にはメイフラワー2
世号がどのようにして造ら
れたかのパネル展示がある

Plymouth Rock

M P.199

住 79 Water St., Plymouth
(Pilgrim Memorial State
Park内)

行き方 メイフラワー2世号から
Water St.を南へ約150m行っ
た左側

おもな見どころ

イギリスの新大陸上陸はここから
メイフラワー2世号
Mayflower II

メイフラワー号Mayflowerは、最初のアメリカ移民を運んだ船として知られている。102人のピルグリムファーザーズPilgrim Fathers(→P.202)を乗せた船は、イギリスからケープコッド(→P.204)を経て、1620年このプリマスへやってきた。

Water St.沿いのステイト埠頭には、ピルグリムファーザーズが初めて定住したプリマスの地を記念し、メイフラワー号の原寸大複製船メイフラワー2世号Mayflower IIが係留されている。

重量236トン、全長約32m、幅約7.6m、喫水約4mというサイズは、17世紀の船としては中型。複製とはいえ1955年から2年かけてイギリスで造船され、約2ヵ月の航海を経てプリマスにやってきた。船内では、ピルグリムファーザーズや船員の格好をしたスタッフが、船や入植時の様子について説明してくれる。話す言葉もその当時のクイーンズイングリッシュだ。当時の姿を忠実に再現した船は見応え十分。

2014年12月からコネチカット州ミスティックシーポートで行われていた改修工事が終わり、2015年7月メイフラワー2世号の一般公開が再開された。

自由と理想のシンボルであるアメリカ発祥の礎
プリマスロック
Plymouth Rock

「1620」もはっきりわかるプリマスロック

プリマスの観光名所のひとつ。1620年12月21日、メイフラワー号に乗ってやってきたピルグリムファーザーズが、初めてプリマスの地に足を降ろした。そのときの踏み石がこのプリマスロック(花崗岩)といわれている。「1620」と刻まれた石は、パルテノン神殿風の囲いの中に置かれている。

歴史コラム
メイフラワー号の道のり

1620年9月6日、102人のピルグリムファーザーズを乗せたメイフラワー号が自由を求めて新大陸へと出航した。たくさんの希望を乗せた船は、イギリスから大西洋を渡り、66日間の航海の末、ケープコッドのプロビンスタウン港にいかりを下ろした。その1ヵ月後にメイフラワー号の終着地、プリマス港に入港する。メイフラワー号で渡ってきたピルグリムファーザーズの一行は、彼らの求めた自由の大陸を踏みしめた。そして、自分たちのための新天地を造ろうと開拓を始める。

メイフラワー2世号の造り
メイフラワー2世号は4本マストの帆船。船内は、船のナビゲーターともいうべきラウンドハウスThe Round House(海図を見ながら船の進行をチェックする部屋)、船長の寝室兼オフィスのグレイト・キャビンThe Great Cabin、調理場The Forecastle 通称 "Fo 'c'sle"、ピルグリムファーザーズが寝泊まりするトゥイーン・デッキThe Tween Decks、貯蔵庫The Holdなどに分かれている。

メイフラワー2世号では解説も充実している

MEMO サンクスギビング・ディナー 入植した翌年、1621年の豊作を祝って、ピルグリムファーザーズが先住民のリンパノアグ族を招待したことが起源と言われている。パンや野菜などの詰め物をした七面鳥

水車の回る音が耳に心地いい
プリマス・グリスト・ミル
The Plimoth Grist Mill

1636年、ピルグリムファーザーズのひとり、ジョン・ジェニーによって造られた粉ひき水車。オリジナルは1837年に火事で消失し、現在の水車は1970年、原型に忠実に再現されたものだ。上流の池の水を引き、その動力で小麦や大麦を製粉している。

製粉に使われている水車

The Plimoth Grist Mill
M P.199
🏠 6 Spring Ln., Plymouth
☎ (508) 746-1622
URL www.plimoth.org
🕐〈3月下旬～11月下旬〉毎日9:00～17:00（7～8月は19:00まで）
💰 大人$6.50、シニア$5.50、5～12歳$4.50
メイフラワー2世号とプリマスプランテーションのコンビネーションチケット（Heritage Pass）／大人$36、シニア$32.25、5～12歳$22
🚶 行き方 メイフラワー2世号からWater St.、Leyden St.、Market St.、Summer St.を南西へ進み、Spring Ln.を左折。約1km、徒歩約12分

おすすめ情報

プリマスのアクティビティ＆ツアー

歴史の町プリマスではユニークな歴史ツアーに参加したり、ホエールウオッチングやクルーズ船に乗ったりして休日を満喫したい。

①ホエールウオッチング

何といっても人気ナンバーワンのアクティビティ。シーズンは4～10月、プリマスから片道約1時間30分（所要約4時間）かけて、プロビンスタウンの沖合に広がるStellwagen Bank National Marine Sanctuaryに集まってくるクジラたちを観察する。この海域は国立海洋保護区に指定され、特にザトウクジラHumpback Whaleのジャンプが見られる場所として有名だ。そのジャンプ姿はそう頻繁に見られるものではないが、ナガスクジラFinback Whale、ミンククジラMinke Whale、イルカ類などは頻繁に見られる。船にはクジラに詳しいナチュラリストも乗船し、クジラに関する詳しい説明を聞くこともできる。

キャプテン・ジョンのボートは、所要約4時間かけてこの海域を往復する。中型船ながら揺れも少なく安心。船内には売店などもあり、軽食なども食べられる。Town Wharfから出航。

夏ならプリマスからもホエールウオッチングの船が出ている

Whale Watching
Captain John Whale Watching & Fishing Tours
M P.199
🏠 10 Town Wharf, Plymouth
☎ (508)746-2643
URL www.captjohn.com
🕐 4月上旬～11月下旬。夏季は毎日、その他の時期は週末、祝日のみの運航。時間は要問い合わせ
💰 大人$47、62歳以上$39、4～12歳$29
🚶 出発 Town Wharfから、所要約4時間

②ハーバー・クルーズ

"ピルグリム・ベル Pilgrim Belle"と名づけられたミシシッピスタイルの外輪船によるツアー。約1時間15分のツアーで、メイフラワー2世号、プリマスビーチ、クラーク島、ガーネット灯台などを見て回る。船上では、プリマスに関する説明が流れる。

Harbor Cruises
Pilgrim Belle
M P.199
🏠 77 Water St., Plymouth
☎ (508)747-3434
URL www.plymouthharborcruises.com
🕐 5月中旬～10月運航。時間は要問い合わせ
💰 大人$20、シニア$17、5～12歳$13
🚶 出発 State Pierから、所要約1時間15分

③ヒストリック・コロニアル・ランタンツアー

プリマスの歴史にとことん詳しいガイドの案内で、日没後にプリマスロックやダウンタウンをランタンを手に歩きながら、歴史やエピソードについて教えてもらう歴史ツアー。ゴーストに興味がある人は、20:00に出発するゴーストツアーがおすすめ。

町についてもっと知りたいのなら、ランタンツアーがいい

Colonial Lantern Tours
☎ (774)320-5132
URL www.lanterntours.com
🕐 4～11月の毎日（4、11月は要予約）。歴史ツアーは18:00、19:30発。ゴーストツアーは19:30、21:00発
💰 大人$15、子供$12
🚶 出発 歴史ツアーは、プリマスロックの前（🏠 68 Water St., Plymouth）から18:00、19:30に出発。ゴーストツアーは、プリマスロックの前（🏠 68 Water St., Plymouth）を19:30に出発するものと、21:00にJohn Carver Inn & Spa（🏠 25 Summer St., Plymouth）を出発するものがある。所要約1時間30分

（Turkey）を丸焼きにし、グレービーソースやクランベリーソースを合わせる。そのほか、マッシュポテトやインゲン、デザートのパンプキンパイなどが添えられているのが定番だ。

プリマスプランテーション
Plimoth Plantation

Plimoth Plantation
M P.199
🏠 137 Warren Ave., Plymouth
☎ (508)746-1622
URL www.plimoth.org
🕐《3月下旬～11月下旬》毎
日9:00～17:00
💰 大人$25.95、シニア$23.95、
5～12歳$15
メイフラワー2世とプリマ
ス・グリスト・ミルのコン
ビネーションチケット
(Heritage Pass) ／大人$36、
シニア$32.25、5～12歳$22
行き方 メイフラワー2世号か
ら Water St.、Main St.、
Sandwich St. を南東へ約
5km。車で約10分

1947年に誕生した野外博物館。アメリカ発祥の地プリマスに入植した人々の当時の生活、文化を再現することで、生きた情報を後世に伝えようというのが目的。17世紀中頃のニューイングランド地方に共存した、イギリス人移民（ピルグリムファーザーズ）と先住民の一族（ワンパノアグ族）の生活が体験できる。スタッフは、1620年当時の衣装を身にまとい、自分で畑を耕し、家畜を飼い、その頃の言語を話し、歴史的な背景もそのままといった徹底ぶりだ。

広い敷地内には、ピルグリムファーザーズたちがつくった村、**17世紀イングリッシュビレッジ17th-Century English Village**と親切に穀物の栽培方法を彼らに教えた先住民、**ワンパノアグ族の集落Wampanoag Homesite**を中心に、2～3の施設が点在している。

ヘンリー・ホーンブロワー2世ビジターセンターHenry Hornblower Ⅱ Visitor Centerには入場券売場、ギャラリー、フィルムシアター、レストラン、ミュージアムショップが入っている。フィルムシアターで行われる15分間のオリエンテーションフィルムで、1627年のピルグリムビレッジとワンパノアグ族に関する概略、ふたつの民族の交流について学ぼう。また、ビジターセンターに隣接するギャラリーでは、当時の貴重な家具調度品、復元された入植者の家の内部、陶器、衣服、メイフラワー2世号の模型などが展示してある。

ビジターセンターを出て、イングリッシュビレッジに行く途中にある**クラフトセンターCrafts Center**では、バスケットや陶器、家具など、17世紀の工芸品の製作過程を公開している。当時、それらの工芸品はニューイングランド地方と英国との間で交易されていたそうだ。なお、実演で完成した作品は同センター内のギフトショップにて購入できる。

プリマスの開拓史を学ぼう

デモンストレーションで当時の生活を教えてくれる

歴史コラム

ピルグリムファーザーズの横顔

1620年、メイフラワー号で宗教的な自由を求めて新天地へ旅立ったイギリス清教徒の一団は、ピルグリムファーザーズPilgrim Fathers（巡礼の始祖）と呼ばれ、新天地プリマスでいちばん初めに成功したコロニーをつくった。1620年のクリスマスからコロニーはスタートするが、やはり最初の冬の寒さで半数近くが死亡する。それまでも、幾度も新天地を求める清教徒たちが大陸に渡っていたが、食料を調達するのが難しく、冬の寒さや清潔でない水の影響から多くのコロニーは失敗に終わっていたのだった。

1621年3月、プリマス近くに住む先住民、ワンパノアグ族Wampanoagがコロニーに入り、入植者と先住民の言葉を超えた交流が始まる。彼らは入植者たちに、トウモロコシやピーナッツ、ジャガイモなど野菜や穀物の栽培の仕方を教えた。現在、世界最大レベルの農産物輸出国であるアメリカの農産物の品目数の7分の4は先住民から教えられたものだという。初めの冬はひどい飢餓状態だったが、翌秋は先住民のおかげで予想以上の収穫を得ることができ、プリマスのコロニーは定着していった。今でも秋の11月第4木曜日にサンクスギビング（感謝祭）が行われているのは、移住翌年の収穫をおおいに祝ったことに起因している。

プリマスのショップ、レストラン、ホテル

S スパロー・ハウス・ポッタリー

アメリカンハンドクラフトの逸品が揃う

ギャラリー／プリマス／**MAP** ▶ **P.199**

Sparrow House Pottery

プリマス周辺の工芸家が手作りしたジュエリー、ガラス、陶器、木工品、バッグなどを扱うギャラリー。質のよいクラフトが揃う評判の店だ。ギャラリー隣のSparrow Houseはプリマスで最も古い民家。店名は昔ここが陶芸家のアトリエだったことに由来する。

住 42 Summer St., Plymouth
☎ (508)747-1240
URL www.sparrowhouse.com
営 〈4月〜12/24〉毎日10:00〜17:00、〈12/25〜3月〉金〜日10:00〜17:00
場 John Carver Inn & Spaの正面
カード A M V

R マンマミアズ

家族連れが多いイタリアン

S イタリア料理／プリマス／**MAP** ▶ **P.199**

Mamma Mia's

カジュアルな雰囲気に地元の家族連れが集まる人気のレストラン。サンドイッチ（$6〜）やパスタ（$8〜）がお手頃な値段なのも魅力のひとつだ。自家製のピザはかなり大きいので、ふたりで分けるのが得策。2階のテラス席からはプリマスハーバーを眺められるので気持ちがいい。

住 122 Water St., Plymouth
☎ (508)747-4670
URL mammamias.net
営 月〜土11:00〜23:00、日12:00〜21:00（夏季以外は短縮あり）
カード A M V

R カルメンズ・カフェ・ニコール

プリマスで朝食を取るなら

S カフェ／プリマス／**MAP** ▶ **P.199**

Carmen's Cafe Nicole

サンドイッチやタコサラダ、ミートボール、クラムチャウダーなどメキシコ料理からシーフードまで品目が幅広く、外れがない。朝食には、カリフォルニアオムレツ（$9.99）やバナナフレンチトースト（$9.99）がおすすめ。

住 114 Water St., Plymouth
☎ (508)747-4343
URL www.carmenscafenicole.com
営 毎日7:00〜14:30（冬季は短縮あり）
カード A M V

H ジョン・カーバー・イン&スパ

プリマスで人気の宿

中級／プリマス／**MAP** ▶ **P.199**

John Carver Inn & Spa

クラシカルな外観をもつ評判のホテル。ホテル全体の内装はアーリーアメリカン調でまとめられ、女性好みのテイスト。部屋にはマホガニーの家具、テーブルやソファが配置され、リラックスできる。Wi-Fi無料。

住 25 Summer St., Plymouth, MA 02360
☎ (508)746-7100
Free (1-888)906-6181
FAX (508)746-8299
URL www.johncarverinn.com
料 S D T $109〜249、Su $249〜339、80室
カード A D M V

H ラディソン・ホテル・プリマスハーバー

クルーズ乗り場やシーフードレストランに近い

中級／プリマス／**MAP** ▶ **P.199**

Radisson Hotel Plymouth Harbor

ビレッジ・ランディング・マーケットプレイスに隣接したホテル。値段に比べ部屋が豪華で、しゃれたレストランや全天候型吹き抜けの屋内プール、サウナ、パブもある。プリマスのおもな見どころまで徒歩圏内だ。Wi-Fi無料。

住 180 Water St., Plymouth, MA 02360
☎ (508)746-7900
FAX (508)746-2609
URL www.radisson.com
料 S D T $139〜229、Su $240〜359、175室
カード A D J M V

H ベストウエスタン・プラス・コールドスプリング

中心部まで徒歩圏内の静かなエリアにある

中級／プリマス／**MAP** ▶ **P.199**

Best Western Plus Cold Spring

プリマスダウンタウンから北西へ約1kmのCourt St.沿いにある。徒歩圏内にビレッジ・ランディング・マーケットプレイスがあり便利。フィットネスセンターやコインランドリーが完備されている。3〜11月までの営業。朝食、Wi-Fi無料。

住 180 Court St., Plymouth, MA 02360
☎ (508)746-2222
Free (1-800)780-7234
FAX (508)746-2744
URL www.bestwestern.com
料 S D T S U $99〜215、60室
カード A D M V

マサチューセッツ州

ケープコッド
Cape Cod

ケープコッドでは時間を忘れてゆっくりと過ごしたい

マサチューセッツ州南部で大西洋に向かって、ひじを曲げたように突き出す半島、ケープコッド。氷河が削り出した独特の景観は、ドライブをしながら、またバスの車窓から、移りゆく風景を眺めているだけで癒やされる優しい表情をもっている。長く続くビーチ、松やオークの森、数多くの湖や池、クランベリー畑、鳥が羽ばたく湿地帯、小さなフィッシングビレッジ、アートギャラリーが連なるゲイタウンなど。この美しい半島には、ひと言では語り尽くせない魅力が詰まっている。アメリカ人憧れのリゾート地であり、あのジョン・F・ケネディが愛した海辺の町でもある。

行き方

ハイアニスへは→P.206
プロビンスタウンへは
→P.212

車／ボストンの中心部から
I-93を約15km南下し、MA-3
S.に入る。約68km進むと
Cape Cod Canalを渡る橋
（サガモア橋）があり、
その先のSagamoreがケープ
コッドの北端の町だ。ボス
トンの中心部から所要約1
時間30分

ケープコッドへの行き方

　ケープコッドの交通のハブとなっているのがハイアニス。ボストンからは、列車Capeflyer、バスPlymouth & Brockton Bus、飛行機Cape Airでアクセスできる。ニューヨークからは、飛行機JetBlueが直行便を運航しているほか、バスPlymouth & Brockton Busがニューベッドフォードを経由してハイアニスまで走る。

　ケープコッドの先端にあるプロビンスタウンへは、フェリーやバス、飛行機でアクセスが可能だ。ボストンからは飛行機Cape Airのほか、フェリーBay State Cruise Co.とBoston Harbor Cruises、バスPlymouth & Brockton Busで行ける。ニューヨークからはバスPlymouth & Brockton Bus、プリマスからはフェリーPlymouth to Provincetown Express Ferryが出ている。

　ハイアニスやプロビンスタウンのほか、点在する小さな町をめぐるなら、車がいちばん効率的。ボストンの中心部からケープコッドの入口まで約90km、所要約1時間30分、ハイアニスまで約120km、約2時間だ。

 MEMO　ケープコッドへのツアー　グレイラインツアーを主催するブラッシュ・ヒル・ツアーズがボストンからケープコッドへ日帰りツアーを催行している。Brush Hill Tours ☎(617)720-6342

ケープコッドの歩き方

　半島に点在する小さい町を訪ね歩くのが、ケープコッドの正しい歩き方。車があれば、US-6と平行して走る旧道のMA-6Aをドライブしながらサンドイッチ、ハイアニス、チャタム、プロビンスタウンと回りたい。車がない場合、バスを利用して比較的大きな町のハイアニスとプロビンスタウンだけは訪れてほしい。そうすれば、アメリカのセレブリティたちが、なぜこの半島を愛したのか理解できるはずだ。ケープコッドは、町から町までかなりの距離があり、徒歩や自転車での移動は不可能。バスは本数が少ないので、注意するように。

プロビンスタウンではトロリーに乗って町なかを探索しよう

　ボストンから日帰りも可能だが、できれば最低2泊はしたい。

市内交通

ケープコッド・リージョナル・トランジット・オーソリティ
Cape Cod Regional Transit Authority
　ケープコッド内に6路線もつ市バスで、ハイアニスを中心にファルマス、チャタム、サンドイッチ、プロビンスタウンを結ぶ。

観光案内所
Cape Cod Chamber of Commerce Welcome Center
M P.205-A2
住 Junction of Rt. 6 & 132, 5 Patti Page Way, Centerville, MA 02632
☎ (508)362-3225
URL www.capecodchamber.org
圏 〈5月下旬〜10月上旬〉月〜土9:00〜17:00、〈10月中旬〜5月中旬〉月〜土10:00〜14:00
ケープコッド全体の観光情報、宿泊相談を受け付けている。観光局発行のCape Cod Travel Guideはケープコッド周辺の交通情報がまとめられた小冊子。ぜひ入手しよう

Salt Pond Visitor Center
M P.205-B1
住 50 Nauset Rd., Eastham, MA 02642
☎ (508)255-3421
圏 毎日9:00〜16:30（夏季は延長あり）
レンジャートークがあるのは、4月〜11月中旬頃まで

Cape Cod Regional Transit Authority
URL www.capecodrta.org
圏 $2、1日券 $6

ケープコッド全図

ボストンへ

フェリー航路
CCRTA（コミュニティーバス）
バーンステーブルビレッジャー　シーライン
ザ・ブーンラン　フレックス
ザ・サンドイッチライン　H2Oハイアニスーオーリンズ

Provincetown Municipal Airport
プロビンスタウン
Provincetown P.212
ケープコッド国定海浜公園
Cape Cod National Seashore

Truro
大西洋

プリマス P.198
Plymouth
Wellfleet
6
S. Wellfleet

1

③
3A
ケープコッド湾
Cape Cod Bay

Coast Guard Beach
ソルトポンド・ビジターセンター ❶
Eastham

Barnstable Municipal Airport
Rock Harbor　Orleans

Sagamore
サンドイッチ
Sandwich P.208
28
ケープコッド観光案内所
E. Dennis
Brewster
137
6

25
6
6A
Dennis
134
Bourne
Barnstable
Yarmouth Port
Harwich P.211
チャタム
Chatham P.211

Pocasset
28
130
S. Yarmouth
39
Harwich Port

149
132
Dennis Port

W. Dennis

2

N. Falmouth
W. Yarmouth

Mashpee　Osterville
ハイアニス P.206
Hyannis

ファルマス
Falmouth P.211
28
Waquoit
ナンタケット海峡
Nantucket Sound

Woods Hole
マーサス・ヴィニヤードへ A　マーサス・ヴィニヤードへ　ナンタケットへ B
N
0　5　10km

ハイアニス

シーフードレストランが並ぶオーシャンストリート沿い

Hyannis
M P.205-B2

観光案内所

Hyannis Area Chamber of Commerce Visitor Center
🏠 397 Main St., Hyannis, MA 02601
☎ (508)775-2201
URL www.hyannis.com
🕐〈3月中旬～5月中旬、11～12月〉木～日10:00～16:00、〈日12:00～〉、〈5月下旬～10月〉毎日9:00～17:00（日12:00～）

行き方

鉄道／Capeflyer
☎ (508)775-8504
URL capeflyer.com
バス／Plymouth & Brockton
ボストンのサウスステーションから平日～金18～23便、土・日15便の運行
🎫片道$22、往復$40
Hyannis Transportation Center
🏠 215 Iyannough Rd., Hyannis
☎ (508)775-8504
🕐毎日5:00～20:30
車／SagamoreからUS-6を南下し、Exit 6でMA-132に入り南東へ向かう。約5km走ってバーンステーブル・ミュニシパル空港そばのロータリーに入り、ふたつ目の出口「Hyannis」の標識に従ってBarnstable Rd.に入れば約1.6kmでハイアニスの中心
飛行機／Cape Air
Free (1-800)227-3247
URL www.capeair.com

市内交通

Hyannis Area Trolley
🕐〈6月下旬～9月上旬〉毎日10:00～21:15までの30分おきに運行 🎫$2

ケープコッドの玄関口であり、その中心地でもあるハイアニスは、観光と商業が合わさった町。夏季にはトロリーが町なかを循環しているので、メインストリート周辺やジョン・F・ケネディ博物館などの見どころへも車なしで移動できる。ボストンからのツアーに参加するのもいい。

ハイアニスは、第35代アメリカ大統領、ジョン・F・ケネディの別荘があったことで有名だが、それ以前から、ボストンのエグゼクティブたちにとって、ここに別荘をもつことがひとつのステイタスだった所だという。ケネディ家をはじめ成功者たちの別荘が海辺に建つ姿を、ツアーのクルーズ船から遠望できる。

さらに、ハイアニスはナンタケット島やマーサス・ヴィニヤードを結ぶフェリーの出航地。大型フェリーが乗り入れる港そばのマリーナには、別荘の持ち主ご自慢のヨットが係留されている。港から歩いてすぐのメインストリート沿いには、しゃれたブティックやレストランが並び、夜ともなると食事を楽しむ観光客でにぎわう。

ハイアニスへの行き方

鉄道／5月下旬から9月初旬までの金～日曜、ボストンのサウスステーションからハイアニス・トランスポーテーション・センターまでをケープフライヤーCapeflyerが約2時間20分で結ぶ。

バス／ボストンのサウスステーションやローガン国際空港からハイアニス・トランスポーテーション・センターまでプリマス&ブロックトンPlymouth & Brocktonのバスが毎日運行している。所要約2時間。

飛行機／ボストンのローガン国際空港からケープエアCape Airがハイアニスのバーンステーブル・ミュニシパル空港まで毎日1～2便運航している。所要約35分。

市 内 交 通

ハイアニス・エリア・トロリー Hyannis Area Trolley

　ケープコッド・リージョナル・トランジット・オーソリティが夏のみ、ハイアニスを中心にトロリーを運行している。ハイアニス・トランスポーテーション・センターからハイアニスダウンタウン、ジョン・F・ケネディ博物館、ジョン・F・ケネディ・メモリアル、Hy-Lineのフェリーターミナル、Steamshipのフェリーターミナルなどを回る。1周約1時間。

バーンステーブル・ミュニシパル空港　ハイアニスダウンタウンの北約4kmにある。ダウンタウンまではタクシーで約5分。Barnstable Municipal Airport 🏠480 Barnstable Rd., Hyannis ☎ (508) 775-2020

現地発のツアー

ハイアニスで最もポピュラーなツアーが、ハイラインのハーバークルーズHy-Line Harbor Cruise。約1時間の船旅で、ハイアニスポートの丘の上に建つケネディ家の別荘などが眺められる。

おもな見どころ

メイン通りの中心地
ジョン・F・ケネディ博物館
John F. Kennedy Museum

こぢんまりした建物の中には、幸せの絶頂にあったハイアニス滞在中のジョン・F・ケネディ (J. F. K.) の公私にわたる写真が80点以上展示されている。家族や友人に囲まれて、ハイアニスで休日をのびのびと過ごす若きJ. F. K.の表情が印象的だ。今でも人気のある大統領だけあって、ここを訪れる人は多く、皆食い入るように写真を見つめている。壁の一隅にはケネディ家のファミリーツリーもある。写真を見る前に、J. F. K.一家を映したビデオを観るといいだろう。

ハイアニスで人気の博物館

ハイアニスの海を望むJ.F.K.のレリーフ
ジョン・F・ケネディ・メモリアル
John F. Kennedy Memorial

ハイアニスハーバーから南へ約500mのオーシャン通り沿いにある朝鮮戦争ベテランズ・メモリアルパークの隣にはジョン・F・ケネディ・メモリアルThe John Fitzgerald Kennedy Memorialが立っている。若々しいJ. F. K.の横顔のレリーフが、彼が愛したハイアニスの海と、色とりどりのヨットを見つめている。レリーフは暗殺から3年後の1966年に完成した。

J.F.K. のレリーフ

パッケージもグッドな御当地チップス
ケープコッド・ポテトチップス工場
Cape Cod Potato Chips Factory

ケープコッドを起点にして、今や全米に広まりつつある人気のケープコッド・ポテトチップスCape Cod Patato Chipsの本社では、工場見学ができる。工場では、ジャガイモを洗うところから箱詰めまで、チップスの製造工程をガラス越しに見学できる。ただし撮影は禁止。見学が終了すると、おみやげに小さなポテトチップスがもらえる！　油に工夫が凝らしてあるので、とてもヘルシー。案内人によれば、ポテトは作る月によって産地を替えているそうだ。

Hy-Line Cruises
🏠 Hy-Line's Ocean St. Dock, 138 Ocean St., Hyannis
☎ (508)778-2600
Free (1-800)492-8082
URL www.hylinecruises.com
📅〈5月中旬〜10月下旬〉毎日10:00〜15:00の間、75分おきに出航。1日5便、夏季は16:15、17:30、19:00もあり
💴 1時間ツアー／$17、3〜11歳$8

ハイアニス発のフェリー
Hy-Line CruisesやSteamship Authorityのフェリーが、ナンタケット島とマーサス・ヴィニヤード行きのフェリーを運航

Hy-Line Cruises
URL www.hylinecruises.com
Steamship Authority
URL www.steamshipauthority.com

John F. Kennedy Museum
🏠 397 Main St., Hyannis
☎ (508)790-3077
URL jfkhyannismuseum.org
📅〈4月中旬〜5月〉毎日10:00〜16:00（日12:00〜）、〈6〜10月〉毎日9:00〜17:00（日12:00〜）、〈11月〉毎日10:00〜16:00（日12:00〜）
🚫 12月〜4月上旬
💴 大人$10、子供（10〜17歳）$5
[行き方] Main St. & Ocean St.の交差点から西へ約160m

John F. Kennedy Memorial
🏠 480 Ocean St., Hyannis（Korean War Veterans Memorial Parkの隣）
[行き方] Main St. からOcean St.を約1.6km南下した右側。徒歩約20分

ケープコッド・ポテトチップス工場内の売店

Cape Cod Potato Chips Factory
🏠 100 Breed's Hill Rd., Hyannis
Free (1-888)881-2447
URL capecodchips.com
📅 セルフツアーは月〜金9:00〜17:00
🚫 土・日、おもな祝日
💴 無料
[行き方] Main St.からBarnstable Rd. を北上しIyannough Rd.（MA-132）に入る。Independence Dr.を右折したら右側にある。ハイアニスのダウンタウンから約4km、車で約10分

サンドイッチ

Sandwich

Sandwich
M P.205-A2

行き方

車／Sagamoreを通るUS-6
の Exit 2 で下り、MA-130
（Water St.）を約2.5km進む
と町の中心、Main St.にぶつ
かる。ボストンの中心部から
約95km、車で約1時間30分

観光案内所

**The Sandwich Visitor
Center**
🏠 510 MA-130, Sandwich,
MA 02563
☎ (774)338-5605
🕐〈5月中旬～10月上旬〉毎日
10:00～17:00（日～16:00）
🚫 10月中旬～5月上旬
🚗 US-6をExit 2で下りて、
Water St.（MA-130）を北へ
約500m行った右側

**Sandwich Chamber of
Commerce**
🏠 128 MA-6A, Sandwich, MA
02563
☎ (508)833-9755
URL www.sandwichchamber.com
🕐〈5月中旬～10月上旬〉毎日
10:00～17:00（日～16:00）
🚫 10月中旬～5月上旬

こぢんまりとしたサンドイ
ッチの観光案内所

デクスター・グリスト・ミ
ルがある池のほとり

Dexter Grist Mill
🏠 2 Water St., Sandwich
☎ (508)888-4361
🕐〈6月中旬～10月中旬〉月～
土11:00～16:30、日13:00～
16:00
💰 大人$4、6～12歳$3

広大な敷地に庭園や水車小屋が点在するヘリテージ・ミュージアム＆ガーデンズ

古きよきケープコッドの姿を今も色濃く残す町、サンドイッチ。1639
年、プリマス植民地の入植地のひとつとして生まれた、ケープコッド
で最も古い町だ。主たる産業が農業やガラス工芸中心だった時代
から、観光中心へと移り変わったが、往時のたたずまいは、今も変わ
っていない。

サンドイッチは、ケープコッドのなかで最もニューイングランドらしい、
かわいらしい町並みが残っている所。その中心はデクスター・グリス
ト・ミルがあるあたりで、タウンホールの脇にはナチュラルウオータ
ーが湧き出す泉があり、地元の人が水を汲みに来たり、観光客がお
いしそうに水を飲む姿を見かける。

サンドイッチの歩き方

まず、町の中心を走るMain St.界隈を散策してみよう。町という
より村といったほうがよい素朴な安らぎが感じられる。そのあと、
Main St.とWater St.が交差するタウンホールTown Hallの斜め前に
あるサンドイッチ・ガラス博物館Sandwich Glass Museumに立ち
寄るといい。19世紀にこの地で繁栄したガラス産業について学べる
サンドイッチいちばんの見どころだ。また、ヘリテージ・ミュージア
ムズ＆ガーデンズHeritage Museums & Gardensは、メリーゴーラ
ウンドやクラシックカーの展示があり、家族連れに人気の博物館だ。

おもな見どころ

17世紀に使われていた水車を復元した
デクスター・グリスト・ミル
Dexter Grist Mill

サンドイッチ・ガラス博物館前の小道を入り、白鳥の浮かぶ
Shawme Pondのほとりにある水車小屋。水車は現在も稼働してお
り、大きな石臼でコーンを挽いている。挽くとき、石臼にかかる水の
圧力は200ポンド（約90kg）。そのせいか、予想以上に細かい粉にな
るという。

美しいガラスの芸術に囲まれた
サンドイッチ・ガラス博物館
Sandwich Glass Museum

　サンドイッチの町は1820年代からガラス工芸が盛んだった土地柄。なかでもデミング・ジャルベスDeming Jarvesは、腕のいいガラス職人をイギリスやアイルランドから呼び寄せ、さまざまな技術的工夫を取り入れて、装飾や色使いが特徴的な独特のガラスを作り上げたガラス工芸の第一人者だった。特にレース風のデザイン「レーシー・ガラス Lacy Glass」は、サンドイッチガラスの名声を得るまでになった。

　館内には、1825年にデミング・ジャルベスが設立したボストン＆サンドイッチ・グラス・カンパニーBoston & Sandwich Glass Companyの仕事場で作り出されたガラス工芸品や製品が展示されている。1825年の創業時から、1888年に労働争議で工場が閉鎖されるまでの作品が年代順に並ぶ。レーシー・ガラス、パターン・ガラス、カラフルなガラス製品、とりわけ珍しい茶色のガラス、工芸品としての価値も高い色とりどりのペーパーウエイトなどが輝いている。

カラフルで精巧な作品が並ぶ

クラシックカー好きは必訪
ヘリテージ・ミュージアムズ＆ガーデンズ
Heritage Museums & Gardens

　約100エーカーの敷地にアメリカ人の生活に根ざした展示品が見られるギャラリーや庭園、風車小屋、メリーゴーラウンドなどが点在する博物館。

　入口近くのJ. K. リリー3世自動車ギャラリーJ. K. Lilly Ⅲ Automobile GalleryはRound Stone Barnというシェイカー教の納屋のレプリカで、クラシックカーの博物館になっている。1920年代製造のものをはじめ、約30台の車が並ぶ。発売時の価格が示されているのがおもしろい。唯一、1913年式T型フォードだけは、座席に座ってハンドルを握ることができる。

　そのほか、南北戦争をはじめとした、過去の戦争のいくつかのシーンをジオラマで再現し、子供たちが多く描かれた作品やナンタケット・バスケット、鯨の歯などに彫刻を施したスクリムショーが並ぶAmerican Art Collection、200年以上の歴史をもつ風車The Old East Mill、見事な庭園などが併設されている。

　さらに、1908年にロードアイランド州で作られたメリーゴーラウンドCarouselは、子供たちの人気を集めている。

1922年型フォードのポンプ車

Sandwich Glass Museum
🏠129 Main St., Sandwich
☎(508)888-0251
URL www.sandwichglassmuseum.org
🕐〈2〜3月〉水〜日9:30〜16:00、〈4〜12月〉毎日9:30〜17:00
🚫1月
💰大人 $9、子供（6〜14歳）$2、5歳以下は無料
📍サンドイッチのダウンタウンの中心にあるタウンホール・スクエアの横
※毎正時、スタッフによるガラス器製作のデモンストレーションあり

ガラス器製作の実演

Heritage Museums & Gardens
🏠67 Grove St., Sandwich
☎(508)888-3300
URL www.heritagemuseumsandgardens.org
🕐〈4月中旬〜10月中旬〉毎日10:00〜17:00
💰大人 $18、子供（3〜11歳）$8
🚶サンドイッチ・ガラス博物館前のGrove St.を入り、細い舗装道路を約1.5km走ると左側にある

人気のメリーゴーラウンド

US-6を迂回してドライブを楽しもう

ミッド・ケープ・ハイウエイ（US-6）は、ケープコッド運河のサガモア橋Sagamore BridgeからプロビンスタウンProvincetown（P-town）まで、半島の中心を走る主要道路だ。P-townまでなるべく早く着きたいときは、US-6をひた走ることになるが、ほとんどのドライバーは高速道路と同じように時速60マイル（約96km）で運転するので、周りの景色を見る余裕はないだろう。そこで、自然を楽しみながらドライブしたい人には、旧道のMA-6AやMA-28をおすすめする。MA-6Aはサガモア橋から、サンドイッチSandwichやヤーマスYarmouth、デニスDennisの町を通り、オーリンズOrleansまでUS-6の北を走る。反対に、MA-28はサガモア橋から南下し、ファルマスFalmouth、ハイアニスHyannis、チャタムChatham、オーリンズまでUS-6の南を走るルートだ。どちらも片道1〜2車線のローカルな道で、制限速度が時速40〜50マイル（64〜80km）。こぢんまりとした町に立ち寄りながらゆっくり進めるのがいい。オーリンズからUS-6を約26マイル（約42km）走るとプロビンスタウンだ。

サンドイッチからノースショア沿いにオーリンズまで　〜MA-6A〜

MA-6Aは、別名 "The Old King's Highway" と呼ばれる景勝道路。ショップやレストランなどがほとんどなく、心地よい風が吹き抜ける木々のなかを通る。紅葉の時期は、沿道に並ぶ銀杏がきれいで、黄色いトンネルの中を走っているような錯覚を覚えるほどだ。ハイアニスへの分岐点であるバーンステーブルBarnstableを過ぎ、10分ほど走ると右側に、こぢんまりとしたレストランがある。1976年創業のキャプテン・フロスティーズ・フィッシュ＆チップス・レストランCaptain Frosty's Fish & Chips Restaurantは、このエリアで人気の店。以前は、酪農家が営むソフトクリームスタンドだったが、メニューを一新し、サンドイッチやシーフードなども提供するようになった。昔ながらのクリームソーダやバニラフラペチーノがこの店の看板メニュー。ドライブに疲れたら、ひと休みがてら立ち寄るといい。

レストランを出発すると、ケープコッドやバーンステーブル、ヤーマスポートなどの美しい港を眺められるデニスDennisの町だ。デニスを過ぎると、ニューイングランド風の建物が続き、オーリンズでUS-6に合流する。約60km、所要約1時間30分。

フィッシュ＆チップスが名物のレストラン

サンドイッチMA-6A沿いにある、家族で楽しめるミニゴルフ場

チャタムを過ぎると、プレザント湾が右手に見える

サガモアからサウスショア沿いにオーリンズまで　〜MA-28〜

南岸を走るMA-28は、ファルマスをはじめハイアニス、チャタムなど比較的大きな町を通る。道路沿いには、レストランやモーテル、アンティークショップなどが並び交通量も多い。ファルマスを経由し、ハイアニスを過ぎると5分ほどで、このエリア最大規模のアンティークショップが見えてくる。150以上のディーラーが集まる、アンティークセンター・オブ・ヤーマスThe Antiques Center of Yarmouthには、1960年代のマグカップをはじめ銀食器や陶磁器、絵画、時計、ポストカードなどが揃う。アンティークなだけに状態の差はあるが、それを考慮してもほとんどのものはお手頃な値段だ。田舎町だけあって、掘り出し物に出合える可能性は大きい。

掘り出し物が見つかるかも

クランベリー栽培で有名なハーウィッチHarwich、チャタムを過ぎると、豪奢な建物が連なる別荘地帯。海を右手に20分も走ればオーリンズに着く。約115km、所要約2時間30分。

キャプテン・フロスティーズ・フィッシュ＆チップス・レストラン
Captain Frosty's Fish & Chips Restaurant
📍 219 MA-6A, Dennis　☎ (508)385-8548
URL www.captainfrosty.com　🕐 毎日11:00〜21:00

サンドイッチ・ミニ・ゴルフ
Sandwich Mini Golf
📍 159 MA-6A, Sandwich　☎ (508)833-1905
URL www.sandwichminigolf.net
🕐 〈夏季〉毎日10:00〜21:00（日12:00〜）

アンティークセンター・オブ・ヤーマス
The Antiques Center of Yarmouth
📍 325 MA-28, West Yarmouth　☎ (508)771-3327
URL yarmouthantiques.com
🕐 毎日10:00〜17:30（日11:00〜）

チャタム　　Chatham

かわいらしい建物が集まる Main St.

チャタムは1656年ピルグリムファーザーズたちが入植した地で、およそ6200人が住むリゾートと漁業が盛んな小さな町。海岸線に建つ灯台は深い海の色と相まって、実に美しい景色を造り出している。夏の海岸は、海水浴を楽しむ人々でにぎやかだ。

MA-28から入ってきたら、車を観光案内所裏の駐車場に停めて、町の繁華街であるMain St.を歩いてみよう。海から吹く風が心地よく、通り沿いには白く背の低い建物が連なる。白い建物にはショップだけでなく、観光案内所、郵便局、教会などが入っていて、そのかわいらしさに思わず足を踏み入れてしまうだろう。海に近いShore Rd.に突き当たり、右手に進むと、ニューイングランドらしい**チャタム灯台Chatham Lighthouse**が見えてくる。実に絵になる風景だ。逆に左手に行くと、チャタムでいちばん有名な宿泊施設の**チャタム・バーズ・イン Chatham Bars Inn**（→P.216）があり、ここで優雅にお茶を楽しむというのも悪くない。

豪華リゾート、チャタム・バーズ・イン

Chatham
Ⓜ P.205-B2

行き方

チャタムへは車でしか行けない。ハイアニスからはMA-28を東へ約30km、約50分。たいていの店にウオーキングマップ（無料）が置いてあるので、参考にするといい

観光案内所

Chatham Chamber of Commerce
☎(508)945-5199
ＵＲＬ www.chathaminfo.com
Bassett House Visitor Information Center
🏠2377 Main St., S. Chatham, MA 02659
🕐〈7月～10月中旬〉月～土10:00～17:00、〈10月下旬～6月〉月～土10:00～14:00
Downtown Visitor Information Booth
🏠533 Main St., Chatham, MA 02633
🕐〈5月中旬～10月中旬〉月～土10:00～17:00、日12:00～15:00

Chatham Lighthouse
🏠37 Main St., Chatham

ファルマス　　Falmouth

ケープコッドの南西、Buzzards Bayに面したファルマスは、ケープコッドで有数の先住民の村があった所。19世紀に捕鯨で栄えていた頃は、多くの捕鯨船のキャプテンがここに住み、今でもその面影が町のあちこちに見られる。少し車を走らせればすぐ海にたどり着く。その海は入江にあるため、波も風もとても優しい。

まず、町の中心ともいえる**ファルマスビレッジFalmouth Village**に行ってみよう。こぢんまりとしたエリアのメイン通り沿いに、いくつかの史跡、銀行やショップ、レストラン、B&Bが軒を連ねている。ぶらぶら歩くだけなら1時間もあれば十分だ。緑の芝生が小さく広がるビレッジグリーンVillage Green（観光案内所あり）は、1749年にレイアウトされた由緒ある地。ビレッジグリーンの西へ行くと、"America the Beautiful"の名曲を作ったキャサリーン・リー・ベイトが幼少のときに住んだ家Katharine Lee Bate Houseがある。もとは1810年に建てられたもの。さらにPalmer Ave.の向かいには**ファルマス歴史協会 Falmouth Historical Society**があり、ファルマス博物館をはじめ古い3軒の家を保存、一般公開している。

散策が楽しい町並み

Falmouth
Ⓜ P.205-A2

行き方

バス／ピーターパン（ボナンザ）バスが、ボストンのサウスステーションから出発。1日10～13便。所要約1時間30分
Peter Pan Bus
Free (1-800)343-9999
ＵＲＬ www.peterpanbus.com
Bus Depot
🏠59 Depot Ave., Falmouth
☎(508)548-7588
車／SagamoreからSandwich Rd.、MA-28を約27km南下する。ボストンの中心部から約115km、所要約1時間40分

観光案内所

Falmouth Chamber of Commerce & Visitor Center
🏠20 Academy Ln., Falmouth, MA 02540　☎(508)548-8500
ＵＲＬ www.falmouthchamber.com
🕐月～金9:00～17:00（夏季は土10:00～16:00、日11:00～15:00も）
Falmouth Historical Society
🏠55-65 Palmer Ave., Falmouth
☎(508)548-4857

📝MEMO　ファルマス博物館　18世紀の家具や絵画が展示されている歴史博物館。Falmouth Museum 🏠65 Palmer Ave., Falmouth ＵＲＬ museumsonthegreen.org 🕐〈6月上旬～9月〉火～土11:00～16:00（土～14:00）

プロビンスタウン　　　Provincetown

Provincetown
ⓂP.205-B1

行き方

バス／Plymouth & Brockton
URL www.p-b.com
プリマス＆ブロックトンが、
ボストンのローガン空港や
サウスステーションを経由
して、ハイアニスまで、プロビ
ンスタウンまでバスを走らせて
いる。1日4便、約4時間。
バスは町の中心、案内所の
目の前に着く

フェリー／ボストンのロン
グワーフやワールド・トレー
ド・センターからプロビンス
タウンへ、ベイステートクルー
ズ社とボストン・ハーバー
クルーズ社が、夏季のみ1日1
～4往復、高速フェリーを運
航している。所要約1時間
30分。夏季のみプリマス
からフェリーPlymouth to
Provincetown Ferryが運航
している。所要約1時間30分
**Baystate Cruise
Company**
🏠 200 Seaport Blvd., Boston
Free (1-877)783-3779
URL www.baystatecruise
company.com
🎫 大人往復$88、片道$58、3
～12歳往復$65、片道$39
Boston Harbor Cruises
🏠 One Long Wharf, Boston
Free (1-877)733-9425
URL www.bostonharborcru
ises.com
🎫 大人往復$88、片道$58、
4～12歳往復$65、片道$39
**Plymouth to
Provincetown Ferry**
🏠 77 Water St., Plymouth
☎(508)747-2400
URL p-townferry.com
🎫 大人往復$45、片道$36、
3～12歳片道$34

車／US-6の終点がプロビン
スタウン。サガモアから
US-6を東へ約58km、約1時
間20分。ボストンの中心部
からは約190km、約3時間。
駐車場は、Commercial St.か
Bradford St.沿いにある

飛行機／ボストンからCape
Airが1～3便往復している。所
要約30分。プロビンスタウン
の空港から町の中心へはタク
シーで約10分、$10ほど
Cape Air
Free (1-800)227-3247
URL www.capeair.com
**Provincetown Municipal
Airport**
🏠 176 Race Point Rd.,
Provincetown
☎(508)487-0241

観光客でにぎわうコマーシャルストリート

ケープコッドの先端にあるプロビンスタウンは歴史的な町だ。
1620年、ピルグリムファーザーズが乗ったメイフラワー号が初め
て上陸した所であり、18世紀には捕鯨基地として繁栄した。現在
にいたるまで、漁業がこの町の経済に大きな比重を占めている。ケー
プコッド沖は豊かな漁場であり、天然の良港をもつこの町は、絶
好の漁業基地なのだ。そんなプロビンスタウンには、1800年代、
大西洋に浮かぶポルトガル領アゾレス諸島から来た漁師の子孫、
ポルトガル系の住民が多く住む。また、プロビンスタウンに初めて
足を踏み入れたのは11世紀初頭のバイキングともいわれている。

一方で現在は、芸術家が集まる町。通りを歩けば数多くのギャラ
リーが並ぶ。1899年にチャールズ・ホーソンが、ケープコッド芸術
学校を造ったことをきっかけに、多くの作家や劇作家が集まるよう
になった。処女作をこの町の劇場で上演したユージン・オニールを
はじめ、ドス・パソス、シンクレア・ルイス、テネシー・ウィリアム
ズなどの作家たちがやってきた。多くの画家たちも、ケープコッド
の自然のなかで絵筆を取っている。

プロビンスタウンにあふれるリゾート的開放感と芸術的雰囲気は、
この町の大きな魅力となっている。町中にゲイピープルが非常に多い
のも、彼らが自由な空気をいち早く感じ取っているため、と思われる。

プロビンスタウンの歩き方

　おもな見どころやレストラン、ショップ、ギャラリーは、コマーシ
ャルストリート周辺に集まっている
ので、徒歩で移動できる。半島の北
側に広がる砂丘やビーチには、レン
タサイクルして向かおう。町全体を
観光するなら、プロビンスタウント
ロリーを利用するのもいい。

3輪車で町なかを観光してもいい

おもな見どころ

ガイドの案内付きで町を1周できる
プロビンスタウントロリー
Provincetown Trolley

町に着いたら、トロリーに乗って町の概要をつかむといい。おもな見どころを、ガイドの説明を聞きながら、およそ50分ほどかけて回る。ピア周辺から出発し、ピルグリムモニュメント＆プロビンスタウン博物館、ピルグリムファーザーズが最初に

トロリーで効率的に観光しよう

上陸した場所、さらにケープコッド国定海浜公園などを巡る。特に、車がないと訪れることが難しい海浜公園のデューン（砂丘）を見られるのがいい。ここに来ると町の印象も少し違って見えてくる。

案内されて初めて気がつく歴史的なポイントもあり、町を知るには最適だ。

開放感みなぎるデューン

丘の上にひときわ高くそびえる
ピルグリムモニュメント＆プロビンスタウン博物館
Pilgrim Monument & Provincetown Museum

港や海からも遠望でき、町の象徴ともなっているモニュメントの高さは約77m。ブラッドフォード通りから坂道を上っていくと、約10分で塔の下の博物館に到着する。塔は、1620年11月21日、ピルグリムファーザーズが、新世界で初めてこの地に上陸したことを記念し、建てられたもの。1910年8月5日、第27代アメリカ大統領ウィリアム・タフトWilliam Taftも出席し、盛大に除幕式が行われた。博物館には、ピルグリムファーザーズがプロビンスタウンに足を降ろし、数々の苦難を乗り越えた歴史や、その後、貿易港、捕鯨基地として発展した道程など、文化や歴史が紹介されている。ひととおり見学したら、ぜひ塔に上ってみよう。幅広で少し傾斜のついたスロープが116段続いている。展望台からは金網越しに、プロビンスタウンの町並みを眼下に、遠く砂丘まで見渡す絶景が広がっている。

町のいたるところから見えるモニュメントタワー

観光案内所

The Provincetown Chamber of Commerce
⊞307 Commercial St., Provincetown, MA 02657
☎(508)487-3424
URL www.ptownchamber.com
圏〈夏季〉毎日9:00～18:00、それ以外は毎日10:00～16:00（冬季は週末のみ）
※プロビンスタウンの愛称はP-town

Provincetown Trolley
フェリードックから出発
☎(508)487-8687
URL www.mayflowertrolley.com
劉大人$20、子供$10
圏〈5月中旬～10月中旬〉毎日10:15～15:45の1時間～1時間30分間隔、12:15、13:45はStandish St.発、そのほかはマクミランピアから出発する
シャトルバス

Provincetown Shuttle
プロビンスタウン（マクミランワーフの駐車場前にある観光案内所前）とHerring Cove Beachをつなぐシャトルバス。マクミランピアからビーチまで約30分
Free (1-800)352-7155
URL www.capecodtransit.org
圏〈5月中旬～6月中旬、9月中旬～9月下旬〉金～月8:00～19:30、〈6月下旬～9月上旬〉毎日9:00～20:00の30分間隔
劉$2、1日パス$6
レンタルサイクル

Gale Force Bikes
⊞144 Bradford St. Extention, Corner of W. Vine St., Provincetown
☎(508)487-4849
URL www.galeforcebikes.com
圏〈4月〉毎日10:00～16:00、〈5月〉毎日10:00～17:00、〈6月〉毎日9:00～18:00、〈7～8月〉毎日8:00～19:00、〈9月〉毎日9:00～18:00、〈10月〉毎日9:00～17:00
圏11～3月
劉2時間$12、4時間$14、1日$20

Pilgrim Monument & Provincetown Museum
⊞1 High Pole Hill Rd., Provincetown
☎(508)487-1310
URL www.pilgrim-monument.org
圏〈4月～5月中旬〉毎日9:00～17:00、〈5月下旬～9月上旬〉毎日9:00～19:00、〈9月中旬～11月〉毎日9:00～17:00
圏12～3月
劉大人$12、シニア（62歳以上）・学生$10、4～14歳$4
※塔のてっぺんまでは歩いて上る。階段というよりスロープなので、ゆっくりならシニアでも上れるだろう

MEMO プロビンスタウンでおみやげを探すなら カフィーズCuffy's（⊞291 Commercial St., Provincetown）、プロビンシアProvincia（⊞140 Commercial St., Provincetown）などがおすすめ。

ゲイも闊歩する海岸沿いの繁華街

コマーシャルストリート
Commercial Street

家族連れに人気の海賊博物館

通りの全長は約3マイル（約4.8km）だが、ショップやアートギャラリーが集中するのは中心部から南西に1マイル程度（約1.6km）。夏のシーズン中は、歩道から人があふれるほど混み合っている。普段の人口が約3500人なのに対し、夏の人口は約6万人。アートギャラリー、ギフトショップ、ブティックなど、どこものぞきたくなるほどおしゃれな所だ。場所柄、シーフードメニューを看板に掲げるレストランも多い。

The Whydah Pirate Museum
值 16 MacMillan Wharf, Provincetown
☎ (508)487-8899
URL www.whydah.com
営 (5月中旬〜11月中旬) 毎日 10:00〜18:00
休 11月下旬〜5月上旬
料 大人$10、6〜12歳$8

その通りの中心部から歩いてすぐのハーバーも活気にあふれている。ボストンからのフェリーが到着したり、漁船や観光船が入ってきたり、何より数多くのホエールウオッチング船が停泊している。観光案内所やバスディーポ、駐車場がある町の中心が**マクミランワーフMacMillan Wharf**。その波止場の一画に、世界初の**ウィダー海賊博物館The Whydah Pirate Museum**がある。1717年ケープコッド沖で難破した海賊船の調査、研究を行っていて、その様子をパネルで解説し、引き上げたお宝を復元する作業を見せてくれる。

マクミランワーフには、ポストカードや絵を販売するショップが並ぶ

プロビンスタウンのUS-6の終点［プロビンスタウンインProvincetown Inn（→P.216）］のすぐ先から大きな美しい砂丘Herring Core Duneが広がっている。人混みに疲れたらぜひ足を運びたい。日程に余裕があるのなら、ビーチでのんびりするのもいい。

おすすめ情報

プロビンスタウンでホエールウオッチング

マサチューセッツ州の港で最もホエールウオッチングが盛んなのが、プロビンスタウンだ。マクミランワーフからたくさんの船が、観光客を乗せて出航していく。港から約6マイルの地点にあるStellwagen Bank National Marine Sanctuaryがクジラの採餌エリアになっているため、ここに多くのクジラが集まってくる。高い確率で、クジラの姿を見られるはずだ。したがって、どの船もクジラを見せることを「保証」している。

シーズンは4月上旬〜10月まで。3〜4時間のツアーで$40前後だ。いくつかある会社のなかでは、Dolphin Fleetが大手。クルーズ船のオフィスはマクミランワーフやコマーシャルストリート近辺にあるので、ここで出港時間と帰港時間をチェックしてからチケットを買おう。船は時間ピッタリに動き出すので、乗り遅れないように。見えるクジラはザトウクジラを中心に、ミンククジラ、セミクジラ、イルカ類、運がよければナガスクジラの優雅な姿を見ることもできる。

from Readers

ホエールウオッチングは、毎年4月上旬〜10月のみ行われている。「99％クジラが見られる」との船会社の人の言葉に、最初は疑いをもっていたが、実際に見ることができて大感激。体長数十mもある巨体は、TVで観るのとはまったく違い迫力満点だ。クジラが現れると日本人もアメリカ人も口をついて出る言葉は同じ。「ウォーッ！」である。まさに一見の価値あり。
（大阪府　遠藤宏平　'11）['15]

●Dolphin Fleet
值 マクミランワーフの入口
☎ (508)240-3636
Free (1-800)826-9300
URL www.whalewatch.com
営〈4月上旬〜10月〉毎日9:00〜18:00の2〜9便。出発時間は時期により異なるので、ウェブサイトで確認すること
料 大人$46、子供$31

ケープコッドモール　ハイアニスのダウンタウンから約3.2km北に行った所にあるショッピングモール。American Eagle OutfittersやBest Buy、Bath & Body Works、J. Crew、Macy'sのほかFive Guys╱

R 港を望むカジュアルシーフードの店 [$$] シーフード／ハイアニス／MAP▶なし

タグボート Tugboats

ハイアニスハーバーを望む眺めのいいシーフードの店。カジュアルな雰囲気で、地元の親子連れや観光客で、毎日客足が絶えることがない。やはりおすすめはロブスター（時価）だが、クラムチャウダー（$6）やクラブケーキなどもいける。

[住]21 Arlington St., Hyannis
☎(508)775-6433
[URL]www.tugboatscapecod. com
[営]〈4月下旬〜5月中旬〉金〜日11:30〜22:00、〈5月下旬〜10月下旬〉毎日11:30〜21:00（金・土〜22:00）
[カード][A][M][V]

R フェリー乗り場から歩いて約5分 [$] シーフード／ハイアニス／MAP▶なし

スパンキーズ・クラム・シャック&シーサイド・サルーン Spanky's Clam Shack & Seaside Saloon

お手頃な値段でシーフードが食べられると人気がある。ヨットが停留するハイアニスハーバーを見ながら取る食事は気持ちがいい。レストランと併設して気軽に立ち寄れるカジュアルなバーもある。ロブスターは$25.99。

[住]138 Ocean St., Hyannis
☎(508)771-2770
[URL]www.spankysclamshack.com
[営]〈4月中旬〜10月中旬〉毎日11:00〜22:00（金・土〜23:00、夏季以外は21:30頃に閉店）
[カード][A][M][V]

R クラムチャウダーのためだけに訪れる価値あり [$] シーフード／デニスポート／MAP▶なし

クランシーズ・オブ・デニスポート Clancy's of Dennisport

2011年、ボストンのクラムチャウダー・フェスティバルで1位を取ったレストラン。生ガキやエビなどの新鮮なシーフード以外にも、バッファローウィング（$10）やサンドイッチ（$10〜14）、パスタなどもある。ハイアニスから車で約20分。

[住]8 Upper County Rd., Dennisport
☎(508)394-6661
[URL]www.clancysrestaurant.com
[営]毎日11:30〜20:00（金・土〜21:00）
[カード][A][M][V] [行き方]ハイアニスからMA-28を東へ約10km行き、Upper County Rd.を左折。約1.6km行った右側

R 地元の人がおすすめする店 シーフード／チャタム／MAP▶なし

チャタムスクワイアー Chatham Squire

目抜き通りのMain St.にある、チャタムでいちばん有名なレストラン。ロブスタービスク（$6.50〜8.50）やフィッシュ&チップス（時価）からシーザーサラダ（$7.95〜10.95）、ハンバーガー（$9.95）などまでが揃う。特に、新鮮なカキやハマグリなどシーフードがおすすめ。

[住]487 Main St., Chatham
☎(508)945-0945
[URL]www.thesquire.com
[営]毎日11:30〜翌1:00（日12:00〜）
[カード][M][V]

R 手軽にロブスターを [$$] シーフード／プロビンスタウン／MAP▶なし

ロブスターポット The Lobster Pot

数あるシーフードレストランのなかでもおすすめの1軒。赤いネオンサインが目印だ。気取らない店で、味も量もすごい！　サンドイッチは$11〜19、ロブスターは$27。ここでは、やはりロブスターを試したい。クラムチャウダー、刺身などもある。

[住]321 Commercial St., Provincetown
☎(508)487-0842
[URL]www.ptownlobsterpot.com
[営]〈4月下旬〜11月中旬〉毎日11:30〜22:00
[休]11月下旬〜4月中旬
[カード][A][D][M][V]

H 自慢の屋内プールはスライダーも併設 高級／ハイアニス／MAP▶なし

ケープコッダー・リゾート&スパ Cape Codder Resort & Spa

ケープコッドを代表するリゾートホテル。レストランが2軒あるほか、屋内プールや野外プール、フィットネスセンター、ビジネスセンター、バレーボールコートなど家族連れとビジネス客双方に対応している。Wi-Fi無料。

[住]1225 Iyannough Rd., Hyannis, MA 02601
☎(508)771-3000
[Free](1-855)861-4370
[FAX](508)771-6564
[URL]www.capecodderresort.com
[料]ⓈⒹⓉ$119〜229、[Su]$279〜699、260室 [カード][A][D][M][V]

↘Burgers and Fries などのファストフード店も入る。Cape Cod Mall [住] 769 Iyannough Rd., Hyannis ☎(508)771-0200 [URL] www.simon.com/mall/cape-cod-mall [営]月〜土10:00〜21:00、日11:00〜18:00

H フェリーに乗船する人には最適

中級／ハイアニス／MAP▶なし

ハイアニス・ハーバー・ホテル Hyannis Harbor Hotel

広々とした客室のモーテル。バルコニーが付いており、海側に部屋を取れば気持ちがいい。近年改装されたばかりなので、設備も整えられており、客室もきれいだ。Wi-Fi無料。10月下旬～4月中旬はクローズ。

[住]213 Ocean St., Hyannis, MA 02601
☎(508)775-4420
[Free](1-800)655-2047
[FAX](508)775-7995
[URL]www.hyannisharborhotel.com
[料]ⓈⒹⓉ$109～399、136室
[カード][A][D][M][V]

H ハイアニスハーバーが目の前

ホステル／ハイアニス／MAP▶なし

ホステリング・インターナショナル・ハイアニス Hostelling International Hyannis

5月中旬～10月中旬のみ開くユースホステル。2010年にオープンしたので、まだ新しく、清潔に保たれている。メイン通りまで徒歩約5分。裏には無料の駐車場もあるので便利だ。人気があるので、早めに予約すること。朝食、Wi-Fi無料。

[住]111 Ocean St., Hyannis, MA 02601
☎(508)775-7990
[Free](1-877)683-7990
[URL]www.hiusa.org
[料]ドミトリー$35～39、個室$99～150、43ベッド
[カード][M][V]

H サンドイッチのランドマーク

高級／サンドイッチ／MAP▶なし

ダニエル・ウェブスター・イン&スパ Dan'l Webster Inn & Spa

1692年創業の歴史あるイン。建物は1971年に再建されたが、18世紀の雰囲気をよみがえらせている。客室は広く、天蓋付きのベッドや大理石のバスルームなど高級感にあふれている。Wi-Fi無料。

[住]149 Main St., Sandwich, MA 02563
☎(508)888-3622
[Free](1-800)444-3566
[FAX](508)888-5156
[URL]www.danlwebsterinn.com
[料]ⓈⒹⓉ $119～344、[Su]$161～444、48室
[カード][A][D][M][V]

H 大西洋を望む丘の上に建つ

高級／チャタム／MAP▶なし

チャタム・バーズ・イン Chatham Bars Inn

チャタムを代表する超高級リゾート。外観はニューイングランド風で、周囲にコテージが点在する。部屋はもちろんラウンジ、ロビー、レストランから海が見える。プライベートビーチ、テニスコート完備。Wi-Fi$10～20。

[住]297 Shore Rd., Chatham, MA 02633
☎(508)945-0096
[Free](1-800)527-4884
[URL]www.chathambarsinn.com
[料]ⓈⒹⓉ$195～、コテージ$270～、[Su]$500～、217室
[カード][A][D][M][V]
※冬季は水～日のみオープン

H 高台にある快適なモーテル

中級／プロビンスタウン／MAP▶なし

シーグラスイン&スパ The Seaglass Inn & Spa

コマーシャルストリートまで徒歩15分ほどの高台にあるモーテル。中庭に気持ちのよいプールもあり、部屋も広々として快適。朝、ロビーでは無料の朝食サービスがある。Wi-Fi無料。5月上旬～10月下旬の営業。

[住]105 Bradford St., Provincetown, MA 02657
☎(508)487-1286
[FAX](508)487-3557
[URL]www.seaglassinnandspa.com
[料]ⓈⒹⓉ$160～300、55室
[カード][A][M][V]

H プロビンスタウンで老舗の宿

中級／プロビンスタウン／MAP▶なし

プロビンスタウンイン Provincetown Inn

町の中心部から東へ徒歩約10分の場所にあるモーテル。町へ徒歩圏内にあるにもかかわらず、広い駐車場があるので、車利用者には便利だ。目の前が海なので、開放感もある。朝食、Wi-Fi無料。

[住]1 Commercial St., Provincetown, MA 02657 ☎(508)487-9500
[Free](1-800)942-5388
[FAX](508)487-2911
[URL]www.provincetowninn.com
[料]ⓈⒹⓉ$79～$289、[Su]$209～449（週末やシーズンにより最低2泊以上）、101室 [カード][A][M][V]

ケープコッド、マーサス・ヴィニヤード、ナンタケット島を巡るフェリーの旅

マサチューセッツ州南部のリゾートアイランド、マーサス・ヴィニヤードやナンタケット島へ向かうときに欠かせない交通手段はフェリーだ。カーフェリーも運航しているが、多くが自転車やペットも載せる旅客専用のフェリー。盛夏、気持ちよく晴れた日のクルーズは最高の気分。船上では何もすることがないので、ただ流れていく時間を楽しんでいればいい。まさに旅の醍醐味が凝縮されたようなひとときを過ごせるだろう。

ファルマスからオークブラフへ

ケープコッドからマーサス・ヴィニヤードに渡るとき、車でなければ、ケープコッド南端のファルマスFalmouthからマーサス・ヴィニヤード行きのアイランドクイーンIsland QueenのフェリーでオークブラフOak Bluffsへ渡るといい。フェリー乗り場まではタクシーなどで向かうことになるが、オークブラフまで所要約35分。船内でハンバーガーでも食べながら小休止していれば、あっという間に海を渡り、オークブラフのフェリードックに到着する。

人と自転車、ペットなどが乗り込める小型フェリーだけに、雰囲気もみんなアットホームだ。大きな荷物はみんな各自で管理するが、静かに本を読んだり、ぼーっと海を眺めている家族連ればかりなので、それほどシリアスに構える必要もない。

オークブラフのフェリードックに着くと、乗り合いタクシーやツアーバスがフェリー乗り場前に待機しているので、そのままツアーバスで観光に出発するのもいいし、ひとまずタクシーでホテルへ向かうのもいい。

マーサス・ヴィニヤードの島内はシャトルバスがよく整備されており、車を使う必要はまったくない。どうしても、車で渡りたいなら、ファルマスより南のウッズホールWoods HoleからスチームシップオーソリティSteamship Authorityがヴィニヤード・ヘブンまでカーフェリーを運航している。

オークブラフからナンタケット島へ

マーサス・ヴィニヤードで島の休日を満喫したら、高級リゾート、ナンタケット島を訪れよう。このときに利用したいのが、オークブラフ発のハイライン・クルーズHy-Line CruisesのフェリーInter Island Ferry。夏季のみ運航されているフェリーで、マーサス・ヴィニヤードとナンタケット島を楽しむことができる。船にはペットも乗船できるため、おとなしいワンちゃんも乗り込む。約1時間10分の船旅だ。

ナンタケット島ではストレートワーフに到着するが、夏、このワーフからタクシーでホテルに向かうのは諦めたほうがいい。というのも、夏のナンタケット島は旅行者であふれ、タクシーがつかまらない。大きな荷物も自力で運ぶ覚悟が必要だ。

ハイアニスからナンタケット島とマーサス・ヴィニヤードへの日帰りフェリー

ハイアニスからナンタケット島とオークブラフを1日で回りたいときに便利なのは、ハイライン・クルーズのフェリーAround the Soundだ。ハイアニスを9:30に出発して、ナンタケットに11:20到着する。3時間後にオークブラフに向けて出発。オークブラフでは2～4時間の観光時間があり、ハイアニスに19:30～22:00頃到着する。逆航路のハイアニス→オークブラフ→ナンタケット→ハイアニスもある。

ファルマス － オークブラフ
Island Queen
🏠 75 Falmouth Heights Rd., Falmouth
☎ (508)548-4800　URL www.islandqueen.com
🕐 〈5月中旬～6月上旬、9月中旬～10月中旬〉毎日2～5便、〈6月中旬～9月上旬〉毎日7便
💰 大人往復$20（片道$12）、子供往復$10（片道$6）
※支払いは現金、T/Cのみ

オークブラフ － ナンタケット島
Hy-Line Cruises
🏠 Dockside Marina, Oak Bluffs, Martha's Vineyard
Free (1-800)492-8082　URL hy-linecruises.com
〈Inter Island Ferry〉
🕐 〈6月上旬～9月下旬〉毎日1便
💰 大人片道$36、子供片道$24

ハイアニス－ナンタケット島 － マーサス・ヴィニヤード
Hy-Line Cruises
〈Around the Sound〉
🕐 ハイアニス～ナンタケット～マーサス・ヴィニヤード～ハイアニス便：〈6月上旬～9月〉毎日ハイアニス9:30発、ハイアニス～マーサス・ヴィニヤード～ナンタケット～ハイアニス便：〈6月上旬～6月中旬、9月中旬～9月下旬〉毎日ハイアニス9:25発、〈6月下旬～9月上旬〉毎日ハイアニス8:15発
💰 大人$79、子供（5～12歳）$44

ウッズホール － ヴィニヤード・ヘブン
Steamship Authority
カーフェリーの予約　☎ (508)477-8600
URL www.steamshipauthority.com
🕐 〈4月中旬～5月中旬〉毎日1日13～14便、〈5月下旬～6月中旬〉毎日10便、〈6月下旬～9月上旬〉毎日9便、〈9月中旬～10月上旬〉毎日10便、〈10月中旬～1月上旬〉毎日13～14便
💰 カーフェリー／大人片道$8.50、車両$43.50

アイランドクイーン号に乗って、ファルマスからオークブラフを目指す

ナンタケット島

Nantucket Island

ナンタケットタウンで必訪の捕鯨博物館

「グレイレディGrey Lady」のニックネームで知られるナンタケット島は、薄墨色の家並みが美しいリゾートタウン。捕鯨産業で隆盛を極めた19世紀の町並みが見事に保存され、光あふれる穏やかな自然にも恵まれている。決して派手ではないが、島全体に漂うその気品から、シックな大人のリゾートとして、欧米人憧れの地になっている。

ナンタケット島の捕鯨産業の黄金期は、ハーマン・メルヴィルの『白鯨』にも登場したほど。アメリカの捕鯨が中止された今も、捕鯨の伝統を引き継ぐ数々の文化が、工芸品となって残されている。町や郊外をそぞろ歩くだけで心豊かになれる、ここはそんな雰囲気の島だ。

行き方

フェリー／ハイアニスからはSteamship Authorityか、Hy-Line Cruisesで所要1時間～2時間15分。マーサス・ヴィニヤードからはHy-Line Cruisesで約1時間

Steamship Authority
🏠69 South St., Hyannis
🏠1 Steamboat Wharf, Nantucket
☎(508)495-3278
📱www.steamshipauthority.com
🕐高速フェリー／4月中旬～1月上旬の毎日、1日4～5便、所要約1時間。
カーフェリー／通年、1日3～6便、所要2時間15分。
💰高速フェリー／片道：大人$36.50、子供$18.75。往復：大人$69、子供$35。
カーフェリー／片道：大人$18.50、子供$9.50、自動車1台$140～225

ナンタケット島への行き方

　ボストンからの飛行機のほか、ハイアニスやマーサス・ヴィニヤードからのフェリーでアクセスできる。人気があるのはハイアニスからの高速フェリー（Steamship AuthorityとHy-Line Cruises）で、所要約1時間。Hy-Line Cruisesはストレートワーフ（桟橋）に、Steamship Authorityはスチームボートワーフに到着する。なお、Steamship Authorityは通年カーフェリーも運航。高速フェリー、カーフェリーは定員制のため、夏場は事前に予約しておいたほうがいい。

ナンタケット島の歩き方

　ナンタケット島は、南北5.6km、東西22kmほどの小さな島だ。ダウンタウンのナンタケットタウンNantucket Townはタウンと呼ばれ、見どころやホテル、レストラン、ショップが集まっている。石畳の道を歩きながら歴史的な建物を眺めるのがこの町の楽しみ方。2～3日間あると、ゆっくり過ごせる。

飛行機で訪れる　ボストンからCape Airで約45分、ハイアニスからNantucket AirlinesやCape Air、Island Airlinesで約20分、マーサス・ヴィニヤードからCape Airで約20分。

観光案内所

ナンタケット・ビジターサービス

　Federal St.とChestnut St.の角にあり、ホテルの紹介やバスツアーの予約を行っているほか、地図やパンフレットなどの資料も豊富に取り揃える。夏季には、ストレートワーフにインフォブースもオープン。

ナンタケット島商工会議所

　Main St.沿いのWater St.とEasy St.の間にある建物2階。商工会議所発行の観光ガイドブックを入手するといい。

島内の交通

WAVEバス

　島のおもなポイントをNantucket Regional Transit Authority (NRTA) のバスが5月中旬から9月上旬まで (路線により異なる)、循環する。9ルートあり、タウンからスコンセットビーチや空港、郊外のビレッジへ行く。毎日7:00〜23:30まで15分〜60分おきに運行。

　南ルートの出発＆終着地点はナンタケットタウンのWashington St.とMain St.の角。北ルートは、Broad St.とWater St.の角、捕鯨博物館前にバス停がある。シャトルは必ずタウンに戻ってくるので安心だ。空港発のバスは6月下旬〜9月初旬の毎日10:00〜18:00まで、20分おきに運行する。

現地発のツアー

現地発のツアー

　ナンタケット島東部にあるサンカティヘッド灯台やスコンセットビーチなどナンタケットタウン以外の見どころを訪れるなら、ツアーに参加するのが効率的だ。個人経営のゲイルズツアーズGail's ToursやアラズツアーズAra's Toursなどがバスツアーを催行する。

　ナンタケット・ビジターサービスでは、それ以外ツアーを紹介してくれるので、立ち寄った際に聞いてみよう。個人経営のツアー会社だ

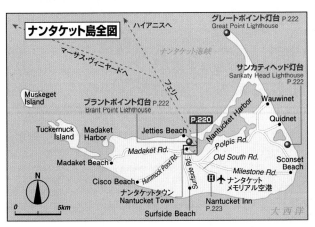

ナンタケット島全図

ハイアニスへ
ナンタケット海峡
マーサス・ヴィニヤードへ
フェリー

グレートポイント灯台 P.222
Great Point Lighthouse

サンカティヘッド灯台
Sankaty Head Lighthouse
P.222

Muskeget
Island

ブラントポイント灯台 P.222
Brant Point Lighthouse

Nantucket Harbor

Wauwinet

Quidnet

P.220

Tuckernuck
Island

Madaket
Harbor

Jetties Beach

Polpis Rd.

Madaket Rd.

Old South Rd.

Sconset
Beach

Madaket Beach

Milestone Rd.

Hummock Pond Rd.

Surfside Rd.

Cisco Beach

N

ナンタケットタウン
Nantucket Town

ナンタケット
メモリアル空港

ナンタケット
Inn
P.223

0　　　5km

Surfside Beach

大西洋

Hy-Lyne Cruises

🏠 220 Ocean St., Hyannis
🏠 33 Straight Wharf, Nantucket
Free (1-800)492-8082
URL www.hylinecruises.com

ハイアニス〜ナンタケット
🚢高速フェリー／通年、1日5〜6便、所要約1時間。低速フェリー／5月中旬〜10月中旬の毎日、1日1〜3便、所要約1時間50分
🚢高速フェリー／片道：大人$41、子供$29、往復：大人$77、子供$51。低速フェリー／片道：大人$22.50、子供無料、往復：大人$45、子供無料

マーサス・ヴィニヤード(オークブラフ)〜ナンタケット
Inter-Island
🚢6月上旬〜9月の毎日、1日1便、所要約1時間10分
🚢片道：大人$36、子供$24
※ハイアニスを早朝に出て、ナンタケット、マーサス・ヴィニヤードを回りハイアニスに戻ってくる1日クルーズもある。ナンタケットで約4時間、マーサス・ヴィニヤードで約4時間30分の観光時間あり (時期により滞在時間は異なる)。Around the Sound
🚢6月上旬〜9月の毎日、1日1便、約12時間30分。🚢大人$79、子供$44
※ハイアニスを早朝に出て、マーサス・ヴィニヤード、ナンタケットを回りハイアニスに戻ってくる1日クルーズもある (時期により滞在時間は異なる)。マーサス・ヴィニヤードとナンタケットで各約5時間の観光時間あり。Around the Sound🚢6月上旬〜9月の毎日、1日1便、約14時間🚢大人$79、子供$44

Nantucket Visitor Services

M P.220-B1
🏠 25 Federal St., Nantucket, MA 02554
☎(508)228-0925
URL www.nantucket-ma.gov
🕐月〜土9:00〜17:00 (夏季は日曜もオープン)

Nantucket Island Chamber of Commerce

M P.220-B1
🏠 0 Main St., 2nd Fl., Nantucket, MA 02554
☎(500)228-1700
URL www.nantucketchamber.org
🕐月〜金9:00〜17:00

WAVEバス

☎(508)228-7025
URL www.nrtawave.com
🚌タウン内は$1、空港からタウンへは$2、1日バス$7、3日バス$12。ルートやスケジュールはウェブサイトで確認のこと

けあり、旅行者が希望する写真撮影ポイントに臨機に立ち寄り、十分時間を取ってくれるのでおすすめだ。

おもな見どころ

Hy-Line Cruisesのフェリーが到着する
ストレートワーフ
Straight Wharf

1723年に造られた波止場（ワーフ）は、手工芸品のショップやギャラリーが並び、多くの観光客でにぎわう。ワーフから延びる石畳をレストランやカフェを横目に町の中心部に向かって直進した右側に、れんが造りの歴史的建物、トーマス・メイシー倉庫 Thomas Macy Warehouse（1846年）がある。捕鯨関連の倉庫として建てられ、所有者の名前トーマス・メイシーがつけられた。現在は、みやげ物屋となっている。

ストレートワーフのショッピング街

ナンタケットタウン

- 🔵 見どころ
- ℹ️ 案内所
- Ⓢ ショップ
- Ⓡ レストラン
- Ⓜ ミュージアム
- Ⓗ ホテル
- 〒 郵便局

Brant Point Lighthouseへ 400m↑

A
- オールデストハウス＆ヒストリックガーデン The Oldest House & the Historic Garden
- Cliff Rd.
- Sunset Hill Ln.
- W. Chester St.
- Franklin St.
- N. Liberty St.
- The Brotherhood of Thieves P.223
- First Congregational Church ✝
- Lily Pond Park
- Lily St.
- Jared Coffin House P.223
- Broad St.
- The Scrimshander Gallery
- ナンタケット・ビジターサービス Ⓢ
- Hussey St.
- Chestnut St.
- Oak St.
- Roberts House Inn
- India St.
- Centre St.
- Liberty St.
- Black-Eyed Susan's P.223
- コフィンスクール Coffin School
- The Quaker Meeting House
- Greater Light
- Main St.
- Three Bricks P.222
- Ships Inn
- Murray's Toggery Shop P.223
- Charter St.
- Martins Ln.
- 昔の牢屋 Old Gaol
- Gardner St.
- Howard St.
- Quaker Rd.
- Bloom St.
- Vestal St.
- Mitchell House
- ハドウェンハウス Hadwen House P.222
- 消防設備小屋 Fire Hose Cart House
- Milk St.
- New Mill St.
- 1800 House
- Mill St.
- Pleasant St.
- Pine St.
- Fair St.
- Joy St.
- Prospect St.
- N. Mill St.
- オールドミル The Old Mill
- York St.
- The Unitarian Universalist Church
- Mill Hill Park

- Easton St.
- S. Beach St.
- N. Water St.
- Sea St.
- Children's Beach
- Seven Sea Street Inn
- Sushi by Yoshi
- Gypsy
- Young's Bicycle Shop
- Sweet Inspirations
- Easy St.
- S. Water St.
- ナンタケット島商工会議所 ℹ️
- Candle St.
- Coffin St.
- New Whale St.
- Coffin St.
- Union St.
- Washington St.
- Eagle Ln.
- Silver St.
- Weymouth St.
- Dover St.
- Orange St.
- York St.
- Pleasant St.
- African Meeting House

B
- Ⓗ White Elephant
- Ⓡ Brant Point Grill
- 捕鯨博物館 P.221 Whaling Museum
- Steamship Authority フェリー
- Steamboat Wharf
- Thomas Macy Warehouse P.220
- ℹ️ ナンタケット・ビジターサービス
- ストレートワーフ P.220 Straight Wharf
- Hy-Lineフェリー
- Stop & Shop
- Straight Wharf Restaurant
- Commercial Wharf
- Fog Island Cafe
- Sylvia Antiques & Four Winds Craft Guild
- Aquarium
- Nantucket Lobster Trap
- Union Street Inn P.223
- Francis St.
- Arno's Breakfast & Seafood Restaurant
- Ⓜ ナンタケット・ライトシップ・バスケット・ミュージアム Nantucket Lightship Basket Museum P.222

1

2

Ⓢ Michael Kane Lightship Basketsへ 800m

N

0 ── 200m

ナンタケットバスケットやスクリムショーを取り扱う店 Sylvia Antiques & Four Winds Craft Guild M P.220-B1 🏠15 Main St., Nantucket ☎(508)228-0960 URL www.sylviaantiques.com↗

捕鯨産業で栄えたナンタケット
捕鯨博物館
Whaling Museum(1846年)

　捕鯨時代、鯨油を原料にしたろうそく製造工場Hadwen & Barney Oil & Candle Factoryだった所にある。捕鯨関係のコレクションでは、ニューベッドフォードの捕鯨博物館に次ぐ規模。また、スクリムショーのコレクションでは世界屈指の博物館だ。入口にあるマッコウクジラのあごの骨、奥のナガスクジラの全身骨格（14〜15m）の先に、ろうそく工場を再現したコーナーもある。見逃せないのは、クジラ捕りのための道具類、捕鯨時代を再現した模型や絵画、サンカティヘッド灯台で使用されていた6フィートレンズなど。また、ナンタケットの浅い港に大型船が入るときに使用された浮ドックThe Camelsの模型も興味深い。

クジラ好き必見の捕鯨博物館

Whaling Museum
M P.220-B1
13 Broad St., Nantucket
☎(508)228-1894
URL www.nha.org
圏〈2月中旬〜4月上旬〉土・日11:00〜15:00、〈4月中旬〜5月中旬〉毎日11:00〜16:00、〈5月下旬〜10月〉毎日10:00〜17:00、〈11月上旬〜11月中旬〉土・日11:00〜16:00、〈11月下旬〜12月下旬〉金〜日11:00〜16:00
圏捕鯨博物館と5つの歴史的建物への共通入場パス／大人$20、学生$18、子供（6〜17歳）$5

ナンタケットの捕鯨の隆盛期は1700年代の中頃から1830年代頃まで。その頃、町の人口は1万人。1960年頃からナンタケットの観光業が急成長した

ミュージアムショップには、クジラに関する品々が並び、おみやげにおすすめ

17世紀から18世紀の建物が残る
ナンタケット島歴史的建物群
Nantucket Island Historical Sites

　1846年に起こった大火事The Great Nantucket Fireによりナンタケットタウンにあったほとんどの建物は焼失したが、焼け残ったものはナンタケット歴史協会Nantucket Historical Associationが保存し、一般に公開されている。ハドウェンハウス（→P.222）を含めそれらの建物はタウンの中心部から歩いて行ける距離にあるので、散策がてら立ち寄るといい。また、歴史協会はダウンタウン・ウオーキング・ツアーDowntown Walking Tourも催行している。

　タウンの中心部から南に15分ほど歩いた小高い丘にある古ぼけた風車小屋のオールドミルThe Old Millは、1746年に建てられた全米最古のもので、現在も風力により穀物を製粉することができるという。また、ナンタケット島最古の住宅であるオールデストハウス＆ヒストリックガーデンThe Oldest House & the Historic Gardenも必見の建物。鍛冶屋であったジェスロ・コフィンの結婚祝いとして1686年に建てられた。

Nantucket Island Historical Sites
ナンタケット歴史協会
☎(508)228-1894
URL www.nha.org/sites/sitelist.html
圏〈5月下旬〜10月中旬〉毎日11:00〜16:00
圏各建物につき大人$6、子供（6〜17歳）$3
The Old Mill
M P.220-A2
50 Prospect St., Nantucket
The Oldest House & the Historic Garden
M P.220-A1
16 Sunset Hill, Nantucket
Downtown Walking Tour
圏〈5月下旬〜10月〉捕鯨博物館を毎日11:15発、所要約60分
圏大人$10、学生$8、子供（6〜17歳）$4

おすすめ情報
メルヴィルの『白鯨』とナンタケット島

　ハーマン・メルヴィルの小説『白鯨』の主人公イシュメールは、随所でナンタケット島とナンタケット人について褒めちぎり、憧れている。特に第14章はナンタケットというタイトルを付け、イシュメールの島への思いを語らせている。

　"ナンタケットびと、かれらのみが、海に住み海を荒し、かれらのみが、聖書の語を借りれば、「舟にて海にうかび事をいとなみ」、海をおのれの畑としてあちこちを耕している。"
（新潮文庫『白鯨』田中西二郎訳）

　イシュメールは、ナンタケットでエイハブ船長の「ピークォド」号に乗船、航海に出ることになる。「ピークォド」号は、実在のナンタケットの船「エセックス」号をモデルに書かれたといわれている。

Hadwen House
M P.220-A2
住 96 Main St., Nantucket
※内部を見学するにはダウンタウン・ウオーキング・ツアーに参加する以外にない

ハドウェンハウスはツアーでのみ見学できる

Three Bricks
M P.220-A1〜A2
住 93, 95, 97 Main St., Nantucket

Brant Point Lighthouse
M P.219
住 2 Easton St., Nantucket

Great Point Lighthouse
M P.219

Sankaty Head Lighthouse
M P.219

捕鯨時代の成功者の家
ハドウェンハウス
Hadwen House(1845年)

　鯨油とろうそく工場を経営し、大成功したウィリアム・ハドウェンWilliam Hadwenの邸宅で、19世紀初期のギリシャ復古調の建物だ。優雅なエンタシスは捕鯨隆盛期の証。当時、ナンタケットでいちばん仰々しい個人宅と言われていた。邸内には、さまざまな家具調度品が飾られている。イタリア大理石の暖炉、銀のドアノブ、シャンデリア、肖像画、天蓋付きベッドなど……。また、1850年代様式の庭園も残され、ナンタケット・ガーデンクラブの手によって維持されている。ダウンタウン・ウオーキング・ツアー（→P.221）でのみ見学可能。

　ハドウェンハウスの真向かいには、れんが造りの家が3軒並ぶスリーブリックスThree Bricksがある。ジョセフ・スターバックJoseph Starbuckという捕鯨商人が、3人の息子たちのために建てた家だ。

タウンワーフを守る灯台
ブラントポイント灯台
Brant Point Lighthouse

　ストレートワーフの北約750m、ナンタケットハーバーの入口にある。1746年、全米で2番目に古い灯台として建てられたが、1758年の火事により全焼した。その後、造り直しと嵐や火事による崩壊を9度経て、1901年に建立されたのが現在の灯台だ。現在も当時の照明器具を使用しており、4秒に1度光を発し、10マイル離れた所へ届くという。

　ナンタケット島には、ほかにふたつの灯台がある。島北端にあるグレートポイント灯台Great Point Lighthouseと島東端のサンカティヘッド灯台Sankaty Head Lighthouseだ。ナンタケットダウンタウンから出発するツアー（→P.219）に参加して訪れるといい。

ナンタケット・ライトシップ・バスケット・ミュージアム

　日本人にも人気のナンタケット・バスケットを集めた博物館が、タウンから南へ約1km行った所にある。正式にはナンタケット・ライトシップ・バスケットNantucket Lightship Basketといい、19世紀中頃、捕鯨産業衰退後、捕鯨船に代わって登場した灯台船上で、盛んにバスケットが作られたため、こう呼ばれている。

　もともと、この地にいた先住民の籠作りをもとに、1750年代〜1850年代の捕鯨時代、船乗りたちの洋上の手なぐさみから今日のナンタケット・バスケットは生まれた。現在のバスケットは、南太平洋から持ち込まれた籐を使って編まれている。ろくろ台に型を置き、そのトップに底板を敷き、そのへりに縦軸の籐を差し込み、まず縦のラインを整える。そして横軸となる籐を、縦軸に交互に重ね、きっちりと編み込んでいく。博物館には、この編み方の模型が展示され、バスケットの仕組みが紹介されている。

　さらに、この博物館には、1940年代、今日のふた付きバスケットを考案し、大人気を博したという人気作家、ホセ・フォルモソ・レイの仕事場も一部移築され、今は亡き名人の偉業をたたえている。

ホセ・フォルモソ・レイの仕事場

Nantucket Lightship Basket Museum
M P.220-B2
住 49 Union St., Nantucket　☎ (508)228-1177
URL www.nantucketlightshipbasketmuseum.org
営〈5月下旬〜10月中旬〉火〜土10:00〜16:30
料 大人$5、シニア・子供$2

ナンタケットバスケットとスクリムショー　ワシントン条約により、象牙彫刻品の輸入は禁止されている。経済産業省のウェブサイトを参照のこと。URL www.meti.go.jp/policy/external_economy/trade_control/boekikanri/cites/cites_about.htm

ナンタケット島のショップ、レストラン、ホテル

S ナンタケット島の形がトレードマーク　ファッション／ナンタケットタウン／MAP▶P.220-B1

ムーレイズ・タゲリー・ショップ　Murray's Toggery Shop

1945年創業のMain St.沿いにある老舗セレクトショップ。メンズ、レディス、子供用とあらゆる世代向けにショートパンツ（$79.50〜）やポロシャツ（$62〜）、ワンピース（$158〜）などを取り揃える。ナンタケット島を訪れる観光客が必ず立ち寄る有名店だ。

[住]62 Main St., Nantucket
☎(508)228-0437
[URL]www.nantucketreds.com
[営]毎日9:30〜18:30（日10:00〜）
[カード][A][M][V]

R 家族連れでも気兼ねなく利用できるカジュアルレストラン [$$]　アメリカ料理／ナンタケットタウン／MAP▶P.220-A1

ブラザーフッド・オブ・シーブズ　The Brotherhood of Thieves

1972年にオープンしてから幾度かの改装を経て、現在、1階のレストランとテラス席、地下のバーを合わせて200席ほどある。地元の食材を使ったメニューは健康志向のナンタケット住民にも好評。ロブスターロール（$25）やフライドカラマリ（$16）などがおすすめ。

[住]23 Broad St., Nantucket
☎(508)228-2551
[URL]www.brotherhoodofthieves.com
[営]毎日11:30〜21:00（10月下旬〜4月中旬は曜日により閉店したり、営業時間が異なったりするので要確認）
[カード][M][V]

R 行列のできる人気店　[$$]　アメリカ料理／ナンタケットタウン／MAP▶P.220-A1

ブラック・アイド・スーザンズ　Black-Eyed Susan's

オープンキッチンでこぢんまりとしているが、今話題の創作アメリカ料理が味わえる店。地元産のカジキマグロのソテー（$29）をはじめ、どの料理もおいしい。ディナータイムには行列ができる。入口で予約を。ワインの持込み可（$2）。

[住]10 India St., Nantucket
☎(508)325-0308
[URL]www.black-eyedsusans.com
[営]〈4〜10月〉朝食：毎日7:00〜13:00、ディナー：月〜土18:00〜22:00
[休]11〜3月と営業期間中の日曜のディナー
[カード]不可、現金のみ

H ストレートワーフから歩いて約5分　中級／ナンタケットタウン／MAP▶P.220-B1

ユニオンストリート・イン　Union Street Inn

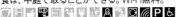

1770年代に建てられた捕鯨船船長の家を改築して、1994年にブティックタイプのB&Bとしてオープンした。ナンタケットで1、2を争う豪華さを誇る非の打ち所がない宿だ。無料の朝食は、中庭で取ることができる。Wi-Fi無料。

[住]7 Union St., Nantucket, MA 02554
☎(508)228-9222
[Free](1-888)517-0707
[FAX](508)325-0848
[URL]www.unioninn.com
[料]ⓈⒹⓉ$139〜599、[Su]$239〜699、12部屋
[カード][A][M][V]

H 石畳に面したヒストリックハウス　中級／ナンタケットタウン／MAP▶P.220-A1

ジャレッド・コフィン・ハウス　Jared Coffin House

石畳の道沿いに建つ1945年建造の本館は、それ自体がヒストリックサイトといった趣。まさにナンタケット島らしい古風な宿だ。本館の周辺にはコテージタイプの客室もあり、こちらも優雅な造りとなっている。Wi-Fi無料。

[住]29 Broad St., Nantucket, MA 02554
☎(508)228-2400
[Free](1-800)248-2405
[URL]www.jaredcoffinhouse.com
[料]本館／ⓈⒹⓉ$135〜450、43室
[カード][A][D][M][V]

H ナンタケットメモリアル空港の目の前　中級／ナンタケット／MAP▶P.219

ナンタケットイン　Nantucket Inn

ナンタケットタウンの喧騒から離れて、休みを過ごす家族連れが多い。8:00〜翌0:15の間は約1時間ごとにナンタケットタウンまで無料のシャトルバスが運行している。朝食、Wi-Fi無料。5月初旬から10月中旬までの営業。

[住]1 Miller's Ln., Nantucket, MA 02554
☎(508)228-6900
[Free](1-800)321-8484
[FAX](508)228-9861
[URL]www.nantucketinn.net
[料]ⓈⒹⓉ$170〜375、100室
[カード][A][M][V]

MEMO ナンタケットで人気の日本食レストラン　日本人がにぎる寿司屋は観光客だけでなく地元の人にも人気。Sushi by Yoshi [M]P.220-B1 [住]2 E. Chestnut St., Nantucket [URL]www.sushibyyoshi.com

マーサス・ヴィニヤード

Martha's Vineyard

オープンテラス席もあるオークブラフ

東海岸の避暑地として名高い島、マーサス・ヴィニヤードは、有名人や歴代大統領の別荘があることでも知られている。夏休みにはオバマ大統領も滞在しゴルフを楽しむそうだ。特に夏場は町中が旅行者であふれ、人口が通常の8倍ほども増える。都会の喧騒から逃れ、のんびりと一日を過ごしたい人たちの憧れの地だ。

島名のマーサス・ヴィニヤードは、マーサのブドウ畑という意味。1602年、イギリス人探検家バーソロミュー・ゴスノルドBartholomew Gosnoldがこの島に上陸した際、野生のブドウがあちこちに実っていたため、娘の名前マーサにちなんで名づけたのだという。

行き方

フェリー／エドガータウンへはファルマスから(Falmouth Edgartown Ferry)所要約1時間。ヴィニヤード・ヘブンへは、ウッズホールから(Steamship Authority)所要約45分。オークブラフへは、ウッズホールから(Steamship Authority)所要約45分、ファルマスから (Island Queen)所要約35分、ハイアニスから(Hy-Line Cruises)所要55分〜1時間40分、ナンタケット島から (Hy-Line Cruises)所要1時間10分、ニューベッドフォードから (Seastreak)所要約1時間

飛行機／ボストンやハイアニス、ナンタケットなどからCape Air (URL www.capeair.com) が直行便を運航

Martha's Vineyard Airport
M P.225
住 71 Airport Rd.,Vineyard Haven ☎(508)693-7022

マーサス・ヴィニヤードの歩き方

　マーサス・ヴィニヤードは、エドガータウンEdgartown、ヴィニヤード・ヘブンVineyard Haven、オークブラフOak Bluffs、ウエストティスベリーWest Tisbury、チルマークChilmark、アクィナAquinnahの6つの町からなる。なかでも、エドガータウンやヴィニヤード・ヘブン、オークブラフが観光の中心となるだろう。町なかの見どころは徒歩圏内にあり、町と町との移動には、VTAバスやタクシーを利用するといい。3日あればすべての町を回れる。

　ホテルやレストラン、ショップがいちばん充実しているのはエドガータウン。ファルマスからのフェリーも到着する。オークブラフは、色鮮やかな建物（ジンジャー・ブレッド・ハウス）が並ぶことで有名だ。商工会議所があるヴィニヤード・ヘブンでは、メイン通りから徒歩約5分のビーチでくつろぐことができる。そのほか、島の西側にあるゲイヘッドGay Headは、氷河時代の地層がくっきりとわかり観光客に人気のスポット。典型的な19世紀ニューイングランドの町ウエストティスベリー、セレブリティの別荘があるメネムシャMenemshaなどもおすすめ。

マーサス・ヴィニヤード空港からダウンタウンへ　エドガータウンまで、タクシーなら15分 (約$30)、VTAバスなら#6で12分 ($1.25)。オークブラフまで、タクシーなら15分(約$40)、VTAバスなら#7か9で25分 ($2.50)。

島内の交通

VTAバス

公共バスのMartha's Vineyard Regional Transit Authority（通称VTA）で島内のほとんどの見どころに行くことができる。5～10月なら、それぞれの路線は15～100分間隔で運行。#13はヴィニヤード・ヘブン→オークブラフ→エドガータウンと回るので便利だ。料金はひとつの町につき$1.25。島巡りをするなら、1日パス、3日パスなどを買おう。ホテルやウェブサイトでルートマップや時刻表を入手しておくといい。

バスには、自転車を積むことができる

現地発のツアー

マーサス・ヴィニヤード・サイトシーイング・ツアーズ

6つの町を車内から見学するバスツアー。ゲイヘッドでは30分の小休憩があり、所要約2時間30分。オークブラフとヴィニヤード・ヘブンのフェリー乗り場前から出発する。

郊外へはツアーで巡るのがいちばん

マッドマックス・ボートツアー

エドガータウンのメモリアル・ワーフを出発する所要約2時間のボートツアー。エドガータウン灯台やオークグラフを横目にナンタケット海峡を航行する。

さわやかな風を感じられるボートツアー

観光案内所

Martha's Vineyard Chamber of Commerce
24 Beach Rd., Vineyard Haven, MA 02568
☎(508)693-0085
URL www.mvy.com
月～金9:00～17:00

VTAバス
☎(508)693-9440
URL www.vineyardtransit.com
ひとつの町内は$1.25。ヴィニヤード・ヘブン～エドガータウン$3.75、1日パス$8、3日パス$18、7日パス$25。バスは車内やオークブラフ・フェリーターミナル切符売り場で購入できる
おもなバス停
●Vineyard Haven:Steamship Authorityフェリー乗り場前のWater St.沿い
●Oak Bluffs : Steamship Authorityフェリー乗り場前のSea View Ave.とLake Ave.の交差点
●Edgartown : Main St.にあるOld Whaling Church前のChurch St.を東へ約20m

Martha's Vineyard Sightseeing Tours
☎(508)627-8687
URL www.mvtours.com
〈4月中旬～10月〉毎日10:30、11:30（夏季は9:00～16:00の間に増便あり）
大人$33、子供$14

Mad Max Boat Tour
25 Dock St., Martha's Vineyard
☎(508)627-7500
URL www.madmaxmarina.com
毎日14:00、18:00出発
大人$75、子供（10歳以下）$65

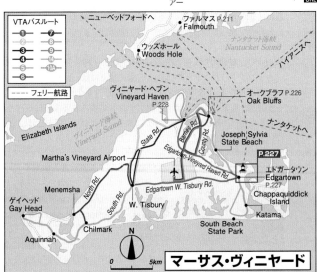

VTAバスルート
1 7
2 8
3 9
4 10
5 10A
6
---- フェリー航路

ニューベッドフォードへ
ファルマス P.211
Falmouth
ウッズホール
Woods Hole
ナンタケット海峡
Nantucket Sound
ハイアニスへ
ヴィニヤード・ヘブン
Vineyard Haven
P.228
オークブラフ P.226
Oak Bluffs
Elizabeth Islands
ヴィニヤード海峡
Vineyard Sound
State Rd.
Barnes Rd.
County Rd.
ナンタケットへ
Joseph Sylvia State Beach
Martha's Vineyard Airport
North Rd.
Edgartown-Vineyard Haven Rd.
P.227
エドガータウン
Edgartown
P.227
Menemsha
South Rd.
Edgartown W. Tisbury Rd.
Chappaquiddick Island
ゲイヘッド
Gay Head
W. Tisbury
Katama
Chilmark
South Beach State Park
Aquinnah
N
0   5km
マーサス・ヴィニヤード

MEMO マーサス・ヴィニヤードのタクシー会社　Alpha Taxi ☎(508)693-8399、Martha's Vineyard Taxi ☎(508)693-8660、Stagecoach Taxi ☎(508)627-4566、Bluefish Taxi ☎(508)627-7373

225

オーシャンパーク沿いに並ぶゴシック様式の邸宅

Oak Bluffs
M P.225

フェリー乗り場
Hy-Line Cruises
12 Circuit Ave. Extension, Oak Bluffs
Steamship Authority
1 Seaview Ave., Oak Bluffs

Information Booth
〈5月最終月曜〜9月初旬〉
毎日9:00〜17:00。冬は閉鎖
Flying Horse Carousel を西へ1ブロック、Circuit Ave.とLake Ave.の角。係員が常駐している
オークブラフは夏の間、ショッピングスポットとしてもにぎわう

The Tabernacle
80 Trinity Park, Oak Bluffs
Campgound Walking Tours
オークブラフの歴史をキャンプグラウンド周辺を歩きながら学べるウオーキングツアーが催行されている
7〜8月の火・木10:00からタバナクルを出発、所要約1時間30分
☎(508)693-0525
$10

Flying Horses Carousel
15 Lake Ave., Oak Bluffs
☎(508)693-9481
〈春季〉土・日11:00〜16:30、〈夏季〉毎日10:00〜22:00、〈秋季〉土・日11:30〜16:30
$2.50

Cottage Museum & Shop
1 Trinity Park, Oak Bluffs
☎(508)693-0525
URL www.mvcma.org/museum-shop
毎日10:00〜16:00（日13:00〜）
$2、子供（3〜12歳）50¢

ジンジャー・ブレッド・ハウスGinger Bread Houseと呼ばれる色鮮やかな住宅が並ぶオークブラフは、1820年代キリスト教メソジスト派の集会場として拓けた。その後、白人家族に仕える使用人や漁師としてこの地に住む黒人が増え、それにより現在黒人にとって人気の避暑地になっている。

町の中心、トリニティパークを囲むようにジンジャー・ブレッド・ハウスが軒を連ねる。公園中央の野外劇場のタバナクルThe Tabernacleは1879年に造られた。メソジスト派の信者がキャンプテントを張ったことから、この周辺はキャンプサイト、キャンプグラウンドと呼ばれている。今でもサマーキャンプの伝統が引き継がれ、8月のグランド・イルミネーション・ナイトGrand Illumination Nightでは、日本の盆提灯もジンジャー・ブレッド・ハウスを飾り、マーチングバンドのコンサートも開催される。

公園を縁取るゴシック建築群

ウッズホールからのフェリーの船着場とVTAバス乗り場の目の前の公園が、オーシャンパークOcean Parkだ。公園沿いに、実に個性的なゴシック様式の邸宅が軒を連ねている。サーキット通りCircuit Ave.は町の目抜き通りで、買い物や食事のスポット。このサーキット通りとLake St.の角に、アメリカで最も古いメリーゴーラウンドのひとつ、フライングホース・カルーセルFlying Horses Carousel（回転木馬）がある。1870年代にニューヨークで作られた手彫りの木馬たちが、今も音楽に合わせて回っている。

歴史的建造物に指定されている回転木馬

メルヘンを奏でるジンジャー・ブレッド・ハウス

キャンプグラウンドと呼ばれる広場の周りには、かわいらしいコテージ群が連なる。1835年にメソジスト派の野外集会が開かれたのをきっかけに、毎夏、周辺にはキャンプテントが張られるようになった。1860年から1870年にかけてテントがコテージに代わり、1年をとおして町に住み続ける人が増えていく。その後、ビクトリアン建築スタイルに改築され、カラフルな装飾が施されていくようになった。ジンジャー・ブレッド・ハウスの内部を見学できる唯一のコテージが、コテージミュージアム＆ショップCottage Museum & Shopとして一般公開されている。トリニティパークの西側にあるので、ぜひ立ち寄りたい。

内部も見学できるコテージミュージアム

8月のグランド・イルミネーション・ナイト　毎年8月の第3水曜、19:30からコンサートがタバナクルで始まり、日が落ちたあと提灯に明かりがともされる。URL www.mvcma.org/events/grand-illumination

エドガータウン

Edgartown

エドガータウンは、マーサス・ヴィニヤードでいちばん古い町。捕鯨黄金時代の面影を色濃く残し、白で統一された町並みは、ニューイングランド地方でも美しい町のひとつといわれている。捕鯨産業で発展した19世紀に、捕鯨船長がこぞってギリシャ復古調建築様式の住宅を建てた。現在はマーサス・ヴィニヤードを訪れる観光客が必ず立ち寄り、島内でいちばん活気がある町としてにぎわっている。

1670年代の暮らしがわかるヴィンセントの家

Edgartown
MP.225, 227
フェリー乗り場
Falmouth Edgartown Ferry
🏛 Memorial Wharf, Edgartown
Information Booth
🏛 29 Church St., Edgartown
メイン通りからチャーチ通りを少し北東に入った所にあるギフトショップ内の一角。ブースの目の前はVTAバス停
Old Whaling Church
MP.227
🏛 89 Main St., Edgartown
☎(508)627-4440
Dr. Daniel Fisher House
MP.227
🏛 99 Main St., Edgartown
☎(508)627-4440
The Vincent House
MP.227
🏛 99A Main St., Edgartown
☎(508)939-9650
🕐〈5月中旬～10月中旬〉毎日11:00～15:00 料金$5

捕鯨時代の遺産が見られるメイン通り

ショップやレストランが並ぶWater St.とMain St.が町の中心。なかでも、インフォブース前にあるオールドホエーリング教会Old Whaling Churchは町のシンボルだ。1843年の捕鯨が華やかなりし頃、メソジスト派の教会として建てられた。6本の円柱と28mの高さの時計台をもつ。館内には、1856年製のパイプオルガンも備え付けられていて、現在はコンサートホールとしても機能している。

教会の隣にあるダニエル・フィッシャーの家Dr. Daniel Fisher Houseは、1840年、捕鯨船長の家として建てられた。現在はパーティや結婚式に使われている。

ダニエル・フィッシャーの家の裏手にあるヴィンセントの家The Vincent Houseは、エドガータウン最古の建物。5つの部屋からなり、1672年の完成時の床、壁などが保存され、当時の家具や食器なども展示されている。

ギリシャ復古調の建築、オールドホエーリング教会

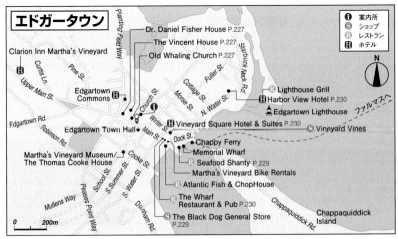

エドガータウン

🛈 案内所
🅢 ショップ
🅡 レストラン
🄷 ホテル

- Dr. Daniel Fisher House P.227
- The Vincent House P.227
- Old Whaling Church P.227
- Clarion Inn Martha's Vineyard
- Edgartown Commons
- Lighthouse Grill
- Harbor View Hotel P.230
- Edgartown Lighthouse
- Vineyard Square Hotel & Suites P.230
- Vineyard Vines
- Edgartown Town Hall
- Chappy Ferry
- Memorial Wharf
- Martha's Vineyard Museum/The Thomas Cooke House
- Seafood Shanty P.229
- Martha's Vineyard Bike Rentals
- Atlantic Fish & ChopHouse
- The Wharf Restaurant & Pub P.230
- The Black Dog General Store P.229
- Chappaquiddick Island

0　200m

博物館で歴史を知る

Martha's Vineyard Museum
住 59 School St., Edgartown
☎(508)627-4441
URL www.mvmuseum.org
圏〈10月中旬～5月中旬〉月
～土10:00～16:00、〈5月下
旬～10月上旬〉毎日10:00～
17:00（日12:00～）
料大人$8（夏季は$10）、子
供（6～12歳）$5
ライトハウス・コンボ・バ
ス（マーサス・ヴィニヤー
ド博物館とエドガータウン
灯台かゲイヘッド灯台の入
場バス）：$12

Edgartown Lighthouse
住 121 N. Water St.,
Edgartown
☎(508)627-4441
圏〈5月中旬～6月中旬〉土・
日10:00～17:00、〈6月下旬～
9月上旬〉毎日10:00～17:00
（金～20:00）、〈9月中旬～10
月中旬〉金・土10:00～17:00
料$5

　タウンホールからSchool St.を南に3ブロック下りたCooke St.との角には、マーサス・ヴィニヤードの歴史がわかるマーサス・ヴィニヤード博物館Martha's Vineyard Museumがある。1エーカーの敷地に、ギャラリーやトーマス・クック・ハウス、灯台のレンズ、ハーブガーデン、図書館などが並ぶ。そのなかで見逃せないのは、1740年に建てられたトーマス・クック・ハウスThe Thomas Cooke Houseだ。コロニアル様式の建物内には、当時使われていた家具や調度品などが並べられている。そのほか、中庭に設置されているフレネルレンズFirst Order Fresnel Lensも必見。1854年から1951年までゲイヘッド灯台で使用されていたものだ。季節ごとに展示が変わるギャラリーには、ギフトショップも併設するので立ち寄るといい。

フレネルレンズを見逃さないように

ヴィニヤード・ヘブン　　Vineyard Haven

捕鯨黄金時代はマーサス・ヴィニヤードでいちばん活気があった町、ヴィニヤード・ヘブン。エドガータウンやオークブラフに比べてこぢんまりとしている。17世紀半ばにイギリス人が入植し、19世紀に入ると捕鯨船の船長がこぞって豪邸を建てた。1883年の大火事により、ほとんどの建物は焼失したが、現在でも当時の状態が保存されている建物を見ることができる。
ショップやレストランが集まるのは、Main St.沿いのわずか4ブロックとフェリー乗り場があるWater St.周辺。小さな町なので、2時間もあれば散策できるだろう。ちなみに、地元の人は、ティスベリーTisburyと呼ぶ。

多くの人がフェリーでマーサス・ヴィニヤードにやってくる

Vineyard Haven
MAP P.225

フェリー乗り場
Steamship Authority
住 99 Water St., Vineyard
Haven（Union St.とWater
St.の角）

Information Booth
住 フェリー乗り場からUnion
St.を直進した所。VTAバス
停横
圏月～金9:00～12:00、16:30
～19:30、土9:00～19:30、日
9:00～17:00

Nathan Mayhew
Schoolhouse
住 112 Main St., Vineyard
Haven

歴史的な家が並ぶ通りをそぞろ歩く

　フェリー乗り場から直進すると、VTAバスの停留所やインフォブースがある。そのままUnion St.を進めば、町唯一の繁華街であるMain St.だ。右折してしばらく行くと、右側にオーウェン公園Owen Park、左側にネイサン・メイヒュー・スクールハウスNathan Mayhew Schoolhouseが見えてくる。オーウェン公園は、捕鯨船のキャプテンをたたえてできた公園で、家族連れでにぎわうビーチも併設する。ネイサン・メイヒュー・スクールハウスは、1828年に建てられたマーサス・ヴィニヤードで最古の学び舎だった建物。1883年ダウンタウンで起こった大火の際でも焼け残った貴重なもので、現在は事務所が入っている。Main St.を戻ると、みやげ物屋や書店、レストラン、ショップ、ホテルなどが並ぶ。

メイン通りは買い物のスポット

ウオーキングツアー　エドガータウンやオークブラフをガイドと一緒に回る約75分のツアー。Martha's Vineyard Walking Tours ☎(508)499-8687 URL www.marthasvineyardtourguide.com 料$15

そのほかの町

アクィナ　Aquinnah

　マーサス・ヴィニヤードの最西端にある町アクィナAquinnahは、先住民のワンパノアグ族Wampanoagの居住地。現在も伝統文化を守るためアクィナ文化センターAquinnah Cultural Centerがある。ヴィニヤード海峡に面して立つ断崖絶壁のゲイヘッドGay Headの地層からは、野生の馬やクジラ、ラクダなどの化石が発見された。46mの高さの断崖は白い

ヴィニヤード・ヘブンの港

岩肌が美しく、この島いちばんの見どころともいわれている。朝方は海の色が反射され青く光り、日没にかけて赤く染まっていく。岬の先端には、ゲイヘッド灯台Gay Head Lighthouse（1856年完成）が立ち、海峡を航行するフェリーなどを見守っている。

メネムシャ　Menemsha

　アクィナの約5km東にあるメネムシャMenemshaはふたつの文化が混じり合う町。海沿いはニューイングランド地方の典型的な漁村

で、新鮮な魚介類を売るフィッシュマーケットやレストランが軒を連ねる。夏季は釣り人のためのボートも出航するエリアだ。他方、山側にはアメリカ東部の有名人が所有する高級別荘が集まる。

色彩豊かなゲイヘッド

Aquinnah Cultural Center
🏠 35 Aquinnah Cir., Aquinnah
☎ (508)645-7900
🔗 www.aquinnah-ma.gov/content/aquinnah-cultural-center
🕐 水・金・土11:00～16:00
💰 寄付制（$7）

Gay Head Lighthouse
🏠 9 Aquinnah Cir., Aquinnah
☎ (508)627-4441
🔗 www.mvmuseum.org/gayhead.php
🕐〈7月～10月上旬〉毎日11:00～16:30（7月の木は19:00～21:00、8月～9月上旬は18:00～20:00もオープン）
💰 $5、12歳以下無料

マーサス・ヴィニヤードのショップ、レストラン

S 黒色の犬のロゴがトレードマーク　　　　ファッション＆おみやげ／エドガータウン／**MAP ▶ P.227**
ブラックドッグ・ジェネラルストア
The Black Dog General Store

　マーサス・ヴィニヤードに来たアメリカ人は必ず訪れるショップ。犬のロゴ入りTシャツ（$26）やスウェット（$40～）などからトートバッグ（$28～）、キーホルダー（$10～）までおみやげになりそうなものが豊富に揃う。ヴィニヤード・ヘブンやオークブラフにもあり（→下記 MEMO）。

🏠 11 Main St., Edgartown
☎ (508)627-6412
🔗 www.theblackdog.com
🕐 毎日8:00～23:00
カード A M V

R エドガータウンでシーフードを食べるなら　　　**S** シーフード／エドガータウン／　**MAP ▶ P.227**
シーフードシャンティ
Seafood Shanty

　大きな窓越しにエドガータウン港が見られる、メモリアルワーフにあるレストラン。生のカキやエビ、ムール貝などもあるが、クラムチャウダー（$6.99）やロブスターロール（$18.99）がおすすめ。1、2階にはテラス席もある。

🏠 31 Dock St., Edgartown
☎ (508)627-8622
🔗 www.theseafoodshanty.com
🕐〈5月中旬～10月〉毎日11:00～22:00、バーは翌1:00まで
カード A M V

R エドガータウンでいちばん人気のレストラン&パブ　　[$$] アメリカ料理／エドガータウン／ MAP ▶ P.227

ワーフ・レストラン&パブ　The Wharf Restaurant & Pub

エドガータウンの目抜き通りにある老舗のレストラン。1933年にオープンしてからオーナーは替わっても、料理の味は開店当時と変わらない。ロブスターロール（$19）やロブスターラビオリ（$30）が人気。夏季は順番待ちで店の外まで人があふれかえる。

[住]3 Main St., Edgartown
☎(508)627-9966
[URL] www.wharfpub.com
[営]毎日11:30～21:00、バーは翌0:30まで
[カード][A][M][V]

R オバマ大統領も訪れる有名店　　[$] シーフード／オークブラフ／ MAP ▶ なし

ナンシーズ　Nancy's

目の前にオークブラフ港が広がり、気持ちよく食事が取れるレストラン。1階はバーとテラス席がありカジュアルな雰囲気。2階はレストランになっている。ロブスターロール（$14.95）やカラマリ（$6.45～）などお手頃価格がうれしい。

[住]29 Lake Ave., Oak Bluffs
☎(508)693-0006
[URL] nancysrestaurant.com
[営]毎日11:00～翌1:30
[カード][M][V]

R 地元の人も通うお手頃な価格のレストラン　　[$] アメリカ料理／オークブラフ／ MAP ▶ なし

スライス・オブ・ライフ　Slice of Life

オークブラフのメイン通りにあるカジュアルなカフェレストラン。地元産の野菜をふんだんに使ったサラダ（$9.50～）やサンドイッチ（$9.50～）が女性に好評だ。ディナー時にはローストチキン（$25）やステーキ（$27～）などもある。

[住]50 Circuit Ave., Oak Bluffs
☎(508)693-3838
[URL] www.sliceoflifemv.com
[営]毎日8:00～22:00
[カード][A][M][V]

H 親子数世代にわたって宿泊する人が多数を占める　　高級／エドガータウン／ MAP ▶ P.227

ハーバービュー・ホテル　Harbor View Hotel

1891年にオープンして以来、マーサス・ヴィニヤードのランドマーク的な存在だ。落ち着いた色使いの客室はことに年輩の人に好評。レストランやバーが入る本館のほか、離れにはコテージも並ぶ。Wi-Fi無料。

[住]131 N. Water St., Edgartown, MA 02539
☎(508)627-7000
[Free](1-800)225-6005
[FAX](508)627-8417
[URL] www.harbor-view.com
[料]ⓈⒹⓉ$109～599、[Su]$299～2185、114室　[カード][A][M][V]

H 海を眺めながら休憩できる　　高級／エドガータウン／ MAP ▶ P.227

ヴィニヤード・スクエア・ホテル&スイーツ　Vineyard Square Hotel & Suites

町の中心部に位置するビクトリア風のホテル。海が見える部屋もある。夏の繁忙期とそれ以外では、料金に倍の開きがある。客室は清潔。朝食、アフタヌーンティー、Wi-Fi無料。

[住]38 N. Water St., Edgartown, MA 02539
☎(508)627-4711
[FAX](508)627-5904
[URL] www.vineyardsquarehotel.com
[料]ⓈⒹ$155～385、[Su]$185～485、34室　[カード][A][M][V]

H 客室からの眺めが最高　　中級／オークブラフ／ MAP ▶ なし

ドックサイドイン　Dockside Inn

オークブラフ・ハーバーに面したCircuit Ave.沿いにあるブティックホテル。シンプルながらしゃれた雰囲気は若い女性に人気がある。徒歩圏内にレストランやショップが集まっているので便利だ。Wi-Fi無料。

[住]9 Circuit Ave. Extension, Oak Bluffs, MA 02557
☎(508)693-2966
[Free](1-800)245-5979
[FAX](508)696-7293
[URL] www.vineyardinns.com
[料]ⓈⒹ$99～329、[Su]$189～389、21室　[カード][A][M][V]

MEMO マーサス・ヴィニヤードの宿泊状況　夏季はアメリカ東部から多くの観光客がマーサス・ヴィニヤードに押し寄せる。エドガータウンのホテルに宿泊を希望する場合は1ヵ月前までに手配したほうがいいだろう。

マサチューセッツ州

市外局番 ● 508

ニューベッドフォード

New Bedford

バーモント州　ニューハンプシャー州

マサチューセッツ州

Boston

コネチカット州　ロード
アイランド州　ニュー
ベッドフォード

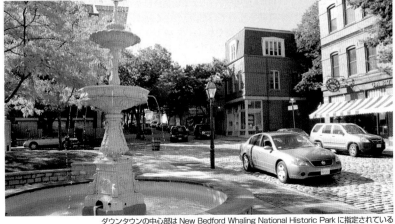

ダウンタウンの中心部は New Bedford Whaling National Historic Park に指定されている

1840年代、ニューベッドフォードとその隣町フェアヘブンはナンタケット島に代わる捕鯨基地として繁栄した。『白鯨Moby-Dick』の著者ハーマン・メルヴィルもニューベッドフォードから捕鯨船に乗り込んだひとりだ。しかし燃料が鯨油から石油に代わった1860年頃を境に、町は捕鯨基地としての役目を終える。また隣町フェアヘブンには、幕末、日本の開国に貢献したジョン万次郎が暮らした船長の家も残されている。

ニューベッドフォードへの行き方

　ボストンからダットコDATTCOのバスがニューベッドフォードやフェアヘブン、ピーターパン・バスがニューベッドフォードまで走る。ニューベッドフォードのターミナルは町の中心部にあるが、フェアヘブンはダウンタウンの北約2.5kmの所。

　車なら、ボストンからI-93を20km南下し、Exit 4でMA-24に移り、南へ約38km行く。Exit 12からMA-140を南へ約30km走り、US-6/MA-140（Kempton St.）を東へ約2km。

ニューベッドフォードの歩き方

　ニューベッドフォードとフェアヘブンはアクシュネット川を挟んで徒歩45分くらいの距離にある。町の規模は小さいので、まる1日あればふたつの町を観光できるだろう。ただし、ふたつの町の見どころを結ぶ公共交通機関はない。ニューベッドフォードの見どころはバスターミナル周辺に集まっているので、ビジターセンターで捕鯨の歴史などを学んでからニューベッドフォード捕鯨博物館や水夫のための礼拝堂を訪れるといい。フェアヘブンでは、観光案内所で日本語のパンフレットを入手したあと、万次郎トレイルを歩こう。

行き方

バス／DATTCO Bus
URL www.dattco.com
料 大人片道\$15、往復\$28
ボストンのサウスステーションからニューベッドフォードやフェアヘブンまで所要約1時間30分。平日13便、土・日4〜5便

Peter Pan Bus
URL peterpanbus.com
ボストンのサウスステーションからFall Riverで乗り換えてニューベッドフォードまで約2時間10分。平日4便、土・日2便

New Bedford Bus Depot
住 134 Elm St., New Bedford
Fairhaven Bus Depot
住 72 Sycamore St., Fairhaven

観光案内所

New Bedford Whaling National Historical Park Visitor Center
住 33 William St., New Bedford, MA 02740
☎ (508)996-4095
The Fairhaven Visitors Center
住 141 Main St., Fairhaven, MA 02719
☎ (508)979-4085

MEMO　ニューベッドフォードのタクシー情報　Bluebird Cab ☎(508)999-1124、Standard Taxi ☎(508)997-9404、Star Taxi ☎(508)996-3393、Yellow Cab ☎(508)999-5213。

231

New Bedford Whaling Museum
18 Johnny Cake Hill, New Bedford
(508)997-0046
www.whalingmuseum.org
(4~12月)毎日9:00~17:00（第2木曜~20:00）、〈1~3月〉火~日9:00~16:00（第11:00~、第2木曜~20:00)
大人$14、シニア$12、学生$9、6~18歳$6

クジラの歯で作られた工芸品スクリムショー

捕鯨船ラゴダ号

Seamen's Bethel
15 Johnny Cake Hill, New Bedford
(508)992-3295
〈5月最終月曜~10月第2月曜〉毎日10:00~16:00
寄付制

Fairhaven

行き方

ニューベッドフォードからフェアヘブンのダウンタウンへ行く公共交通機関はないので、タクシー（約5分）になる。DATTCOのバス停からダウンタウンへもタクシー（約5分）で

The Millicent Library
45 Center St., Fairhaven
(508)992-5342
millicentlibrary.org
月~土9:00~18:00（月・水~20:00、土~15:00)
日、おもな祝日
無料

おもな見どころ

アメリカ捕鯨産業の隆盛を伝える
ニューベッドフォード捕鯨博物館
New Bedford Whaling Museum

19世紀中頃、アメリカでは捕鯨産業が隆盛を極めていた。その中心地がナンタケット島やニューベッドフォードなどの港町。アメリカの捕鯨は鯨油を採るためのもので、石油が普及するまでの代替燃料として鯨油が使われていた。この博物館では、その歴史や地域史が紹介されている。入口のホ

2002年ナンタケット島南部に打ち上げられたマッコウクジラの骨格標本

ールでは、長さ約20mのシロナガスクジラの骨格標本がお出迎え。ほかに、クジラとの格闘を描いた絵画や日本の錦絵、クジラの骨から作られたコルセットやステッキ、裁縫道具、骨にアートを施したスクリムショーなど、芸術的価値の高いものが並ぶ。必見は捕鯨船ラゴダ号Lagodaの2分の1の模型。本物のラゴダ号は1826年に造船されたもので、当初は貿易船だったが、完成から16年後に捕鯨船となった。船内にも入れるので、寝室や鯨油を採る釜などを見学しよう。

名物は船首の形の説教壇
水夫のための礼拝堂
Seamen's Bethel

ハーマン・メルヴィルの代表作『白鯨』にも登場する、世界中の海の男たちが訪れた礼拝堂。1832年に建立された礼拝堂の中には、映画『白鯨』が上映されたあとに観光客のリクエストで造られた船首の形の説教壇がある。メルヴィルが座った席もあり、そこに座ることも可能。歴史を感じさせる小さな礼拝堂だが、素朴であたたかい雰囲気に満ちている。

フェアヘブン

ジョン万次郎の展示室もある美しい図書館
ミリセント図書館
The Millicent Library

イタリア・ルネッサンス調の美しい図書館に、ジョン万次郎とホイットフィールド船長の小さな展示室がある。ジョン＝ハウランド号 John Howlandとふたりを描き込んだ絵画や万次郎の写真、万次郎の生家である中濱家から贈られた古銭、万次郎に関する書籍や資料のほかにマーク・トウェインの手紙なども展示されている。さらにこの図書館のお宝といえば、図書館を訪ねてきた人が記したゲストブック。署名のなかには、皇太子、皇太子妃時代の今上天皇と美智子皇后のものもある。もちろん、訪ねてきた人なら誰でも記帳できるので、ぜひサインをしておこう。

壮麗な外観

万次郎トレイル　ニューベッドフォードから東に延びるフィッシュアイランド橋を渡ると、フェアヘブン。町には漂流生活からジョン万次郎ら5人の日本人を救ってくれたジョン＝ハウランド号の

ジョン万次郎が3年間を過ごした家

ホイットフィールド・万次郎友好記念館
Whitfield-Manjiro Friendship House Museum & Culture Center

万次郎たちを救ってくれた、ホイットフィールド船長の家。アメリカに渡った初めての日本人として、万次郎はこの家で3年あまりを暮らし、英語はもとより航海術や測量術なども学んだ。現在、建物はホイットフィールド・万次郎友好記念館となっている。というのも、老朽化した船長宅が売りに出されることを知った聖路加国際病院の日野原重明名誉院長が発起人となって寄付金を募り、その募金をもとに船長の家は全面改修された。そして2009年5月7日、くしくも万次郎がニューベッドフォードに到着したその日に、「ホイットフィールド・万次郎友好記念館」としてよみがえったのだ。日米草の根交流の一環として修復された記念館は、オリジナルの2階建ての建物を3階建てに修復。万次郎の暮らした屋根裏部屋も再現され、往時をしのぶ博物館になっている。夏の土・日曜以外でも、事前に予約すれば見学可能だ。

再建された船長の家

Whitfield-Manjiro Friendship House
🏠11 Cherry St., Fairhaven
☎(508)858-5303
URL www.whitfield-manjiro.org
E-mail Gerry@WMFriendship House.org
🕐〈5月下旬〜9月上旬〉土・日12:00〜16:00、それ以外は予約のみ。
予約は☎(508)995-1219かe-mailで
🎫大人$8〜10、シニア$7〜8、学生$4〜5、6歳以下無料

1階の暖炉は当時のまま

万次郎が使っていたベッド

歴史コラム
歴史の狭間で、数奇な運命をたどった日本人

ジョン万次郎（本名：中濱萬次郎）は、幕末の文政10（1827）年、土佐（現在の高知県）の中浜に貧しい漁師の子として生まれた。天保12（1841）年14歳のときカツオ船で漁に出て遭難。5日半の漂流後、伊豆諸島の南にある鳥島に漂着した。鳥島は無人島であったため、洞窟に暮らし、海藻とアホウドリを食べて飢えをしのいだ。

143日間の無人島生活から5人の漁師を救ってくれたのが、アメリカの捕鯨船「ジョン＝ハウランド号」のホイットフィールド船長だった。ジョン・ハウランド号は3本の帆柱を立てたバーク型の捕鯨船で、日本近海にマッコウクジラを捕らえるためにやってきていた。19世紀後半、米国近海のマッコウクジラはすでに捕り尽くされ、米国の捕鯨船は遠くアジアやハワイ沖で2〜4年もの間航海して、クジラを捕るのが一般的となっていた。

当時鎖国をしていた日本に、5人を返すのは危険であると考えた船長は、4人をハワイで降ろし、利発で勤勉、最年少の万次郎だけを連れて航海を続けた。ほかの船員たちとも親しくなった万次郎は、「ジョン・マン」と呼ばれた。そして、1843年5月7日、船長とともにマサチューセッツ州ニューベッドフォードNew Bedfordに渡ってきたのである。万次郎16歳のときであった。船長はフェアヘブンFairhavenにある自宅に万次郎を住まわせ、養子として迎え、英語はもとより、航海術、捕鯨術、算術

ミリセント図書館にあるアーサー・モーニスが描いた船長と万次郎の絵

などの基礎を習得させた。

万次郎は、ホイットフィールド船長に恩義を感じていたが、1849年帰国を決意。ゴールドラッシュに沸くサンフランシスコで資金を稼ぎ、ハワイで別れた仲間の数名とともに1851年（嘉永4年）琉球に渡った。長期間尋問を受け、故郷に戻ったのは1852年10月、25歳のことであった。その後、通訳、翻訳家、教授として日本の開国に大きく貢献した。

フェアヘブンは、1987年万次郎の出身地である高知県土佐清水市と姉妹都市関係を結び、1年おきに万次郎祭りを開催している。万次郎と船長の子孫たちは、今も交友を続けている。

ホイットフィールド船長の家があり、万次郎が過ごしたゆかりの地を巡る万次郎トレイルが整備されている。万次郎の出身地、土佐清水市とニューベッドフォードとフェアヘブンは姉妹都市の関係にある。

S アーサー・モーニス・ギャラリー
ニューベッドフォードの美しい景色をおみやげに

ギャラリー／ニューベッドフォード／**MAP** ▶ なし

Arthur Moniz Gallery

ギャラリー名にもなっているアーサー・モーニスの作品を中心にニューベッドフォードらしい港や海の絵画を数多く見ることができる。船長と万次郎の肖像画を描いた画家が、モーニスだ。ポスター、書籍、そのほかにも彫刻や彫像、19～20世紀のアメリカ絵画などを展示販売している。

🏠 22 William St., New Bedford
☎ (508)997-8644
URL www.arthurmonizgallery.com
🕐 水～月10:30～17:00（土・日10:30～）。冬季の月曜は休み、そのほかの曜日は短縮あり
カード A M V

S ニューベッドフォード捕鯨博物館
クジラグッズをおみやげに

ミュージアムショップ／ニューベッドフォード／**MAP** ▶ なし

New Bedford Whaling Museum

捕鯨博物館（→P.232）内にあるギフトショップ。ナンタケット島で作られるナンタケット・バスケットをはじめクジラが描かれたピンバッジ、貝で作られたアートクラフト、『MOBY-DICK白鯨』の飛び出す絵本など、クジラの町にふさわしいクラフトや本が揃う。

🏠 18 Johnny Cake Hill, New Bedford
☎ (508)997-0046
URL www.whalingmuseum.org
🕐〈1～3月〉火～日9:00～16:00（日11:00～、第2木曜～20:00）、〈4～12月〉毎日9:00～17:00（第2木曜～20:00）
🚫 11月第4木曜、12/25、1/1
カード A M V

R ウォーターフロントグリル
港を眺めながらシーフードに舌鼓

$$ シーフード／ニューベッドフォード／**MAP** ▶ なし

Waterfront Grille

海に面したレストランから見える漁船やクルーザーの数々……。地元では人気のシーフード店で、ロウバーでは甘味たっぷりのクラムやカキが食べられる。おすすめは寿司やホタテの料理。ショウガのオレンジソース（$19）やコーンミールあえ（$19）など、素材の味も楽しめる。

🏠 36 Homer Wharf, New Bedford
☎ (508)997-7010
URL www.waterfrontgrille.com
🕐 毎日11:30～21:00（金・土～23:00）
カード A M V

R フリーストンズ・シティ・グリル
雰囲気もシーフードもよし

$$ アメリカ料理／ニューベッドフォード／**MAP** ▶ なし

Freeston's City Grill

1877年に建てられた銀行を改装した、雰囲気のいいレストラン。港町らしくロブスターサンドイッチ（$18.99）やクラムチャウダー（$4.49～）があり、どちらもおいしい。ステーキの種類も豊富で、値段も手頃。観光客より地元の人でにぎわっているのが、おいしさの証拠だ。

🏠 41 William St., New Bedford
☎ (508)993-7477
URL www.freestonescitygrill.com
🕐 月～土11:30～22:30（金・土～23:00）、日12:00～21:00
カード A M V

H フェアフィールド・イン&スイーツ・ニューベッドフォード
ニューベッドフォードのダウンタウンに近い

中級／ニューベッドフォード／**MAP** ▶ なし

Fairfield Inn & Suites New Bedford

ニューベッドフォードのハーバー沿いに建つホテル。捕鯨博物館やDATTCOのバス停、レストランなどにも徒歩圏内なのがうれしい。客室からフェアヘブンを見渡せるハーバービュールームを予約時に選択したい。朝食、Wi-Fi無料。

🏠 185 MacArthur Dr., New Bedford, MA 02740
☎ (774)634-2000
Free (1-888)236-2427
📠 (774)634-2001
URL www.marriott.com
💰 $149～189、106室
カード A D J M V

H ハンプトンイン・ニューベッドフォード／フェアヘブン
フェアヘブンとニューベッドフォードを結ぶI-195の出口近く

中級／フェアヘブン／**MAP** ▶ なし

Hampton Inn New Bedford/Fairhaven

清潔で快適なハンプトンインの自慢は、種類が豊富な朝食。たっぷり食べれば、パワー全開で観光や仕事に励める。マットレスや枕などを刷新し、快適と評判もいい。Wi-Fi無料。

🏠 1 Hampton Way, Fairhaven, MA 02719
☎ (508)990-8500
📠 (508)990-0183
URL hamptoninn3.hilton.com
💰 S D $119～199、Su 149～209 107室
カード A D M V

万次郎トレイルを歩く

1843年5月7日、16歳のときホイットフィールド船長に連れられてフェアヘブンにやってきたジョン万次郎。約3年間、船長の家に住みながら学校や教会に通い、さまざまなことを体験し、フェアヘブンの暮らしに溶け込んでいった。現在その、万次郎ゆかりの場所8ヵ所を結ぶトレイルが整備されている。フェアヘブンの観光案内所やホイットフィールド・万次郎友好記念館に置かれている「万次郎トレイル（地図入り）」のパンフレットを

入手して、歩き始めよう。一部の住宅は一般家庭なので、プライバシーを侵さないように。図書館から船長の家までは約1.7km。

万次郎トレイルを示す看板

1. ミリセント図書館 The Millicent Library （→P.232）

万次郎の親族によって寄贈された資料室がある。万次郎と船長が描かれた有名な絵が飾られている。ゲストブックには、今上天皇と美智子皇后のサインもある。

万次郎がアレン姉妹に授けた古銭

2. 旧ユニタリアン教会 Former Unitarian Church （住34 Washington St., Fairhaven）

毎週日曜、万次郎が礼拝に訪れた教会。当初、船長はほかの教会に万次郎を連れていったが、人種差別を受けたため、万次郎のためにユニタリアン派に改宗。この教会に通うようになった。教会前に万次郎と船長の交流を記念した記念碑が建つ。

現在は海洋学研究所になっている

3. ホイットフィールド船長の家（ホイットフィールド・万次郎友好記念館） Captain Whitfield's House （→P.233）

万次郎の生涯の恩人であるホイットフィールド船長の家は、1階を増築し、もともとの家を2階に移し修復された。そのため万次郎の部屋は今3階にある。その部屋の窓からは大西洋が見渡せる。この窓から万次郎は郷愁の念を募らせていたのだろうか。指定日以外の見学は予約が必要。

4. イーベン・エイキンの家 Eben Akin's House （住14 Oxford St., Fairhaven）私邸

船長が留守にしていた間、万次郎が一時期預けられていた家。

当時と変わらぬ外観

5. アレン姉妹の家 The Allen Sisters' House （住10 Oxford St., Fairhaven）私邸

万次郎は英語の家庭教師を付けてもらっていた。その家庭教師がこの家の姉妹。

海のすぐそばにある

6. ホイットフィールド家の墓 Whitfield's Gravesite （住274 Main St., Fairhaven）

リバーサイド墓地のなかに、船長とふたりの夫人、2歳で夭逝した息子の墓もある。墓地には、スタンダードオイルの副長やフェアヘブンの名士の墓も並ぶ。

左からふたつ目が船長の墓石

7. オールド・ストーン・スクール The Old Stone School （住40 North St., Fairhaven）

1828年に建てられたフェアヘブン初の公立小学校。教室は1部屋のみ。16歳の万次郎は幼い子供たちと机

木の机と椅子が並ぶ教室

を並べ、英語などの基礎的なことを学んだ。万次郎はとてもまじめな生徒だったという。6～8月の土曜12:30～16:30のみオープン。

8. ルイス・バートレット・スクール The Lewis Bartlett School （住42-44 Spring St., Fairhaven）私邸

小学校を卒業した万次郎は、この私立学校で近代航海術や測量術を学んだ。ここで習得した技術を、帰国後の日本で役立てたという。

現在は一般の住宅になっている

マサチューセッツ州

スターブリッジ

Sturbridge

市外局番 ● 508

18 世紀末～19 世紀前半のアメリカの暮らしぶりを伝える博物館

マサチューセッツ州のほぼ中央に位置し、マサチューセッツ州第2の都市、ウースター Worcesterから南西に34kmほど離れているスターブリッジ。ここの観光の目玉は、オールド・スターブリッジ・ビレッジ訪問だろう。1790年から1830年頃の村人たちが自給自足で生活に必要なすべてをまかなうようになるまで奮闘した知恵の数々を知ることができる。

行き方

バス／Peter Pan Bus
URL peterpanbus.com
ボストンのサウスステーションから所要約1時間40分。
1日1便。片道$11～
Sturbridge Bus Depot
住 1 Old Sturbridge Village Rd., Sturbridge
車／ボストンの中心部から I-90 (Massachusetts Turnpike) を西へ約83km。Exit 9で下り、I-84を西へ。Exit 3Bで下りれば Main St.に出る。ボストンから約96km、約1時間20分

観光案内所

Sturbridge Area Tourist Association
M P.237
住 380 Main St., Sturbridge, MA 01566
☎(508)347-2761
Free(1-800)628-8379
URL www.sturbridgetownships.com
メインストリート沿いでOSVの入口と反対側にあり、周辺の情報が手に入る

スターブリッジの歩き方

　町の中心はメインストリートMain St. (US-20) 沿い。オールド・スターブリッジ・ビレッジ入口に当たるセダー湖周辺から、西のブリムフィールドBrimfield方向にレストランやアンティークショップが並んでいる。オールド・スターブリッジ・ビレッジだけならボストンから日帰りも可能。周辺のアンティークショップなども回るなら1泊するのがベスト。

おもな見どころ

1830年代へタイムスリップ
オールド・スターブリッジ・ビレッジ
Old Sturbridge Village

　オールド・スターブリッジ・ビレッジ (OSV) は1790年から1830年代のニューイングランド地方の建築物を移築した屋外博物館。200エーカー（約0.8km²）という敷地に40ほどの建物が復元されている。時代考証がしっかりなされ、映画やTVドラマのロケ地にもなっている場所だ。建物に加え当時の家具調度品や生活道具を収集、保存しており、園内では1830年代の服装をしたスタッフが作業のデモンストレーションや説明をしてくれる。できれば1日かけてゆっくり見学したい。

全米最大規模を誇るアンティークショー　スターブリッジの約12km西にあるブリムフィールドで年3回行われる。約1.6kmに及ぶ道路沿いに6000もの店がブースを出す。2016年は5月10～15日、

OSVの歩き方

　まず入口のビジターセンターで園内案内図を入手しよう。園内は、おおまかに1830年代の都市機能をテーマにした**コモンThe Common**、ニューイングランド地方の農村を再現した**カントリーサイドCountry Side**、製造所が集まった**ミルネイバーフッドMill Neighborhood**の3つに分かれている。

町を歩く人々も当時の服装

　センタービレッジには、公園（コモン）の周りに銀行、印刷所、牧師館、礼拝所や集会所などが集まっている。それぞれの建物で1830年当時の染色や料理、錫細工などのデモンストレーションが行われており、興味深い。

　カントリーサイドには、小学校や桶屋、鍛冶屋、農場があり、鉄を火にかけ農機具を修理する姿や、約200年前の農作業の様子が見られる。

　ミルネイバーフッドには、紡績所や製粉所、製材所が集まり、職人が1820年代の機械で機織りをしている。ここで作られたものは、ギフトショップで入手できるので立ち寄ってみるといい。

当時はベッドカバーや毛布も織り機で作られていた

ろくろを回して陶器作りも行われている

Old Sturbridge Village

M P.237

住 1 Old Sturbridge Village Rd., Sturbridge

Free (1-800)733-1830

URL www.osv.org

開〈5～10月〉毎日9:30～17:00、〈11月〉水～日9:30～16:00、〈12月〉金～日16:00～21:00、〈1～4月〉水～日9:30～16:00

料 大人$24、シニア（55歳以上）$22、3～17歳$10、3歳未満無料

パレードやデモンストレーションの時間はビジターセンターでチェックを。ファッション＆ダンスショーも行われる

行き方 スターブリッジの中心Main St.からOld Sturbridge Rd.に入り、約800m進む

食事

センタービレッジのレストラン「ブラードタバーンBullard Tavern」は19世紀のはたご屋を思わせる建物

イベントを楽しもう！
サンクスギビングデイ
（11月第4木曜）

19世紀スタイルでサンクスギビングデイをお祝いする。レストランではスペシャルバフェが楽しめる（**料** 大人$64.95、子供$28.95）
※2016年は11/24の11:00、13:45、16:15予定

クリスマス

キャンドルライトでライトアップされるイベントが12月の金～日曜に開催される。
※2016年は12/2～4、9～11、16～18、23～25

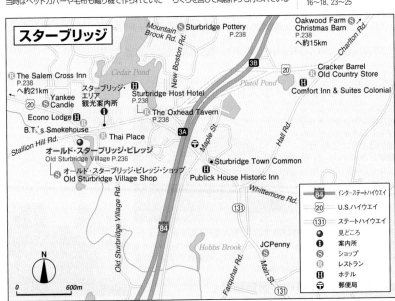

スターブリッジ

Mountain Brook Rd.
S Sturbridge Pottery P.238

Oakwood Farm **S** Christmas Barn P.238 へ約15km

Charlton Rd.

Cedar Pond

New Boston Rd.

3B

20 Cracker Barrel **R** Old Country Store

Pistol Pond

R The Salem Cross Inn P.238 へ約21km

20 Yankee **S** Candle

スターブリッジ・エリア観光案内所

Sturbridge Host Hotel P.238

H Comfort Inn & Suites Colonial

Econo Lodge **H**

R The Oxhead Tavern P.238

Hall Rd.

B.T.'s Smokehouse

R Thai Place

3A

Stallion Hill Rd.

Maple St.

オールド・スターブリッジ・ビレッジ
Old Sturbridge Village P.236

● Sturbridge Town Common

オールド・スターブリッジ・ビレッジ・ショップ
Old Sturbridge Village Shop

H Publick House Historic Inn

Old Sturbridge Village Rd.

Whittemore Rd.

131

84

N

Hobbs Brook

JCPenny ●

Farquhar Rd.

Main St.

131

0　　600m

84 インターステートハイウエイ
20 U.S.ハイウエイ
131 ステートハイウエイ
● 見どころ
i 案内所
S ショップ
R レストラン
H ホテル
郵便局

、7月12～17日、9月6～11月に開催予定。Brimfield Antique and Collectibles Show **住** Route 20, Brimfield **URL** brimfieldshow.org **開** 日の出～日没

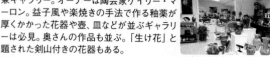

S 一点物の花瓶はいかが？
スターブリッジポッタリー

陶芸／スターブリッジ／**MAP▶P.237**

Sturbridge Pottery

1976年からこの地で創作活動を続ける工房兼ギャラリー。オーナーは陶芸家ゲイリー・マーロン。益子風や楽焼きの手法で作る釉薬が厚くかかった花器や壺、皿などが並ぶギャラリーは必見。奥さんの作品も並ぶ。「生け花」と題された剣山付きの花器もある。

🏠 99 New Boston Rd., Sturbridge
☎ (508)347-9763
URL www.sturbridgepottery.com
🕐 毎日9:00〜17:00
カード M V

S クリスマスの世界へようこそ！
オークウッドファーム・クリスマス・バーン

クリスマスグッズ／スペンサー／**MAP▶P.237外**

Oakwood Farm Christmas Barn

築160年の納屋を改装した店舗の中は1年中クリスマス！　天井から壁にいたるまでびっしりと美しいオーナメントで埋め尽くされ、その数に圧倒される。業者さんも買い付けにくるほどの品揃え。あたたかい笑顔のオーナーご夫妻とワンちゃんが出迎えてくれる。

🏠 1 Northwest Rd., Spencer
☎ (508)320-0389
URL www.christmas-barn.com
🕐 7月上旬〜12/25 木〜日12:00〜17:00 (土・日13:00〜)。他の曜日もオープンすることがあるので事前に確認するといい
カード A M V

R いかにもアメリカンなランチ
オックスヘッド・タバーン

$$ アメリカ料理／スターブリッジ／**MAP▶P.237**

The Oxhead Tavern

1940年までタバーン（居酒屋兼宿屋）として使われていた建物を移築し、セダー湖を望む美しいレストランとなった。古きよきニューイングランド地方の趣を伝える店内はとても居心地がよく、サンドイッチもボリューム満点。スターブリッジ・ホスト・ホテルに併設する。

🏠 366 Main St., Sturbridge
☎ (508)347-7393 (Sturbridge Host Hotel)
🕐 毎日11:00〜21:00 (日12:00〜)
URL www.sturbridgehosthotel.com
カード A M V

R 野外料理も体験できるレストラン
セーラムクロス・イン

$$ アメリカ料理／ブルックフィールド／**MAP▶P.237外**

The Salem Cross Inn

牧場の中にある有名店。建物はメイフラワー号で上陸した女性の孫が建てたという歴史的建造物で、1961年にレストランとなった。当時の家具や調度品がそのまま使われ、昔の暮らしもしのべる。11〜4月までFireplace Feast（要予約、大人$59、子供$25）という郷土料理が楽しめる。

🏠 260 W. Main St., W. Brookfield
☎ (508)867-2345
URL www.salemcrossinn.com
🕐 レストラン／火〜土11:30〜21:00 (土17:00〜)、日12:00〜20:00。1〜2月は金〜日、3月上旬〜3月下旬は木〜日のみの営業。タバーンもあり
カード A M V

H 湖のほとりの家族向けリゾート
スターブリッジ・ホスト・ホテル

中級／スターブリッジ／**MAP▶P.237**

Sturbridge Host Hotel

スターブリッジダウンタウンの中心部にあるリゾート風ホテル。セダー湖のほとりに立ち、目の前がプライベートビーチになっている。ロビーエリアには、暖炉があり、ソファに座ってゆったりできるだろう。館内は、屋内プールやガゼボを中心に客室が周りを囲む。スパ施設もあるので、旅の疲れを癒やせるはずだ。敷地内には、評判のいいレストラン、オックスヘッド・タバーン（→上記）もある。大型イベントスペースがあるので、結婚式やビジネス会議を頻繁に開催している。Wi-Fi無料。

🏠 366 Main St., Sturbridge, MA 01566
☎ (508)347-7393
Free (1-800)582-3232
FAX (508)347-3944
URL www.sturbridgehosthotel.com
💰 S D T $119〜169、Su $119〜300、232室
カード A M V

MEMO シニア層に好評の歴史的なイン　Publick House Historic Inn M P.237
🏠 277 Main St., Sturbridge, MA 01566 URL www.publickhouse.com 💰 S D T Su $109〜269

マサチューセッツ州

ノーザンプトン

Northampton

エリック・カール絵本美術館は日本人に人気のスポット ©The Eric Carle Museum of Picture Book Art

『風と共に去りぬ』の作者マーガレット・ミッチェルや第41代アメリカ大統領ジョージ・W・ブッシュ夫人のバーバラ・ブッシュが卒業した女子大学の名門、スミスカレッジSmith Collegeがあることでも知られる町。こぢんまりとまとまった趣のあるダウンタウンには、おしゃれなカフェやギャラリー、小物雑貨の店などが並び、大学町らしい風情をたたえている。モホークトレイルを巡る拠点にするといい。

ノーザンプトンへの行き方

車が便利だが、ボストンからピーターパン・バスが運行され、約3時間でダウンタウンに着く。バスディーポ（バスターミナル）は小さなダウンタウンの真ん中にあるので、利用しやすい。

ノーザンプトンのダウンタウン

ノーザンプトンの歩き方

スミスカレッジだけを訪れるなら車は必要ないが、モホークトレイルの寄り道ルートとして、この町に滞在する場合、車で移動することになる。ここで1泊したあと、ヤンキーキャンドル・サウスディアフィールド・フラッグシップストア（本店）やエリック・カール絵本美術館を訪れ、モホークトレイル（MA-2）へと戻るプランがいちばん効率がいい。

サボテンもあるスミスカレッジ・ボタニック・ガーデン

行き方

バス／Peter Pan Bus
ボストンのサウスステーションから所要約3時間、1日6便運行。片道$21〜
URL www.peterpanbus.com
Bus Depot
値 1 Roundhouse Pl., Northampton
車／ボストンの中心部からI-90 (Massachusetts Turnpike)を西へ約137km進み、Exit 4でI-91 N.に乗り、Exit 18で下りる。US-5を約1.8km

観光案内所

Northampton Area Visitor Center
値 99 Pleasant St., Northampton, MA 01060 ☎(413)584-1900
URL www.explorenorthampton.com
営月〜金9:00〜17:00。5〜10月は土・日12:00〜14:00も開館
Greater Springfield Convention & Visitors Bureau
値 1441 Main St., Springfield
☎(413)787-1548
URL www.valleyvisitor.com

MEMO ノーザンプトンとアマーストのタクシー会社　ノーザンプトン：GoGreen Cab ☎(413)586-0707、アマースト：City Cab ☎(413)568-8177、Collage Taxi ☎(413)461-3070

The Botanic Garden of Smith College
M P.174-A2
住 16 College Ln., Northampton
☎(413)585-2740
URL www.smith.edu/garden
営 リーマン・コンサバトリー
／毎日8:30〜16:00、
植物園／通年開放
料 無料（寄付制）

Amherst
M P.174-B1

行き方

バス／Peter Pan Bus
ボストンのサウスステーションからアマーストのダウンタウンまで所要約3時間、1日7〜14便。
Bus Depot
住 79 S. Pleasant St., Amherst
車／ボストンの中心部からI-90（Massachusetts Turnpike）を西へ約135km進み、Exit 4でI-91に移る。約20km北進し、Exit 4からMA-9を東に約10km。所要約2時間30分

The Eric Carle Museum of Picture Book Art
M P.174-B2
住 125 W. Bay Rd., Amherst
☎(413)658-1100
URL www.carlemuseum.org
URL www.eric-carle.com
営 火〜土10:00〜16:00（土〜17:00）、日12:00〜17:00（7〜8月は月10:00〜16:00もオープン）
料 大人$9、18歳以下$6、家族（大人2人、子供2人）$22.50

Emily Dickinson Museum
M P.174-B1
住 280 Main St., Amherst
☎(413)542-8161
URL www.emilydickinsonmuseum.org
営 （3〜12月）水〜日11:00〜16:00（6〜8月は火10:00〜17:00もオープン）
料 大人$10〜12、子供$5〜6

おもな見どころ

スミスカレッジ付属の植物園
スミスカレッジ・ボタニック・ガーデン
The Botanic Garden of Smith College

スミスカレッジのキャンパス西側のパラダイス・ポンドを見下ろす高台に、温室4棟が並ぶリーマン・コンサバトリーLyman Conservatoryと、それを取り囲むように約127エーカーの広大な植物園のキャンパス植物園Campus Arboretumが広がっている。園内ではおよそ6600種類、合計約1万本の植物を観察できる。温室には珍しい食虫植物やラン、サボテンなどもあり、花好きは必見。

アマースト

世界中の子供たちに夢と希望を届けたい
エリック・カール絵本美術館
The Eric Carle Museum of Picture Book Art

ノーザンプトンの約12km東、アマーストにあるエリック・カールEric Carleが創設した絵本美術館。2009年に出版40周年を迎えた『はらぺこあおむしThe Very Hungry Caterpillar（1969年／1989年改訂版）』は日本の子供たちにもおなじみの絵本だ。ドイツで子供時代を過ごしたカールは帰国後、グラフィックデザインの道に進み、1967年に初めての絵本『くまさんくまさん なにみてるの？ Brown Bear, Brown Bear, What Do You See？』を発表。その後も、コラージュ技法を駆使した色彩豊かな絵と、ほのぼのとしたストーリーで子供たちを魅了した。そして名作『はらぺこあおむし』が誕生。日本でも原画展が開催され、訪問回数も多いカールが、日本の絵本美術館に触発されて設立したのがここ。

手作りの詩集も展示されている
エミリー・ディキンソン博物館
Emily Dickinson Museum

19世紀のアメリカを代表する詩人のひとり、エミリー・ディキンソンEmily Dickinson（1830〜1886）が住んでいた家が博物館として一般公開されている。生前は無名であったが、没後発見された約1700の詩は、自然や永遠、愛、死などをテーマに現在でも心に染み渡るものが多い。館内は、45分（エミリー・ディキンソンの家のみ）と90分（エミリーの家と兄のオースティン・ディキンソンの家）のガイドツアーでのみ見学できる。

S おみやげに最適　ギフト＆雑貨／サウスディアフィールド／MAP▶P.176-B1
ヤンキーキャンドル・サウスディアフィールド・フラッグシップストア Yankee Candle South Deerfield Flagship Store

アメリカでいちばん有名なキャンドルの店ヤンキーキャンドル。その本店であるサウスディアフィールド旗艦店では、約40万本200種類以上のキャンドルを販売している。自分で色の配色を決めて、オリジナルキャンドルも作れるのでぜひ試してほしい。

🏠 25 Greenfield Rd., S. Deerfield
Free (1-877)636-7707
URL www.yankeecandle.com
🕐 毎日10:00～18:00、11月～12月下旬の木～日は20:00まで(12/24、12/31は17:00まで)
🚫 11月第4木曜、12/25
カード A M V

R 薪窯で焼く極上ステーキ　SS　アルゼンチン料理／ノーザンプトン／MAP▶なし
カミニートズ・アルジェンティニアン・ステーキハウス Caminito's Argentinean Steakhouse

オーナーシェフのジョゼフ・ジオンフリート氏が、アルゼンチンの肉料理が食べたいと思い修業していた同店を引き継いだ。厨房の薪窯で焼かれたTボーンステーキは手のひら2倍サイズで、かつとても柔らかい。食材にもこだわり、野菜はファーマーズマーケットで入手している。

🏠 7 Old South St., Northampton
☎ (413)587-6387
URL www.caminitosteakhouse.com
🕐 火～金17:00～21:00(金～22:00)、土・日16:00～21:00(土～22:00)
カード A M V

R 伝統的なニューイングランド風　SS　ニューイングランド料理／サウスディアフィールド／MAP▶P.176-B1
シャンドラーズレストラン Chandler's Restaurant

クラムチャウダーなどの伝統的なニューイングランド料理を雰囲気のよい店内でいただける。テーブルの上にはキャンドルがともされ、壁一面にワインがずらり。何より出てくる料理の食材がとても新鮮。間違いなくおいしいので、ぜひお試しあれ。

🏠 25 Greenfield Rd., S. Deerfield
(Yankee Candle Village内)
☎ (413)665-1277
URL chandlers.yankeecandle.com
🕐 毎日10:30～20:00(月・火～16:00)
カード A M V

R ポップオーバーがおいしいと評判　S　アメリカ料理／アマースト／MAP▶なし
ジュディーズ Judie's

アマーストで長年地元の人に愛されているレストラン。ここでは、看板メニューのポップオーバーを味わってほしい。デニッシュの一種であるポップオーバーにシーフードがふんだんに入ったパスタがついたガンボ・ポップオーバー($16.25)は絶品。

🏠 51 N. Pleasant St., Amherst
☎ (413)253-3491
URL www.judiesrestaurant.com
🕐 毎日11:30～21:00(金・土～22:00)
カード A M V

H ノーザンプトンのランドマーク　中級／ノーザンプトン／MAP▶P.176-A2
ホテルノーザンプトン Hotel Northampton

ダウンタウンの中心部にあるヒストリックホテル。1927年コロニアルリバイバル様式で建てられた。古いホテル特有のノスタルジックでエレガントな気分に浸れる。ロマンティックなファブリックで統一され、居心地抜群。朝食、Wi-Fi無料。

🏠 36 King St., Northampton, MA 01060
☎ (413)584-3100
Free (1-800)547-3529
FAX (413)584-9455
URL www.hotelnorthampton.com
💰 SDT$160～331、Su$230～401、106室
カード A D M V

H 大学が経営するホテル　中級／アマースト／MAP▶なし
ホテルユーマス Hotel UMass

マサチューセッツ大学アマースト校の敷地内にある。スタッフのほとんどが同大学に通う学生で、フレンドリーな対応が新鮮。アマーストのダウンタウンから約2.7km。ピーターパン・バスが大学構内まで行くので便利だ。Wi-Fi無料。

🏠 1 Campus Center Way, Amherst, MA 01003
☎ (413)549-6000
Free (1-877)822-2110
URL www.umasshotel.com
💰 SDT$135～250、116室
カード A M V

☎ (413)253-0700　URL www.amherstarea.com　🕐 月～金8:30～16:30

バークシャー地方

Berkshires

見晴らしのよい高台に建つノーマン・ロックウェル美術館

バークシャー地方は「内陸のニューポート」と呼ばれる自然あふれるリゾートエリア。春は新緑、夏は避暑、秋には紅葉狩り、そして冬にはスキーと、1年中旅行者が絶えることがない。特に秋の紅葉はすばらしく、かわいらしい町並みが絵はがきのような風景へと一変する。また、クラシック音楽の祭典「タングルウッド音楽祭」が開かれる所としても世界的に有名だ。超一流のアーティストによる多彩な演奏は、世界中のクラシックファンの憧れの的でもある。

行き方

鉄道／Amtrak
ボストンのサウスステーションからピッツフィールドへ1日1便運行
バス／Peter Pan Bus
ストックブリッジやレノックス、ピッツフィールド、ウィリアムズタウンへボストンのサウスステーションからの便がある
車／ボストンの中心部からI-90 (Massachusetts Turnpike) を西へ約200km行き、Exit 2でUS-20もしくは、US-7を利用してバークシャー地方の町へ。ボストンからExit 2までのトール（高速料金）$6.70

Berkshire Regional Transit Authority
Free (1-800) 292-2782
URL www.berkshirerta.com
圏$1.75〜4.50（Charlie Cardなら$1.40〜3.60)

バークシャー地方の歩き方

　マサチューセッツ州の西端にあり、ニューヨーク州との境に位置するバークシャー地方。ボストン、ニューヨークからそれぞれ約225km、車で3時間〜3時間30分の距離だ。

　見どころは広範囲に散らばるが、中心はストックブリッジ、レノックス周辺。いずれも車なしでは回りきれないので、ドライブで訪れてほしい。

市内交通

BRTAバス
Berkshire Regional Transit Authority（BRTA）

　ピッツフィールドを中心にしてウィリアムズタウンやストックブリッジ、レノックス、ノースアダムズなどへ走る。日曜は運休。#1はピッツフィールドからノースアダムズへ月〜金1日13便、土1日11便。#2はピッツフィールドからレノックスへ月〜金1日12便、土1日10便。#3はノースアダムズからウィリアムズタウンへ月〜土1日11便。

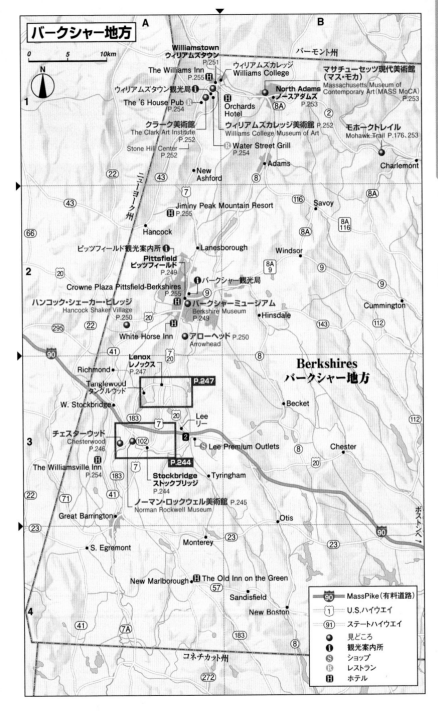

バークシャー地方

バーモント州

Williamstown
ウィリアムズタウン P.251

The Williams Inn P.255 🏨

ウィリアムズタウン観光局 🛈
The '6 House Pub 🍴 P.254

クラーク美術館
The Clark Art Institute P.252

Stone Hill Center P.252

ウィリアムズカレッジ
Williams College

Orchards Hotel 🏨

North Adams
ノースアダムズ

ウィリアムズカレッジ美術館 P.252
Williams College Museum of Art

Water Street Grill 🍴 P.254

マサチューセッツ現代美術館
（マス・モカ）
Massachusetts Museum of
Contemporary Art (MASS MoCA) P.253

モホークトレイル
Mohawk Trail P.176, 253

Charlemont

● New Ashford

Adams

Jiminy Peak Mountain Resort
🏨 P.255

Hancock

● Lanesborough

Savoy

Windsor

ピッツフィールド観光案内所 🛈

Pittsfield
ピッツフィールド P.249

Crowne Plaza Pittsfield-Berkshires

ハンコック・シェーカー・ビレッジ
Hancock Shaker Village P.250

White Horse Inn 🏨

バークシャー観光局 🛈 P.255

バークシャーミュージアム
Berkshire Museum P.249

アローヘッド P.250
Arrowhead

● Hinsdale

Cummington

Lenox
レノックス P.247

Richmond ●

Tanglewood
タングルウッド

W. Stockbridge ●

Berkshires
バークシャー地方

● Becket

P.247

Lee リー

チェスターウッド
Chesterwood P.246

The Williamsville Inn 🏨 P.254

Stockbridge
ストックブリッジ P.244

ノーマン・ロックウェル美術館 P.245
Norman Rockwell Museum

P.244

● Lee Premium Outlets

Chester

● Tyringham

Great Barrington ●

● S. Egremont

Otis

Monterey

New Marlborough 🏨 The Old Inn on the Green

Sandisfield

New Boston

ボストンへ

コネチカット州

🛣 **90**	MassPike（有料道路）
🛡 1	U.S.ハイウエイ
🛡 91	ステートハイウエイ
●	見どころ
🛈	観光案内所
🅂	ショップ
🍴	レストラン
🏨	ホテル

URL www.berkshires.org 圏火～日12:00～16:30（時期により異なる）

ストックブリッジ

Stockbridge
M P.243-A3

行き方

バス／Peter Pan Bus
URL www.peterpanbus.com
ピーターパンバスでボストンのサウスステーションを出発し、スプリングフィールドとピッツフィールドで乗り換え、ストックブリッジへ。1日1便。所要約7時間15分

車／ボストンの中心部からストックブリッジへはI-90（Massachusetts Turnpike）を西へ約200km行き、Exit 2からMA-102を西へ約7km。所要約2時間30分

ストックブリッジはバークシャー地方南部に位置する自然の別天地。四季折々に表情を変える小さくかわいらしい町並みは、この地方の典型的な風景である。素朴で心なごむ景色が多くの芸術家を魅了してきた。

町の中心にあるレッド・ライオン・イン

ストックブリッジの歩き方

　メインストリート沿いには、ホテルやショップ、教会など町の機能が集中している。秋には色鮮やかな紅葉が町のたたずまいに彩りを添え、特に美しい。小さな町にもかかわらず、多くの芸術家が輩出したことでも有名なので、この町ではそれら先人たちの足跡を訪ねてみよう。周辺にはチェスターウッド、ボタニカルガーデン、ノーマン・ロックウェル美術館などの見どころが点在している。歩いて回れる距離ではないので、車または貸し自転車を利用したい。

観光案内所

Stockbridge Chamber of Commerce
M P.244上図
住 50 Main St., Stockbridge
☎ (413)298-5200
Free (1-866)626-5327（ホテル案内）
URL stockbridgechamber.org

Stockbridge Information Booth
M P.244上図
住 41 Main St., Stockbridge

ストックブリッジのインフォメーション・ブース

ストックブリッジ中心部

案内所
ショップ
レストラン
ホテル
郵便局

ミッションハウス
The Mission House P.246
The Red Lion Inn P.255
Once Upon A Table
Seven Arts

Prospect Hill Rd.
Vine St.
Pine St.
Shamrock St.
ストックブリッジ・インフォメーション・ブース
レノックスへ↗
Yankee Candle
BRTAバス停
Main St.
Elm St.
Maple St.
South St.
Park St.
ストックブリッジ観光局
Michael's Restaurant of Stockbridge P.254

観光案内所

ストックブリッジ・インフォメーション・ブース

　レッド・ライオン・イン（→P.255）のはす向かいにある無人のブース。周辺の地図や宿のパンフレットが入手できる。

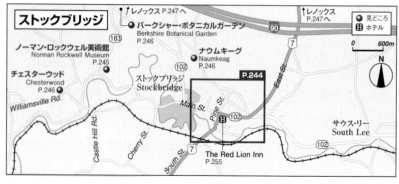

ストックブリッジ

↑レノックス P.247へ
バークシャー・ボタニカルガーデン
Berkshire Botanical Garden P.246

ノーマン・ロックウェル美術館
Norman Rockwell Museum P.245

チェスターウッド
Chesterwood P.246

Williamsville Rd.

ストックブリッジ
Stockbridge

ナウムキーグ
Naumkeag P.246

Main St.
Pine St.
East St.
Cherry St.
South St.
Castle Hill Rd.

レノックス P.247へ

見どころ
ホテル

サウス・リー
South Lee

The Red Lion Inn P.255

おもな見どころ

最大規模のロックウェルコレクション

ノーマン・ロックウェル美術館
Norman Rockwell Museum

　ノーマン・ロックウェルが描く人間味あふれるイラストを、どこかで見たことがある人も多いはず……。この美術館はロックウェルの膨大なイラストや素描、油絵、文書や写真を収蔵しており、バークシャー地方最大の観光ポイントとなっている。

　ロックウェルは1953年から1978年に亡くなるまでの約25年をストックブリッジで過ごし、創作の拠点とした。画家生活約60年の間に約4000点のイラストを描き、1973年に個人蔵の作品の大半をこの町に寄贈した。美術館の展示は、テーマによる企画展と常設展示からなる。

　常設展で見逃せないのが『Stockbridge Main Street at Christmas』。これは1967年のクリスマスにストックブリッジのメインストリートを描いたもの。今も変わらない風景が、ゆったりしたこの土地の時の流れを感じさせてくれる。よく見ると右側の建物、レッド・ライオン・インには明かりがついていない。これは当時レッド・ライオン・イン（→P.255）は夏季のみの営業だったためだ。美術館の奥には、ロックウェルのアトリエが復元されている。内部には、彼が使っていたときのままに、椅子やテーブル、制作中のカンバスや筆、絵の具、パレットなどが置かれている。

ロックウェルの作品で最も有名な『Stockbridge Main Street at Christmas』

ロックウェルのアトリエ

Norman Rockwell Museum
M P.244下図
🏠 9 Glendale Rd. (MA-183), Stockbridge
☎(413)298-4100
URL www.nrm.org
🕐〈5〜10月〉毎日10:00〜17:00、〈11〜4月〉毎日10:00〜16:00（土・日〜17:00）
📅11月第4木曜、12/25、1/1
ロックウェルのアトリエは5〜10月のみオープン
💰大人$18、シニア$17、学生$10、子供（6〜18歳）$6
🚶行き方 ストックブリッジの中心部からMA-102を約2.8km北西へ進み、MA-183とMA-102の交差点からMA-183を約1km南へ。所要約7分

オーディオガイド

館内では作品解説付きオーディオガイドもある。画家や作品について深く知りたい人は借りてみよう
💰大人$5、シニア・子供$4

500点以上の原画を所有する美術館では、修復や他美術館への貸し出しのため、いくつかの作品が鑑賞できないことがある

歴史コラム

ノーマン・ロックウェルの生涯

　1894年2月3日ニューヨーク生まれのロックウェルは14歳で高校を中退し、美術専門学校で本格的にデザインやイラストを習得した。彼の初めての仕事は16歳の誕生日を迎える前に作ったクリスマスカード。その後、10代で"Boy's Life"と題するボーイスカウトの出版物のイラストを描いた。

　22歳のとき、ロックウェルのイラストが『The Saturday Evening Post』の表紙を飾ったことで、彼の名は一躍世間に知られるようになる。以後ロックウェルは47年間にわたり321点の同誌の表紙を手がけたほか、『Look』『The Literary Digest』などにも作品を残した。

　私生活では1916年にアイリーン・オコーナーと結婚するが、14年後に離婚。同年4月にメアリー・バーストウと再婚し、3人の男児をもうける。メアリーと暮らした1930〜1940年代がロックウェルの最盛期。フランクリン・D・ルーズベルト大統領のコンセプトに基づいた『4つの自由Four Freedoms』シリーズをはじめ後世に残る名作はこの頃に制作されたものだ。

　ロックウェル一家がストックブリッジにやってきたのは1953年。1959年にメアリーが亡くなり、2年後にメアリー・バンダーソンと再婚する。そしてロックウェルは亡くなる1978年まで、この町を出ることはなかった。イラストの登場人物にはストックブリッジの住人が多いそうで、彼がいかにこの町と人々に優しい眼差しを向けていたかがうかがえる。

　ちなみに日本では現在『トム・ソーヤーの冒険』（マーク・トウェイン著、岩波少年文庫）のカバー絵にロックウェルの絵が使われている。アメリカの雄大な自然のなかで、のびのび生きるわんぱく坊主を描いたマーク・トウェインの小説と、人間味あふれるロックウェルの画風が実によく調和している。訪れる前に一読しておくのもいいだろう。

Berkshire Botanical Garden

M P.244下図
住 5 W. Stockbridge Rd., Stockbridge
☎ (413)298-3926
URL www.berkshirebotanical.org
営 〈5月～10月中旬〉毎日 10:00～17:00
料 大人 $15、シニア $14、学生 $12、12歳未満無料
ツアー 開館期間の月～土 10:00から無料のガイドツアーが催行されている
行き方 ストックブリッジの中心部からMA-102を約3km 西へ。所要約5分

Chesterwood

M P.244下図
住 4 Williamsville Rd., Stockbridge
☎ (413)298-3579
URL chesterwood.org
営 〈5月下旬～10月中旬〉毎日 10:00～17:00
料 大人 $17.50、シニア $16.50、子供（13～17歳）$8.75
行き方 ストックブリッジの中心部からMA-102を約600m 西へ行き、道路名は変わる（Main St.、Glendale Middle Rd.、Christian Hill Rd.）がそのまま約2.5km直進。Williamsville Rd.で左折し約300m行った右側。所要約8分

The Mission House

M P.244上図
住 19 Main St., Stockbridge
☎ (413)298-3239
URL www.thetrustees.org/places-to-visit/berkshires/mission-house.html
営 庭園＆モヒカン-マンシー族の展示：〈7～8月〉土・日 11:00～14:00、館内ツアー：〈7～8月〉土・日 11:00、12:00、13:00発。所要約45分
休 9～6月
料 大人 $6、子供無料
行き方 ストックブリッジの中心部からMain St.を西へ約 300m、徒歩約5分

Naumkeag

M P.244下図
住 5 Prospect Hill Rd., Stockbridge
☎ (413)298-8138 (6/1～10/13)
☎ (413)298-3239 (10/14～5/31)
URL www.thetrustees.org/places-to-visit/berkshires/naumkeag.html
営 〈5月下旬～10月中旬〉毎日 10:00～17:00
休 10月下旬～5月中旬
料 大人 $15、子供無料、ツアーは所要約45分
行き方 ストックブリッジの中心部の北西約1.1km。Pine St. を北へ約300m行き、Prospect Hill Rd.へ入り、約800m行った右側

ハーブガーデンを散策しよう
バークシャー・ボタニカルガーデン
Berkshire Botanical Garden

　1934年に設立された歴史ある植物園。15エーカー（約6万1000m²）の敷地は、バラ園、ハーブガーデン、野菜園、などに分かれ、約3000種類の草花が四季を彩る。必見は、100種類以上のハーブが栽培されているハーブガーデンとアメリカでいちばん有名なライフ・コーディネーターのマーサ・スチュワートがデザインしたマーサ・スチュワート・ガーデン。

園内はカテゴリー別に分かれていて歩きやすい

アメリカを代表する彫刻家の別荘
チェスターウッド
Chesterwood

　ワシントンDCのリンカーン記念館にある巨大なリンカーンの彫像を制作したのがダニエル・チェスター・フレンチDaniel Chester French。アメリカを代表する彫刻家のひとりで、チェスターウッドは彼が晩年、制作室兼別荘として過ごした場所だ。フレンチは1931年に亡くなるまで、毎夏この別荘で制作に取り組んだ。冒頭のリンカーン像もここで造られたもの。制作室にはスケッチや石膏像が無造作に置かれている。フレンチ考案の森の中の散歩道には、奇抜な形をした現代彫刻が点在している。

リンカーンの石膏像

18世紀のストックブリッジを知る
ミッションハウス
The Mission House

　町の中心にある建物は1739年にストックブリッジに初めてやってきた牧師ジョン・サージェントJohn Sergeantの家を復元したもの。18世紀の家具や装飾品など当時の伝道生活をしのばせる展示もあり、興味深い。かつてこのあたりに暮らしていた先住民モヒカン族Mohicansに関する展示があるモヒカン-マンシー族の展示Mohican Munsee Exihitは博物館の奥にある。

町を見下ろす丘に建つ豪邸
ナウムキーグ
Naumkeag

　ハーバード大学を卒業し、ジョン・F・ケネディ政権のときに駐英アメリカ大使に任命されたジョセフ・ショートJoseph Choate（1832～1917）が1885年に建てた北欧風の豪邸。19世紀末～20世紀初頭を代表する建築事務所、マッキム・ミード・ホワイトが設計した44部屋ある邸宅は、中国製陶磁器など東洋趣味の調度品で飾られている。ナウムキーグとは先住民の間でセーラムを意味し、ショートの出身地に由来する。彼の死後も1950年代まで彼の子孫が夏の別荘として使っていた。館内はツアーでのみ見学できる。

約46エーカーの敷地に建つ

レノックス

Lenox

レノックスの町では夏季、タングルウッド音楽祭が開催される

「アメリカのスイス」とも呼ばれるリゾート地。古くから富豪たちが別荘を建て、現在も避暑地として有名だ。さらに、この地方を有名にしているのが、タングルウッドの森で毎夏開催される「タングルウッド音楽祭」。ボストン交響楽団をはじめ、世界超一流の歌手や演奏家が演奏する音楽祭だ。夏は美しい風景のなか、世界最高峰の調べが森に響き渡る。

レノックスの歩き方

夏場にバークシャー地方を訪れるなら、ぜひタングルウッドに足を運び、世界的に有名なクラシック音楽の祭典を聴いてみたい。音楽祭が始まるまでは、自然を満喫するレジャーを楽しもう。ダウンタウンのチャーチストリートChurch St.は、レストラン、カフェ、ショップが並び、レノックスで最もにぎわう場所だ。

Lenox
MP.174-A1、P.243-A3

行き方

バス／Peter Pan Bus
URL www.peterpanbus.com
ピータパンバスでボストンのサウスステーションを出発し、スプリングフィールドで乗り換えレノックスへ。1日2便。所要約3時間20分
Bus Depot
6 Walker St., Lenox
(Lenox Village Integrative
Pharmacyの前)

車／ボストンの中心部からレノックスへはI-90 (Massachusetts Turnpike) を西へ約200km行き、Exit 2からUS-20を西へ約8km。所要約2時間30分

観光案内所

Lenox Chamber of Commerce
MP.247
18 Main St., Lenox, MA 01240
(413)637-3646
URL www.lenox.org
〈6〜8月〉毎日10:00〜18:00、〈9〜5月〉水〜土10:00〜16:00
宿に困ったらここで相談するといい。パンフレット類も豊富だ

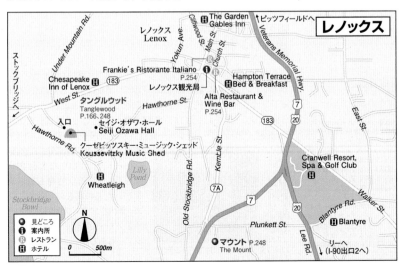

おもな見どころ

世界的に知られる森のコンサート開催地
タングルウッド
Tanglewood

Tanglewood
- M P.247
- 297 West St., Lenox
- ☎(413)637-1600（夏季）
- URL www.bso.org
- 行き方 レノックスの中心部からMA-183を西へ約2km行った左側、所要約3分

チケットオフィス
- ☎(617)266-1200
- Free (1-888)266-1200
- 6月中旬～9月上旬
演奏会やプログラムにもよるが、席はボックスシート$100以下、芝生席なら$10から。この価格で世界一流の演奏を聴くことができるのだからすごい

Tanglewood Visitors Center
- 月～金10:00～17:00（金～インターミッションまで）、土9:00～インターミッションまで、日12:00～17:00

Gift Shop
Glass House 1
- （6月中旬～8月中旬）月～金10:00～16:00（金～23:00）、土9:00～23:30、日12:00～17:30
Glass House 2
- 金17:30～インターミッションまで、コンサート終了後、土9:00～14:00、17:30～コンサート終了後、日12:00～17:30

宿の予約は早めに！
音楽祭開催時、レノックス周辺は宿の確保が難しくなる。早めの予約が必要だ

タングルウッド音楽祭の楽しみ方
→P.166

芝生席ならお手頃価格で一流の音楽を楽しめる

毎夏6月下旬から9月上旬に「タングルウッド音楽祭」が開催されるタングルウッド。会場となる森には、野外音楽堂のクーゼビッツキー・ミュージック・シェッドやセイジ・オザワ・ホール、舞台や芝生席が広がっている。ここでは芝生に座ってピクニック気分で一流の演奏が楽しめるのだ。コンサートもクラシックから室内楽、ボストン・ポップスによるポピュラー音楽やジャズまで、実に幅広い。独立記念日には特別コンサートも開かれる。出演者たちはボストン交響楽団をはじめ、超一流アーティストばかり。スケジュールはウェブサイトで確認できるほか、チケットもウェブサイトから購入できる。すがすがしいバークシャーの山並みを

セイジ・オザワ・ホール

望みながら、美しい風景と最高峰の音楽を楽しみたい。ギフトショップは、会場の外（Glass House 1）と会場の中（Glass House 2）にある。

米国を代表する女流作家の別荘
マウント
The Mount

The Mount
- M P.247
- 2 Plunkett St., Lenox
- ☎(413)551-5111
- URL www.edithwharton.org
- （5月中旬～10月）毎日10:00～17:00
- 料金 大人$18、シニア$17、学生$13、18歳以下無料
- 行き方 レノックスの中心部からMA-7Aを約2km南下し、Plunkett St.の右側。所要約3分
ガイドツアーは1日4～7回、ガーデンツアーは1日2回催行、所要約45分。開始時間が不規則なので、事前にウェブサイトか電話で確認のこと

女性初のピュリッツアー賞フィクション部門に輝いたイーディス・ウォートンEdith Wharton（1862～1937）が夏に過ごした別荘。ウォートンはアメリカを代表する女性作家で『The House of Mirth』（1905）、バークシャー地方の農村を舞台に起こった悲劇『Ethan Frome』（1911）、ピュリッツァー賞受賞のきっかけとなった『エイジ・オブ・イノセンスThe Age of Innocence』（1920）など約40作品を書いた。彼女自身も設計を手がけたこの別荘は1902年に完成。館内をスタッフが解説するガイドツアーや庭園を回るガーデンツアーもある。

17mの長さをもつホールはウォートン時代のまま保存されている

【エイジ・オブ・イノセンス】 1993年マーティン・スコセッシ監督で映画化された。1870年代のニューヨーク社交界を舞台に、ダニエル・デイ=ルイス、ミシェル・ファイファー、ウィノナ・ライダーなどが出演した。

ピッツフィールド　　Pittsfield

グラスファイバー製ステゴザウルスのレプリカが正面に展示されているバークシャーミュージアム

入植が始まったのは18世紀の中頃。19世紀にはバークシャー地方の中心地となり、豊富な水力資源を利用してメリノウールをつむぐ、紡績産業が盛んな町になっていった。現在は、住民の多くがGE（General Electric）の関連会社で働く、家電の町となっている。

ピッツフィールドの歩き方

　近代的なビルやホテルが建ち、バークシャー地方で唯一の鉄道駅もここにある。ダウンタウンの中心はNorth St.、South St.、West St.、East St.が交差するパークスクエア周辺。また、ノースアダムズやレノックスまで行くBRTAバスも運行されている。

　観光ポイントは美術館、自然史博物館、水族館の3つの部門から構成されたバークシャーミュージアム。『白鯨』の著者、ハーマン・メルヴィルの隠れ家、アローヘッドも公開されている。ダウンタウンの西約8kmにあるハンコック・シェーカー・ビレッジは、バークシャー地方最大の見どころ。簡素ながらも機能的な生活をしたシェーカー教徒の足跡を訪ねてみよう。

おもな見どころ

バラエティに富んだコレクション
バークシャーミュージアム
Berkshire Museum

　美術館、自然史博物館、水族館の3つの部門からなるミュージアム。バークシャー地方の自然界や文化遺産、世界の装飾美術や絵画などを展示している。

　1階は自然史と地元芸術家のフロア。世界の鉱石や宝石類、化石、バークシャー地方の鳥類や樹林を再現したジオラマの展示のほか、ノーマン・ロックウェルの『Horseshoe Forging Contest』もある。地下は水族館のフロア。淡水魚や海水魚、熱帯の珊瑚礁などが見られ、家族連れでにぎわっている。ミュージアムコレクションの核となっているものは地方の名士であったゼナス・クレインZenas Craneが収集したもの。

Pittsfield
M P.174-A1、P.243-A2

行き方

鉄道／Amtrak
URL www.amtrak.com
ボストンのサウスステーションからアムトラックのLake Shore Limited号がピッツフィールドへ1日1便運行している。所要約3時間50分
バス／Peter Pan Bus
URL www.peterpanbus.com
ピータパンバスでボストンのサウスステーションを出発し、スプリングフィールドで乗り換えピッツフィールドへ。1日2便。所要約3時間40分
車／ボストンの中心部からピッツフィールドへはI-90（Massachusetts Turnpike）を西に200km行き、Exit 2からUS-20を北に20km。所要約3時間

Amtrak駅＆バス停
Pittsfield Station & Bus Terminal
Joseph Scelsi Intermodal Transportation Center
住 1 Columbus Ave., Pittsfield
☎ (413)629-2864

観光案内所

Pittsfield Visitors Center
M P.243-A2
住 1 Columbus Ave., Pittsfield, MA 01201
☎ (413)499-9747
URL discoverpittsfield.com
営 月～土10:00～16:00（時期により短縮あり）

Berkshire Regional Transit Authority（BRTAバス）
☎ (413)499-2782
URL www.berkshirerta.com

Berkshire Museum
M P.243-A2
住 39 South St., Pittsfield
☎ (413)443-7171
URL berkshiremuseum.org
営 毎日10:00～17:00（日12:00～）
料 大人$13、子供（3～17歳）$6、2歳以下無料
場所 ピッツフィールドのダウンタウンのSouth St.（MA-9）沿い。パークスクエアのすぐ南

Arrowhead

M P.243-A2
🏠 780 Holmes Rd., Pittsfield
☎ (413)442-1793
URL www.mobydick.org
🕐 (5月最終月曜～10月第2月曜) 毎日9:30～17:00。館内はツアーでのみ見学可能で、10:00～16:00の毎正時発。所要約45分
💰 大人$13、子供 (6～18歳) $8
🚗 ピッツフィールドの中心部からSouth St.を約5km南下し、Holmes Rd.で左折し約2km進んだ右側。約9分

ハーマン・メルヴィルの隠れ家

アローヘッド
Arrowhead

　農場のなかにある簡素な家は作家ハーマン・メルヴィルHerman Melville（1819～1891）の隠れ家。1850年、約160エーカーの土地を購入した際、先住民の矢じり（Arrowhead）を見つけたことから、この農家をアローヘッドと名づけた。代表作『白鯨Moby Dick』もこの素朴な田園生活の思索のなかから生まれたのだ。現在ここはバークシャー郡歴史協会の本部として使われており、メルヴィルの書斎や作品ゆかりの調度品などを見学できる。また『緋文字』の著者、ナサニエル・ホーソン Nathaniel Hawthorneと文学談義を交わした家畜小屋も再現されている。

彼の書斎からの眺めもいい

Hancock Shaker Village

M P.243-A2
🏠 1843 W. Housatonic St., Pittsfield
☎ (413)443-0188
Free (1-800) 817-1137
URL www.hancockshakervillage.org
🕐 (4月中旬～10月下旬) 毎日10:00～16:00 (7～10月は17:00まで)
💰 大人20、シニア・子供 (13～17歳) $8、12歳以下は無料
🚗 ピッツフィールドの中心部からUS-20を西に約7.5km行き、Housatonic St.を左折。所要約10分

ミュージアムショップ
ビジターセンター横にあり、シェーカー教徒オリジナルの家具や工芸品、衣服などを販売している

シェーカー教徒の生活様式を見る

ハンコック・シェーカー・ビレッジ
Hancock Shaker Village

　今は数も少なくなってしまったシェーカー教徒たちの生活様式を保存するため、彼らの村を再現し、公開している野外博物館。

　シェーカー教はキリスト教プロテスタントの一派。礼拝時の精霊が訪れたときに身体を震わせ（シ

バスケットはおみやげとして人気

ェイクする）、踊りをすることが名前の由来だそう。1747年マザー・アン・リーを指導者として8人の信者とともにイギリスからアメリカに渡り、自給自足をもとにした共同生活を送るコミュニティをつくっていった。ハンコック・ビレッジはそのひとつで、1840年代のピーク時には、ハンコックの村に300人近くの教徒たちが暮らしていた。19世紀後半からしだいに信徒数が減り、1960年にビレッジは売却された。

　現在、ビレッジには約20の建物、農場、ハーブガーデンなど、シェーカー教徒たちが生活していたときのまま残されている。彼らの生活様式はシンプルかつ非常に機能的。軽くて頑丈な椅子やタンスなどは日本でも人気があり、シェイカー家具として知られている。薬用ハーブの栽培でも成功しており、シェーカーの痛み止めは一時期全米に名をとどろかせたという。

約750エーカーの敷地には石積みの納屋や畑が点在する

ウィリアムズタウン

Williamstown

マサチューセッツ州の最北西端にあるウィリアムズタウンは19世紀後半からニューヨーカーやボストニアンの別荘が造られるなど、文化的に進んだ土地柄だった。美しい自然に囲まれ、文化都市としてだけでなく、スキーやゴルフ、ハイキングなども楽しめるリゾート地としても知られている。

町の中核をなすウィリアムズカレッジWilliams Collegeは、1793年の創設。全米ではハーバード大学に次いで古い大学といわれている。

Williamstown
Ⓜ P.174-A1、P.243-A1

全米でも指おりのリベラル・アーツ・カレッジの Williams College を中心に町が成り立つ

ウィリアムズタウンへの行き方

ボストンからはピーターパンバスでアクセスできるが、乗り換えが2度あるので、車で訪れるほうが効率がいい。

ウィリアムズタウンの歩き方

町の中心はウィリアムズカレッジ向かいのスプリング通りSpring St.。ショップやカフェが並ぶ目抜き通りだ。おもな見どころは、ウィリアムズカレッジが所有するウィリアムズカレッジ美術館と30点以上のルノワールのコレクションをもつクラーク美術館。車がなくても1日あれば十分観光することはできるだろう。

行き方
バス／Peter Pan Bus
URL www.peterpanbus.com
ピーターパンバスでボストンのサウスステーションを出発し、スプリングフィールドとピッツフィールドで乗り換えウィリアムズタウンへ。1日2便。所要4時間10分～5時間20分
車／ボストンの中心部からウィリアムズタウンへはI-90（Massachusetts Turnpike）を西へ約200km行き、Exit 2からUS-20、US-7を北へ約52km。所要約3時間30分

ショップやカフェ、レストランが並ぶスプリング通り

観光案内所

ウィリアムズタウン観光局
ウィリアムズカレッジの構内にあり、地図やパンフレットが置いてある。Spring St.の向かいに、夏～秋季にかけてインフォメーションブースInformation Boothが出る。

Williamstown Chamber of Commerce
Ⓜ P.243-A1
🏠 7 Denison Park Dr., Williamstown, MA 01267
☎(413)458-9077
URL williamstownchamber.com
🕐 月～金9:00～17:00
Infomation Booth
🏠 100 Spring St., Williamstown

MEMO Williamstown Theatre Festival　6月下旬～8月下旬までウィリアムズカレッジで行われるミュージカルの祭典。トニー賞やエミー賞を受賞した俳優や監督も出演・指揮する。URL wtfestival.org

Williams College Museum of Art

M P.243-A1

住 15 Lawrence Hall Dr., Williamstown

☎ (413)597-2429

URL wcma.williams.edu

営〈6～8月〉毎日10:00～17:00（木～20:00）、〈9～5月〉木～火10:00～17:00（木～20:00）

休 11月第4木曜、12/25、1/1

料 無料

場所 ウィリアムズタウンの中心部を走る Main St.（MA-2）沿いのウィリアムズカレッジの敷地内にある

美術館のデザインも優れている

ウィリアムズカレッジ美術館
Williams College Museum of Art

歴史あるウィリアムズカレッジWilliams Collegeの中にあり、キャンパス内の美術館としては全米屈指の質と規模を誇る。コレクションは1万4000点以上。古代美術から前衛アートまでと多彩で、なかでも18世紀以降の西洋美術のコレクションはすばらしい。展示は数ヵ月ごとにテーマが変わる企画展がメインであるが、19～20世紀のアメリカ美術のものが多い。

美術館そのもののデザインもおもしろい。1846年建造のネオクラシカルな建物Lawrence Hallに、近年大規模な増築を行ったもので、吹き抜けのアトリウムと特別展示室の造形は必見。

開館75周年を迎えた2001年に、世界的に有名な彫刻家ルイーズ・ブルジョワLouise Bourgeoisによる野外彫刻Eyes(Nine Elements)が加わった。

奇抜な作品に出合える美術館

The Clark Art Institute

M P.243-A1

住 225 South St., Williamstown

☎ (413)458-2303

URL www.clarkart.edu

営〈7月～9月上旬〉毎日10:00～17:00、〈9月中旬～6月〉火～日10:00～17:00

休 11月第4木曜、12/25、1/1

料 大人$20、子供（17歳以下）無料

場所 ウィリアムズタウンの中心部からSouth St.を南へ約1km。所要約2分英語のオーディオガイドを貸し出している。**料** $5

カフェ

Clark Centerの地階にCafe Seven、Stone Hill CenterにStone Hill Cafeがあり、サラダやサンドイッチなど軽食が楽しめる。

営 Clark Center:〈7～8月〉毎日11:00～17:00、〈9～6月〉火～日10:00～17:00、Stone Hill Center:〈7～8月〉毎日11:00～16:00

有名な印象派の作品が約90点揃う

クラーク美術館
The Clark Art Institute

スターリング＆フランシーヌ・クラーク夫妻Sterling & Francine Clarkが世界中から収集した美術品を展示している。特にフランス印象派の絵画と、アメリカ初期の絵画と彫像、イギリスの銀細工のコレクションは世界的に有名だ。

なかでも19世紀フランス印象派の絵画は必見。モネの『ルーアン大聖堂Rouen Cathedral』連作の1枚、ルノワールは『劇場の桟敷席（音楽会にて）A Box at the Theatre (At the Concert)』など30点以上。ドガやミレー、ピサロ、ロートレックなど美術ファンでなくても、なじみ深い名前がずらりと並ぶ。そのほか、世界的に知名度の高い建築家、安藤忠雄が設計に携わったClark CenterやStone Hill Centerは見逃せない。大きなガラス窓にコンクリート打ちっ放しの建物は現地の人にも評判がいい。

安藤忠雄が設計を担当した建物にも注目

ルノワールなどの印象派の名品も収蔵

ノースアダムズ

North Adams

おもな見どころ

コンテンポラリーアートを鑑賞
マサチューセッツ現代美術館（マス・モカ）
Massachusetts Museum of Contemporary Art (MASS MoCA)

マス・モカ外観

バークシャー地方を代表する現代美術館で、マス・モカMASS MoCAと呼ばれている。ノースアダムズの町の中心にあるが、13エーカー、26もの建物群からなるこの場所は、かつての工場跡地だ。町の中心的な産業であった織物の型押し工場が、1942年に閉鎖され、あとを引き継いだ電気部品工場も1985年に撤退。1986年、この地を訪れたウィリアムズカレッジ美術館の学芸員たちによって、現代アートを展示するスペースとして見いだされ、1999年、美術館としてオープンした。天井が高く広々としたスペースに、宇宙船や飛行機、動物の骨格や人間をモチーフにした、美しい作品群が飾られている。難解に考えがちな現代アートだが、見て楽しめる構成なので、ぜひ訪れてほしい。

絶景の紅葉ドライブルート
モホークトレイル
Mohawk Trail

　マサチューセッツ州北部を東西に走るMA-2（州道2号線）は、別名モホークトレイルMohawk Trailと呼ばれ、紅葉の美しい街道として親しまれている。モホークトレイルとは、先住民同士の抗争で勝利したモホーク族に敬意を表し、命名された名前。なかでも、ボストンから西へ1時間ほどのリンゴの名産地、レオミンスターLeominsterとノースアダムズNorth Adamsの間は、旧道ならではの山間を走り、10月上旬から中旬にはすばらしい紅葉が愛でられる。ボストンからの行きだけでもこのルートを利用したい。州道2号線沿いには数々の必見ポイントがあるが、マサチューセッツ現代美術館から東へ約6.4km行った、通称ヘアピンターンHairpin Turnと呼ばれる急カーブを過ぎると、絶景の展望台がある。また、ヘアピンターンの急カーブした道の脇には、老舗のレストランThe Golden Eagle Restaurant（→下記 ●MEMO）もあって、食事に立ち寄りたい。

ノースアダムズの町を見下ろす展望台

ヘアピンターンにある The Golden Eagle Restaurant

North Adams
🗺 P.174-A1、P.243-B1

行き方
鉄道&バス／ボストンのサウスステーションからピッツフィールド（→P.249）までAmtrakで行き、BRTAバス＃1に乗り換えノースアダムズへ。乗り換えを含めて所要約6時間
バス／ボストンからウィリアムズタウン（→P.251）までPeter Pan Busで行き、BRTAバス＃3に乗り換えノースアダムズへ。乗り換えを含めて所要約5時間20分
車／ボストンの中心部からノースアダムズへはI-90（Massachusetts Turnpike）を西へ約200km行き、Exit 2からUS-20を北へ約20km、MA-9を東へ約5km、MA-8を約29km北上する。ピッツフィールド経由、所要約3時間30分。もしくは、Massachusetts Ave.（MA-2A）を北西へ約7km、MA-2を西へ約195km。モホークトレイルを使用して、所要約3時間30分

Massachusetts Museum of Contemporary Art (MASS MoCA)
🗺 P.243-B1
🏠 87 Marshall St., N. Adams
☎ (413)662-2111
🔗 www.massmoca.org
🕐 《6月下旬～9月上旬》毎日10:00～18:00（木～土→19:00）、《9月中旬～6月中旬》水～月11:00～17:00
🚫 9月中旬～6月中旬の火曜、11月第4木曜、12/25
💵 大人$18、シニア$16、学生$12、子供（6～16歳）$8
館内にはカフェやショップもある
ガイドツアー／6月下旬～9月上旬の毎日11:00、13:00、15:00、9月中旬～6月中旬の月・水～金14:00、土・日12:00、14:00出発

Mohawk Trail
🗺 P.243-B1
Free (1-866)743-8127
🔗 www.mohawktrail.com
モホークトレイルの走り方
→P.176

ステートフォレストを走るトレイル

●MEMO　**The Golden Eagle Restaurant** 🏠 1935 Mohawk Trail, Clarksburg 🔗 thegoldeneaglerestaurant.com
☎ (413)663-9834 🕐《5月上旬～6月》毎日16:00～21:00（土・日12:00～）、《7月～9月上旬》毎日12:00～21:00

R バークシャーのナイトライフはこんな店で　**S** アメリカ料理／ストックブリッジ／**MAP ▶ P.244上図**

マイケルズ・レストラン・オブ・ストックブリッジ　Michael's Restaurant of Stockbridge

一見普通の家のような建物だが、奥のほうがレストランになっている。レストランとラウンジを兼ねているので、深夜まで多くの人でにぎやかだ。カジュアルな、アメリカらしい雰囲気のなかでアメリカ料理が味わえる。

🏠 5 Elm St., Stockbridge
☎ (413)298-3530
URL www.michaelsofstockbridge.com
🕐 日〜木11:30〜21:00、金・土11:30〜22:00、バーは翌1:00まで。夏季は23:00まで延長することもある
カード A M V

R 時間をかけて食事を楽しみたい　**SS** アメリカ料理／レノックス／**MAP ▶ P.247**

アルタ・レストラン&ワインバー　Alta Restaurant & Wine Bar

おしゃれな雰囲気が漂うレストラン。2008年にオープンして以来地元の人だけでなく、夏のバケーションで滞在するセレブにも人気がある。サラダやサンドイッチは$13〜。ナパやソノマだけでなくフランス・ボルドー産のワインを約120種類揃える。

🏠 34 Church St., Lenox
☎ (413)637-0003
URL altawinebar.com
🕐 毎日11:30〜14:30、17:00〜21:00
カード A M V

R 家族経営のレストラン　**SS** イタリア料理／レノックス／**MAP ▶ P.247**

フランキーズ・リストランテ・イタリアーノ　Frankie's Ristorante Italiano

イタリアから移住してきたオーナーのフランコが、母の味をアメリカで再現したいと思い、オープンした。イタリア・ボローニャの郷土料理を堪能できる。特にラザニア（$22）やカツレツ（$24）が人気。鮮やかな赤に塗られた壁にはオーナー家族の写真が飾られている。

🏠 80 Main St., Lenox
☎ (413)637-4455
URL frankiesitaliano.com
🕐 毎日17:00〜21:00（金・土〜21:30）
カード A M V

R カジュアルに過ごせる　**S** アメリカ料理／ウィリアムズタウン／**MAP ▶ P.243-A1**

シックス・ハウス・パブ　The '6 House Pub

アメリカの田舎町にあるような居心地のいいレストラン。オリジナルハンバーガー（$7.96）やターキーサンドイッチ（$10.96）など、典型的なアメリカ料理が味わえる。そのほか、チキンウィング（$6.96）やモッツァレラスティック（$6.96）などパブメニューも豊富。

🏠 910 Cold Spring Rd., Williamstown
☎ (413)458-1896
URL www.6housepub.com
🕐 毎日11:30〜16:00、17:00〜21:30（土・日〜22:00）
カード M V

R 町の中心部から徒歩圏内　**S** アメリカ料理／ウィリアムズタウン／**MAP ▶ P.243-A1**

ウオーター・ストリート・グリル　Water Street Grill

ウィリアムズタウンで地元の人に評判のレストラン。大学近くにあるため、週末は長居する学生でにぎわう。どれもボリュームたっぷりの料理に満腹になること間違いなし。ナチョス（$6.95〜9.95）やクラムチャウダー（$7.95）、バッファローチキンサラダ（$10.95）がおすすめ。

🏠 123 Water St., Williamstown
☎ (413)458-2175
URL www.waterstgrill.com
🕐 毎日12:00〜23:00
カード M V

H 美しい部屋とおいしい食事に親切なスタッフ　**B&B** ／ウエストストックブリッジ／**MAP ▶ P.243-A3**

ウィリアムズビルイン　The Williamsville Inn

緑豊かな森にたたずむB&B。植民地時代の面影を残し、四季折々の風景が楽しめる。朝食は、広い窓が自慢のテラスで。何種類もあるメニューのなかから好きなものを選べるのがうれしい。朝食、Wi-Fi無料。

🏠 286 Great Barrington Rd. (MA-41), W. Stockbridge, MA 01266
☎ (413)274-6118　📠 (413)274-3539
URL www.williamsvilleinn.com
🕐 S D T $200〜310、Su $335〜365、1人追加$25（6月下旬〜8月は最低3泊以上）、16室
カード M V

MEMO バークシャー地方にあるアウトレットモール　Banana RepublicやBrooks Brothers、Coachなど約60のショップが入る。Lee Premium Outlets **M** P.243-A3　🏠 17 Premium Outlets Blvd., Lee…

由緒ある老舗ホテル　　中級／ストックブリッジ／MAP▶P.244

H レッド・ライオン・イン　The Red Lion Inn

1773年に駅馬車の停まる宿屋として開業した由緒あるイン。町のランドマークでもあり、ノーマン・ロックウェルの絵『Stockbridge Main Street at Christmas』にも描かれている。1896年の火災により18世紀後半に完成した建物は全焼し、翌年現在のホテルが建てられた。ロビーや通路に飾られた家具は19世紀末のもの。今上天皇皇后両陛下と指揮者・小澤征爾のスリーショット写真も見逃せない。館内中央にあるレストランやバーは、古風で趣があり、人気がある。Wi-Fi無料。

[住]30 Main St., Stockbridge, MA 01262
☎(413)298-5545
[FAX](413)298-5130
[URL]www.redlioninn.com
[料]バスなし$100～170、ⓈⒹⓉ$144～329、[Su]$194～405、125室
[カード][A][D][M][V]

バークシャーを代表するスキーリゾート　　高級／ハンコック／MAP▶P.243-A2

H ジミニーピーク・マウンテン・リゾート　Jiminy Peak Mountain Resort

バークシャーを代表するスキーリゾート。客室の目の前がスキー場だ。客室は全室スイートタイプで、キッチンの付いたリビングとベッドルームに分かれ、簡単な食事なら作れる。レノックスの町まで車で約30分。Wi-Fi無料。

[住]37 Corey Rd., Hancock, MA 01237
☎(413)738-5500
[Free](1-800)882-8859
[FAX](413)738-5513
[URL]www.jiminypeak.com
[料]ⓈⒹⓉ$129～239、[Su]$129～、136室　[カード][A][D][M][V]

ビジネスにも観光にも便利　　中級／ピッツフィールド／MAP▶P.243-A2

H クラウンプラザ・ピッツフィールド-バークシャー　Crowne Plaza Pittsfield-Berkshires

ピッツフィールドのほぼ中心にあり、バークシャー地方の観光に便利。スーパーマーケットとバスターミナルも歩いてすぐだ。上層階の客室からは遠くの山々の眺めがすばらしい。レストランがふたつある。Wi-Fi無料。

[住]1 West St., Pittsfield, MA 01201
☎(413)499-2000
[FAX](413)442-0449
[URL]www.berkshirecrowne.com
[料]ⓈⒹⓉ$134～196、179室
[カード][A][D][M][V]

コロニアルスタイルのビッグなイン　　中級／ウィリアムズタウン／MAP▶P.243-A1

H ウィリアムズイン　The Williams Inn

ウィリアムズタウンの中心に当たる、US-7とMain St.が交わる場所にあるホテル。目の前には、ウィリアムズカレッジのキャンパスが広がり、クラーク美術館やウィリアムズカレッジ美術館などへも歩いていける。屋内プールやサウナ、ジャクージ、レストラン、託児室まであるいたれり尽くせりの設備はうれしい。客室内は上品な花柄プリントでまとめてあり、落ち着いて旅の疲れを癒やせるだろう。ピーターパンバスの停留所にもなっている。朝食、Wi-Fi無料。

[住]1090 Main St., Williamstown, MA 01267
☎(413)458-9371
[FAX](413)458-2767
[URL]www.williamsinn.com
[料]ⒹⓉ$125～285、[Su]$125～575、124室
[カード][A][D][M][V]

メイン州

ニューイングランド地方北東部を占める広大な州だが、観光客でにぎわうのは、メインビーチズとポートランド、フリーポートあたりまで。本来の魅力を味わうなら、アケディア国立公園やムースが生きる大森林地帯へ行くべきだと通は言うが、大西洋沿いの海岸風景はとてもピュアで清涼感にあふれている。

L.L. ビーンの本店があるフリーポート

メイン州

- Edmundston（ニューブランズウィック州）
- 1
- (11)
- CANADA U.S.A.
- (138)
- (20)
- 1 ケベックシティ Québec
- Lévis
- ニューブランズウィック州 New Brunswick
- (2)
- CANADA U.S.A.
- ケベック州 Quebec
- 95
- ALT 2
- ア パ ラ チ ア ン 山 脈
- メイン州 Maine P.256
- (11)
- (2)
- St.Andrews（ニューブランズウィック州）
- 1
- 201
- Eastport
- 2
- ロングフェロー山脈
- (16)
- 95
- (9)
- バンゴー Bangor
- 1
- グラフトンノッチ州立公園 Grafton Notch State Park P.277
- メ イ ン 州
- (2)
- Pittsfield
- ALT 1
- サンデーリバー・スキー・リゾート Sunday River Ski Resort P.277
- ニ ュ ー ハ ン プ シ ャ ー 州
- (2)
- Newry
- バーハーバー Bar Harbor
- ニューハンプシャー州 New Hampshire P.278
- Bethel
- (26)
- (4)
- オーガスタ Augusta
- アケディア国立公園 Acadia National Park P.274
- カンカマガス ハイウエイ
- Rockport
- ロックランド Rockland P.273
- North Woodstock
- (112) Conway
- 95
- 1
- 295 Brunswick
- フリーポート Freeport P.271
- H The Brunswick Hotel & Tavern P.272
- ポートランド Portland P.267
- ポートランド灯台 P.269 Portland Head Light
- 93
- Saco
- ケネバンクポート P.264 Kennebunkport
- (4)
- Wells
- オーガンクィット Ogunquit
- レイチェル・カーソン国定自然保護区 P.266 Rachel Carson National Wildlife Refuge
- Portsmouth（ニューハンプシャー州）P.295
- ヨーク York
- キタリー Kittery
- メインビーチズ P.259

凡例
- 95 インターステートハイウエイ
- 95 ターンパイク（有料道路）
- 1 U.S.ハイウエイ
- 9 ステートハイウエイ
- ● 見どころ
- H ホテル

N

0 50 100km

バーモント州

メイン州

ニューハンプシャー州

マサチューセッツ州

コネチカット州

ロードアイランド州

ケネバンクポート郊外にあるトロリーの博物館

ポートランド郊外のエリザベス岬に建つ灯台

Aroostook County

Mt.Katahdin

メイン州観光行政区

Maine Highlands

Kennebec
& Moose
River Valley

ダウンイースト
&アカディア

Maine Lakes
& Mountains

オーガスタ（州都）◎　◯バーハーバー

アカディア国立公園

ミッドコースト

フリーポート

グレーターポートランド&カスコベイ

●ポートランド（州内の大都市）

メイン
ビーチズ　ケネバンクポート

◯オーガンクィット
ヨーク

メイン州
The State of Maine

州都	面積
オーガスタ	**9万1634km²**

人 口

133万89人
（2014年推定）

州税

セールスタックス（消費税）
5%
ミールタックス（飲食税）
7%
ホテルタックス（ホテル税）
7%

時間帯

東部時間（EST）
（日本より−14時間、夏時間は−13時間）

マイナスイオンに包まれるレイチェル・カーソン国定自然保護区

 メイン州の増税　2016年1月よりメイン州ではセールスタックスは5.5%、ミールタックスは8%、ホテルタックスは9%に上がる予定だ。

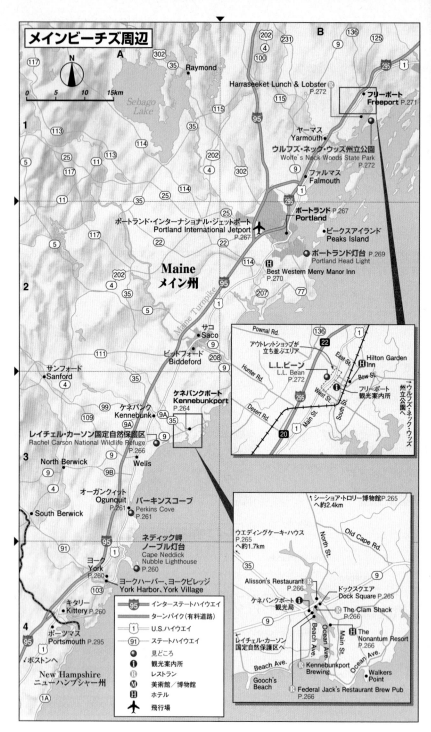

メインビーチズ周辺

N

0 5 10 15km

A

B

Raymond

Sebago Lake

Harraseeket Lunch & Lobster P.272 ®

フリーポート
Freeport P.271

ヤーマス
Yarmouth

ウルフズ・ネック・ウッズ州立公園
Wolfe's Neck Woods State Park P.272

ファルマス
Falmouth

ポートランド・インターナショナル・ジェットポート
Portland International Jetport P.267

ポートランド P.267
Portland

ピークスアイランド
Peaks Island

ポートランド灯台 P.269
Portland Head Light

Maine
メイン州

Best Western Merry Manor Inn
P.270

サコ
Saco

Maine Turnpike

Pownal Rd.

アウトレットショップが
立ち並ぶエリア

L.L.ビーン
L.L. Bean
P.272

Hilton Garden Inn

East St.

Bow St.

ウルフズ・ネック・ウッズ州立公園へ

フリーポート
観光案内所

ビッドフォード
Biddeford

Hunter Rd.

West St.

South St.

Main St.

Desert Rd.

サンフォード
Sanford

ケネバンクポート
Kennebunkport P.264

ケネバンク
Kennebunk

レイチェル・カーソン国定自然保護区
Rachel Carson National Wildlife Refuge P.266

Wells

North Berwick

South Berwick

オーガンクイット
Ogunquit P.261

パーキンスコーブ
Perkins Cove P.261

ネディック岬
ノーブル灯台
Cape Neddick
Nubble Lighthouse P.260

ヨーク
York P.260

ヨークハーバー、ヨークビレッジ
York Harbor, York Village

キタリー
Kittery P.260

ポーツマス
Portsmouth P.295

ボストンへ

New Hampshire
ニューハンプシャー州

シーショア・トロリー博物館 P.265
へ約2.4km

ウエディングケーキ・ハウス
P.265
へ約1.7km

Old Cape Rd.

North St.

Alisson's Restaurant P.266 ®

ドックスクエア
Dock Square P.265

ケネバンクポート
観光局

The Clam Shack P.266

レイチェル・カーソン
国定自然保護区へ

Beach Ave.

Ocean Ave.

Main St.

The Nonantum Resort P.266

Kennebunkport Brewing

Gooch's Beach

Beach Ave.

Ocean Ave.

Walkers Point

Federal Jack's Restaurant Brew Pub P.266

	95	インターステートハイウエイ
		ターンパイク（有料道路）
	1	U.S.ハイウエイ
	91	ステートハイウエイ
		見どころ
	❶	観光案内所
	®	レストラン
	Ⓜ	美術館／博物館
	Ⓗ	ホテル
	✈	飛行場

MEMO メインターンパイク　メイン州を走るI-95号線は、メインターンパイクとも呼ばれている。有料道路であるため、各料金所で規定の料金を払わなければならない。Maine Turnpike URL www.maineturnpike.com

メイン州

市外局番● 207

メインビーチズ

Maine Beaches

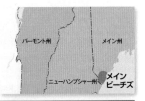

広々として、くつろげるメインビーチ

ボストンから最も近いメイン州南部の海岸沿いに、キタリー、ヨーク、オーガンクィットのかわいらしい町が並ぶ。ボストンから日帰りできるビーチリゾートだが、ケネバンクポートやポートランドへの道すがら、立ち寄っても楽しい。夏のリゾートタウンなので、シーフードを看板に掲げるカフェやレストランも多く、おいしいランチタイムが過ごせるだろう。

メインビーチズへの行き方

　バスなどの公共交通機関はないので、車で訪ねよう。ボストンからは、US-1、I-95を北上し、ニューハンプシャー州を経由してメイン州に入る。ニューハンプシャー州ポーツマス、ピスカタクア川を越え、メイン州Exit 1で下り、US-1を北上するルートがおすすめ。

メインビーチズの歩き方

　キタリーのアウトレットモールで買い物を楽しんだら、そのままUS-1を北上し、ネディック岬ノーブル灯台Cape Neddick Nubble Lighthouseを目指そう。灯台はソヒアパークSohier Parkという公園から遠望するといい。公園の目の前には、ロブスターサンドがおいしいレストランFox's Lobster House（→P.262）があるので、ここでランチ休憩してもいいし、そのままオーガンクィットOgunquitへと北上してもいい。

ノスタルジックなヨークの町を散策

行き方

車／ボストンの中心部からUS-1、I-95を約90km北上し、メイン州のExit 1で下りる。US-1を約4km北に進むとメインビーチズの玄関口キタリーに着く。所要約1時間20分

観光案内所

Maine State Visitor Information Center-Kittery
🏠I-95 & US-1, Kittery, ME 03904
☎(207)439-1319
URL www.mainetourism.com
🕐毎日8:00～18:00（冬季は短縮、休みあり）
📍I-95のKitteryへの出口Exit 2近くにある
メインビーチズ全般に関する資料が揃う

Kittery
M P.258-A4

行き方

車／ボストンの中心部から、US-1、I-95を約91km北上し、メイン州のExit 3で下りる。US-1を北へ約500m進む。所要時間1時間20分

Maine Kittery Outlets
URL www.thekitteryoutlets.com

York
M P.258-A4

行き方

車／キタリーからヨークへはUS-1を北東へ約9km、所要約15分

観光案内所

Nubble Lighthouse Welcome Center
住 11 Sohier Park Rd., York
営 〈4月中旬～5月中旬〉毎日9:00～16:00、〈5月下旬～10月下旬〉毎日9:00～19:00

The Goldenrod
住 2 Railroad Ave., York Beach
☎ (207)363-2621
URL www.thegoldenrod.com
営 〈5月中旬～10月中旬〉毎日8:00～22:00（時期により異なる）
ヨークビーチにあるチョコレートファッジが有名なお菓子屋。レストランも併設

おもな見どころ

アウトレット通りで買い物を！

キタリー
Kittery

ニューハンプシャー州との州境にあるキタリーは、アウトレットショップが集まることで有名だ。約120のブランド店が集まり、常時20～60%引きのセールを開催している。US-1（国道1号線）沿いにアウトレットの店が並ぶが、店と店との間隔が離れているため移動に車は不可欠。キタ

キタリーではアウトレットショップをはしごしよう

リー・トレーディング・ポストKittery Trading Post（→P.262）やキタリー・プレミアム・アウトレットKittery Premium Outlets（→P.262）、アウトレット・アット・キタリーOutlets at Kittery（→下記 **MEMO**）が比較的大きい。

灯台とビーチの町

ヨーク
York

ソヒアパークSohier Parkから見えるノーブル灯台Nubble Lighthouseがこの町のいちばんの見どころだ。灯台は、公園とは海を隔てたネディック岬Cape Neddickに立っている。昔は灯台守が住み、ケーブルを使って物資や食料を運び入れていたようだが、現在は無人。自動制御で稼働している。ソヒアパークには、ギフトショップのNubble Light Welcome Center & Gift Shopもあり。

ヨークの町は、この灯台から車で5分ほどのヨークビーチに隣接した一画にある。車で1周すれば数分でおしまいというほど小さいが、レストランやみやげ物屋が並び、ひなびた雰囲気が漂う。小さな子供が喜びそうな遊園地もある。

ヨークは散策するのにちょうどいい大きさの町だ

ソヒアパークから望む灯台

ネディック岬ノーブル灯台
Cape Neddick Nubble Lighthouse

絵になる美しい灯台だ

ヨークの町から車で5分ほどのソヒアパークSohier Parkは、ネディック岬ノーブル灯台が見られる観光スポット。地元の有志が管理する公園には、観光案内所やトイレが設置され、天気がいいと大勢の観光客がやってくる。公園の入口にあるFox's Lobster House（→P.262）は、ロブスターの生け簀をもつレストラン。新鮮なシーフードを食べに地元の人も訪れる。

灯台は、1874年第19代アメリカ大統領ラザフォード・ヘイズによって1万5000ドルの予算が組まれ、1879年7月1日、開設された。資料によれば、灯台守の家のほかにボートハウスやトロリーシステム、ジェネレーターハウスなどを完備した立派なものだったらしい。灯台守の家は2階建てで、リビングやダイニング、洗濯室や食料貯蔵室、キッチンからなっていたとか。入江で隔てられているため、ソフィアパークから岬までケーブルが渡され、食料や物資を運び入れていたという。灯台の高さは約12m、海抜26m。1000ワットの光を6秒間に3秒点灯し、3秒消灯、約20kmまで届く。その後1980年代に自動化され、1987年灯台守は岬から去った。灯台はイベント開催時にライトアップされる。

夏場のビーチリゾートはここで！
オーガンクィット
Ogunquit

メインビーチズのなかで最もにぎやかな町。ダウンタウンがあるのは、US-1（Main St.）とShore Rd.が交差するあたり。おしゃれなレストランやみやげ物屋、ホテルなどが集まる。また、夏場にはパーキンスコーブやオーガンクィットビーチなどを巡回する**オーガンクィットトロリーOgunquit Trolley**も運行。さらに、**オーガンクィットプレイハウスOgunquit Playhouse**では、5月から10月までミュージカルやコンサートが行われ、夜遅くまで多くの人でにぎわう。

オーガンクィット中心部から南東へ約1.5km行った海沿いの入江、パーキンスコーブには、ブッシュ前大統領もお気に入りというシーフードレストランが軒を連ね、観光スポットになっている。

町を散策してみよう

オーガンクィットの美しい入江
パーキンスコーブ
Perkins Cove

メイン州で絵になるフィッシャーマンズワーフのひとつ。深く切れ込んだ入江にロブスター漁の船が停泊し、フットブリッジが旅情をそそる。ケネバンクポートに別荘をもつブッシュ前大統領もヨットで訪れる場所だ。湾沿いにレストランやショップが並び散策が楽しめる。前大統領がよく訪れるロブスターレストランBarnacle Billy's Seafood Restaurant（→P.262）もある。ランチのあとは、入江と反対側の太平洋岸に延びるマージナルウエイMarginal Wayを歩いてみよう。

橋のたもとに美食のシーフード店がたくさん

Cape Neddick Nubble Lighthouse
🏠 11 Sohier Park Rd., York
☎ (207)363-1040
🌐 nubblelight.org
行き方 ヨークの中心部からUS-1をRodgers Rd.で右折し、Ridge Rd.、Broadway St.、Nubble Rd.を東へ約6.5km。Sohier Park Rd.を右折したところ。所要約10分

Nubble Light Gift Shop
🕐〈4月中旬〜5月内中旬〉毎日9:00〜16:00、〈5月下旬〜10月下旬〉毎日9:00〜19:00

ノーブル灯台のライトアップ
Christmas in July
7月の最終日曜21:00からライトアップされ、消防車に乗ったサンタクロースもパレードする
Lightning of the Nubble
11月の最終土曜17:00からコンサートが始まりライトアップされる

Ogunquit
🗺 P.258-A3

行き方
車／ヨークからオーガンクィットへはUS-1を約11km北へ、所要約15分

観光案内所
Ogunquit Chamber of Commerce
🏠 36 Main St., Ogunquit, ME 03907
☎ (207)646-2939
🌐 www.ogunquit.org
🕐〈5〜10月〉月〜金9:00〜17:00、〈11〜4月〉月〜金10:00〜16:00

宿情報も揃う観光案内所

Ogunquit Trolley
☎ (207) 646-1411
🌐 www.ogunquittrolley.com
🕐〈6月下旬〜9月上旬〉毎日8:00〜23:00、〈9月中旬〜10月中旬〉毎日9:00〜20:00（日〜17:00）
🎫 大人$2、子供$1.50

Ogunquit Playhouse
🏠 10 Main St., Ogunquit
☎ (207)646-5511
🌐 www.ogunquitplayhouse.org
チケットはウェブサイトか、当日に劇場窓口で購入できる

Perkins Cove
行き方 オーガンクィットの中心部から、Shore Rd.、Perkins Cove Rd.を約1.5km南下

MEMO ウェルズにある博物館　オーガンクィットに関する写真や絵画、昔の道具などを収蔵する博物館。Historical Society of Wells & Ogunquit 🏠 938 Post Rd. (US-1), Wells ☎ (207)646-4755

261

メインビーチズのショップ、レストラン、ホテル

S スポーツ用品が幅広く揃う
キタリー・トレーディング・ポスト
Kittery Trading Post

スポーツ用品／キタリー／**MAP** ▶ なし

PatagoniaやThe North Face、Gramicciなど有名アウトドアブランドのスポーツ用品が揃う。豊富な衣類のほか、靴、サングラス、時計、アウトドア用品などもあり、大きな店だけに見応え十分。

🏠 301 US-1, Kittery
☎ (207) 439-2700
Free (1-888) 587-6246
URL www.kitterytradingpost.com
営 月～土9:00～21:00、日10:00～18:00
カード A M V

S アウトレットはフリーポートだけではありません
キタリー・プレミアム・アウトレット
Kittery Premium Outlets

アウトレット／キタリー／**MAP** ▶ なし

ボストンからフリーポートへ向かうUS-1（国道1号線）沿いにあるアウトレット。店が固まってあるのではなく、US-1沿いに点々とあるので、車がないと回ることはできない。American Eagle Outfitters、Coach、J. Crew、Swarovskiなど約65店舗。

🏠 375 US-1, Kittery
☎ (207) 439-6548
URL www.premiumoutlets.com
営 月～土9:00～21:00、日10:00～18:00
カード 店舗により異なる

S 料理教室も開催されるキッチン用品店
ストーンウォール・キッチン・ヨーク・カンパニー・フラッグシップストア
Stonewall Kitchen York Company Flagship Store

食品＆キッチン用品／ヨーク／**MAP** ▶ なし

手作りジャムとキッチン用品で有名なStonewall Kitchenの旗艦店。料理教室も併設されており、いつも主婦たちでにぎわっている。ジャムの試食もでき、季節ごとに変わるギフトを見るのも楽しい。日持ちする料理の材料はおみやげにもいい。

🏠 2 Stonewall Ln., York
☎ (207) 351-2712
URL www.stonewallkitchen.com/yorkstore.html
営 月～土8:00～19:00、日9:00～18:00
カード A M V

R ロブスターとブルーベリーパイを味わって
フォックス・ロブスター・ハウス
Fox's Lobster House

$$ シーフード／ヨーク／**MAP** ▶ なし

1966年より毎年期間限定でオープンするロブスターハウス。新鮮なメイン州のロブスターやシーフード、手作りのブルーベリーパイやアイスクリームが自慢の料理。ロブスターシチュー（$21.95）が名物だ。海に面しているので眺めもよい。

🏠 8 Sohier Park Rd., York
☎ (207) 363-2643
URL www.foxslobster.com
営 〈5月～10月〉毎日11:30～21:00
休 11～4月
カード M V

R 手作りのお総菜が美味
ストーンウォール・キッチン・カフェ
Stonewall Kitchen Cafe

$$ アメリカ料理／ヨーク／**MAP** ▶ なし

Stonewall Kitchenの旗艦店内にある。朝から営業しており、ヘルシーな手作りのお総菜が豊富で、休憩やランチに最適だ。ロブスターBLT（時価）やロブスターロール（時価）はちょっと値段が高めだが、ぜひご賞味あれ。食後にはフレッシュなフルーツを。

🏠 2 Stonewall Ln., York
☎ (207) 351-2719
URL www.stonewallkitchen.com/cafe.html
営 月～土8:00～16:00、日11:00～15:00
カード A M V

R パーキンスコーブが目の前
バーナクル・ビリーズ・シーフードレストラン
Barnacle Billy's Seafood Restaurant

$ シーフード／オーガンクィット／**MAP** ▶ なし

オーガンクィットの入江、パーキンスコーブにあるシーフードレストラン。オープンテラス席の目の前を航行するヨットを眺めながらの食事は気持ちがいい。新鮮な海の幸を使ったロブスターロール（$20.95）やクラムチャウダー（$5.95～）をぜひ食べたい。

🏠 70 Perkins Cove Rd., Ogunquit
☎ (207)646-5575
Free (1-800)866-5575
URL www.barnbilly.com
営 〈4～10月〉毎日11:00～21:00
休 11～3月
カード A M V

R エムシー・パーキンスコーブ
雰囲気も楽しみたいシーフード $$　アメリカ料理／オーガンクィット／MAP▶なし
MC Perkins Cove

2009年3月アメリカ北東部のベストシェフを決めるジェームスビアード賞にここのシェフがノミネートされた。海を見渡す絶景地にあり、コンテンポラリーなアメリカ料理を提供。おしゃれして行きたいレストランだ。メインは$26〜。

🏠 111 Perkins Cove Rd., Ogunquit
☎ (207) 646-6263
URL www.markandclarkrestaurants.com
🕐 毎日11:30〜15:30、17:00〜21:30
休 1月、2月〜5月下旬の月・火
カード A M V

R ワイルド・ブルーベリー・レストラン
シーフードの評判がよいビストロ $　アメリカ料理／オーガンクィット／MAP▶なし
Wild Blueberry Restaurant

オーガンクィットのダウンタウンにあるカジュアルだが、エレガントなカフェ。フランス料理と地中海料理のアクセントを地元のシーフードや野菜にちりばめ、ヘルシーに、美しく仕上げている。ロブスターロール（$20〜）、クラムチャウダー（$9）が美味。

🏠 82 Shore Rd., Ogunquit
☎ (207) 646-0990
URL www.thewildblueberryrestaurant.com
🕐〈5〜10月〉毎日7:30〜14:00、17:00〜21:00
休 11〜4月
カード A M V

H コーチマンイン
買い物好きには便利な立地 エコノミー／キタリー／MAP▶なし
Coachman Inn

キタリー・プレミアム・アウトレットの目の前にある。こぢんまりとしているが、スタッフはフレンドリーで居心地がよい。ロビーには、TVやコンピューター、ボードゲームなどがあり、くつろぐことができる。朝食、Wi-Fi無料。

🏠 380 US-1, Kittery, ME 03904
☎ (207) 439-4434
Free (1-800) 824-6183
FAX (207) 439-6757
URL www.coachmaninn.com
料 S D T $80〜171、43室
カード A M V

H マイクロテル・イン&スイーツ・バイ・ウィンダム・ヨーク
お手頃な値段がうれしい 中級／ヨーク／MAP▶なし
Microtel Inn & Suites by Wyndham York

キタリー・プレミアム・アウトレットから約6km北のUS-1沿いにある。全米46州に展開しているチェーン系モーテルなので、一定の設備が整い不自由しない。ヨークのダウンタウンまで歩いて行けるのもありがたい。朝食、Wi-Fi無料。

🏠 6 Market Place Dr., York, ME 03909
☎ (207) 363-0800
Free (1-800) 337-0050
FAX (207) 363-0822
URL www.microtelinn.com
料 S D T $64〜169、Su $74〜189、57室
カード A M V

H メドウミィアリゾート
リゾートライフと料理教室が一度に楽しめる 高級／オーガンクィット／MAP▶なし
Meadowmere Resort

家族連れに評判がよく、フィットネスセンターや屋内プール、スパなどの施設も充実している。料理教室付きのパッケージは人気だ。近年はエコに力を入れているホテルでもある。Wi-Fi無料。

🏠 74 Main St., Ogunquit, ME 03907
☎ (207) 646-9661
Free (1-800) 633-8718
FAX (207) 646-6952
URL www.meadowmere.com
料 S D T $97〜221、Su $119〜324、144室
カード A M V

H クリフハウス・リゾート&スパ
創業1872年のエレガントなリゾート 高級／オーガンクィット／MAP▶なし
The Cliff House Resort & Spa

大西洋に面したクリフ（崖）の上に建つリゾート。すべての客室が広く、バルコニー付きで、海が見渡せる。スパやレストランの雰囲気もよく、優雅な休日が過ごせそう。レストランでは、ブルーベリーの料理をお試しあれ。Wi-Fi無料。

🏠 591 Shore Rd., Cape Neddick, ME 03902
☎ (207) 361-1000
FAX (207) 361-2122
URL www.cliffhousemaine.com
料 S D T $190〜、Su $250〜、166室
休 11月中旬〜4月中旬
カード A M V

MEMO ヨークにある大西洋に面して立つモーテル Cutty Sark Motel 🏠58 Long Beach Ave., York, ME 03910 ☎(207)363-0131 URL www.cuttysarkmotel.com 料 SDT $134〜265

263

ケネバンクポート

Kennebunkport

ケネバンク周辺で迎える朝

メイン州南部で最もおしゃれなビーチリゾート。ジョージ・H・W・ブッシュ元大統領（前大統領ジョージ・W・ブッシュの父親）も、ダウンタウンからほど近いウオーカーズポイントWalker's Pointに別荘を構え、夏になると一家の姿を見かけることもあるそうだ。国家の要人の隠れ家なのに、観光客が遠巻きに見学する観光名所のひとつにもなっている。郊外には、アメリカ各地やカナダで活躍したトロリーを収集した鉄道の博物館シーショア・トロリー博物館 Sea Shore Trolley Museumもある。

Kennebunkport
Ｍ P.258-A3

行き方

車／ボストンの中心部からUS-1、I-95を約120km進み、メイン州のExit 19でME-9/ME-109に移る。約2.5km東へ行き、US-1を約3km、ME-9を約7km北東へ進み、ケネバンク川に架かるドックスクエア橋を渡った先のME-9とOcean Ave.が交差するところがドックスクエアDock Square。所要約1時間40分

観光案内所

**Kennebunk,
Kennebunkport & Arundel
Chamber of Commerce**
住 1 Chase Hill Rd.,
Kennebunk, ME 04043
☎ (207)967-0857
URL gokennebunks.com
開 月～金9:00～17:00
場所 ドックスクエアから西へ約250m

ケネバンクポートへの行き方

鉄道やバスなどの公共交通機関がないのでドライブで訪れることになる。

ケネバンクポートの歩き方

ドックスクエアDock SquareからオーシャンアベニューOcean Ave.の道沿いには、かわいらしいギフトショップやオープンテラスのレストランが連なっている。そこから南東へ車で10分ほどのウオーカーズポイントWalkers Pointに、ブッシュ元大統領の別荘がある。

ケネバンクビーチからドックスクエア、ウオーカーズポイントなどを回る解説つきのトロリーバスIntown Trolley（→下記 MEMO）を利用するのもいい。

ドックスクエア周辺を散策

MEMO ケネバンクポートの町なかを解説付きでまわるトロリーツアー　ドックスクエアを出発し、ブッシュ元大統領の別荘やケネバンクビーチ、ショッピング街を巡り、乗り降り自由。住 21 Ocean Ave., Kennebunkportを毎時出発→

おもな見どころ

そぞろ歩きが楽しい
ドックスクエア
Dock Square

ME-35とME-9の交差点からWestern Ave. (ME-9)を東へ進み、入江のようなケネバンク川に架かる橋のたもとがドックスクエアDock Squareだ。ショップやレストランが軒を連ね、買い物や食事が楽しめる。こ

ウオーカーズポイントのブッシュ邸

こからOcean Ave.を海沿いに走っていくと、ブッシュ元大統領の別荘があるウオーカーズポイントが見えてくる。夏の間、一家はほとんどケネバンクポートで過ごすといい、200mほど離れた対岸から、星条旗が掲げられた外観を見ることができる。息子のブッシュ前大統領も何度か訪れるらしく、運がよければお目にかかれるかも。

ケネバンクポート郊外

250両以上のトロリーや地下鉄を保存する
シーショア・トロリー博物館
Seashore Trolley Museum

1939年のオープンから2014年に開館75周年を迎えた、世界的に有名なトロリー博物館。実際に使われていたトロリーや地下鉄の車両が広大な園内に展示されている。ここでは、森の中に鉄路を敷設し、実際に走ら

メイン州の鉄道の歴史がわかる

せて保存しているのだ。ボストンを走っていた地下鉄やバスのほか、すでに廃線になったアメリカやカナダの鉄道や地下鉄の車両に巡り合える。ひととおり見学したらトロリーに乗車しよう。トロリーを動かすスタッフは、皆鉄道関係の仕事をしていた鉄道好きばかり。元運転手さんが車内で話してくれる鉄道の話はたいへん興味深い。

イエローの外壁がおいしそう!?
ウエディングケーキ・ハウス
Wedding Cake House

メイン州でいちばん写真に撮られているといわれる家。1825年に船大工ジョージ・ワシントン・ブーンGeorge Washington Bourneが彼の妻ジェーンのために建てたが、1952年火事で倒壊し、再度建て直したもの。かつてはジョージ・ブーンの家と呼ばれていたが、ウェディングケーキに見えるため、この名前がつけられた。残念ながら所有者が亡くなってしまったため、ちょっとさびれた感じだ。敷地の外から見学しよう。

お菓子のような家

Dock Square
M P.258-B4

橋を渡った先がドックスクエア

ドックスクエアで買い物や食事を楽しもう

Walker's Point
行き方 ドックスクエアからOcean Ave.を約3km南へ。約7分

Seashore Trolley Museum
M P.258-B3外
住 195 Log Cabin Rd., Kennebunkport
☎ (207)967-2800
URL trolleymuseum.org
営 〈5月上旬～5月中旬、10月中旬～10月下旬〉土・日10:00～17:00、〈5月下旬～10月上旬〉毎日10:00～17:00
料 大人$10、シニア$8、6～16歳$7.50
行き方 ドックスクエアからNorth St.、Log Cabin Rd.を北へ約5km。車で約10分
トロリー
10:05～16:15の45～55分間隔発。ギフトショップ前から出発する

昔懐かしいトロリーに乗車

Wedding Cake House
M P.258-B4外
住 104 Summer St., Kennebunk
行き方 ドックスクエアからME-9を西へ約300m行き、ME-9A/35を北へ約3.8km行った右側。車で約7分

する。Intown Trolley ☎ (207) 967-3686 URL www.intowntrolley.com 料 大人$16、子供$6 営 〈5月下旬～6月、9月～10月中旬〉毎日10:00～15:00の1時間間隔、〈7～8月〉毎日10:00～16:00の1時間間隔。所要約45分。

265

Rachel Carson National Wildlife Refuge

レイチェル・カーソン国定自然保護区
Rachel Carson National Wildlife Refuge

Rachel Carson National Wildlife Refuge
Ⓜ P.256-A3、P.258-A3
⬛ 321 Port Rd., Wells
☎ (207)646-9226
🔗 www.fws.gov/refuge/rachel_carson
🕐 毎日日の出〜日没
💰 無料
🚗 ドックスクエアから ME-9を南西へ約6km行くと左手にある。入口に看板あり

1966年に保護区に指定された海水と淡水が混じり合う汽水域にできた湿地帯。メイン州の海辺をこよなく愛し『沈黙の春Silent Spring』『センス・オブ・ワンダーThe Sense of Wonder』などを書いた作家レイチェル・カーソン Rachel Carsonの遺志を継ぎ、創設された。広さ約5300エーカー（約21km²）の湿地の森は、渡り鳥の繁殖地になっていて、年間を通して約250種の鳥類が観察されている。

可憐に咲くレディスリッパー

ケネバンクポートのレストラン、ホテル

R テイクアウトして川沿いで味わうのもいい
クラムシャック

Ⓢ シーフード／ケネバンクポート／**MAP** ▶ **P.258-B4**

The Clam Shack

ケネバンクポートの中心部にあり、数々の新聞や旅行雑誌で取り上げられている有名店。旅行者だけでなく地元の人も通うほどのおいしさだ。ロブスターロール（$17.95）やシュリンプロール（$8.95）を味わいたい。

⬛ 2 Western Ave., Kennebunk
☎ (207)967-2560
🔗 www.theclamshack.net
🕐 〈5月初旬〜10月中旬〉毎日11:00〜19:00
カード Ⓜ Ⓥ

R ケネバンクポートの老舗レストラン
アリソンズレストラン

Ⓢ アメリカ料理／ケネバンクポート／**MAP** ▶ **P.258-B4**

Alisson's Restaurant

1973年のオープンから40年以上、家族経営を続け地元の人に愛されているレストラン。メイン州産のロブスターロール（$18.95）やクラムチャウダー（$6.95）をはじめ、ハンバーガー（$9.95〜）やピザ（$7.95〜）もある。1年を通して営業しているのもうれしい。

⬛ 11 Dock Square, Kennebunkport
☎ (207)967-4841
🔗 www.alissons.com
🕐 毎日11:00〜22:00
カード Ⓜ Ⓥ

R シーフードと地ビールで乾杯！
フェデラル・ジャックス・レストラン・ブリューパブ

Ⓢ Ⓢ アメリカ料理／ケネバンクポート／**MAP** ▶ **P.258-B4**

Federal Jack's Restaurant Brew Pub

ケネバンク川沿いにある眺めのよいパブ＆レストラン。といっても健全な雰囲気なので家族連れでも楽しめる。ブリューパブなのでぜひ自家製地ビールを頼もう。つまみはイカリング揚げ（$10.99）やフライドクラム（$11.99〜19.99）がおすすめ。パティオもあり、夕涼みにも最適だ。

⬛ 8 Western Ave., Kennebunk
☎ (207)967-4322
🔗 www.federaljacks.com
🕐 毎日11:30〜21:00（金・土〜22:00）、バーは翌1:00まで
カード Ⓐ Ⓜ Ⓥ

H 川沿いの景色が美しい美食の宿
ノーナンタンリゾート

高級／ケネバンクポート／**MAP** ▶ **P.258-B4**

The Nonantum Resort

ドックスクエアから歩いてすぐのケネバンク川河口に建つ1883年創業の歴史的なイン。アクティビティも豊富に揃っているので、家族で滞在すると楽しそうだ。2010年に全室改装を終えた。朝食、Wi-Fi無料。冬季はクローズ。

⬛ 95 Ocean Ave., Kennebunkport, ME, 04046
☎ (207)967-4050
Free (1-888)205-1555
📠 (207)967-8451
🔗 nonantumresort.com
💰 ⓈⒹⓉ$99〜399、109室
カード Ⓐ Ⓜ Ⓥ

ケネバンクポートの駐車場　アリソンズレストランの裏にある公共駐車場か、ドックスクエアの800mほど北西にある無料の駐車場（⬛ 30 North St., Kennebunkport）を利用しよう。

メイン州

市外局番●207

ポートランド

Portland

バーモント州　メイン州
ポートランド
ニューハンプシャー州

ポートランドはカスコベイに面したメイン州を代表する町

石畳の道が旅情をそそる旧市街オールドポートの町並み。こぢんまりとまとまったオールドポート周辺に見どころが点在し、少し離れた展望台や灯台へは、トロリーツアーで訪れることができる。町並みを歩いたら、気分を変えてクルーズへ。野球ファンなら、ダウンタウンの外れにあるハドロックフィールドで、マイナーリーグの試合を観戦しよう。

ポートランドの歩き方

　ポートランドの中心はオールドポートOld Port周辺。小さな港町なので徒歩で回れる。郊外の見どころは、トロリーツアー Portland City & Lighthouse Tourに乗って見学しよう。観光案内所やツアーの出発地は、ロングワーフのある港沿いのコマーシャルストリート Commercial St.に集中している。買い物や食事はオールドポートで。

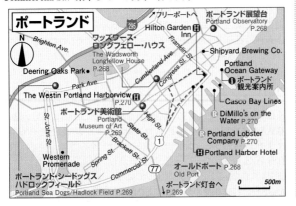

ポートランド
M P.256-A3、P.267

フリーポートへ
ポートランド展望台
Portland Observatory P.268
Hilton Garden Inn
ワッズワース・ロングフェロー・ハウス
The Wadsworth Longfellow House P.268
Brighton Ave.
Deering Oaks Park P.268
Park Ave.
Shipyard Brewing Co.
Portland Ocean Gateway
ポートランド観光案内所
The Westin Portland Harborview P.270
ポートランド美術館
Portland Museum of Art P.269
Casco Bay Lines
DiMillo's on the Water P.270
Portland Lobster Company P.270
Portland Harbor Hotel
Western Promenade
ポートランド・シードッグス ハドロックフィールド
Portland Sea Dogs/Hadlock Field P.269
オールドポート P.268
Old Port
ポートランド灯台へ P.269

0　　500m

行き方

鉄道／Amtrak Downeaster
100 Thompson's Point Rd., Portland（Portland Transportation Center）
URL www.amtrakdowneaster.com
ボストンのノースステーションから1日4〜5往復。片道約2時間30分

バス／Concord Coach Lines
URL www.concordcoachlines.com
ボストンのローガン国際空港、サウスステーションから26便あり、所要約2時間
ポートランド・トランスポーテーション・センターからポートランドのダウンタウンまでメトロバス＃1で約20分、1日12〜34便。タクシーなら約$13

飛行機／Portland International Jetport
URL www.portlandjetport.org
空港からポートランドのダウンタウンまでメトロバス＃5で20分、1日6〜15便。タクシーなら約$21

MEMO　ボストンから車でポートランドへ　ボストンの中心部からは、US-1、I-95を北へ約170km、メイン州のExit 7で下り、Franklin St.を南へ約1km。所要約2時間10分。

観光案内所

空港やフェリーターミナルのほか、夏は市内各所にオープンする

Greater Portland Convention + Visitors Bureau and Information Centers

URL www.visitportland.com

Portland International Jetport Terminal

住 1001 Westbrook St., Portland, ME 04102

☎ (207)756-8312

営 毎日16:00～24:00(土・日10:00～)

Ocean Gateway Information Center

M P.267

住 14 Ocean Gateway Pier, Portland, ME 04101

☎ (207)772-5800

営〈11～4月〉月～土9:00～15:00、〈5月上旬～5月中旬〉月～金9:30～16:30、土10:00～15:00、〈5月下旬～10月〉毎日9:00～17:00(土・日～16:00)

休 11月～5月中旬の日曜

ツアー

ポートランド・シティ＆ライトハウス・ツアー

Portland City & Lighthouse Tour

市内のおもな見どころを循環し、最後にポートランド灯台(→P.269)へ立ち寄る。所要約1時間40分

Portland Discovery

住 170 Commercial St., Portland

☎ (207)774-0808

URL www.portlanddiscovery.com

営〈5月上旬～5月中旬、10月下旬〉毎日11:30、13:30、15:30、〈5月下旬～10月中旬〉毎日9:30、11:30、13:30、15:30

料 大人$24、子供$17

Old Port

M P.267

URL www.portlandmaine.com

Portland Observatory

M P.267

住 138 Congress St., Portland

☎ (207)774-5561

URL portlandlandmarks.org

営〈5月中旬～10月上旬〉毎日10:00～17:00(最終ツアーは16:30出発)

料 大人$10、シニア・学生$8、子供(6～16歳)$5

The Wadsworth Longfellow House

M P.267

住 489 Congress St., Portland

☎ (207)774-1822

URL www.mainehistory.org

営〈5～10月〉毎日10:00～17:00(日12:00～、最終ツアーは16:00出発)

料 大人$15、シニア・学生$12、子供(6～17歳)$3

おもな見どころ

れんが造りの町並みが美しい

オールドポート
Old Port

1866年に起こった大火災で廃墟と化したポートランド。町の復興を願って、ビクトリア調でれんが造りの建物が再建された。約10ブロックにわたって広がる通り沿いは、石畳の道と相まって、ノスタルジックな雰囲気が漂う。オールドポートとは、Center St.とFranklin St.に挟まれたCommercial St.とMiddle St.の間を指す。1時間ほどで歩ける。

れんが造りの町並み

港町を一望できる

ポートランド展望台
Portland Observatory

まるで灯台のような建物

1807年、元船長だったラミュエル・ムーディLemuel Moodyの発案により造られた28mの展望台。一見灯台のようだが、港に入ってくる船や町の人々に旗や音でサインを出す目的で造られ、1923年まで実際に使われていた展望台兼シグナルステーションだ。アメリカで唯一現存する海洋シグナルステーションで、1972年、国立歴史建造物に指定されている。内部はガイドツアーで見学。展望台からはポートランド市内の町並みと、小さな島がいくつも浮かぶカスコベイが見渡せる。

詩人が少年時代を過ごした家

ワッズワース・ロングフェロー・ハウス
The Wadsworth Longfellow House

アメリカを代表する詩人であり、政治的にも文化的にも多大な影響力を及ぼしたヘンリー・ワッズワース・ロングフェローHenry Wadsworth Longfellow(1807～1882)が、家族と一緒に子供時代を過ごした家。この家は彼の祖父ジェネラル・ペレグ・ワッズワースGeneral Peleg Wadsworthが1785～1786年に建てたもので、3世代が暮らした。この家最後の住人となったのは、ワッズワースの妹アン・ロングフェロー・ピアース Anne Longfellow Pierce。1901年にこの家で亡くなった。自分の死後、メイン州歴史協会にこの家を譲り渡すことを事前に決めていたという。館内はツアー(所要約1時間)でのみ見学できる。一族はポートランドでは名家の家柄。贅を尽くしたこの家は、当時の建築様式を知る貴重な遺産でもある。ロングフェローが暮らした家といえば、マサチューセッツ州ケンブリッジ(→P.115)も有名だ。ロングフェローは、1837年から1882年に亡くなるまで、ケンブリッジで暮らした。ポートランド出身の偉大な詩人をたたえて、ダウンタウンに彼の銅像が立っている。

偉大な詩人が少年時代を過ごした家

メイン州最大の公立美術館
ポートランド美術館
Portland Museum of Art

絵画、彫刻など収蔵点数は1万8000点以上、ジャンルも18〜20世紀に活躍したアメリカの芸術家たちの作品を中心に、アメリカ建国時代の肖像画から欧州印象派、モダニズム、キュビスム、シュールレアリスム、現代彫刻や絵画など実に幅広い。コレクションには、モネ、ルノワール、エドワード・ホッパー、アンディ・ウォーホルなどの著名な画家の作品もある。建物自体も歴史的建造物。1階奥には19世紀、実際に個人宅として使われていたMcLellan Houseが再現されている。さらに、美術館が所有するウィンスロー・ホーマーのスタジオを見学するツアーも催行している。

アメリカの現代アートを鑑賞

レッドソックスのマイナーリーグを応援しよう
ポートランド・シードッグス／ハドロックフィールド
Portland Sea Dogs / Hadlock Field

1994年にフロリダ・マーリンズのマイナーリーグチーム（2A）として始動したポートランド・シードッグス。2003年からはボストン・レッドソックスの2Aチームとなり、ハドロックフィールドはホームグラウンドとして使われている。フェンウエイ球場同様、3塁側にメインモ

地元の人と盛り上がろう

ンスターがそびえ、小さなCITGOとコカ・コーラの立て看板もある。2005年にはパペルボン投手が、また2009年には田澤純一投手が在籍し、ここからメジャーへと巣立っていった。ポートランド市民が家族一緒にシードッグスの応援に来るアットホームな球場だ。

ポートランド郊外

エリザベス岬に建つ美しい灯台
ポートランド灯台
Portland Head Light

カスコベイに突き出たエリザベス岬のフォート・ウィリアムズ公園に建つ灯台。絵や写真のモチーフにしばしば登場するメイン州を代表する風景である。灯台の下は博物館になっていて、そばにギフトショップもある。

ぜひ足を運んでほしい灯台

海からの英国軍の進入を見張り、ポートランドを守るため、1787年に着工され、1791年最初の明かりがともされた。当時、明かりをともすために使われたのは鯨油だった。後に灯台守の住居も建てられた。現在ある建物は1891年に建設されたもの。2階建てで1989年まで灯台守の一家が住んでいた。崖沿いに灯台を見渡せる美しいトレイルが延び、散策も楽しめる。灯台の美しい風景を写真に撮ろう。

Portland Museum of Art
Ⓜ P.267
住 7 Congress Sq., Portland
☎ (207)775-6148
URL www.portlandmuseum.org
開〈5月下旬〜10月上旬〉毎日10:00〜17:00（第3木曜21:00、金〜21:00）、〈10月中旬〜5月中旬〉火〜日10:00〜17:00（金〜21:00）
休 10月中旬から5月中旬の月、11月第4木曜、12/25、1/1
料 大人$12、シニア・学生$10、子供（13〜17歳）$6、12歳以下無料
ウィンスロー・ホーマーのスタジオツアー
開〈4月中旬〜6月中旬、9月下旬〜10月下旬〉木〜日10:30、13:00、〈6月下旬〜9月中旬〉月・金10:30、13:00
料 $55（所要2時間30分）

Portland Sea Dogs/Hadlock Field
Ⓜ P.267
住 271 Park Ave., Portland
☎ (207)874-9300
URL www.milb.com
シーズン 4月上旬〜9月上旬まで
行き方 ダウンタウンから徒歩約30分。市バス（Metro#5、9A）なら約10分
ポートランドのダウンタウンからCongress St.を約2.2km西へ進み、Valley St.で右折。車なら所要約8分
Sea Dogs Ticket Information
場所 ハドロックフィールド・チケット窓口で
開〈4〜9月〉月〜金9:00〜17:00、土10:00〜14:00
料 大人$9〜14、シニア・子供$6〜13
当日券は9:00〜8回まで窓口で購入可能

Portland Head Light
Ⓜ P.267外
住 1000 Shore Rd., Cape Elizabeth
☎ (207)799-2661
URL www.portlandheadlight.com
開 公園：日の出〜日没
博物館：〈4月中旬〜5月中旬、11月〜12月中旬〉土・日10:00〜16:00、〈5月下旬〜10月〉毎日10:00〜16:00
料 博物館：大人$2、子供（6〜18歳）$1
行き方 ポートランドのダウンタウンからCommercial St.、York St.を西へ進み、ME-77 S.に入る。約2km進み、Broadwayを直進。Cottage Rd.、Shore Rd.を約3.2km南下した左側が、フォート・ウィリアムズ公園。道なりに進むとポートランド灯台が見えてくる

ポートランドのレストラン、ホテル

R ポートランド・ロブスター・カンパニー Portland Lobster Company

気軽にシーフードを味わおう

S シーフード／ポートランド／ MAP ▶ P.267

ウォーターフロント沿いに建つ屋台風のレストラン。クラムチャウダー（$5.99）やクラムロール（$13.99）など新鮮なシーフードがお手頃価格で食べられるとあっていつも行列ができている。潮風が気持ちいいテラス席でゆっくりしたい。

- 180 Commercial St., Portland
- ☎(207) 775-2112
- URL www.portlandlobstercompany.com
- 営毎日11:00～22:00
- カード A M V

R ディミロズ・オン・ザ・ウオーター DiMillo's on the Water

地元産のシーフードを

SS アメリカ料理／ポートランド／ MAP ▶ P.267

ポートランドで60年以上レストランビジネスに携わるディミロ家が1982年にポートランド港に停泊する大型船をレストランとしてオープンさせた。カスコベイで取れた新鮮な食材を使用するロブスターロール（$20）やフライドフィッシュ・サンドイッチ（$10）は必ず食べたい一品。

- 25 Long Wharf, Portland
- ☎(207)772-2216
- URL www.dimillos.com
- 営毎日11:00～22:00
- カード A M V

H ウェスティン・ポートランド・ハーバービュー The Westin Portland Harborview

歴史あるたたずまいのホテルだが、最新設備を完備

高級／ポートランド／ MAP ▶ P.267

1927年に当時ニューイングランド地方最大のホテルとして開業したイーストランドホテル。その建物が数度のリノベーションを経て、ウェスティンホテルとして2013年オープンした。ポートランドのウォーターフロントエリアから歩いて17分ほど、ポートランド美術館近くにある。15階にあるルーフトップバーのTop of the Eastは50年以上ポートランド市民をもてなしてきた。3マイル以内は無料のシャトルバスサービス（5:00～23:00）あり。Wi-Fi$9.95。

- 157 High St., Portland, ME 04101
- ☎(207)775-5411
- FAX(207)775-0103
- URL www.westinportlandharborview.com
- 料 S D T $165～279、SU $213～309、289室
- カード A D M V

🔲🈁🛁🈂🈵🈺🍴🍷🈴🈶📷🎦🅿️♿

H ベストウエスタン・メリー・マナー・イン Best Western Merry Manor Inn

ポートランドの約6km南にあり、車利用者におすすめ

中級／ポートランド／ MAP ▶ P.258-B2

ボストンとポートランドを結ぶI-95やI-295の出口の近く、ポートランドのダウンタウンまで車で10分ほどの所にある。ホテル周辺には、140店舗以上入るショッピングモール（→下記 MEMO）があり、便利。併設するレストランの The Maine Table Restaurantは地元の食材を使用したメニューが多く、評判がいい。朝食、Wi-Fi無料。

- 700 Main St., S. Portland, ME 04106
- ☎(207)774-6151
- Free (1-800)780-7234
- FAX(207)871-0537
- URL www.bestwestern.com
- 料 S D T $99～209、SU $199～399、153室
- カード A D M V

🔲🈁🛁🈂🈵🈺🍴🍷🈴🈶📷🎦🅿️♿

市外局番●207

フリーポート

Freeport

フリーポートの象徴、L.L. ビーン本店

ポートランドの北に位置するフリーポートは、人口約8000人の町。ボストンから車で約2時間30分のこの町を特徴づけるのは「アウトレットショッピング」。メインストリート沿いには、有名ブランドからローカルブランドまで60を超える店舗が軒を連ね、週末やシーズン中には、ボストンをはじめ近郊の町から、大勢の人々が集まってくる。

フリーポートへの行き方

フリーポートへは鉄道か車でアクセス可能だ。鉄道なら、ボストンのノースステーションからアムトラックのダウンイースター号Amtrak Downeasterが片道約3時間10分でフリーポートのダウンタウンに到着する。車ならボストンから約2時間30分。もしくは、ポートランド（→P.267）からは、タクシーで約20分。

フリーポートの歩き方

町の中心は、L.L. Beanの本店（→P.272）があるMain St.とBow St.の交差点あたり。そこからMain St.沿いにアウトレットショップが並んでいる。まずはL.L. Beanを探訪し、めぼしをつけたらMain St.のほかの店にも行ってみよう。買い物に飽きたら、タウンワーフのそばのハラシーケット・ランチ＆ロブスターHarraseeket Lunch & Lobster（→P.272）でゆでたてロブスターを食べよう。

絶品のロブスターを

Freeport
Ⓜ P.258-B1

行き方

鉄道／Amtrak Downeaster
🏠 23 Depot St., Freeport
 URL www.amtrakdowneaster.com
ボストンのノースステーションから1日2往復。片道約3時間10分
車／ ボストンからUS-1、I-95、I-295を約192km北上。メイン州のExit 20で下りて、Main St.を約2.5km北へ進む。約2時間30分
タクシー／ ポートランドから約20分、約$60
AB Cab ☎(207)865-222

観光案内所

Freeport Information Center
🏠 23 Depot St., Freeport, ME 04032
☎(207)865-1212
URL www.freeportusa.com
🕐 毎日9:00〜17:00
ダウンタウンのAmtrak駅前にある。ダウンタウンの地図あり

 MEMO フリーポートにある有名ブランドのアウトレットショップ　Allen Edmonds、Brooks Brothers、Coach、Cole Haan、J. Crew、Patagonia、Polo Ralph Lauren、The North Face、Vineyard Vinesなど。

271 ◆

L.L. Bean Flagship Store
M P.258-B3
住 95 Main St., Freeport
Free (1-877)755-2326
URL www.llbean.com
営 24時間

Wolfe's Neck Woods State Park
M P.258-B1
住 426 Wolfe's Neck Rd., Freeport
☎ (207)865-4465
URL www.maine.gov
営 毎日9:00〜日没（時期により異なる）
料 大人$4.50

森のトレイルを歩く

おもな見どころ

365日24時間営業

L.L.ビーン
L.L. Bean

　トートバッグが人気のL.L.ビーンの本店Flagship StoreがMain St.沿いにある。ハンティングシューズを発明したレオン・レオンウッド・ビーンLeon Leonwood Beanが1912年に通信販売を始めたのが、L.L.ビーンの始まり。現在、Hunting & Fishing Store、Bike, Boat & Ski Store、Home Store、Outlet Storeの5店舗を展開中。本店は「いつでもアウトドアに出かけられるように」と、365日24時間オープンしている。

海辺と森を楽しむハイキングスポット

ウルフズ・ネック・ウッズ州立公園
Wolfe's Neck Woods State Park

　広さ約245エーカー（約0.99km²）の州立公園は、1969年にローレンス・M・C・スミス夫妻Mr. & Mrs. Lawrence M. C. Smithからフリーポート市へ寄贈されたもの。ホワイトパインやヘムロックの木々に覆われ薄暗いが、トレイル沿いには、5月レディスリッパーの群落が咲き誇る。

▌フリーポートのレストラン、ホテル

R バツグンにうまいロブスターが食べられる　　　　SS シーフード／フリーポート／MAP ▶ P.258-B1
ハラシーケット・ランチ&ロブスター　Harraseeket Lunch & Lobster

　地元の人が次から次へとやってくる、フリーポートでいちばん有名なロブスターハウス。新鮮なロブスターとそのロブスターのだしがたっぷりしみ込んだトウモロコシとクラムがいただける。ほかにも、ロブスターロールやホタテなどもおいしい。

住 36 Main St., S. Freeport
☎ (207)865-4888
URL www.harraseeketlunchandlobster.com
営 〈5/1〜6/14〉毎日11:00〜19:45、〈6/15〜レイバーデイ〉毎日11:00〜20:45、〈レイバーデイ〜10月下旬〉毎日11:00〜19:45
カード 現金のみ

H フリーポートから車で約15分　　　　　　　　中級／ブランズウィック／MAP ▶ P.256-A3
ブランズウィック・ホテル&タバーン　The Brunswick Hotel & Tavern

　ナサニエル・ホーソンやヘンリー・ワッズワース・ロングフェローなどの著名人が卒業したボウディンカレッジの一角にある。ブランズウィックのダウンタウンの中心に位置し、レストランやショップが並ぶMaine St.もすぐ。大学町なので、ホテルの周辺も夜遅くでも人出がある。ボストンやフリーポートからアムトラックのDowneaster号がホテル裏のBrunswick駅に到着する。Wi-Fi無料。

住 4 Noble St., Brunswick, ME 04011
☎ (207)837-6565
FAX (207)837-6566
URL www.thebrunswickhotelandtavern.com
料 S D T $129〜209、Su $229〜314、52室
カード A M V

メイン州北東部のビーチ沿いをドライブで巡る

フリーポートからアケディア国立公園に行く途中には、こぢんまりとした町が点在する。なかでも、ぜひ立ち寄ってもらいたいのが、ロックランドRockland。人口わずか7000人の小さな田舎町には、日本人に人気の画家アンドリュー・ワイエスAndrew Wyeth（1917〜2009）の作品を全米で最大規模所蔵するファーンズワース美術館Farnsworth Art Museumがある。18世紀から20世紀のアメリカ現代美術を専門としている美術館は、ワイエスに特化したワイエスセンターWyeth Centerも併設。アンドリュー・ワイエスや父N.C.ワイエスN.C.Wyeth、息子ジェイミー・ワイエスJamie Wyethの作品を多数所蔵している。

アンドリュー・ワイエスはペンシルバニア州フィラデルフィア郊外チャッズフォード生まれ。毎夏メイン州クッシングで過ごし、メイン州の風景をテーマに数多くの作品を描いた。なかでも美術館が所有する『アルバロ＆クリスティーナAlvaro & Christina』は彼の代表作。めったにアメリカから出ることがないので見逃したくない作品だ。

新宿にもある彫刻『LOVE』を作ったロバート・インディアナの彫刻『EAT』も見逃せない

そのほか、ロックランドで見逃せないのが、メイン州灯台博物館Maine Lighthouse Museum。大西洋沿岸に60以上の灯台が立っていることから「灯台の州」ともいわれているメイン州の灯台を解説するコーナーは見応えがある。

ワイン好きならロックポートの北約10kmにあるセラードアワイナリーCellardoor Wineryへ行こう。1790年代の納屋を改装したテイスティングルームでは、裏の畑で造られたスパークリングワインVendangeをはじめ、40種類をテイスティング、購入できる。おなかがすいたら、地元の食材を使用したメニューが豊富なカフェ・ミランダCafe Mirandaがいい。特に、自家製のピザ生地がもっちりとしたグリークピザがおすすめ。

無料のワインテイスティングを毎日開催するCellardoor Winery

ロックランドダウンタウンでおすすめのレストランCafe Miranda

ファーンズワース美術館やメイン州灯台博物館を観光したら、サモセット・リゾートThe Samoset Resortに宿泊するのがいい。ペノブスコット湾沿いに建つホテルは、約230エーカーの敷地をもつ巨大リゾート地。18ホールのゴルフコースをはじめスパやプールなどの癒やしの施設が充実する。

早起きしてサモセット・リゾートの客室から日の出を見たい

Rockland
M P.256-B3

Farnsworth Art Museum
16 Museum St., Rockland
(207)596-6457 URL www.farnsworthmuseum.org
〈1〜3月〉水〜日10:00〜17:00、〈4〜5月、11〜12月〉火・日10:00〜17:00、〈6〜10月〉毎日10:00〜17:00（第1金曜〜20:00）
11月第4木曜、12/25、1/1
大人$12、シニア・学生$10、子供（16歳以下）無料
フリーポートからUS-1を北へ約97km行ったロックランドの中心にある。フリーポートから車で約1時間40分

Maine Lighthouse Museum
1 Park Dr., Rockland
(207)594-3301 URL www.mainelighthousemuseum.org
毎日10:00〜17:00（土・日〜16:00）
大人$8、シニア$6、子供（12歳以下）無料
ロックランドのファーンズワース美術館からUS-1を約50m南下し、Park Dr.を右折した右側。徒歩約3分

Cellardoor Winery
367 Youngtown Rd., Lincolnville
(207) 763-4478
URL mainewine.com
〈4月中旬〜5月上旬〉木〜日12:00〜17:00、〈5月中旬〜10月上旬〉毎日11:00〜18:00、〈10月中旬〜12月中旬〉毎日11:00〜17:00、12月下旬〜4月上旬 カード AMV
ロックランドからUS-1を約13km北上し、ME-52／Mountain St.を左折。約7.3km北へ行き、Youngstown Rd.を約1.6km行った左側。ロックランドから車で約30分

Cafe Miranda
15 Oak St., Rockland
(207)594-2034 URL www.cafemiranda.com
毎日11:30〜14:00、17:00〜21:30 カード AMV
ロックランドのダウンタウンのOak St.沿い。ファーンズワース美術館から徒歩約2分

The Samoset Resort
220 Warrenton St, Rockport, ME 04856
(207)594-2511 Free (1-800)341-1650
URL www.samosetresort.com SDT$149〜349
ロックランドからUS-1を約2km北上し、右折した突き当たり

メイン州

市外局番 ●207

アケディア国立公園

Acadia National Park

朝早く起きてキャデラックマウンテンから日の出を見よう

メイン州北部にあるマウントデザート島とその周辺に広がる、ニューイングランド地方唯一の国立公園がアケディア国立公園だ。長い年月を経てできた入江やアメリカで最初に日の出を見ることができるキャデラックマウンテン、全長約43kmの景観道路パーク・ループ・ロードなど、園内には多くの見逃せないスポットが点在する。さらに、ハイキングやサイクリング、バードウオッチング、キャンピングなど、アウトドア好きにはたまらない多くのアクティビティが楽しめるエリアでもあるのだ。

Acadia National Park
M P.256-B2〜B3

行き方

車／ボストンの中心部からUS-1、I-95を北へ約390km進み、メイン州のExit 182AでI-395 E/ME-15 Sに移り、Bangor-Brewer/US-1A/ME-9方面へ約7km進む。Exit 6AからUS-1A/Wilston St.、ME-3/Bar Harbor Rd./High St.を南西へ約68km行くとアケディア国立公園の玄関口のバーハーバー。約5時間50分
飛行機／Hancock County Bar Harbor Airport
住 115 Caruso Dr., Trenton
URL www.bhbairport.com

観光案内所

Acadia Welcome Center
住 1201 Bar Harbor Rd., Trenton, ME 04605
Free (1-800)345-4617
URL www.barharborinfo.com
営 月〜金8:00〜17:00

アケディア国立公園への行き方

　ボストンからはバスなどの公共交通機関がないので、車で訪れることになる。アケディア国立公園に最も近い空港はハンコック・カウンティ・バーハーバー空港Hancock County Bar Harbor Airport。バーハーバーまで空港から車で約25分。

アケディア国立公園の歩き方

　ショップやレストランが集まるバーハーバーが観光の拠点。まず、ツアーでロブスター釣りを見学したい。そのあと、1周約43kmのパークループ・ロードを走りながら、サンダーホールやキャデラックマウンテンを回ろう。時間があれば、ハイキングやサイクリングのツアーに参加するのもいい。キャデラックマウンテンで日の出を見ることは必須なので、最低でも2泊したい。

キャプテンがロブスター釣りのこつを披露してくれる

アケディア国立公園周辺を走る無料のバス　ビレッジグリーンやハル・ビジター・センターを起点として4ルート運行している。Island Explorer URL www.exploreacadia.com

現地発のツアー

ルル・ロブスター・ボート・ライド

バーハーバーを出発するボートに乗って、フレンチマン湾沖で行われているロブスター釣りを見学する。所要約2時間。35年以上船乗りの経験があるキャプテンのジョンさんがロブスターの釣り方について詳しく解説してくれる。

ナチュラル・ヒストリー・センター

小型バスに乗ってキャデラックマウンテン頂上まで行き、ガイドと一緒にハイキングを楽しむアケディア・エクスペリエンス・ツアーAcadia Experience Toursやベテランの野鳥観察者がナビゲートしてタカやフクロウを観察するバードツアーBird Toursなどを催行している。営業期間以外でも臨機応変に対応してくれるので、事前にメールなどで連絡するといい。

アケディア・ナショナル・パーク・ツアーズ

公園内のおもな見どころを回る約2時間30分の解説付きバスツアー。各見どころで写真撮影の時間を取るので効率的だ。キャデラックマウンテンやサンダーホール、ジョーダンポンド・ハウスなどを回る。

おもな見どころ

アケディア国立公園の玄関口

バーハーバー
Bar Harbor

ショップやレストランが集まるアケディア国立公園観光の起点となる町。ロブスター・ボートライドの出発地でもあり、夜遅くまで多くの観光客でにぎわう。1880年代から第1次世界大戦まで大富豪が競って豪華なサマーハウスを建てたが、大恐慌や大火事により多くの別荘は消失。現在残っている1890年代の建物の多くは、B&Bになっている。ダウンタウンの中心はビレッジ・グリーンVillage GreenといわれるMain St.とME-3（Mount Dessert St.）が交差するあたり。

アメリカで最初に日の出が見られる国立公園

アケディア国立公園
Acadia National Park

マウントデザート島とその周囲の約3万5000エーカー（約1451km²）に広がるニューイングランド地方唯一の国立公園。氷河の浸食によってできた奇観、ごつごつとした花崗岩の海岸線、大小さまざまな島、湖や山は、独特の地形を造りあげている。野生動物の保護区にもなっていて、多くの鳥類を見ることができるエリアでもある。

園内を走る環状道路パークループ・ロードPark Loop Roadを利用して、公園最高峰のキャデラックマウンテンCadillac Mountainや入江に大西洋からの波が押し寄せ穴が空いた岩のサンダーホールThunder Hole、数多くの海洋生物が生息しているオッタークリフOtter Cliffを巡りたい。特に、キャデラックマウンテンは、アメリカで最初に日の出が見られる場所として知られている。

Lulu Lobster Boat Ride
🏠 55 West St., Bar Harbor
☎ (207)963-2341
URL lululobsterboat.com
営 〈5月中旬〜10月下旬〉毎日10:00、13:00（時期により異なる）
料 大人$33、シニア（65歳以上）$30、子供$20

The Natural History Center
🏠 6 Firefly Ln., Bar Harbor
☎ (207)801-2617
URL www.thenaturalhistory center.com
営 〈4月中旬〜12月〉金・土11:00〜17:00（6〜9月は毎日オープン）
ツアー／Acadia Experience Tours：火・木・土7:00出発、所要約3時間。Bird Tours：月・水・金7:00発、所要約3時間
休 1月〜4月上旬の毎日と4月中旬〜5月の月〜木曜
料 Acadia Experience Tours、Bird Tours：大人$45、子供$15

Acadia National Park Tours
🏠 53 Main St., Bar Harbor (Testa's Restaurant)
☎ (207)288-0300
URL www.acadiatours.com
営 〈5月中旬〜10月下旬〉毎日10:00（夏季は14:00もあり）
料 大人$30、子供$17.50

Acadia National Park
☎ (207)288-3338
URL www.nps.gov/acad
料 〈5〜10月〉車1台$25（7日間有効）、それ以外の日は無料。Hulls Cove Visitor Centerでバスを購入する

Hulls Cove Visitor Center
🏠 Route 3, Bar Harbor
営 〈4月中旬〜11月〉毎日8:30〜16:30（夏季は延長あり）
休 11月〜4月上旬
行き方 バーハーバーのダウンタウンからME-3を北西へ約4km行き、Visitor Center Rd.を左折した正面。約10分

Park Headquarters
🏠 20 McFarland Hill Dr., Bar Harbor
営 〈1〜2月、4月下旬〜10月〉月〜金8:00〜16:30、〈3月〜4月中旬、11〜12月〉毎日8:00〜16:30
行き方 バーハーバーのダウンタウンからME-3、ME-233/Eagle Lake Rd.を進む。約10分

Cadillac Mountain
行き方 Park HeadquartersからPark Loop Rd.を進み、Cadillac Summit Rd.で左折し、頂上まで。約25分

Thunder Hole
行き方 バーハーバーのダウンタウンからME-3、Schooner Head Rd.、Park Loop Rd.を南へ。約20分

Otter Cliff
行き方 サンダーホールからPark Loop Rd.を南へ約1km

R ジョーダンズレストラン
バーハーバーの朝食はここで決まり

Ⓢ アメリカ料理／バーハーバー／MAP▶なし

Jordan's Restaurant

バーハーバーで毎朝行列ができるレストラン。1976年のオープンからずっと家族経営を続けている。自家製のパンをはじめ、地元で取れた新鮮な食材を使ったメニューが人気。特に、メイン州の特産品であるブルーベリーがふんだんに載ったBlueberry Pancake（$7.99）は誰もが頼む一品。

🏠80 Cottage St., Bar Harbor
☎(207)288-3586
URL www.jordanswildblueberry.com
🕐毎日5:00〜14:00
カード Ⓜ Ⓥ
行き方 バーハーバーのダウンタウンからCottage St.を西へ約500m、徒歩約6分

R ジョーダン・ポンド・ハウス
アケディア国立公園内にあるレストラン

ⓈⓈ アメリカ料理／アケディア国立公園／MAP▶なし

Jordan Pond House

1890年からバーハーバーに滞在する富豪にアフタヌーンティーを提供しているレストラン。建物は1979年に全焼したが、当時のメニューは現在も楽しめる。夏季は、開店と同時に満席になるので、開店30分前には到着しておきたい。目の前にジョーダン池を望むテラス席もある。

🏠1 Park Loop Rd., Seal Harbor
☎(207)276-3316
URL acadiajordanpondhouse.com
🕐〈6月上旬〜10月下旬〉毎日11:00〜20:00（時期に異なる）
カード Ⓐ Ⓜ Ⓥ
行き方 バーハーバーのダウンタウンからME-3を西へ進み、Eagle Lake Rd.に入る。Cadillac Entrance Rd.、Paradise Hill Rd.、Park Loop Rd.を南西、約20分

H ブルーノーズイン
AAAで四つ星を獲得している

中級／バーハーバー／MAP▶なし

The Bluenose Inn

1884年に夏の別荘として建てられた石造りの建物を土台にして増築したホテル。館内は随所に当時の面影が残っていて、高級感が漂う。バーハーバーの喧騒から少し離れた山沿いに建つので眺望も最高。特に、バルコニーがある部屋Mizzentopは室内に暖炉があり、ゆったりと疲れを癒やすことができそうだ。数々の雑誌に取り上げられているレストランThe Looking Glassも離れにある。併設するバーラウンジでは、毎晩ピアノの生演奏も行われているので、就寝前に立ち寄りたい。

🏠90 Eden St., Bar Harbor, ME 04609
☎(207)288-3348
Free (1-800)445-4077
FAX (207)288-2183
URL barharborhotel.com
料 Ⓢ Ⓓ Ⓣ$99〜370、$179〜325、97室
カード Ⓐ Ⓓ Ⓜ Ⓥ
行き方 バーハーバーのダウンタウンからUS-3を北へ約1.7km

H アトランティック・オーシャンサイド・ホテル&コンファレンス・センター
12エーカーほどの敷地に建つ2011年完成のホテル

中級／バーハーバー／MAP▶なし

Atlantic Oceanside Hotel & Conference Center

フレンチマンベイ沿いに建つホテルは、すべての部屋がオーシャンビュー。目の前がプライベートビーチなので、遮るものなく湾全体を眺めることができる。敷地内には、ピクニックエリアや屋外プールがあり、家族連れに評判がいい。さらに、女性にはうれしいスパ施設やヨガのクラスもある。夏季には、バーハーバーのダウンタウンへ無料のシャトルバスサービスあり。

🏠119 Eden St., Bar Harbor, ME 04609
☎(207)288-5801
Free (1-800)336-2463
FAX (207)288-8402
URL www.barharbormainehotel.com
料 Ⓢ Ⓓ Ⓣ$99〜199、Ⓢⓤ$170〜399、153室
カード Ⓐ Ⓜ Ⓥ
行き方 バーハーバーのダウンタウンからME-3を北へ約2.4km

MEMO バーハーバーの地ビール 1990年にオープンしたブリュワリー、Atlantic Brewing Company
🏠15 Knox Rd., Bar Harbor URL www.atlanticbrewing.com 🕐〈5月下旬〜10月中旬〉毎日10:00〜17:00

おすすめ情報

サンデーリバー・スキー・リゾートでのアクティビティ

標高があまり高くないせいか、1年をとおして比較的天候が安定している

メイン州西部、ニューハンプシャー州との州境近くにあるサンデーリバー・スキー・リゾートSunday River Ski Resortは、四季折々の自然やアウトドアスポーツが楽しめる場所だ。春から夏にかけては、ゴルフやカヌー、アーチェリー、冬にはスキーやスノーボードなどができる。特に、スキー場は約870エーカー（約3.5km²）の敷地に、135のゲレンデ、15のリフトをもつメイン州で最大規模を誇り、年間の訪問者はメイン州のスキー場では一番。山頂の標高が低く、滑走エリアは横に広いので、家族連れに人気がある。

サンデーリバー・スキー・リゾートには、2軒のホテル（グランドサミット・ホテルとジョーダンホテル）やコンドミニアム、インなどの宿泊施設のほか、レストランやカフェ、スパ施設やプールなども整っている。また、アウトドアブランドのL.L.ビーンが主催する各種ツアーの出発場所にもなっているので便利だ。リゾートがあるニューリーや隣のベセルは、合計しても人口3000人に満たない小さな村。周辺には数えるほどしか、食事どころはないなか、サンデーリバー・ブリューイング・カンパニーSunday River Brewing Co.は、地ビールも提供する地元の人に人気の1店。生地から手作りの本格的なピザや地元の食材をふんだんに使用したハンバーガーなどが食べられる。

このエリアは、5月～10月中旬にかけてムース（ヘラジカ）が見られることでも有名だ。約30頭が生息しており、日の出前と日没後によく目撃されている。ムース観察には、サンデーリバー・リゾートを出発して、US-2を北へ進み、ME-17、ME-16、ME-26を使って周辺を1周する約200km、4時間ほど

サンデーリバー・スキー・リゾートに最低2～3泊してエリア周辺の観光の拠点にするのもいい

どのドライブルートがおすすめ。ムースは、道路脇の湿地帯にたたずんでいる。たまに道路を横断するので、その際は、通り過ぎるのを待とう。

サンデーリバー・スキー・リゾートの北約30kmにあるグラフトンノッチ州立公園Grafton Notch State Parkには、アメリカ最長のトレイル、アパラチアントレイルAppalachian Trailが通っている。全長3500kmのトレイ

メイン州の動物に指定されているムース

ルは、南はジョージア州から北のメイン州までの14州にまたがり、6つの国立公園を含む自然歩道だ。リゾート周辺では、1周約3.5kmのアイブロウトレイルEyebrow Trailの一部がアパラチアントレイルとなっている。トレイル頂上は、標高800mで、往復約4時間。

道路脇にある標識に注意して運転しよう

木々が生い茂るトレイルを歩く

Sunday River Ski Resort
M P.256-A3

Grand Summit Hotel at Sunday River Resort
🏠 97 Summit Rd., Newry, ME ☎ (207)824-3500
Free (1-800)543-2754 FAX(207)824-5110
URL www.sundayriver.com 料 $163～560 客室数 230室
カード A M V

Sunday River Brewing Co.
🏠 29 Sunday River Rd., Bethel ☎ (207) 824-4253
URL sundayriverbrewingcompany.com 営 毎日11:30～翌1:00（金・土～2:00）
カード A M V

Grafton Notch State Park
M P.256-A2
🏠 1941 Bear River Rd., Newry ☎ (207)824-2912
URL www.maine.gov/cgi-bin/online/doc/parksearch/details.pl?park_id=1
URL visitmaine.com/things-to-do/outdoors-adventure/parks-recreation-areas/grafton-notch-state-park
料 $2

ニューハンプシャー州

ホワイトマウンテンズと湖水地方は、ニューイングランド地方を代表する紅葉の名所。なかでも、カンカマガス・シーニック・バイウエイの紅葉景色はピカいちである。州南東部にほんのわずかだが海岸もあり、日露戦争の講和を決めた「ポーツマス条約」が締結された、ポーツマスがある。

世界初の登山列車、マウントワシントン・コグ・レイルウエイ

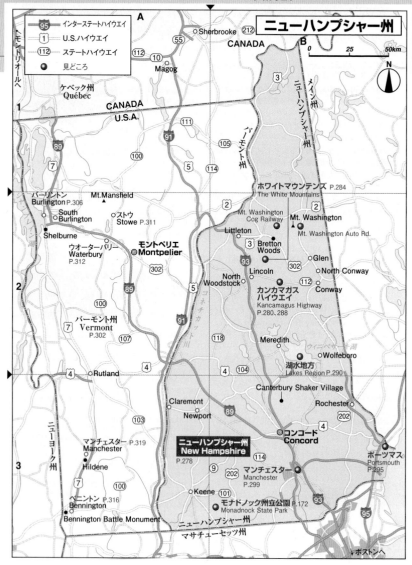

ニューハンプシャー州

	インターステートハイウエイ
95	
1	U.S.ハイウエイ
112	ステートハイウエイ
●	見どころ

0   25   50km

N

モントリオールへ

ケベック州
Québec

Sherbrooke
CANADA

Magog

A

B

メイン州
ニューハンプシャー州

CANADA
U.S.A.

バーモント州

ホワイトマウンテンズ P.284
The White Mountains

Mt.Mansfield

バーリントン
Burlington P.306

South
Burlington

ストウ
Stowe P.311

Mt. Washington
Cog Railway

Mt. Washington

Mt. Washington Auto Rd.

Shelburne

Littleton

ウォーターバリー
Waterbury
P.312

モントペリエ
◎Montpelier

Bretton
Woods

Glen

North Conway

Lincoln

302

North
Woodstock

カンカマガス
ハイウエイ
Kancamagus Highway
P.280、288

Conway

バーモント州
Vermont
P.302

Meredith

ウィニペサーキ湖

Wolfeboro

湖水地方
Lakes Region P.290

Rutland

Canterbury Shaker Village

ニューヨーク州

Claremont

Newport

Rochester

マンチェスター P.319
Manchester

Hildene

ニューハンプシャー州
New Hampshire
P.278

◎コンコード
Concord

ポーツマス
Portsmouth
P.295

マンチェスター
Manchester
P.299

ベニントン P.316
Bennington

Keene

モナドノック州立公園 P.172
Monadnock State Park

Bennington Battle Monument

ニューハンプシャー州
マサチューセッツ州

ボストンへ

ニューハンプシャー州はカバードブリッジの宝庫

メイン州
バーモント州
ニューハンプシャー州
マサチューセッツ州
コネチカット州
ロードアイランド州

日本にもゆかりのあるオムニ・マウントワシントン・リゾート

ニューハンプシャー州
The State of New Hampshire

州都	面積
コンコード	**2万4214km²**

人口
132万6813人
（2014年推定）

州税
セールスタックス（消費税）
なし
ミールタックス（飲食税）
9%
ホテルタックス（ホテル税）
9%

時間帯
東部時間（EST）
（日本より−14時間、夏時間は−13時間）

ニューハンプシャー州
観光行政区

Great North
Woods

ホワイト
マウンテンズ

湖水地方

Dartmouth-Lake
Sunapee

メリマック
バレー

シーコースト

Monadnock
Region

ポーツマス ○
コンコード（州都）◎
マンチェスター ●
（州内の大都市）

湖水地方にある石造りの邸宅キャッスル・イン・ザ・クラウズ

ポーツマスではガンダロー社のセーリングを楽しみたい

ニューハンプシャー州の
紅葉を楽しむ
ニューイングランド地方のドライブルート

カンカマガスハイウエイ

Kancamagus Highway
リンカーン ←→ コンウエイ

ロウアーフォールズの
燃えるような紅葉

10月上旬、ニューハンプシャー州北東部を東西につなぐ「カンカマガスハイウエイ、NH-112号線」は、州内屈指の紅葉街道と化す。ホワイトマウンテンズThe White Mountainsと総称される山岳地帯の東の町、リンカーンLincolnからコンウエイConwayまでを結ぶ。アメリカンバイウエイが景勝道路に指定するハイウエイの正式名称は、カンカマガス・シーニック・バイウエイKancamagus Scenic Bywayだ。地元では、"カンクKanc"と呼ばれ、親しまれている。休憩のための停車をしないなら約1時間で走り抜けてしまうが、沿道には数多くの展望スポットやハイキングコースがあり、半日ゆっくりと紅葉を愛でながらドライブ旅行が楽しめる。▶

基本情報
カンカマガスハイウエイは、ニューハンプシャー州（NH州）を代表する景勝道路。リンカーンとコンウエイを結ぶNH-112のことで、通称カンクKanc。全長約42.6km。紅葉の美しさは格別だ。
URL www.fhwa.dot.gov/byways/byways/2458

ボストンからの行き方
I-93を北上、ニューハンプシャー州のExit 32でリンカーンへ下りる。東へ進みNH-112に入れば、それがKanc。ボストンから約224km、約3時間のアクセス。紅葉シーズンは渋滞に注意！

紅葉シーズン
9月下旬〜10月上旬
URL www.visitnh.gov/foliage
NH州観光局のウェブサイトで紅葉の進行状況を確認できる

＊ ＊ ＊

NH州の紅葉はマサチューセッツ州にあるモホークトレイルの紅葉よりやや早い。ピークを過ぎると一気に冬となり、降雪に見舞われる。秋以外にも、夏の避暑、冬のスキーも楽しめる

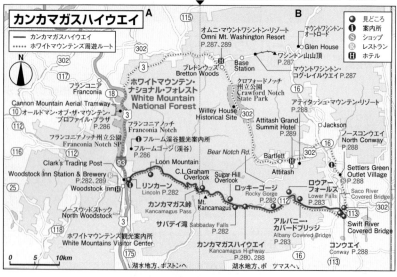

カンカマガスハイウエイ

- カンカマガスハイウエイ
- ホワイトマウンテンズ周遊ルート

N

凡例:
- 見どころ
- 案内所
- ショップ
- レストラン
- ホテル

(115) (302)

オムニ・マウントワシントン・リゾート
Omni Mt. Washington Resort P.287, 289

マウントワシントン・オートロード

ワシントン山山頂 P.287

Glen House

ブレトンウッズ
Bretton Woods

Base Station

マウントワシントン・コグ・レイルウエイ P.287

ホワイトマウンテン・ナショナル・フォレスト
White Mountain National Forest

クロウフォードノッチ州立公園
Crawford Notch State Park

フランコニア
Franconia (117) (18)

Cannon Mountain Aerial Tramway

オールドマン・オブ・ザ・マウンテン・プロファイル・プラザ P.286

(112)

フランコニアノッチ州立公園
Franconia Notch SP (116)

フランコニアノッチ
Franconia Notch

フルーム渓谷観光案内所

フルームゴージ（渓谷）P.286

Willey House Historical Site

(302)

Attitash Grand Summit Hotel P.289

アティタッシュ・マウンテン・リゾート P.288

Jackson

Bear Notch Rd.

Bartlett

ノースコンウエイ
North Conway P.288

(16)

Clark's Trading Post

Woodstock Inn Station & Brewery P.282, 289

Woodstock Inn

(25)

Loon Mountain

C.L.Graham Overlook

リンカーン
Lincoln P.282

カンカマガス峠
Kancamagus Pass

Mt. Kancamagus

Sugar Hill Overlook

ロッキーゴージ
Rocky Gorge P.282

(112)

Attitash

ロウアーフォールズ
Lower Falls P.283

(302)

Settlers Green Outlet Village P.288

Saco River Covered Bridge

ノースウッドストック
North Woodstock (118)

(3)

ホワイトマウンテンズ観光案内所
White Mountains Visitor Center

サバデイ滝 Sabbaday Falls

カンカマガスハイウエイ
Kancamagus Highway P.280, 288

アルバニー・カバードブリッジ
Albany Covered Bridge P.283

(16)

Swift River Covered Bridge (113)

コンウエイ
Conway P.288

(175)

湖水地方、ボストンへ

湖水地方、ポーツマスへ

(113)

0 5 10km

◆ 280 MEMO カンカマガスハイウエイ周辺の国定公園使用料 カンカマガスハイウエイは無料道路だが、途中で公園や駐車場に立ち寄る場合は、White Mountain National Forest Recreation Passが必要だ。1日パス$3、7日間パス$5。

片側1車線のカンカマガス　　サバデイ滝へのハイキング
ハイウエイ

カンカマガスハイウエイの走り方

カンカマガスハイウエイへの起点は、I-93 N.のExit 32を下りてすぐの**リンカーンLincoln**。ボストンからI-93を北へ約224km走り、約3時間で到着する。**カンクKanc**を東進する山越えのルートは、天候がくずれやすいが、東へ向かうにつれて天気もよくなるという。まずはインターステートハイウエイを下りてすぐにある観光案内所に立ち寄って紅葉情報を収集しよう。

カンクの全長は約42.6km。素通りすれば約1時間だが、やや西寄りに標高870mのカンカマガス峠Kancamagus Passがあり、走り始めると峠まで緩やかな登り坂が続く。上下合わせて2車線の通り沿いは、ホワイトマウンテンズ国有林に覆われ、展望はない。ドライブしながらも紅葉は楽しめるが、谷間を見渡す絶景の紅葉は、**グラハム展望台C. L. Graham Overlook**、**シュガーヒル展望台Sugar Hill Overlook**などの展望台で眺め尽くそう。

シュガーヒル展望台で

東へと下り始めると**サバデイ滝 Sabbaday Falls**や**ロッキーゴージ Rocky Gorge**、**アルバニー・カバードブリッジAlbany Covered Bridge**など人気スポットもあり、車を降りて紅葉の森を散策できる。終着地のコンウェイには、**サコリバー・カバードブリッジ Saco River Covered Bridge**と**スウィフトリバー・カバードブリッジ Swift River Covered Bridge**のふたつの屋根付き橋があり、格好の撮影スポットになっている。ボストンから一気に走るのが不安なら、前日、ノースウッドストックに1泊するプランもおすすめだ。

ロウアーフォールズは人気のスポット

ロウアーフォールズ付近のハイウエイ

観光情報
ニューハンプシャー州観光局
State of New Hampshire
Division of Travel and Tourism Development
住 172 Pembroke Rd., Concord, NH 03301
☎ (603)271-2665　URL www.visitnh.gov

観光案内所
ホワイトマウンテンズ観光案内所
White Mountains Visitor Center
M P.280-A
住 200 Kancamagus Hwy., N. Woodstock, NH 03262
☎ (603)745-8720　URL www.visitwhitemountains.com
営 毎日9:00～15:30
White Mountain National ForestとWhite Mountains Attractionsが共同で運営する案内所。冬季は森林局のレンジャーはいない

Notchって何?
NH州の地図を見るとよく目にするこの単語。ノッチと読むが、これはV字谷のこと。Franconia Notch、Crawford Notch、Pinkham Notch、いずれも深いV字谷が刻まれた場所で、道路はその渓谷の底をぬうように造られている。そのため、渓谷を覆い尽くす紅葉を、車の窓からに見上げる形となり、紅葉の海にどっぷりつかってドライブが楽しめるというわけだ

カンカマガスハイウエイ Kanc東行き モデルコース
ボストン
↓ I-93 N.をExit 32で下りる。ボストンより約224km、所要約3時間
リンカーン
↓ NH-112（Kanc）約1km
ホワイトマウンテンズ観光案内所
↓ 約21km
カンカマガス峠
↓ 約500m
グラハム展望台
↓ 約2.5km
リリーポンド
↓ 約1.3km
シュガーヒル展望台
↓ 約4.8km
サバデイ滝
↓ 約11km
ロッキーゴージ
↓ 約3.2km
ロウアーフォールズ
↓ 約1km
アルバニーカバードブリッジ
↓ 約9.6km
コンウエイ

カンカマガス峠

NH州の周遊ドライブ ホワイトマウンテンズ周遊ルート
リンカーン
↓ カンカマガスハイウエイ（NH-112）約43km
コンウエイ
↓ NH-16 約9km
ノースコンウエイ
↓ US-302 約48km
ブレトンウッズ
↓ US-302、US-3、I-93 約37km
フランコニアノッチ
↓ US-3、I-93 South 約20km
リンカーン

紅葉したメープル

ノースウッドストックのWoodstock Inn Station & Brewery

リンカーン
Lincoln **M** P.280-A

　I-93 North のExit 32を下りてすぐの町。US-3沿いに子供向けのアトラクションなどが並び、にぎやかな雰囲気が漂う。約2.4km北にある**クラークス・トレイディング・ポストClark's Trading Post**ではブラックベアのショーやサーカス、セグウェイなどのアクティビティが楽しめるほか、White Mountain Central Railroadの古い蒸気機関車を使った約4kmの保存鉄道乗車体験（約25分）ができる。南へUS-3を少し走ると、レストランやショップ、ロッジなどが並ぶ**ノースウッドストックNorth Woodstock**に到着。小さな町だが、旧Woodstock駅舎を改築したホテルのウッドストックインWoodstock Innはおすすめ。併設するブリュワリーカフェのStation & Brewery（→P.289）で休憩しよう。早朝からカンクを走るなら、前日はここで1泊してもいい。

サバデイ滝
Sabbaday Falls **M** P.280-B

　リンカーンから東へ約31km走った所にある

サバデイ滝への入口

3段になって流れ落ちる滝

ピクニックエリア。駐車場に車を停め、サインに従って森のトレイルを半マイルほど歩くと、3段になって流れ落ちる滝が見えてくる。川沿いの道はよく整備され、平坦なので子供連れの家族でも楽に歩けるだろう。滝のすぐ横には遊歩道がつけられ、滝を真上から見下ろす展望スポットもある。ごうごうと流れる滝は迫力満点。往復約1.6kmの散策でリフレッシュしよう。

ロッキーゴージ
Rocky Gorge **M** P.280-B

川沿いを散策できるロッキーゴージ

　広々とした駐車場に車を停め、スイフト川 Swift Riverに架かる橋を渡って森へ入ろう。橋の上から見る紅葉がきれいだ。森の中には、周囲をホワイトマウンテンズ国有林の森に囲まれた絵のように美しいFalls Pondがある。ロッキーゴージを流れるスイフト川は、水量も多く流れも速いので遊泳禁止。駐車場にトイレがある。

ロッキーゴージで。スイフト川と紅葉の森

Clark's Trading Post
M P.280-A
🏠 110 Daniel Webster Hwy., Lincoln　☎(603)745-8913
URL www.clarkstradingpost.com
🕐(5月中旬～10月中旬)毎日9:30～17:30（時期により異なる）
💲$15～20、3歳以下無料（時期により異なる）

Woodstock Inn Station & Brewery
M P.280-A
🏠 135 Main St., N. Woodstock　☎(603)745-3951
URL woodstockinnnh.com
インは客室33室、カジュアルなパブStation & Breweryがある。（→P.289）

Sabbaday Falls
M P.280-B
📍 リンカーンから東へ約31km。コンウエイからは西へ約25km。Bear Notch Rd.とカンカマガスハイウエイの交差点から西へ約5km
💡 公園利用時は、パス White Mountain National Forest Recreation Passを購入すること（→P.288側注）
3段の滝まで往復1.6km、所要約45分

Rocky Gorge
M P.280-B
📍 サバデイ滝から東へ約11km。コンウエイからは西へ約15km

ロウアーフォールズ
Lower Falls **M** P.280-B

　川幅も広がり流れも穏やかになったスイフト川が、ゴッゴツした花崗岩の川床を低い滝となって流れ落ちる。公園のように整備された一帯は、秋、川沿いの広葉樹が赤や黄色に染まり、森の緑と相まって美しい風景を奏でてくれる。川沿いの岩棚に座ってのんびりくつろげるはずだ。ピクニックテーブルや飲料水用の井戸などもあるので、ここでランチにしてもいい。

ロウアーフォールズでリラックスしよう

アルバニー・カバードブリッジ
Albany Covered Bridge **M** P.280-B

　ニューハンプシャー州はカバードブリッジが数多く点在する州でもあるが、スイフト川に架かるこの橋も、川から仰ぎ見た姿がとても印象的な美しい屋根付き橋だ。木造のトラスト構造の橋で1858年の建造。屋根を付けることで、厳しい寒さや風雪から橋を守った。橋の真ん中から川沿いの紅葉を満喫したい。

アルバニー・カバードブリッジ

左／サコリバー・カバードブリッジの内部
右／サコリバー・カバードブリッジ

Lower Falls
M P.280-B
場所 ロッキーゴージから東へ約3.2km、コンウエイからは西へ11.8km
Albany Coverd Bridge
M P.280-B
場所 ロウアーフォールズから東へ約1km、カンカマガスハイウエイとNH-16/NH-113の交差点から北西へ約10km。Blackberry Crossing Campgroundの向かい

紅葉を愛でる ホワイトマウンテンズ周遊ルート

　リンカーンからカンクを東に走りコンウエイに到着したら、ホワイトマウンテンズを周遊するドライブへ出発するのもいい。

＊　＊　＊

　コンウエイからUS-302を北上し、バートレットBartlettを経由し、ホワイトマウンテンズ東側の雄大な谷間、クロフォードノッチCrawford Notchを目指す。ルートを北上したブレトンウッズBretton Woodsには、州内随一のリゾートホテル、オムニ・マウントワシントン・リゾート（→P.287）がある。さらに西へ進むと、US-302はTwin MountainでUS-3へと分岐。US-3を南下した先に雄大な西の渓谷、フランコニアノッチFranconia Notchが広がっている。西のフランコニアノッチと東のクロフォードノッチ、ふたつの雄大なV字谷をつなぐルートが、ホワイトマウンテンズ周遊ルートだ。なかでも、紅葉スポットにぜひおすすめしたいのが、オムニ・マウントワシントン・リゾートの背後にそびえるワシントン山山頂を目指す、マウントワシントン・コグ・レイルウエイ（→P.287）だ。紅葉真っ盛りの車窓からは、真っ黄色に染まった圧巻の下界の紅葉が満喫できる。

　周遊ルートを走るハイウエイは、眺めもよく、車窓からでも十分、赤や黄色に染まった谷間の紅葉を観賞できる。ドライブ旅行の醍醐味が感じられるルートだ。

名門ホテル、オムニ・マウントワシントン・リゾート

左／US-3を南に走る
右／人気の山岳鉄道コグ・レイルウエイ

ホワイトマウンテンズ

The White Mountains

バーモント州　　メイン州
ホワイト・
マウンテンズ
ニューハンプシャー州

第2次世界大戦後の金融体制を決めた「ブレトンウッズ会議」が開かれた、オムニ・マウントワシントン・リゾート

78万エーカー（約3157km²）もの面積を誇るホワイトマウンテン・ナショナルフォレストThe White Mountain National Forestは、ニューハンプシャー州随一の景勝地。このエリアの総称をホワイトマウンテンズという。見どころは、コグ・レイルウエイで有名なワシントン山周辺と、フランコニアノッチ州立公園、ノースコンウエイ周辺。それらのエリアを結ぶのが、NH-112（カンカマガスハイウエイ）、US-3、US-302で、**ホワイトマウンテン・トレイルWhite Mountain Trail**と呼ばれ、9月末から10月中旬にかけて見事な紅葉街道となる。

行き方

バス／Concord Coach Lines
Free (1-800)639-3317
URL www.concordcoachlines.com
ローガン国際空港やボストンのサウスステーションからノースコンウエイまで1日2便（約4時間）、リンカーンまで1日2便（約3時間40分）の運行

White Mountains
1918年、広大な森林地帯がホワイトマウンテン・ナショナルフォレストWhite Mountain National Forestに指定され、景勝地として保護されることになった

大森林地帯を走る道

ホワイトマウンテンズへの行き方

　ボストンからリンカーンやノースコンウエイなど数ヵ所の町へConcord Coach Linesがバスを走らせているが、便数は少ない。そこから先の公共交通手段はないため、車で行くしか方法がない。
　フルームゴージ（渓谷）方面へはボストンからI-93を北に約210km（約2時間30分）走る。ワシントン山へはボストンからUS-1、I-95を北に約130km（約1時間30分）走り、ニューハンプシャー州ポーツマスでNH-16へ。ボストンから約275km（約4時間30分）。

ホワイトマウンテンズの歩き方

　広大なエリアだけに1日ですべてを見るのは無理。まずフランコニアノッチ州立公園にあるフルームゴージ（渓谷）を散策したあと、コグ・レイルウエイかオートロードでワシントン山に登り、山頂からの展望を楽しもう。買い物なら、ノースコンウエイにアウトレットショップが集まる。このエリアのシーズンは6月から10月中旬までだ。山深いエリアだけに10月下旬には降雪に見舞われ、ワシントン山、アティタッシュなどでスキーが楽しめる。

1850年に作られたカバードブリッジがおみやげ屋になった　おみやげによさそうなカバードブリッジが描かれたスプーンやマグカップを取り揃えている。Covered Bridge Gift Shoppe M P.285-D2

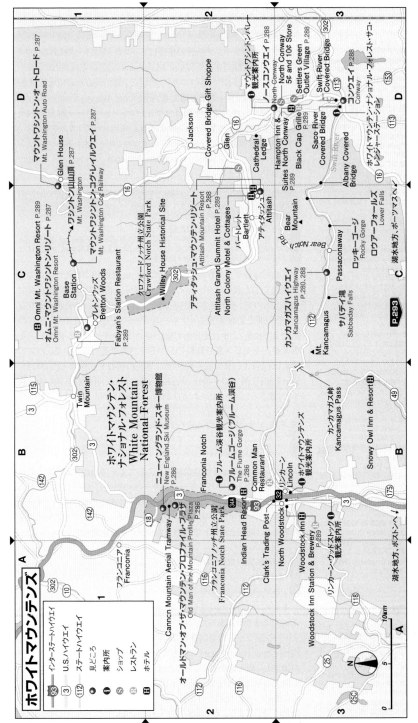

ホワイトマウンテンズ

- 93 インターステートハイウェイ
- 3 U.S.ハイウェイ
- 112 ステートハイウェイ
- ◆ 見どころ
- ● 案内所
- ◎ ショップ
- ® レストラン
- H ホテル

White Mountain National Forest
ホワイトマウンテン・
ナショナル・フォレスト

Franconia フランコニア

Franconia Notch State Park
フランコニア州立公園 P.286

Cannon Mountain Aerial Tramway
キャノン・マウンテン・エアリアル・トラム

Old Man of the Mountain Profile Plaza
オールドマン・オブ・ザ・マウンテン・プロファイル・プラザ P.286

New England Ski Museum
ニューイングランドスキー博物館

Franconia Notch

The Flume Gorge (ブルーム渓谷)
フルーム渓谷観光案内所

Common Man Restaurant

Indian Head Resort H

Clark's Trading Post

North Woodstock
ノース・ウッドストック

Woodstock Inn Station & Brewery
ウッドストック・イン P.289

Lincoln
リンカーン

ホワイトマウンテンズ観光案内所

リンカーンウッズトレック観光案内所

Snowy Owl Inn & Resort H

Twin Mountain

Base Station
ベースステーション

Bretton Woods
ブレトンウッズ

Omni Mt. Washington Resort P.289
オムニ・マウントワシントン・リゾート
Omni Mt. Washington Resort

Fabyan's Station Restaurant
P.289

Mt. Washington Cog Railway
マウントワシントン・コグ・レイルウェイ P.287
Mt. Washington ▲ワシントン山頂 P.287

Mt. Washington Auto Road
マウントワシントン・オートロード P.287

Glen House
グレン・ハウス P.287

Crawford Notch State Park
クロフォード州立公園
Willey House Historical Site

Attitash Mountain Resort P.288
アティタッシュ・マウンテン・リゾート

Attitash Grand Summit Hotel P.289
North Colony Motel & Cottages

Bartlett
バートレット

Attitash
アティタッシュ

Jackson

Glen

Cathedral
Ledge

Covered Bridge Gift Shoppe

Mt. Washington 観光案内所
マウントワシントン観光案内所

North Conway
ノースコンウェイ

North Conway
5¢ and 10¢ Store

Settlers Green
Outlet Village P.288

Swift River
Covered Bridge

Conway P.288
コンウェイ
Conway

Hampton Inn &
Suites North Conway
Black Cap Grille
P.289

Saco River
Covered Bridge

Albany Covered
Bridge

Swift River

Bear
Mountain ▲

Bear Notch Rd.

Passaconaway

Rocky Gorge
ロッキーゴージ

Lower Falls
ロウアーフォールズ

ホワイトマウンテン・ナショナル・フォレスト・サコ・レンジャーステーションへ

湖水地方、ボストンへ

Kancamagus Highway P.280,288
カンカマガスハイウェイ

Mt. Kancamagus ▲

Sabbaday Falls
サバディ滝

Kancamagus Pass
カンカマガス峠

P.293

湖水地方、ボストンへ

404 US-302, Glen ☎(603)383-9109 URL www.coveredbridgehouse.com/covered-bridge-shoppe 営〈5月下旬～10月〉毎日10:00～17:00 カード AMV

観光案内所

ホワイトマウンテンズ全体の情報はノースウッドストックにあるホワイトマウンテンズ観光案内所White Mountains Visitor Centerで、フルームゴージ (渓谷) やフランコニアノッチ州立公園Franconia Notch State Parkの情報はフルーム渓谷観光案内所Flume Gorge Visitor Centerで、ノースコンウエイの情報はマウントワシントンバレー観光案内所Mount Washington Valley Chamber of Commerceで、カンカマガスハイウエイの情報はホワイトマウンテン・ナショナル・フォレスト・サコ・レンジャーステーションWhite Mountain National Forest Saco Ranger Stationで入手できる。

おもな見どころ

ジェスおばさんに発見された谷
フルームゴージ (フルーム渓谷) ＆観光案内所
The Flume Gorge & Visitor Center

当時93歳のジェスおばさんJess Guernseyが、1808年釣りの途中で偶然発見した渓谷。リバティ山とフルーム山の麓の谷間に自然にできたもので、その長さは240mほど。高さ約20mの岩壁がそそり立ち、その間を急流が走る。フルームゴージ観光案内所から、渓谷の入口までは約1.2km。徒歩も可能だが、カバードブリッジの先にあるボルダーキャビンまで無料のシャトルバスが運行している。バスに乗れば渓谷入口まで徒歩約500m。単純に渓谷を往復するだけなら、Rim Path往復で30～40分。渓谷からThe Poolと呼ばれる深いくぼ地まで1周するRidge Pathは、約3.2km (1時間15分ほど)。

雪質がいいこのエリアならではの博物館
ニューイングランド・スキー博物館
New England Ski Museum

フランコニアノッチ州立公園内にあるスキー博物館には、18世紀から現在にいたるまでのスキーやスキー板の歴史についての展示がある。近隣のブレトンウッズに住むアルペンスキーのボディー・ミラーBode Miller選手が2010年のバンクーバーオリンピック・アルペン複合スキー (回転と滑降) で獲得した金メダルは見逃せない。

人の顔に見えなくもない？
オールドマン・オブ・ザ・マウンテン・プロファイル・プラザ
Old Man of the Mountain Profile Plaza

キャノンマウンテンCannon Mountainの一角に、人の横顔に見える花崗岩の連なりがあった。車のナンバープレートに採用されるほどニューハンプシャー州では有名なもので、作家ナサニエル・ホーソンも『The Great Stone Face』に記している。しかし、2003年5月、この岩が大崩壊し、顔と鼻がなくなってしまった。地元の人々がその顔の部分を復元させようと建てたモニュメントがプロファイル・プラザだ。地面に埋められた足形からキャノンマウンテンを見上げると、今でも人の顔に見えるようにポールが立てられている。

ナサニエル・ホーソンの『The Great Stone Face』日本語訳は、『ホーソン短篇小説集』(坂下昇編訳、岩波文庫)のなかに収録されている。

歴史を秘めた伝統のリゾート
オムニ・マウントワシントン・リゾート
Omni Mt. Washington Resort

　1902年に開業した老舗リゾート。白いスペイン・ルネッサンス様式の建物に赤い屋根という美しい景観でも有名だ。1944年に「連合国国際通貨金融会議（通称ブレトンウッズ会議）」が開かれ、ブレトンウッズ協定が締結された歴史的な場所だ。夏は避暑地として乗馬やマウンテンバイクが楽しめ、冬はスキーリゾートとしてにぎわう。ゴルフコースやテニスコートも併設する（→P.289）。

アメリカ北東部で最高峰
ワシントン山
Mt. Washington

　6288フィート（約1917m）の高さを誇るアメリカ北東部でいちばん高い山。頂上は天候が変わりやすいことでも知られ、1934年に風速231マイル（時速372km）の陸上における世界最大風速を記録した。天気のいい日には、すばらしい眺

山頂部は天候が変わりやすいので注意すること

めを堪能できる。山頂には観測所**Mt. Washington Observatory**、博物館、ギフトショップ、カフェ（**營**5月中旬～10月中旬）などがあり、西からはコグ・レイルウエイ（鉄道）で、東からは**マウントワシントン・オートロードMt. Washington Auto Road**を使い車でアクセスできる。麓は晴れていても、山頂やマウントワシントン・オートロードは曇っていたり、霧が発生していたりする場合が多いので、車の運転に自信がない場合は、マウントワシントン・コグ・レイルウエイかガイド付きのツアーに参加するようにしたい。東側の麓にレストハウスがあり、オートロードの歴史を紹介した小さな博物館のダグラス・A・フィルブルック・レッドバーン博物館**Douglas A. Philbrook Red Burn Museum**がある。

1869年、世界で初めて誕生した登山鉄道
マウントワシントン・コグ・レイルウエイ
Mt. Washington Cog Railway

　ワシントン山山頂を目指す登山鉄道。アメリカ第1位の急勾配（きゅうこうばい）を上るため、2本のレールの間にギザギザの歯軌条を敷設し、機関車の歯車をそのギザギザにかませて、滑り落ちないよう工夫されている。時期により、朝一番の列車はアンティークの蒸気機関車になることがある。

登山列車なので機関車は客車の後方に付く

ほかの時間はバイオディーゼル機関車。山頂まで往復約3時間（山頂にて1時間休憩）。天候が悪くなると、何も見えなくなってしまうので、天気を確認してから乗車したほうがよい。

Omni Mt. Washington Resort
MP.285-C1
住310 Mt. Washington Hotel Rd., Bretton Woods
☎(603)278-1000
URLbrettonwoods.com
行き方ボストンからI-93を約230km北上し、ニューハンプシャー州のExit 35でUS-3 N.に進む。約16km行き、US-302へ入る。約6km東のBase Station Rd.を北上。所要約3時間

Mt. Washington
MP.285-C1
Mt. Washington Auto Road
MP.285-C1～D1
住1 Mt. Washington Auto Rd., Gorham
☎(603)466-3988
URLmtwashingtonautoroad.com
營〈5月上旬～10月下旬〉毎日8:00～17:00（時期や天候により異なる）
料車$28、バイク$16、同乗者1人$8、5～12歳$6。山頂までのガイドCDと登頂記念ステッカーがもらえる
ガイド付きツアー5月上旬～10月下旬の毎日8:30～17:00。山頂で1時間休憩を含め、約2時間、White Mountain Rd.とMt. Washington Auto Rd.の交差点近くにある駐車場から出発。大人$35、シニア（62歳以上）$30、子供（5～12歳）$15。紅葉シーズンは混むので注意

Mt. Washington Observatory
URLwww.mountwashington.org

Douglas A. Philbrook Red Barn Museum
營〈5月下旬～10月中旬〉毎日10:00～16:00
行き方ボストンからUS-1、I-95を北東へ約90km行き、ポーツマスでNH-16 N.に移る。約163km進んだ右側にレストハウスがある。所要約4時間

Mt. Washington Cog Railway
MP.285-C1
住3168 Base Station Rd., Bretton Woods
☎(603)278-5404
URLwww.thecog.com
營〈4月下旬～5月中旬〉土・日10:30、13:30、〈5月下旬～6月上旬〉毎日10:30、13:30、〈6月中旬～7月中旬、8月下旬～9月中旬〉毎日9:15～15:30の毎時30分発、〈7月下旬～8月〉毎日9:15～16:30の毎時30分発、〈9月下旬～10月中旬〉毎日8:15～16:30の毎時30分発、〈10月下旬〉毎日10:30～14:30の毎時30分発、〈11月〉土・日10:30、13:30発
料大人$68～73、シニア$63～68、子供（4～12歳）$39
行き方オムニ・マウントワシントン・リゾートからBase Station Rd.を約9km東へ進む。所要約13分

MEMO ブレトンウッズ協定とは　第2次世界大戦後の世界経済の安定と復興、国際通貨に関する話し合いがもたれ、国際通貨基金（IMF）の創設が決定された。金1オンスがUS$35に定められ、固定相場制が採用された。

左サイドバー情報

Conway
M P.285-D3
行き方 ボストンからUS-1、I-95を北東へ約90km行き、ニューハンプシャー州ポーツマスでNH-16に移る。約125km北上するとコンウエイの町。ボストンから約3時間20分

North Conway
M P.285-D2〜D3
行き方 コンウエイからNH-16を約9km北上するとノースコンウエイ

Saco River Covered Bridge
M P.285-D3
行き方 NH-16とNH-113が交差するコンウエイの約50m西にあるWashington St.を北へ約500m行った右側

Swift River Covered Bridge
M P.285-D3
行き方 Saco River CoveredBridgeからWest Side Rd.を北へ約200m行った右側

Settlers Green Outlet Village
M P.285-D3
住 2 Common Court, N. Conway
Free (1-888)667-9636
URL www.settlersgreen.com
営月〜土9:00〜21:00、日10:00〜18:00（時期により異なる）

Attitash Mountain Resort
M P.285-C2
住 775 US-302, Bartlett
☎ (603)374-2600
URL www.attitash.com
行き方 ノースコンウエイからNH-16を北へ約9km行き、US-302を西へ約8km。車で約20分

Kancamagus Highway
M P.285-B3〜D3
URL www.fhwa.dot.gov/byways/byways/2458
ハイウエイは無料だが、途中下車する場合は観光案内所などでWhite MountainNational Forest RecreationPassを購入すること。1日パス$3、7日パス$5など。詳しくはウェブサイト参照
URL www.fs.usda.gov/main/whitemountain/passes-permits/recreation

カンクの立ち寄りスポット、ロッキーゴージで秋を満喫しよう

メインコンテンツ

アウトレットとカバードブリッジ（屋根付き橋）
コンウエイ&ノースコンウエイ
Conway & North Conway

ニューハンプシャー州ポーツマスの北約125kmにあるコンウエイの町には1870年代のカバードブリッジCovered Bridgeが多く残っていることで知られている。積雪の多いこのエリアでは橋に屋根が付けられた。コンウエイ近くには、サコリバー・カバードブリッジSaco River Covered Bridgeやスウィフトリバー・カバードブリッジSwift River Covered Bridgeなどがある。

コンウエイにはカバードブリッジが点在している

NH-16をさらに約9km進むとアウトレットショップが並ぶノースコンウエイ。約60店舗のアウトレットショップが集まったセッツラーズグリーン・アウトレット・ビレッジSettlers Green Outlet Villageをはじめ、L. L. BeanやPolo Ralph Lauren、Brooks Brothersなどが軒を連ねる。ニューハンプシャー州は消費税がかからないため、カナダやマサチューセッツ州から訪れる買い物客でにぎわう。

冬はスキー、夏はアルペンスライド
アティタッシュ・マウンテン・リゾート
Attitash Mountain Resort

夏は避暑地、冬はスキーエリアとしてにぎわうリゾート地。夏季はプラスチック製のそりで長い滑り台を下りてくる「アルペンスライド」や乗馬、マウンテンバイクが楽しめる。冬季はアティタッシュ・ベアピーク・スキー場Attitash Bear Peak Ski Areaとなり、スキーやスノーボードをする人であふれる。山の麓には、Attitash Grand Summit Hotel（→P.289）などのホテルやモーテルがあり、宿泊にも困らないだろう。

季節を問わず家族連れがさまざまなアクティビティを楽しむリゾート

風光明媚なドライブロード
カンカマガスハイウエイ (NH-112)
Kancamagus Highway

ホワイトマウンテンズの中央部を東西に走るNH-112は、シーニック・バイウエイに指定されている景勝道路。西側にあるI-93沿いの町リンカーンと東はNH-16沿いのコンウエイを結ぶ。その全長は約42.6km。

紅葉シーズンは全山燃えるような美しい風景のなかをドライブできる。標高がいちばん高いのは西寄りのカンカマガス峠。Jigger Johnson Campground近くのBear Notch Road（冬季は閉鎖）を入れば、US-302へも抜けられる。途中どこにも寄らずに走れば1時間ほどだが、展望ポイントで休憩し、景色を楽しみ、トレイルを歩いてほしい。通行料は無料だが、途中、駐車場などに立ち止まる場合は森林局のレクリエーションパスを観光案内所などで購入する必要がある。

カンカマガスとは先住民の言葉で「恐れを知らぬ者」という意味。1680年代このエリア一帯のサガモンSagamonを統治していた3代目酋長の名前Kancamagusから取った。

ホワイトマウンテンズのレストラン、ホテル

R 元駅舎を改造した地ビールレストラン　　　$　アメリカ料理／ノースウッドストック／MAP▶P.285-B3

ウッドストック・イン・ステーション＆ブリュワリー　Woodstock Inn Station & Brewery

旧ウッドストック駅を改築。店内には列車のプレートが飾られ、鉄道駅の名残が感じられる。地ビール工房もあり、作りたてのエールがおいしい。イン本館にはレトロなClement Room Grillもあり、朝食と夕食が食べられる。いずれもローカル食材を使った地産地消の料理で美味なり！

🏠 135 Main St., N. Woodstock
☎(603)745-3951
Free (1-800)321-3985
URL www.woodstockinnnh.com
🕐 毎日11:30～22:00（オフシーズンの時間は要問い合わせ）
カード A M V
行き方 I-93 N.をExit 32で下りる

R マウントワシントンの麓にある　　　$　アメリカ料理／ブレトンウッズ／MAP▶P.285-C1

ファビアンズ・ステーション・レストラン　Fabyan's Station Restaurant

ニューハンプシャー州ポートランドとニューヨーク州オデンズバーグを結んでいた鉄道Portland Odensburg Railroadの駅舎を改装してレストランとして営業している。ハンバーガーやサンドイッチ（$12～）などがおもなメニュー。気軽に食事ができるとあってにぎわっている。

🏠 2329 US-302, Bretton Woods
☎(603)278-2222
🕐 毎日11:30～22:00
カード A M V

R 地元のおしゃれたちが集う　　　$　アメリカ料理／ノースコンウエイ／MAP▶P.285-D3

ブラック・キャップ・グリル　Black Cap Grille

ノースコンウエイにあるセッツラーズグリーン・アウトレット・ビレッジから約200m。町の中心部を走るNH-16号線沿いにある。メイン州のロブスターやムール貝など近隣のエリアで取れた新鮮な食材を使用。シーフードのほか、ラビオリ（$20）、ステーキ（$21.55）などもある。

🏠 1498 White Mountain Hwy., N. Conway
☎(603)356-2225
URL www.blackcapgrille.com
🕐 毎日11:30～21:30（金・土～22:00)、バーは延長あり
カード A M V

H ニューハンプシャー州随一の高級リゾート　　　高級／ブレトンウッズ／MAP▶P.285-C1

オムニ・マウントワシントン・リゾート　Omni Mt. Washington Resort

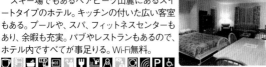

ウィンストン・チャーチルやトーマス・エジソン、ベーブ・ルースも宿泊した名門ホテル。ゴージャスなメインダイニングのほか、カジュアルなレストランやバーもある。Wi-Fiはリゾートフィー（$25）に含まれる。

🏠 310 Mt. Washington Hotel Rd., Bretton Woods, NH 03575
☎(603)278-1000 FAX (603)278-8838
URL www.mountwashingtonresort.com
料金 S D T $199～769、S $389～、200室
カード A D J M V 行き方 I-93 N.をExit 35で下り、US-3A、NH-302で、ボストンから約2時間30分

H 家族で泊まれるスイートタイプ　　　中級／アティタッシュ／MAP▶P.285-C2

アティタッシュ・グランドサミット・ホテル　Attitash Grand Summit Hotel

スキー場でもあるベアピーク山麓にあるスイートタイプのホテル。キッチンの付いた広い客室もある。プールや、スパ、フィットネスセンターもあり、余暇も充実。パブやレストランもあるので、ホテル内ですべてが事足りる。Wi-Fi無料。

🏠 104 Grand Summit Rd., Bartlett, NH 03812
Free (1-800)223-7669
FAX (603)374-3040
URL www.attitash.com
料金 S D T $135～345、S $215～、143室
カード A M V

H 家族連れに人気　　　中級／ノースコンウエイ／MAP▶P.285-D3

ハンプトンイン＆スイーツ・ノースコンウエイ　Hampton Inn & Suites North Conway

無料の朝食が付き、コインランドリーやプール、フィットネスセンターが完備されているのは家族連れにもありがたい。特に、ウオータースライダー（滑り台付きプール）は子供たちに人気がある。Wi-Fi無料。

🏠 1788 White Mountain Hwy, N. Conway, NH 03860
☎(603)356-7736 Free (1-888)420-7275
FAX (603)356-7844
URL hamptoninn3.hilton.com
料金 S D T $119～249、S $139～269、97室
カード A D M V

North Conway 5¢ and 10¢ Store　M P.285-D3　🏠2683 Main St., N. Conway　☎(603)356-3953
URL northconway5and10.com　🕐 毎日9:00～18:00

ニューハンプシャー州

市外局番 ● 603

湖水地方
Lakes Region

湖水地方の紅葉シーズンは10月上旬

ニューハンプシャー州の東部に位置する湖水地方Lakes Regionは、州最大の湖ウィニペサーキ湖Lake Winnipesaukee周辺を指す。湖の周りには、湖畔のリゾートエリア、メレディスMeredithや、町歩きが楽しめるウォルフボロWolfeboro、小さな集落のモルトンボロMoultonboroughなど、趣の違う町が点在し、ウィニペサーキ湖ではボートクルーズも楽しめる。ウォルフボロとモルトンボロを結ぶNH-109（州道109号線）は、秋頃湖を眺めながら紅葉の森を走り抜けるドライブウエイとなり、多くの人でにぎわう。どの町も慌ただしさとは無縁の穏やかな空気に包まれ、ゆっくりと滞在できそうだ。

観光案内所

Lakes Region Association
Ⓜ P.291-A3
🏠 61 Laconia Rd., Tilton, NH 03276
☎ (603)286-8008
URL www.lakesregion.org
🕐 毎日8:30～16:30

Wolfeboro Area Chamber of Commerce
Ⓜ P.291-C2
🏠 32 Central Ave., Wolfeboro, NH 03894
☎ (603)569-2200
URL www.wolfeborochamber.com
🕐 毎日10:00～15:00（日～12:00）

湖水地方観光案内所

湖水地方への行き方

公共の交通機関はないので、レンタカーで回ることになる。ウィニペサーキ湖西側のメレディスへはボストンからI-93を北上する。Exit 23のNew Hamptonで下り、NH-104を約16km東へ、ボストンから約170km、約2時間30分。湖東側のウォルフボロへは、ニューハンプシャー州ポーツマスを経由し、NH-16、NH-11、NH-28を北上する。ボストンから約170km、約2時間30分。

湖水地方の歩き方

個性的な町が点在するウィニペサーキ湖周辺では、さまざまな楽しみ方ができる。ショップやレストランが集まるのはメレディスやウォルフボロ。クルーズが発着するのはウェイアーズビーチ、有名ブランドのアウトレットモールがあるのはティルトンだ。湖畔に建つホテルに滞在し、スパで疲れを癒やしのんびり過ごすのもいい。また、湖の周りの自然豊かな道をドライブするだけでもリフレッシュできる。1周約96km、約2時間。

ティルトンにあるアウトレットモール　Brooks BrothersやCoach、J Crew、Polo Ralph Laurenなどのアウトレットショップが約50店舗集まる。Tanger Outlets Ⓜ P.291-A3✐

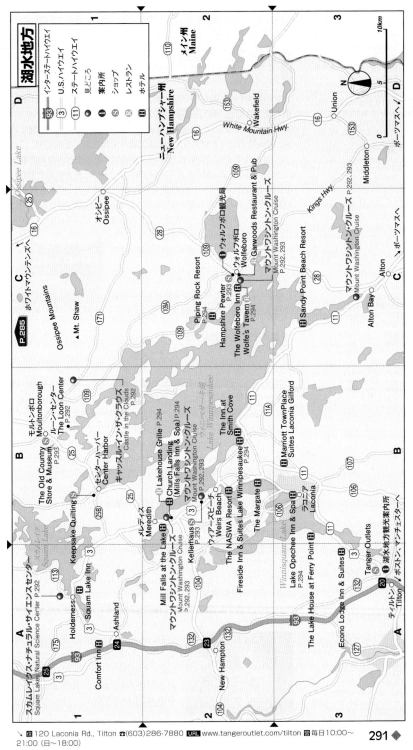

湖水地方
New Hampshire
ニューハンプシャー州

凡例

93	インターステートハイウエイ
3	U.S.ハイウエイ
11	ステートハイウエイ
●	見どころ
❶	案内所
Ⓢ	ショップ
Ⓡ	レストラン
Ⓗ	ホテル

P.285 ホワイトマウンテンズへ

メイン州
Maine

10km
5
0

N

White Mountain Hwy.
Wakefield
Union
Middleton
Kings Hwy.

ポーツマスへ

Ossipee Lake

Ossipee Mountains
▲Mt. Shaw

オシピー
Ossipee

Garwoods Restaurant & Pub
The Wolfeboro Inn ❶ウォルフボロ観光局
ウォルフボロ
Wolfeboro
Hampshire Pewter Ⓢ P.293
Piping Rock Resort P.294
Wolfe's Tavern Ⓗ P.294
マウントワシントン・クルーズ P.292.293
Mount Washington Cruise

マウントワシントン・クルーズ P.292.293
Mount Washington Cruise

Ⓗ Sandy Point Beach Resort

Ⓗ Mount Washington
Alton Bay
Alton

ポーツマスへ

The Loon Center P.292
The Old Country Store & Museum P.293
Moultonborough
モルトンボロ
Center Harbor
センターハーバー
キャッスル・イン・ザ・クラウズ P.292
Castle in the Clouds

The Inn at Smith Cove

Marriott TownPlace Suites Laconia Gilford

Lake Winnipesaukee
ウィニペサーキー湖

Lakehouse Grille P.294
Church Landing
(Mills Falls Inn & Spa) P.294
マウントワシントン・クルーズ P.292.293
Mount Washington Cruise
Keepsake Quilting Ⓢ
メレディス
Meredith
The NASWA Resort Ⓗ
Mill Falls at the Lake Ⓗ
ヴィアーズビーチ
Weirs Beach
Fireside Inn & Suites Lake Winnipesaukee Ⓗ
Kellerhaus Ⓢ P.293
Lake Opechee Inn & Spa Ⓗ
ラコニア
Laconia
The Margate Ⓗ

Squam Lake
スカムレイク

スカムレイクス・ナチュラル・サイエンスセンター P.292
Squam Lakes Natural Science Center
Holderness
ホルダネス
Squam Lake Inn Ⓗ
Ashland
Comfort Inn Ⓗ
New Hampton

Winnisquam Lake
ウィニスクワム湖

The Lake House at Ferry Point Ⓗ

Tanger Outlets
Ⓢ 湖水地方観光案内所
ティルトン
Tilton
ボストン・マンチェスターへ
Econo Lodge Inn & Suites Ⓗ

⚓ 🏠120 Laconia Rd., Tilton ☎(603)286-7880 URL www.tangeroutlet.com/tilton 🕙毎日10:00～21:00（日～18:00）

Castle in the Clouds

Mount Washington Cruise

Squam Lakes Natural Science Center

The Loon Center

おもな見どころ

ウィニペサーキ湖を眺め尽くす大邸宅

キャッスル・イン・ザ・クラウズ
Castle in the Clouds

　ウィニペサーキ湖を見下ろすオシビ連山Ossipee Mountainsの麓に建つ豪奢な邸宅。靴製造業で財をなしたトーマス・ガスターブ・プラントThomas Gustave Plantが、51歳で現役を引退後、1914年に建てた家。職人技やアートデザインを巧みに取り入れた凝った住宅で、崖の上に張り出すように造られたテラスからは、湖とそれらを取り巻く山々が一望できる。妻をめとり、この地に移り住み、悠々自適の暮らしを始めた彼だったが、その後数々の投資に失敗した。折しも時代は1920年代後半のアメリカ大恐慌時代。屋敷を売り、急場をしのごうとしたが、買い手が現れず、結局亡くなる1941年まで住み続けた。現在はCastle Preservation Societyが経営し、生前に近いかたちで保存されている。約6300エーカーの敷地内にはプラントがひらいた何本ものハイキングトレイルがあり、散策も楽しめる。歩き疲れたら、カフェレストランThe Carriage House Restaurantで休憩しよう。

細部までていねいに造られた邸宅

紅葉を船上から満喫する

マウントワシントン・クルーズ
Mount Washington Cruise

　ニューハンプシャー州最大の湖であるウィニペサーキ湖は約186km²の面積をもち、大小365の島が浮かぶ。5月中旬から10月中旬にかけてこの湖を遊覧するのが、マウントワシントン・クルーズだ。いちばん人気のシーニッククルーズや夕食が付くサンセット・ディナー・クルーズ、日曜に催行されるシャンパン・ブランチ・クルーズなどがある。所要2〜3時間。Weirs BeachやWolfeboro、Alton Bayなどから出航する。ルートにより出航地と曜日、時間が異なるのでウェブサイトで確認するようにしたい。特に紅葉シーズンの10月上旬は、湖を取り巻く山々が真っ赤に染まり、それは美しい風景となる。

自然の森で動物観察

スカムレイクス・ナチュラル・サイエンスセンター
Squam Lakes Natural Science Center

　自然の森の中にトレイルを造り、そのトレイルを歩きながら自然に近いかたちで飼育されているクーガーやシカ、ブラックベアなどの保護動物を観察する施設。環境保護団体が運営するもので、夏から秋にかけてスカムレイクを巡るボートクルーズも運航している。

囲いの中を歩き回るクーガー

　湖に住むルーン（アビ）を保護する活動を行っているルーンセンターThe Loon Centerがモルトンボロにあり、ビデオや展示をとおして野生動物の生態を学ぶことができる。

ウォルフボロのおすすめレストラン　ウォルフボロの中心を走るMain St.沿いにあるレストラン。窓際の席からはウィニペサーキ湖が見渡せる。テラス席もあり、夏季は気持ちがいい。パスタやサンドイッチは／

湖水地方のショップ

S | ハンプシャーピューター

伝統工芸品のおみやげを　　クラフト／ウォルフボロ／MAP▶P.291-C2

Hampshire Pewter

伝統工芸品素材ピューターは、スズに銅やアンチモンを加えて作る合金。柔らかくて加工しやすく強度もあり、花器やろうそく立て、皿やピンなどに加工されている。値段も手頃で、細工も美しいクリスマスオーナメントをおみやげにしては？　1個$12～18ほど。

🏠 9 Railroad Ave., Wolfeboro
☎ (603)569-4944
Free (1-800)639-7704
URL www.hampshirepewter.com
🕐 月～土10:00～17:00（冬季は短縮あり）
カード M V

S | オールドカントリーストア＆ミュージアム

1781年創業の懐かしの雑貨屋　　雑貨＆ギフト／モルトンボロ／MAP▶P.291-B1

The Old Country Store & Museum

1781年に創業した、たぶんアメリカでいちばん古い雑貨屋。代替わりしているが、現在までずっと雑貨屋として営業している。店内はおもちゃ箱をひっくり返したかのようなにぎやかさ。レジスターは博物館級の骨董品だ。

🏠 1011 Whittier Hwy.,
Moultonborough
☎ (603)476-5750
URL www.nhcountrystore.com
🕐 毎日9:00～18:00
カード M V

S | ケラーハウス

ニューハンプシャー州最古のアイスクリーム屋　　食品／ウェイアーズビーチ／MAP▶P.291-B2

Kellerhaus

1906年創業のチョコレートやキャンディも扱うアイスクリームショップ。1920年代には、ウィニペサーキ湖の氷を使ってアイスクリームを作っていた。現在は昔ながらのレシピを守りつつ、現代人の味覚に合わせて多少調整しているとか。奥にはカフェも併設する。

🏠 259 Endicott St. N.,
Weirs Beach
☎ (603)366-4466
URL www.kellerhaus.com
🕐 毎日10:00～22:00（土・日8:00～）
カード M V

おすすめ情報

湖水地方で楽しむクルーズ船

大型船なので、航行中はまったく揺れない

湖水地方でぜひ体験してほしいのは、マウントワシントン・クルーズMount Washington Cruise（→P.292）でウィニペサーキ湖を遊覧すること。5月中旬から10月中旬までディナークルーズをはじめ、ダンスクルーズ、サンセットクルーズ、ロックンロール・クルーズなどさまざまな企画が付いたクルーズが催行される。

クルーズ船のモーターシップ・マウントワシントン号M/S Mount Washingtonは、全長230フィート（約70m）、4階建て、1250人乗り。ダンスステージやバンケットホール、みやげ物屋などがある大型船だ。

ディナークルーズは、ウェイアーズビーチを出

発して湖に浮かぶ小島を横目に進む。緑豊かなガンストック山やオシビ山が遠目に見渡せ、さわやかな風がデッキに吹きつける。

お代わり自由のサラダとローストビーフの盛り合わせ

船内ではバフェ式の夕食が準備され、おいしそうな匂いが漂う。同時にバンドの生演奏も始まり、乗客はオールディーズの名曲にノリノリだ。

湖の真ん中あたりで船はUターン。生演奏もメローでスローな曲に変わっていく。あたりの日が暮れ始めると、船のスピードを上げウェイアーズビーチに戻る。初めて乗船する人を退屈にさせない3時間のクルーズは、アメリカの雰囲気が体験できる、またとない機会だ。

※データはP.292参照

バンドによる生演奏で、盛り上がりも最高潮

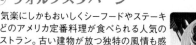

R ウォルフズタバーン Wolfe's Tavern

雰囲気のある人気タバーン

[$] アメリカ料理／ウォルフボロ／MAP ▶ P.291-C2

気楽にしかもおいしくシーフードやステーキなどのアメリカ定番料理が食べられる人気のレストラン。古い建物が放つ独特の風情も感じられ、天井からつり下げられたピューターのビアマグがよいアクセントになっている。BLTピザは$13.95。

[住]The Wolfeboro Inn, 90 N. Main St., Wolfeboro
☎(603)569-3016
[Free](1-800)451-2389
[URL]www.wolfestavern.com
[営]毎日7:00～22:00
[カード][A][M][V]

R レイクハウスグリル Lakehouse Grille

お手頃の値段で朝食から夕食まで楽しめる

[$] アメリカ料理／メレディス／MAP ▶ P.291-B2

ホテルのChurch Landing（→下記）に併設するカジュアルなレストラン。窓側の席からは、ウィニペサーキ湖も見渡せる。ランチのサンドイッチやハンバーガーは$9～、サラダは$7～とお手頃。観光客よりも地元の人が多く訪れる。バーもあり。

[住]281 Daniel Webster Hwy., Meredith
☎(603)279-5221
[URL]www.thecman.com
[営]朝食：月～土7:30～10:00、日9:00～14:00、ランチ：月～土11:30～15:00、ディナー：毎日17:00～21:00（金・土～21:30）
[カード][M][V]

H ファイヤーサイド・イン&スイーツ・レイク・ウィニペサーキ Fireside Inn & Suites Lake Winnipesaukee

ウィニペサーキ湖まで徒歩約5分

中級／ギルフォード／MAP ▶ P.291-B2

暖炉があるロビーエリアでは、24時間コーヒーが提供されている。全室に冷蔵庫と電子レンジが設置されていて便利。徒歩圏内にはレストランのPatrick's Pub & Eateryもある。朝食、Wi-Fi無料。

[住]17 Harris Shore Rd., Gilford, NH 03249
☎(603)293-7526
[Free](1-800)458-3877
[FAX](603)293-4340
[URL]www.firesideinngilford.com
[料]ⓈⒹⓉ$100～230、[Su]$160～、83室 [カード][A][D][M][V]

H レイクオペチー・イン&スパ Lake Opechee Inn & Spa

I-93から湖水地方を目指す人の中継地点

中級／ラコニア／MAP ▶ P.291-B3

ウィニペサーキ湖の西、ラコニアにある。こぢんまりとしているが、スパやサウナ、ビリヤードルーム、プール、会議室などが備わっているリゾートホテルだ。館内にはレストランもあり、夏季には屋外で夕食を楽しめる。朝食、Wi-Fi無料。

[住]62 Doris Ray Court, Laconia, NH 03246
☎(603)524-0111
[Free](1-877)300-5253
[FAX](603)524-1114
[URL]www.opecheeinn.com
[料]ⓈⒹⓉ$149～209、[Su]$239～、34室 [カード][A][M][V]

H パイピング・ロック・リゾート Piping Rock Resort

プライベートビーチからの眺めが最高

中級／ウォルフボロ／MAP ▶ P.291-C2

9部屋あるホテルと独立したコテージ13棟が並ぶ。すべての客室に、キッチンやTV、エアコンがあり不自由しない。無料でカヤックの貸し出しも行う。ウォルフボロの中心部からNH-109を約4.8km北西へ行った所。Wi-Fi無料。

[住]680 N. Main St., Wolfeboro, NH 03894
☎(603)569-1915 [FAX](603)569-0915
[URL]www.pipingrockresort.com
[料]ⓈⒹⓉ$74～199。コテージ$168～304、9部屋&13コテージ
[カード][A][M][V]

H チャーチランディング Church Landing

メレディスの高級リゾートイン

高級／メレディス／MAP ▶ P.291-B2

ショップやレストラン、スパ、ホテルなどが集まったリゾートエリアThe Mill Falls Inns & Spaにある。全室ウィニペサーキ湖に面し、バルコニーから湖を行き交う遊覧船やカヌーなどを眺めることができる。Wi-Fi無料。

[住]The Mill Falls Inns & Spa, 312 Daniel Webster Hwy., Meredith, NH 03253
☎(603)279-7006
[FAX](603)279-6797
[URL]www.millfalls.com
[料]ⓈⒹⓉ$259～429、[Su]$369～485、57室 [カード][A][D][M][V]

ポーツマス

Portsmouth

ダウンタウンの目抜き通り Main St. から町の中心マーケットプレイスにかけては、ショップやレストランが並ぶ

山がちなニューハンプシャー州にあって唯一海の匂いが感じられる町。といっても、その海岸線は極めて短く、ピスカタクワ川Piscataqua Riverを挟んで対岸は、メイン州キタリーKittryである。海岸は南部にほんの少し続くだけ。ポーツマスは、1905年に、第1次世界大戦以前で最大の大戦といわれた日露戦争の講和を結んだポーツマス会議が開かれ、ポーツマス条約The Treaty of Portsmouthが締結された所。れんが造りの建物が並ぶマーケットスクエアMarket Squareは、小村寿太郎と高平小五郎がパレードした道でもある。

ポーツマスへの行き方

　ボストンからC&Jバスか、グレイハウンドバスでアクセスできる。C&Jは、サウスステーション発ローガン国際空港を経由してポーツマス・トランスポーテーション・センター（ダウンタウンの郊外）に到着。ダウンタウンまでは市バス（COAST）かタクシーで行くことになる。グレイハウンドバスは、サウスステーションを出発しポーツマスのダウンタウンに到着。車なら、ボストンからUS-1、I-95を北上し、ニューハンプシャー州のExit 7で下りるとダウンタウンに着く。ボストンの中心部から約90km、約1時間20分の距離。

ポーツマスの歩き方

　海沿いに開けたポーツマスは石畳の道が延びるきれいな町だ。ダウンタウンの中心は、Market St.とCongress St.が交わるマーケットスクエアMarket Square周辺。ピスカタクワ川に突き出したダウンタウンは、それほど広くないので、ストロベリーバンクやジョン・ポール・ジョーンズ・ハウスまで十分歩いて行ける。

バス／C&J

M P.296外
住 185 Grafton Dr., Portsmouth (Portsmouth Transportation Center)
Free (1-800)258-7111
URL www.ridecj.com
圏 24時間
ボストンのサウスステーションからポーツマス・トランスポーテーション・センターまで約1時間30分。早朝から深夜まで1時間おきに運行。ポーツマス・トランスポーテーション・センターからポーツマスダウンタウンまで市バスCOASTの＃40（Pease Tradeport Trolley）で約20分

Greyhound

M P.296
住 54 Hanover St., Portsmouth
URL www.greyhound.com
ボストンのサウスステーションからポーツマスのダウンタウンまで約1時間。1日1〜2便

市バス／COAST

☎ (603)743-5777
URL www.coastbus.org
圏 月〜金6:32〜18:57の30分〜1時間間隔、土7:14〜20:14の2時間〜2時間30分間隔
料 $1.50

観光案内所

Greater Portsmouth Chamber of Commerce
M P.296外
500 Market St., Portsmouth, NH 03801
☎(603)610-5510
URL www.portsmouthchamber.org
〈5月中旬~10月中旬〉月~土9:00~17:30（土10:00~）、日10:00~17:00、〈10月下旬~5月上旬〉月~金9:00~17:00

Market Square Visitor Information Kiosk
5月中旬~10月中旬までマーケットスクエアにインフォメーションブースがオープンする
〈5月中旬~6月中旬〉月~木11:00~15:00、金~日10:00~20:00(土・日~17:00)、〈6月下旬~10月中旬〉毎日10:00~17:00

インフォメーション・キオスク

Strawbery Banke Museum
M P.296
14 Hancock St., Portsmouth
☎(603)433-1100
URL www.strawberybanke.org
〈5~10月〉毎日10:00~17:00
大人$20、5~17歳$10

John Paul Jones House／Portsmouth Historical Society
M P.296
43 Middle St., Portsmouth
☎(603)436-8420
URL portsmouthhistory.org
〈5~10月〉毎日11:00~17:00
大人$6、12歳以下無料

おもな見どころ

建物が語る400年の歴史
ストロベリーバンク博物館
Strawbery Banke Museum

散策が楽しめる園内

ダウンタウンの南東側、ピスカタクワ川の対岸にポーツマス海軍工廠を望むプレスコット公園に向き合う場所にある。42の古い家屋が並ぶこの場所こそ、1630年、ポーツマスがまだストロベリーバンクと呼ばれていた時代に英国人が入植したエリアだ。この呼び名は川の土手沿いに野生のイチゴが繁茂していたことから付いた。その後、鉄道が敷設され、経済の中心が町なかへと移った結果、再開発計画が持ち上がり、多くの建物が取り壊される計画が立てられた。そういった建物を、有志の呼びかけで集め、保存したのがこの博物館である。10エーカーの敷地に並ぶ42の建物のうち、その多くが建っていたその場所に残されたそうだ。毎日ガーデンツアー（10:30出発）も催行されている。

ポーツマス条約成立の真実
ジョン・ポール・ジョーンズ・ハウス／ポーツマス歴史協会
John Paul Jones House / Portsmouth Historical Society

条約が成立するまでの過程がわかる展示

アメリカ独立戦争（1775~1783）時、海軍軍人であり、アメリカ海軍艦艇の製造監督であったジョン・ポール・ジョーンズ John Paul Jonesが1781年から1782年まで住んでいた建物。ぜひ見てほしいのが、「平和への誓いAn Uncommon Commitment to Peace：Portsmouth Peace Treaty 1905」の展示である。1905年、日本とロシアは日露戦争の講和を巡って、激しい駆け引きを続けていたが、ポーツマスとその周辺に暮らす人々は、両国の全権大使たちを郊外へと連れ出したり、晩餐会や庭園パーティを催し、交渉が決裂しないように励まし続けたという。

展示品のなかに、交渉の過程を1日ごとに時系列で並べたピクトグラムがある。それらは、公式外交、非公式外交、秘匿された舞台裏外交、コミュニティ外交と色分けされ、条約締結までの歴史をつぶさに紹介した力作である。また条約締結時、全権大使の小村寿太郎が座った椅子も展示されている。

ポーツマス
N
▲①ポーツマス観光局へ約500m
Sheraton Portsmouth Harborside P.297
S Maine-ly New Hampshire P.297
Piscataqua River 0　50m
Blue Mermaid Island Grill P.297
Tugboat Alley
River House
Ale House Inn H P.297
The Juicery
Portsmouth Gas Light Co.
Hilton Garden Inn Portsmouth Downtown
グレイハウンドバス停
Portsmouth Brewery
Daniel St.
The Rosa Restaurant
Residence Inn Portsmouth Downtown/Waterfront
マーケットスクエア
①マーケットスクエア・ビジター・インフォメーション・キオスク
Gandalow Company へ
Stonewall Kitchen
ストロベリーバンク博物館 P.296 Strawbery Banke Museum
ジョン・ポール・ジョーンズ・ハウス／ポーツマス歴史協会 P.296
John Paul Jones House/ Portsmouth Historical Society
R State St.
The Inn at Strawbery Banke
Court St.
Pleasant St.
Washington St.
Library Restaurant P.297
H Wentworth by the Sea へ約5km P.297

MEMO ポーツマスで楽しむセイリング　1690年から1900年までピスカタクワ川には荷船が行き交っていた。当時使用されていた帆船のレプリカでピスカタクワ沖に繰り出す1~2時間のツアーが人気だ。

ポーツマスのショップ、レストラン、ホテル

S おみやげ探しはここで

雑貨＆ギフト／ポーツマス／MAP ▶ P.296

メインリー・ニューハンプシャー
Maine-ly New Hampshire

ポーツマスで唯一ニューハンプシャー州で作られたおみやげ商品を専門に扱うショップ。メープルリーフのキャンディやメープルシロップから、地元産のワインやメープルソーダまで揃う。マグネットやキーホルダー、ポストカードなど小物も充実している。

🏠 22 Deer St., Portsmouth
☎ (603)422-9500
URL www.maine-lynewhampshire.com
🕐 毎日10:00～18:00（日・月～17:00）
カード A M V

R 歴史的な建物を利用したレストラン

$$ アメリカ料理／ポーツマス／MAP ▶ P.296

ライブラリーレストラン
Library Restaurant

The Rockingham Houseと呼ばれるポーツマスで最も有名な建物で、ポーツマス条約の締結交渉の際、メディア関係者が宿泊した場所。今はおしゃれなステーキハウスとなり、モダンに盛りつけられた繊細な味つけの料理が食べられる。

🏠 401 State St., Portsmouth
☎ (603)431-5202
URL www.libraryrestaurant.com
🕐 毎日11:30～21:30（金・土～22:00）
カード A D M V

R ニューイングランド地方では珍しく、カリブ料理が食べられる $$ カリブ料理／ポーツマス／MAP ▶ P.296

ブルーマーメイド・アイランド・グリル
Blue Mermaid Island Grill

ダウンタウンから徒歩約5分、200年以上前に建てられた歴史的建造物が集まるエリアにある。ポーツマスでカリブ料理が食べられるとあって地元の人に好評だ。毎週火曜には、地元バンドの生演奏も楽しめる。ジャークチキン（$19）やローストチキンピザ（$11）がおすすめ。

🏠 409 The Hill, Portsmouth
☎ (603)427-2583
URL bluemermaid.com
🕐 毎日11:30～22:30（金・土～24:00）
カード A M V

H ハーバーサイドに建つ高級ホテル

高級／ポーツマス／MAP ▶ P.296

シェラトン・ポーツマス・ハーバーサイド
Sheraton Portsmouth Harborside

ダウンタウンのハーバーサイドにあり、車がない旅行者にも便利な場所。客室は明るく広々として高級感にあふれている。ホテルのすぐ外はショップやレストランが並ぶ商業地区なので買い物や食事にも便利。Wi-Fi無料。

🏠 250 Market St., Portsmouth, NH 03801
☎ (603)431-2300
Free (1-888)627-7138
FAX (603)431-7805
URL www.sheratonportsmouth.com
💰 S D T $149～459、SU $299～559、180室 カード A D J M V

H もとはビール工場だった建物

中級／ポーツマス／MAP ▶ P.296

エールハウス・イン
Ale House Inn

マーケットスクエア近くにあるブティックホテル。れんががむき出しになったロビーエリアでは、宿泊客が気軽にくつろげるようになっている。おしゃれで機能的なだけに20～40歳代のゲストが多い。Wi-Fi無料。

🏠 121 Bow St., Portsmouth, NH 03801
☎ (603)431-7760
URL www.alehouseinn.com
💰 S D T $129～359、10室
カード M V

H ポーツマス条約ゆかりのホテル

高級／ニューキャッスル／MAP ▶ P.296外

ウエントワース・バイ・ザ・シー
Wentworth by the Sea

1874年に完成したビクトリアン様式の建物は、赤色の屋根に白壁が映える。1905年、ポーツマス条約締結のためにやってきた日本とロシアの全権一行が宿泊した。ダウンタウンから車で約10分。Wi-Fi無料。

🏠 588 Wentworth Rd., New Castle, NH 03854
☎ (603)422-7322
Free (1-866)384-0709
FAX (603)422-7329
URL www.wentworth.com
💰 S D T $199～489、SU $479～1339、161室 カード A D J M V

Gundalow Company 🏠 60 Marcy St., Portsmouth ☎ (603)433-9505 URL www.gundalow.org 💰 $20～35

日露戦争とポーツマス条約

早期終結が望まれた戦争

1904年2月8日、日本海軍が旅順港のロシア艦隊を攻撃して始まった日露戦争は、日本、ロシアともに事情をかかえ、一刻も早い戦争の終結を望んでいた。日本は1905年3月の奉天会戦、5月の日本海海戦のあと、武器、弾薬のストックがほとんどなくなり、8億円と見込んでいた戦費は18億円以上に達していた。兵隊の損失も激しく、経済的にも軍事的にも戦争の続行は難しい状況にあった。一方ロシアでは、低賃金や住宅難を強いる独裁政治に対して、民衆の反乱が相次ぎ、革命運動の高まりで戦争継続が困難な状況にあった。しかも、腐った牛肉入りのスープの不満をきっかけに、「戦艦ポチョムキンの反乱」（水兵が将校を射殺）なども起こり、兵士の士気も落ちていた。

ポーツマス条約で最も有名な写真のなかの1枚。ニューハンプシャー州知事主催の歓迎式典に参加した日本とロシアの全権一行と、アメリカ、ニューハンプシャー州の政府関係者たち。前列右から5人目の背の低い男性が、小村寿太郎。その右側に天井を見上げる高平小五郎がいる

ポーツマスが講和会議開催地に

そんなときに両国の間に入り、戦争を終わらせるための講和条約締結を斡旋したのが、当時の第26代アメリカ大統領、セオドア・ルーズベルト（1858～1919）だった。条約締結の場に、ワシントンDCを選ぶことは、講和会議にアメリカが介入するような印象を世界に与えかねないという理由で見送られ、替わりに選ばれたのがニューハンプシャー州ポーツマスだった。ニューヨークやボストンなどの都会からもそれほど遠くなく、さらに潜水艦の建造や修理のために、1797年に建設された海軍基地がある。海軍工廠の中なら、両国代表の警備体制にも問題はないというのが理由だった。この決定はポーツマスにとっても大事件だった。なぜなら、当時まったく無名の地方都市に過ぎなかったこの町に、多くの報道陣がおしかけ、一躍有名になったからだ。ルーズベルト大統領は、この条約締結の功労が認められ、後にノーベル平和賞を受賞している。

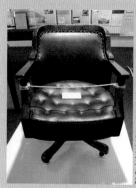

ジョン・ポール・ジョーンズ・ハウスに展示されている、条約締結時に小村寿太郎が座った椅子

条約締結を見守った市民たち

1905年8月8日、日本全権大使、小村寿太郎と、ロシア全権大使、セルゲイ・ヴィッテの両名は、船でポーツマスに到着した。両大使は19発の祝砲と町の人々の絶大なる歓迎を受ける。そして、いよいよ海軍工廠第86号ビルにおいて8月10日から会議が開かれることとなった。会議は難航し、講和条約の締結を諦めかけたときもあったが、両大使の努力で、何とか約1ヵ月後の9月5日、午後3時47分に調印された。ただし、日本はこの条約で、占領下の樺太の北半分をロシアに返還することとなり、賠償金の要求も放棄した。日露戦争を大勝利と伝える報道を信じていた日本国民は、この条約締結に激怒し、多くの人々が警察署や新聞社を襲う、「日比谷焼き討ち事件」を起こすこととなった。

一方、講和会議開催地となったポーツマスでは、この条約締結をどう評価したのか……。

日本ではあまり知られていないが、この条約締結成功の陰に、実に多くのポーツマス市民たちのサポートと数々の人々の外交努力があったのだ。2005年、ポーツマスで開催された「ポーツマス条約締結100周年記念特別展」では、その条約締結までのプロセスを明らかにし、そのとき、誰がどのようなチャンネルを使い、どんな働きかけをしていたのか、克明に調査し、日程表をピクトグラムに表している。その結果わかったのは、非常に困難な国際紛争の解決に、実に多様なチャンネルが使われ、それなくして講和条約の締結はなかったかもしれないという事実であった。

（文・天野美穂）

ポーツマス条約に関するサイト
URL www.portsmouthpeacetreaty.com

※以前は事前に予約すれば第86号ビルを見学することができたが、現在は見学できない。

ポーツマス条約についてより詳しく知るには　小村寿太郎を主人公にして日露戦争終盤からポーツマス条約締結までを描いた『ポーツマスの旗』（吉村昭　著、新潮文庫）は、ポーツマスを訪れる前に読んでおきたい1冊。

ニューハンプシャー州

市外局番 ● 603

マンチェスター
Manchester

マンチェスターでいちばんの見どころ、クーリエ美術館

1810年、イギリスの工業都市マンチェスターにあやかって命名されたニューハンプシャー州最大の都市。19世紀初めからメリマック川沿いは水力発電を利用した綿工業が盛んになり、紡績工場が建ち並ぶようになった。現存するれんが造りの建物群は、綿織物会社アモスケグ・マニュファクチャリング・カンパニーAmoskeag Manufacturing Companyの工場の名残だ。1935年に工場が操業を停止したあと町は急速にさびれていったが、近年はれんが造りの建物に博物館や大学、レストランが入居し、往年のにぎわいを取り戻しつつある。

マンチェスターへの行き方

デトロイトやフィラデルフィア、ニューヨークなどからマンチェスター－ボストン・リージョナル空港Manchester-Boston Regional Airportへ直行便が運航。ボストンからは、ローガン国際空港発サウスステーション経由のバスConcord Coach LinesやBoston Expressがダウンタウンのマンチェスター・トランスポーテーション・センターManchester Transportation Centerに着く（所要約2時間）。

マンチェスターの歩き方

町の中心部をエルム通りElm St.が走り、西側をメリマック川が流れる。市庁舎やレストラン、ショップ、ホテルが並ぶエルム通り沿いのGranite St.からBridge St.までが繁華街。メリマック川の両岸は、アモスケグ・ミルヤード地区Amoskeag Millyard Districtに指定され、れんが造りの旧紡績工場群と遊歩道が整備されている。見どころは徒歩圏内にあり、こぢんまりとしているので、1日で観光できるだろう。

飛行機／**Manchester-Boston Regional Airport**
URL www.flymanchester.com
空港からダウンタウンまでは、タクシー（約20分、約$26）か、市バスManchester Transit Authority #3（約20分、月～金のみ、1日9便、$2）か、シャトルバスEast West Express（約20分、1日8便、$7）で
市バス／**Manchester Transit Authority**
URL www.mtabus.org
East West Express
URL www.eastwestnh.com
バス／**Concord Coach Lines**
ボストンから1日2便、片道$16～21
URL www.concordcoachlines.com
Boston Express
ボストンから1日8～10便、片道$14～18
URL bostonexpressbus.com
Manchester Transportation Center
住 119 Canal St., Manchester
営 毎日5:15～17:30（土・日9:15～）
車／ボストンからI-93を約80km北上し、ニューハンプシャー州のEixt 8で下りる。NH-28A/Bridge St.を西へ約2.4km。所要約1時間20分

観光案内所

Manchester Welcome Center
毎日9:00～17:00
場所 Elm St. と Merrimack St.の角。Veterans Memorial Park内

Greater Manchester Chamber of Commerce
住 54 Hanover St., Manchester, NH 03101
☎(603)666-6600
URL www.manchester-chamber.org
時〈9～6月〉月～金 8:30～17:00（金～16:30）、〈7～8月〉月～木8:30～16:30、金9:00～16:00

Millyard Museum
住 200 Bedford St., Mill No.3 1F, Manchester
☎(603)622-7531
URL www.manchester historic.org/millyard-museum
時火～土10:00～16:00
料大人$8、シニア・学生$6、12～18歳$4

繊維産業の歴史を紹介

Currier Museum of Art
住 150 Ash St., Manchester
☎(603)669-6144
URL www.currier.org
時水～月11:00～17:00（土10:00～）
料大人$12、シニア$10、学生$9、13～17歳$5
行き方 ダウンタウンの北東約1km

Zimmerman House
ツアー／
時〈4月中旬～1月上旬〉木～月11:30、14:00（11月～1月上旬の月・木・金は14:00のみ）。所要1時間30分
料大人$20、学生$16、7～17歳$8
※人数制限があるため、ウェブサイトか電話で事前予約のこと

モネの『ブージヴァルのセーヌ川』は美術館を代表する作品

紡績産業の歴史をたどる

ミルヤード博物館
Millyard Museum

　約1万1000年前から現在までのマンチェスターの歴史を解説する博物館。アモスケグ・ミルヤード地区Amoskeag Millyard Districtの旧紡績工場1階にある。入口正面には、約1万1000年前メリマック川沿いに集落を築き、魚を取って暮らしていた先住民、パレオ族の出土品を展示。その奥のコーナーでは、1935年までの約100年にわたって繊維・織物産業で栄えたマンチェスターの歴史を紹介する。1831年、この地にアモスケグ・マニュファクチャリング・カンパニーAmoskeag Manufacturing Companyが創業したのが始まり。メリマック川沿いに運河を造り、れんがが造りの工場群を建て、紡績のための町造りを行った。運河から引いた水力により綿織り機を稼働させ、1万7000人もの従業員を雇う。館内には当時の建物と運河が描かれたパネルと機織り機が設置され、水力発電によりどのように機織りがなされたのかわかるようになっている。最盛期には世界でも最大規模の生産量を誇った。しかし、1929年の大恐慌の影響を多大に受け倒産。その後、数十年にわたり停滞を続けた。最後の展示コーナーには、近年マンチェスター周辺で誕生したセグウエイも飾ってある。

マンチェスターで誕生したブランドも紹介している

粒揃いの現代アートが並ぶ

クーリエ美術館
Currier Museum of Art

　印象派を含むヨーロッパ美術やアメリカ美術など約1万3000点を収蔵する美術館。正面玄関前には、マーク・ディ・スヴェロMark Di Suvero作の赤いスタビル『Origins』が立つ。1階には、モネの『ブージヴァルのセーヌ川The Seine at Bougival』やピカソの『Woman Seated in a Chair』など美術館を代表する作品が並ぶ。2階は17～20世紀のアメリカ美術に特化したコーナーだ。チャイルド・ハッサムの『The Goldfish Window』のほか、ニューハンプシャー州の四季を描いたジャスパー・フランシス・クロプシーの絵画などが展示されている。

フランク・ロイド・ライト設計のジマーマン・ハウス

　美術館が所有するフランク・ロイド・ライト設計のジマーマン・ハウスZimmerman Houseも見逃せない。ニューイングランド地方で唯一、一般に公開されているライトの建物だ。表通りからは、室内を見渡せない造り。逆に、裏庭に面した部屋の窓は一面ガラス張りになっていて、庭が室内の一部のように感じられる。彼は、建物だけでなく、家具や庭のレイアウト、郵便受けまでもデザインした。ユーソニアンハウスの典型的な住宅といわれている。美術館から出発するツアーでのみ見学可能。

マンチェスターのショップ、レストラン、ホテル

S　マンチェスターのおみやげはここで　　食品／マンチェスター／MAP▶なし

グラナイト・ステイト・キャンディ・ショップ Granite State Candy Shoppe

　ダウンタウンの目抜き通りにある老舗菓子屋。1900年初頭ギリシャから移り住んできたバートー家が1927年ニューハンプシャー州コンコードに開業した。現在も創業当時のレシピを忠実に守り、手作りのチョコレートやキャンディを取り揃える。チョコレートの詰め合わせ($10.98)。

[住]832 Elm St., Manchester
☎(603)218-3885
[URL]granitestatecandyshoppe.com
[営]月～土10:00～21:00(金～22:00)、日12:00～17:00
[カード][M][V]

R　地元の人々に愛されているダイナー　　$ アメリカ料理／マンチェスター／MAP▶なし

レッドアロー The Red Arrow

　地元雑誌で市内のレストラントップ10に選ばれている名店。アメリカ大統領選の時期には、ほとんどの候補者が訪れるという。ハンバーガー($11) やバッファローウィング ($9) など典型的なアメリカ料理が食べられる。2000年にはマンチェスター市のランドマークに指定された。

[住]61 Lowell st., Manchester
☎(603)626-1118
[URL]redarrowdiner.com
[営]24時間
[カード][A][M][V]

R　30～40歳代の男女に人気　　$ アメリカ料理／マンチェスター／MAP▶なし

コットン Cotton

　メインストリートの西、アモスケグ・ミルヤード地区にある。マンチェスターでもっともおしゃれな雰囲気を醸し出していると話題の一店。いちばん人気はニューハンプシャー州のロブスターが入ったラビオリ ($22.95)。ワインの種類も豊富だ。

[住]75 Arms St., Manchester
☎(603)622-5488
[URL]cottonfood.com
[営]ランチ：月～金11:30～14:30、ディナー：毎日17:00～21:00(金・土～22:00、日～20:00)
[カード][A][M][V]

H　ダウンタウンの中心、エルム通り沿いに建つ　　中級／マンチェスター／MAP▶なし

ラディソン・ホテル・マンチェスター・ダウンタウン Radisson Hotel Manchester Downtown

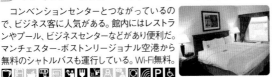

　コンベンションセンターとつながっているので、ビジネス客に人気がある。館内にはレストランやプール、ビジネスセンターなどがあり便利だ。マンチェスター-ボストンリージョナル空港から無料のシャトルバスも運行している。Wi-Fi無料。

[住]700 Elm St., Manchester, NH 03101
☎(603)625-1000
[Free](1-800)333-3333
[FAX](603)206-4000
[URL]www.radisson.com
[料]ⓈⒹⓉ$159～475、[Su]$299～、248室　[カード][A][D][J][M][V]

H　豪華な客室を備えたB&B　　B&B／マンチェスター／MAP▶なし

アッシュストリート・インB&B Ash Street Inn B&B

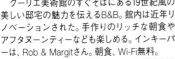

　クーリエ美術館のすぐそばにある19世紀風の美しい邸宅の魅力を伝えるB&B。館内は近年リノベーションされた。手作りのリッチな朝食やアフタヌーンティーなども楽しめる。インキーパーは、Rob & Margitさん。朝食、Wi-Fi無料。

[住]118 Ash St., Manchester, NH 03104
☎(603)668-9908
[URL]www.ashstreetinn.com
[料]ⓈⒹⓉ$139～229、5室
[カード][A][M][V]

H　観光とビジネス、どちらにも便利なホテル　　中級／ベッドフォード／MAP▶なし

カントリー・イン&スイーツ・バイ・カールソン、マンチェスター・エアポート Country Inn & Suite by Carlson, Manchester Airport

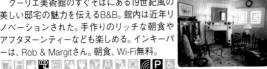

　空港から無料の送迎バスで約10分、マンチェスター市内へも車で10分ほどの場所にある。ビジネスセンター、屋内プール、ゲームセンター、コインランドリーも備え、ビジネスと観光両方に利用できる。朝食、Wi-Fi無料。

[住]250 S. River Rd., Bedford, NH 03110　☎(603)666-4600
[Free](1-800)830-5222
[FAX](603)666-3200
[URL]www.countryinns.com/hotels/nhmanair
[料]ⒹⓉ$116～、[Su]$136～、100室
[カード][A][D][M][V]

↘市バスのルート#7 (The Green Dash) [URL]www.mtabus.org/routeschedules/route-map/route-7 [営]月～金7:00～19:00の20分間隔 [料]無料

バーモント州

日本からのアクセスがいいのが、州北部の湖畔の町バーリントン。その東にあるストウには、映画『サウンド・オブ・ミュージック』のモデルになった「トラップ一族」が経営するロッジがある。マンチェスターやベニントンへは、マサチューセッツ州のモホークトレイルから北上するルートがおすすめ。

マンチェスター周辺でも美しい紅葉が見られる

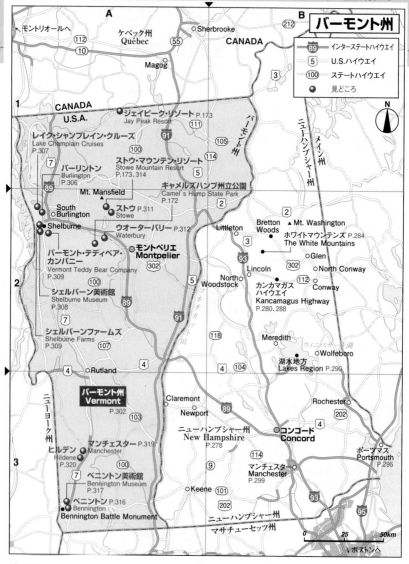

バーモント州

メイン州

ニューハンプシャー州

マサチューセッツ州

コネチカット州

ロードアイランド州

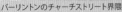
バーリントンのチャーチストリート界隈

少なくとも1泊してほしい
トラップ・ファミリー・ロッジ

Islands & Farms

Northeast Kingdom

バーリントン
（州内の大都市）

ストウ／
スマッグラーズノッチ
○ストウ

レイク・
シャンプレイン・
バレー

Central
Vermont
◎モントペリエ（州都）

Mid
Vermont

Eastern
Vermont Gateway

Crossroads
of Vermont

Southern
Windsor County

マンチェスター
○

Southern
Vermont

ザ・シャイヤーズ・
オブ・バーモント

○ベニントン

バーモント州
観光行政区

バーモント州
The State of Vermont

州都	面積
モントペリエ	**2万4906km²**

人口

62万6562人
（2014年推定）

州税

セールスタックス（消費税）
6%
ミールタックス（飲食税）
9%
ホテルタックス（ホテル税）
9%
（各税金ともローカル・タックス1%が
加算される町もある）

時間帯

東部時間（EST）
（日本より−14時間、夏時間は−13時間）

ベニントンにはカバードブリッジ博物館がある

MEMO アルコール類　レストランでアルコールを頼んだ場合、タックスは10%になる。

Stowe, Vermont Mountain Resort
バーモントで遊ぼう

一族の歴史を思い、山々に癒やされる休日

トラップ・ファミリー・ロッジ

TRAPP FAMILY LODGE

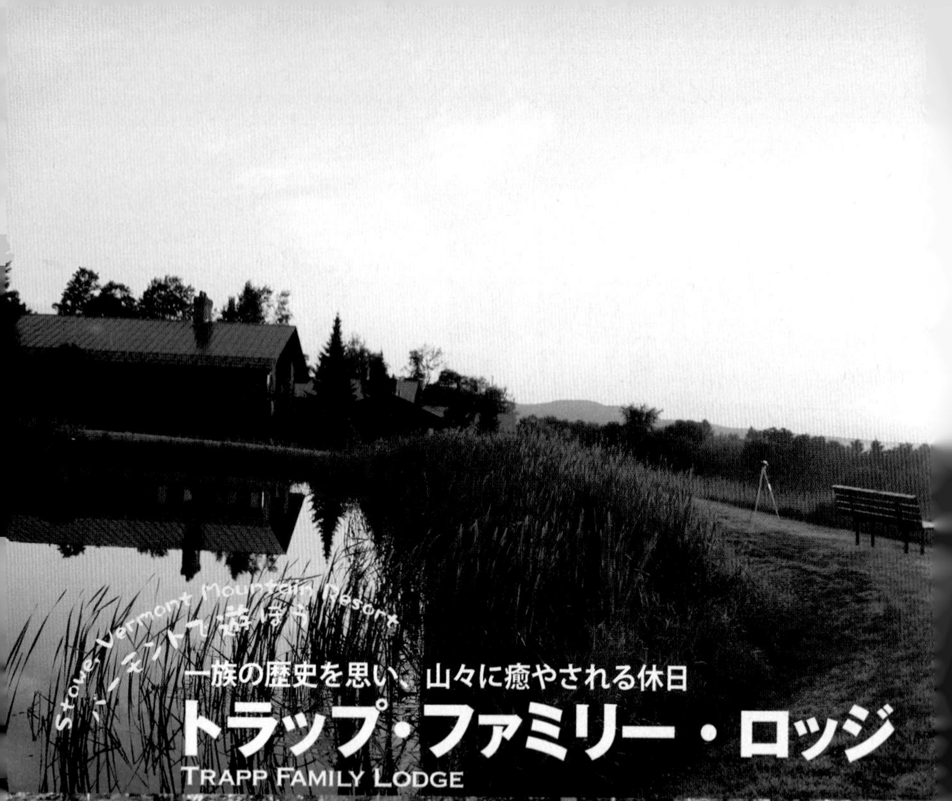

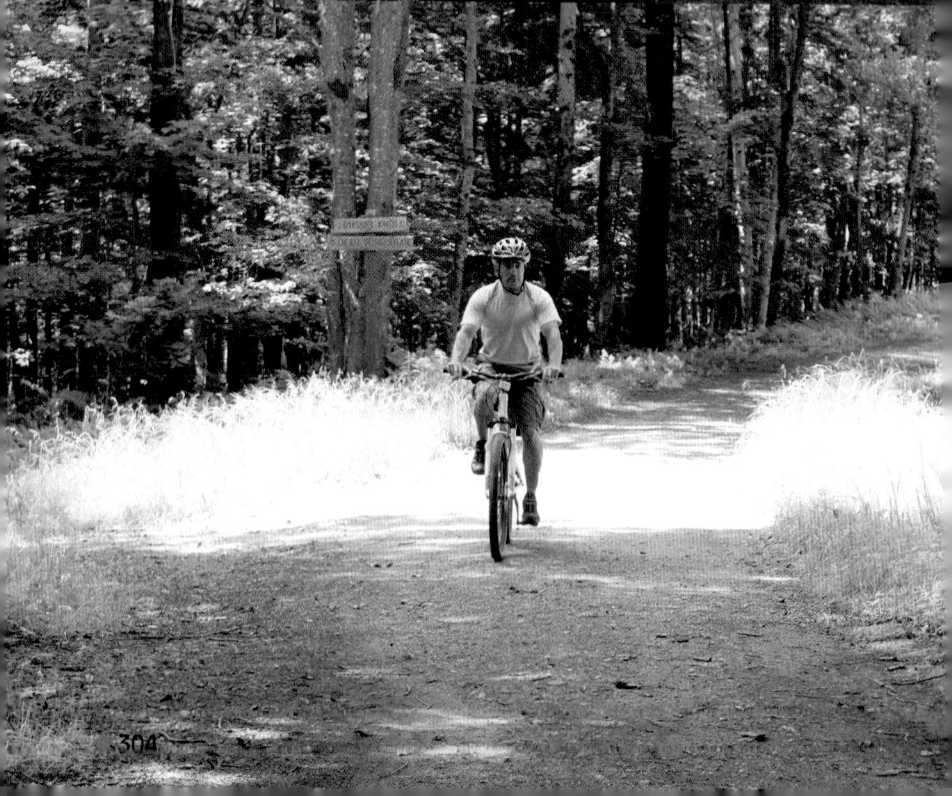

　夏、グリーンマウンテンの山々に囲まれたトラップ・ファミリー・ロッジ（→ P.314、315）の朝は、鳥の声とカエルの鳴き声で幕を開ける。東の空は紫から深紅へと色を変え、荘厳なドラマを見せてくれる。美しい朝焼けを目にできるのは宿泊客だけの特権だろうが、観光名所のこのロッジでは、ゲストでなくても楽しめるアクティビティやツアーが満載だ。おすすめは、指折りのコースを走るマウンテンバイク・ライド。春から夏のみオープンする森のダートは、よく整備され走りやすいし、その環境がすばらしい。夏の森は空気も涼やかで、大木となったメープルは大きく枝先を広げ、木漏れ日がきらきらと差し込む。泥の道をガタガタいわせて走るのは少々タフだが、ロッジの麓を駆け抜けるグリーンウェイ・ループの爽快さはピカイチ。アクティビティで汗を流したあとは、トラップ一族の歴史を知る「トラップ・ファミリー・ヒストリーツアー（→ P.314 側注）」に参加したい。9 人の子供を連れて渡米した、フォン・トラップ大佐と彼の妻マリアさんが眠る墓を詣でたり、一族の子孫に対面できたりと、映画ではわからなかったトラップ一族、真実の物語が明かされる。

1. 早朝 5:00、ロッジ正面の池のほとりで荘厳な朝を迎える　2. 森のダートを走るマウンテンバイク　3. 朝は子ジカも姿を現す　4. 朝催行されるバードウオッチングツアーもおすすめ　5. アルプスを思わせるロッジ　6. しっかり朝食を取って

トラップ・ファミリー真実の物語

　映画『サウンド・オブ・ミュージック』のモデルとして世界中に感動を与えたトラップファミリー。その後、一家はどんな人生を送ったのだろう。オーストリアがナチスに併合された 1938 年 3 月。当時一家はザルツブルク郊外のアイゲンに住んでいた。ナチスの旗を掲げたり、ナチスの軍艦を指揮することを拒んだトラップ大佐は、しだいにナチスから危険視されるようになった。やがてその影響は家族にまで及び、とどまるか逃げるかの選択を迫られる。出した結論はオーストリア脱出！ 1938 年の夏のある日、アイゲンの町から鉄道で北イタリアを目指したのだ。その姿はまるでピクニックに行くような軽装だったという。以前、イストリア半島のポーラに住んでいた一家は、幸いにもイタリア国籍をもっていた。プロの音楽家だった一家は、ホテルや誕生会で歌いながら、ドロミテでひと夏を過ごす。その間、2 年前から誘いを受けていたアメリカのエージェントと連絡を取り、ニューヨークへ渡る船の切符を手配し、渡米後の演奏活動の準備も進めた。そして 1938 年 9 月、トラップ大佐と妻マリア、9 人の子供たちは汽船アメリカン・ファーマー号でニューヨークへと旅立ったのだ。マリアのおなかには、10 番目の息子フォン・トラップ・ヨハネスが宿っていた。

館内に飾られた一家の写真。中央の子供がヨハネスさん

上／大佐とマリアさんが眠る墓　下／歴史ツアーの最後にヨハネスさんの息子サムさんが登場。さまざまな質問に答えてくれる

バーモント州

市外局番●802

バーリントン

Burlington

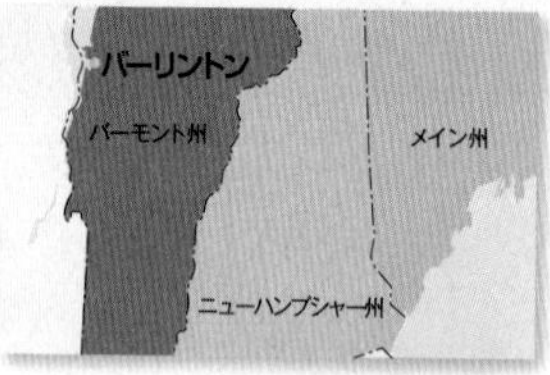
バーリントン
バーモント州
メイン州
ニューハンプシャー州

チャーチストリート・マーケットプレイスからユニタリアン・ミーティングハウスを眺める

バーリントンは、バーモント州の西側を南北に延びるシャンプレイン湖Lake Champlainの湖畔にある町。全米で「住みたい町ナンバーワン」になったこともある美しい所だ。湖の北端はカナダとも国境を接する。モントリオールまで車で2〜3時間と近いこともあって、週末には、モントリオールでナイトライフを楽しむ若者も多いのだとか。

この町の楽しみ方といえば、シャンプレイン湖でのボートクルーズや、キルトコレクションが充実したシェルバーン美術館訪問など。バーリントン国際空港もあるので、世界各地から同州のストウなどへ行く起点ともなっている。

バーリントンへの行き方

飛行機／バーリントン国際空港には、全米各都市からも主要航空会社が乗り入れている。日本からは、デトロイトやシカゴなどからの経由便を利用すれば、その日のうちに到着可能だ。空港にはバゲージクレームの階にAlamo、Avis、Budget、Dollar、Hertzなど主要レンタカー会社のカウンターが並んでいる。空港からは、市バスのCCTAの#12UMall/AirportでUMallまで行き、#1Willistonに乗り換えて、ダウンタウンのチェリー通りへ、約30分。タクシーなら空港からダウンタウンまで約15分、約$13。

バス／ボストンのサウスステーションからバーリントンまでGreyhoundが1日4便運行。約4時間40分。バスターミナルは、バーリントン国際空港にある。

空港内のグレイハウンド・チケット売り場

車／ボストンの中心部からI-93を約101km、バーモント州コンコード付近でI-89に移り、約240km北西へ。Exit 14 W.で下り、US-2/Williston Rd.を約2km西へ進む。約4時間。

行き方

飛行機／
Burlington International Airport
[URL] www.btv.aero
バス／**Greyhound**
[住] Burlington Airport, 1200 Airport Dr., #1, Burlington
☎(802)864-6811
[URL] www.greyhound.com
[営] 毎日1:30〜8:00、10:30〜16:00、17:00〜19:30
市バス／**CCTA**
☎(802)864-2282
[URL] cctaride.org
[料] $1.25

タクシー／
89 Taxi
☎(802)999-6724
Green Cab VT
☎(802)864-2424

[MEMO] Ⓢバーリントン・タウンセンター　Church St.沿いにあるモール。約40店入る。Burlington Town Center [住] 49 Church St., Burlington　☎(802)658-2545 [営] 月〜土10:00〜21:00、日11:00〜17:00

バーリントンの歩き方

観光エリアはそれほど広くないので徒歩でも十分歩き回れる。まずはバーリントンのダウンタウンを南北に貫く目抜き通り、チャーチストリート・マーケットプレイスChurch Street Marketplace（→P.308）へ行ってみよう。北はPearl St.から南はMain St.までの間を南

チャーチストリートで買い物や食事を楽しもう

北に走るこの通りは、歩行者天国になっていて、夏にはカフェやレストランが通りまで席を広げ、とてもにぎやか。Pearl St.の正面には、この通りの象徴でもある1816年建造の、ユニタリアン・ミーティングハウスUnitarian Meeting Houseが建っている。ボストンの建築家ピーター・バナーPeter Bannerによってデザインされた美しい建物だ。この通りで食事や買い物を楽しんだら、College St.を西に下り、シャンプレイン湖畔Lake Champlainへ。湖畔沿いはウオーターフロントパークになっており、サイクリングロードも整備され、ウオーキングも楽しめる。湖を遊覧する人気の観光船スピリット・オブ・イーサン・アレンⅢ号（→下記）も係留され、ここから湖へと出発する。ただし、季節限定運航なので要チェック！

空港や美術館へのCCTAバス乗り場はCherry St.とChurch St.角にある。

おもな見どころ

ダウンタウン

バーモント州とニューヨーク州の州境の湖
レイク・シャンプレイン・クルーズ
Lake Champlain Cruises

シャンプレイン湖は、バーモント州とニューヨーク州にまたがり、カナダまで続いている。シャンプレイン湖最大の観光船スピリット・オブ・イーサン・アレンⅢ号 Spirit of Ethan Allen Ⅲ の発着は、ボートハウスから。観光クルーズのほかに、ランチやディナークルーズなどもある。対岸に広がるのは、ニューヨーク州のアディロンダック州立公園Adirondack State Parkの山々である。

ランチクルーズでお待ちしています！

シャンプレイン湖を巡るスピリット・オブ・エザン・アレンⅢ号

観光案内所

Lake Champlain Regional Chamber of Commerce
🏠 60 Main St., Burlington VT 05401
☎ (802)863-3489
URL www.vermont.org

Unitarian Meeting House
🏠 152 Pearl St., Burlington
☎ (802)862-5630
URL www.uusociety.org

CCTAバスを利用するなら、チャーチ通りのバス停へ

早起きしたら、シャンプレイン湖畔の散策へ

Lake Champlain Cruises
Spirit of Ethan Allen Ⅲ
🗺 P.302-A2
🏠 348 Flynn Ave., Burlington
出発場所／Boathouse
🏠 1 College St., Burlington
☎ (802)862-8300
URL www.soea.com
⏰ 1時間30分観光クルーズ：〈5月中旬～10月中旬〉毎日10:00、12:00、14:00、16:00出発。
ランチクルーズ：〈5月下旬～10月中旬〉月～土12:00出発。所要1時間30分
サンデイブランチ・クルーズ：〈5月下旬～10月中旬〉日12:00出発。所要1時間30分
サンセットクルーズ：〈6月中旬～9月上旬〉毎日18:30
💰 1時間30分観光クルーズ：大人$19.21、子供（3～11歳）$8.43。ランチクルーズ：大人$28.39、子供（3～11歳）$14.97。サンデイブランチ・クルーズ：大人$30.11、子供（3～11歳）$16.06
サンセットクルーズ：大人$22.11、子供（3～11歳）$14.03
行き方 ボートハウスへは、バーリントンダウンタウンのChurch St.からCollege St.を西へ約500m

MEMO Ⓢバーモント・ワイルドフラワー・ファーム　野草の種を販売する農家。Vermont Wildflower Farm 🏠 3488 Ethan Allen Hwy., Charlotte ☎ (802)425-3641 ⏰〈5月中旬～9月上旬〉月～土10:00～16:00

307

Church Street Marketplace

URL www.churchstmarketpl
ace.com

大道芸のおじさんもいるよ！

Shelburne Museum

M P.302-A2
住 6000 Shelburne Rd.,
Shelburne
☎ (802)985-3346
URL shelburnemuseum.org
営 (5～10月)毎日10:00～
17:00
料 大人$24、13～17歳$14、
子供 (5～12歳) $12
行き方 バーリントンのダウン
タウンからUS-7を約11km南
へ。I-89からならExit 13で下
りて、I-189、US-7を進む。
市バスならダウンタウンか
らCCTAバス#6 Shelburne
Rd.で約20分

ミュージアムストア

民俗芸術に関する書籍やポ
スター、カード、キルトなど手
芸の本などを販売している

レンブラントが飾られたメモ
リアルビルの居間

カサットが描いた『エレクト
ラと母ルイジーンの母子像
Louisine Havemeyer &
her Daughter Electra』

100軒以上の店舗が並ぶ目抜き通り

チャーチストリート・マーケットプレイス
Church Street Marketplace

　バーリントンのダウンタウンで買い物や食事に便利な場所が、チャーチストリート・マーケットプレイスだ。シャンプレイン湖岸からCollege St.を上っていくと、シティホール公園の先でぶつかるれんが敷きの大通り（Church St.）。歩行者天国のようになっていて、ベン＆ジェリー・アイスクリームBen & Jerry's Ice Creamやレイク・シャンプレイン・チョコレートLake Champlain Chocolateなど、バーモント州の名店が軒を連ねている。Cherry St.との角にはCCTAバスのバスターミナルもある。

ダウンタウン郊外

アメリカン・フォークアートの野外美術館

シェルバーン美術館
Shelburne Museum

必見のキルトコレクション

　アメリカで3本の指に入るアメリカン・フォークアートの野外美術館。創設者で、アメリカン・フォークアートの草分け的コレクターだったエレクトラ・ハブメイヤー・ウェッブElectra Havemeyer Webb（1888～1960）が収集した15万点以上の作品が鑑賞できる。その収集品は幅広く、キルトやラグなどのテキスタイルアートから風見鶏や人形などの民芸雑貨、さらにマネやモネなどの印象派画家の作品まであり、見応え十分。45エーカー（約0.18km²）の敷地には、カバードブリッジや蒸気機関車も展示され、38棟の建物や展示物を通して、17世紀から20世紀の生活文化も堪能できる仕組みだ。

　エレクトラは、砂糖財閥だったルイジーン・W・エルダーLouisine W. Elderとヘンリー・O・ハブマイヤーHenry O. Havemeyerのもとに生まれ、裕福な子供時代を送った。両親は、メトロポリタン美術館にも所蔵品を寄贈するほどの印象派コレクターだったが、エレクトラはアメリカの暮らしを彩ったキルトやデコイなどの生活雑貨に価値を見いだした。19歳でシガーストアフィギアと呼ばれる木製人形を購入して以来、民芸雑貨を求めてニューイングランド中を旅し、高名なギャラリーで作品を購入し、ついに大好きなシェルバーンの地に美術館をオープンさせたのだ。

　園内で必見の展示は、400点以上のキルトコレクションで有名なハット＆フレグランス・テキスタイルギャラリーHat and Fragrance Textile Gallery、エレクトラの民芸コレクションが並ぶステージコーチンStagecoach Inn、彼女の死後、子供たちによって建造されたエレクトラ・ハブメイヤー・ウェッブ・メモリアルビルディングElectra Havemeyer Webb Memorial Buildingなどだ。白亜のメモリアルビルの内部はウェッブ夫妻が暮らしていたニューヨークのペントハウスを移築したもので、6室からなる豪華な居室にはモネやドガの作品が飾られ、夫妻の抜きんでた美意識をしのぶことができる。

Ⓢベン＆ジェリー・アイスクリームとレイク・シャンプレイン・チョコレート　Ben & Jerry's Ice Cream
住36 Church St., Burlington ☎(802)862-9620 URL www.benjerry.com 営毎日11:00～22:00。

セレブが残した美しい農園

シェルバーンファームズ
Shelburne Farms

シャンプレイン湖畔に建つ、重要文化財に認定されている歴史的建造物。1886年、ウィリアム・セワード・ウェッブ夫妻Mr.&Mrs. William Seward Webbが農園別荘のモデルとして建てた。1400エーカー（約5.6km²）にも

園内散策を楽しもう

及ぶ敷地の設計は、セントラルパークを設計した造園家で建築家のフレデリック・オルムステッドFrederick Olmstedが手がけた。たおやかにうねる美しい丘や森のたたずまいも、オルムステッドの計算され尽くした造園設計によるもの。秋の園地の美しさは見事である。当時園内には、The Farm Barn、Breeding Barn、Coach Barn、Shelburne Houseの4つの建物があり、納屋では種馬の飼育や牧畜が行われ、野菜や果樹なども栽培されていた。生産されたミルクやバター、卵や野菜は船でニューヨークへと運ばれた。約300人の従業員が農作業に従事し、1日の干し草の使用量は1500トンにも上ったという。

1972年、これらの遺産を最良のかたちで未来に残すため、一族の子孫と非営利団体とが共同で、この施設を管理していくことになった。現在、園地の奥にあるシェルバーンハウスは高級イン（→P.310 MEMO）となっている。

年間15万人もの観光客が訪れる見どころ

バーモント・テディベア・カンパニー
Vermont Teddy Bear Company

かわいらしいテディベアがいっぱい

テディ・ベア・カンパニーへようこそ！

テディベア・カンパニーでは、工場見学ツアー（所要約30分）が行われており、生地をカットするところから、綿を詰め1体につなぎ合わせ、縫製するまでを見学できる。「Make A Friend For Life!」というプログラムでは、自分のオリジナルのテディベア（囲 $19.99〜39.99）を作ることも可能だ。好きなファー（毛）のベアを選び、中にハートを入れ縫い合わせるもので、製造日の証明書も付いてくるのでいい記念になる。

Shelburne Farms
M P.302-A2
住 1611 Harbor Rd., Shelburne
☎ (802)985-8686
URL www.shelburnefarms.org
営 Welcome Center／〈5月中旬〜10月中旬〉毎日9:00〜17:30、〈10月下旬〜5月上旬〉毎日10:00〜17:00、園内に入れるのは16:00まで
休 11月第4木曜、12/25
料 大人$8、シニア$6、3〜17歳$5
ツアー 5〜10月はガイドツアーを催行。施設見学のツアーは9:30〜15:30の間の2時間おき、大人$11、シニア$9、3〜17歳$8（入場料込み）、ハウス&ガーデンティーツアーは火・木14:30、$18（要予約）、ヒストリック・バーン・ツアーは月13:30、大人$11、シニア$9、3〜17歳 $8
行き方 バーリントンからUS-7を南へ約6km走り、Bay Rd.を右折、湖岸沿いに走ると左手に見えてくる。約17分

※正門脇のWelcome Centerに立ち寄り、スライドショーなどを見よう

シェルバーンファームズとシェルバーン美術館

シェルバーン美術館を創設したエレクトラ・ハブメイヤー・ウェッブの夫、ジェームズ・ワトソン・ウェッブの両親ウィリアム・セワード・ウェッブ夫妻が造った大農園。大富豪の両親は息子夫妻の結婚祝いにThe Brick Houseをプレゼントした。嫁のエレクトラはその家に収集品を並べ、客をもてなしたという。それがシェルバーン美術館創設のきっかけになった

Vermont Teddy Bear Company
M P.302-A2
住 6655 Shelburne Rd., Shelburne
☎ (802)985-3001
Free (1-800)829-2327
URL www.vermontteddybear.com
営〈7月〜10月中旬〉毎日9:00〜18:00、〈10月下旬〜6月〉毎日9:00〜17:00（ツアーは開館30分後から閉館1時間前まで）
休 11月第4木曜、12/25、1/1
料 工場ツアー：大人$4、子供（12歳以下）無料
行き方 バーリントンダウンタウンからUS-7を南へ約13km、約20分
市バスならダウンタウンからCCTAバス #6Shelburne Rd.でシェルバーン美術館まで行き、南へ約1.5km歩く

Lake Champlain Chocolate 住 65 Church St., Burlington ☎ (802)862-5185 URL www.lakechamplainchocolates.com 営 月〜土10:00〜21:00（金・土〜22:00）、日11:00〜20:00

309

S クラフト好き必見!
ギャラリー＆クラフト／バーリントン／MAP▶なし

フロッグホロー・バーモント州クラフトセンター　Frog Hollow Vermont State Craft Center

店内にはバーモント州在住のアーティスト
が手作りしたさまざまなクラフト作品が並んで
いる。木工製品、ガラス、織物、陶器、帽子、
絵画などなど。いずれも素朴であたたかい雰
囲気の作品が多い。

住 85 Church St., Burlington
☎(802)863-6458
URL www.froghollow.org
営 月～土10:00～18:00（木～土～
20:00）、日11:00～19:00。冬季は
短縮あり
カード A M V

S 名産のメイプルシロップをおみやげに
食品／フェリスバーグ／MAP▶なし

デイキンファーム
Dakin Farm

1792年にTimothy Dakinが創業した場所で
Cutting一族が営むメープルシロップの工房。シ
ロップを煮詰める釜場の隣に売店があり、自家
製シロップのほかに自家製ベーコンやチーズな
どの特産品も売られている。サウスバーリントン
（住 100 Dorset St., S. Burlington）に支店あり。

住 5797 US-7, Ferrisburgh
☎(802)425-3971
Free (1-800)993-2546
URL www.dakinfarm.com
営 毎日8:00～10:00
カード A M V

R チャーチ通りで人気の食事スポット
$$ アメリカ料理／バーリントン／MAP▶なし

チャーチ＆メインレストラン
Church & Main Restaurant

野菜や肉など地元産の食材を使った、シンプ
ルな料理が魅力的。ワインに合わせたチーズの
盛り合わせ（$12）もあり、ワインと食事が楽し
める。バーコーナーもあるので、お酒中心の利
用も可能だ。スープやサラダは$7～。

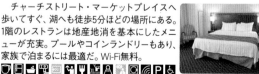

住 156 Church St., Burlington
☎(802)540-3040
URL www.churchandmainvt.com
営 火～日16:00～24:00
休 月
カード A M V

H ダウンタウンの快適ホテル
高級／バーリントン／MAP▶なし

コートヤード・バーリントン・ハーバー
Courtyard Burlington Harbor

チャーチストリート・マーケットプレイスへ
歩いてすぐ、湖へも徒歩5分ほどの場所にある。
1階のレストランは地産地消を基本にしたメニ
ューが充実。プールやコインランドリーもあり、
家族で泊まるには最適だ。Wi-Fi無料。

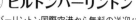

住 25 Cherry St., Burlington, VT
05491
☎(802)864-4700
FAX(802)862-1179
URL www.marriott.com
料 S D T$209～269、SU259～
599、161室
カード A D J M V

H 眺望がすばらしい湖畔のシティホテル
高級／バーリントン／MAP▶なし

ヒルトンバーリントン
Hilton Burlington

バーリントン国際空港から無料の送迎バスで20
分ほど。シャンプレイン湖畔に建つ眺めのよいホ
テルだ。建物は古いが、よく手入れが行き届き清
潔。客室も広々としている。プールやフィットネス
センター、レストランなどもある。Wi-Fi$12.95～。

住 60 Battery St., Burlington, VT
05401
☎(802)658-6500
FAX(802)658-4659
URL www.3.hilton.com
料 S D T$139～299、258室
カード A D J M V

H シャンプレイン湖畔の美しきリゾート
高級／バーリントン郊外／MAP▶なし

ベイスンハーバー・クラブ
Basin Harbor Club

1886年にオープンした名門リゾート。シャン
プレイン湖畔に面し、広大な敷地に、ゴルフ場
やテニスコート、風雅なロッジが点在し、本格
的なリゾートライフが満喫できる。カップルや
家族向きリゾート。Wi-Fi無料。

住 4800 Basin Harbor Rd., Vergennes,
VT 05491　☎(802)475-2311
Free (1-800)622-4000
FAX(802)475-6545
URL www.basinharbor.com
営 5月～10月下旬
料 S D T$180～820、120室、77コ
テージ　カード M V

Ⓗイン・アット・シェルバーンファームズ　5月中旬～10月中旬営業の快適イン。The Inn at Shelburne Farms
住 1611 Harbor Rd., Shelburne　☎(802)985-8498 URL www.shelburnefarms.org　料 S D T$155～

バーモント州　　市外局番 ● 802

ストウ
Stowe

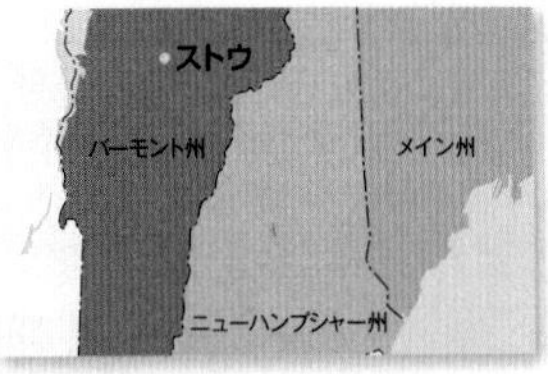

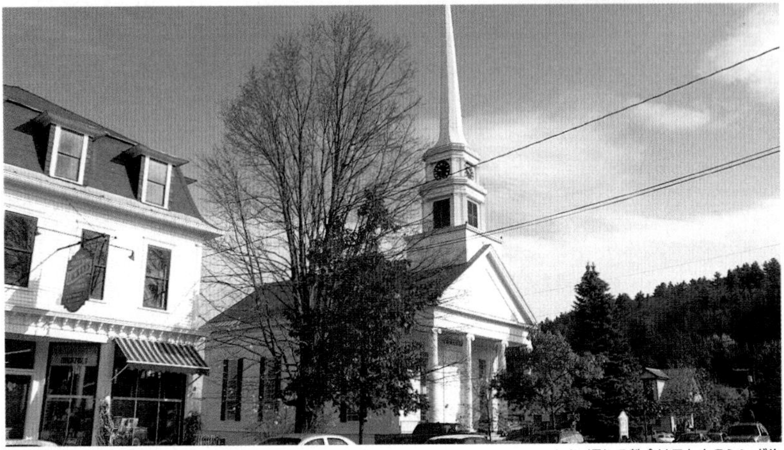
メイン通りの教会はストウのシンボル

バーモント州の北、南北に連なるふたつの山脈の間にあるストウはマウンテンリゾートとして有名な所。映画『サウンド・オブ・ミュージック』のトラップ一家が住んだ所といえば、親しみがわくだろうか。四季をとおして美しい自然に囲まれ、特に冬場はスキーなどウインタースポーツを楽しむリゾート地となっている。

ストウへの行き方

公共交通機関がないので、車でアクセスするしかない。日本からストウへは、バーリントン国際空港（→P.306）に入り、バーリントンで車を借りるか、ボストンから車でストウを目指す。ストウビレッジに入る前に、ウオーターバリーWaterburyでベン＆ジェリー・アイスクリーム・ファクトリーを見学しよう。ボストンからは車で約4時間。

ストウの歩き方

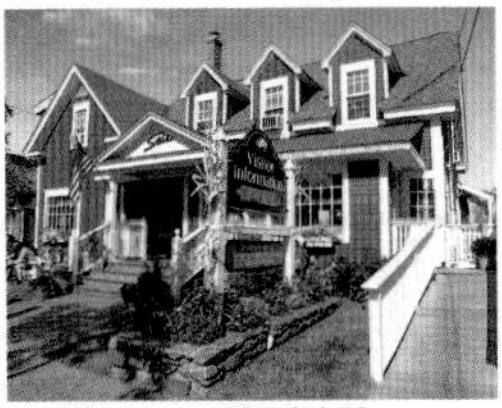
メイン通りにある観光案内所

ストウビレッジStowe Villageは歩いて回れるほどの小さな村。メインストリート（VT-100）沿いにあり、観光案内所のストウ・エリア・アソシエーションもこの通り沿いにある。まずはここに立ち寄って情報を集めるといい。マンスフィールド山に向かうマウンテンロードMountain Rd.（VT-108）には、多くの宿泊施設、レストランなどが並ぶ。マウンテンバイクやインラインスケートのレンタルショップもあるので、アウトドア・アクティビティに精を出すといい。

行き方

車／ボストンの中心部からI-93で北へ約100km走り、I-89に入る。I-89を約200km北西へ進みExit 10で下り、右折。VT-100を北に約15km走ると、ストウの中心であるストウビレッジに到着。ボストンから約4時間
飛行機／バーリントン国際空港からI-89を東へ約32km行ったExit 10で下り、VT-100を北へ約16km、約1時間
タクシー／
Stowe Cab
☎(802)598-7254
Stowe Taxi
☎(802)253-9490
バーリントン国際空港からストウまで約1時間（約$90）

観光案内所

Stowe Area Association
[M]P.312-1
[住]51 Main St., Stowe, VT 05672
☎(802)253-7321
[Free](1-877)467-8693
[URL]www.gostowe.com
[営]〈3月～10月中旬〉毎日9:00～20:00、〈10月下旬～2月〉毎日9:00～17:00。時期により短縮あり

[MEMO] Ⓢカボット・アネックス・ストア　バーモント州の名産品が揃う。Cabot Annex Store [M]P.312-2
[住]2657 Waterbury-Stowe Rd., Stowe　☎(802)244-6334 [営]毎日9:00～18:00

ウオーターバリー

2012年日本にも上陸した世界中で人気のアイスクリーム工場

ベン&ジェリー・アイスクリーム・ファクトリー
Ben & Jerry's Ice Cream Factory

Ben & Jerry's Ice Cream Factory
M P.312-2
住 1281 Waterbury-Stowe Rd.(VT-100), Waterbury
Free (1-866)258-6877
URL www.benjerry.com
営〈7月〜8月上旬〉毎日9:00〜21:00、〈8月中旬〜10月中旬〉毎日9:00〜19:00、〈10月下旬〜6月〉毎日10:00〜18:00（最終ツアーは閉館1時間前に出発）
休11月第4木曜、12/25、1/1
料工場見学ツアー／大人$4、シニア$3、子供（12歳以下）無料。所要約30分
行き方バーリントンやボストンから来る場合、I-89をExit 10で下りて、VT-100を北へ約1.3km進んだ左側。ストウからは、VT-100を南へ約14km。約15分

ストウの南の町、ウオーターバリーWaterburyにあるアイスクリーム工場。ニューイングランド地方でいちばん有名なアイスクリームショップだ。ベン&ジェリー・アイスクリーム・ファクトリーは、$5の通信講座で作り方を学んだベン・コーヘンとジェリー・グリーンフィールドのふたりが、1978年バーリントン近くのガソリンスタンドの一角にアイスクリームショップを開いたのが始まり。アメリカンドリームさながらのサクセスストーリーで興味深い。工場のショップには、何種類ものアイスクリームはもちろん、Tシャツや小物などが並ぶギフトショップもある。工場見学ツアー（所要30分）では、最後にアイスクリームの試食ができるので、参加してみよう。

まずツアーのチケットを購入

子供にも人気のスポット

工場の売店でおみやげ探し

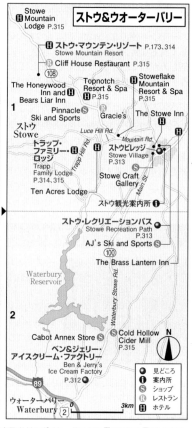

ストウ&ウオーターバリー

Stowe Mountain Lodge P.315
H ストウ・マウンテン・リゾート P.173、314 Stowe Mountain Resort
Cliff House Restaurant P.315
(108)
The Honeywood Inn and Bears Liar Inn
Topnotch Resort & Spa P.315
H Stoweflake Mountain Resort & Spa P.315
Pinnacle Ski and Sports
Gracie's
H The Stowe Inn
ストウ Stowe
Luce Hill Rd.
Mountain Rd.
トラップ・ファミリー・ロッジ Trapp Family Lodge P.314、315
ストウビレッジ Stowe Village P.313
Stowe Craft Gallery
Ten Acres Lodge
ストウ観光案内所 i
ストウ・レクリエーションパス P.313 Stowe Recreation Path
AJ's Ski and Sports (S)
(100)
The Brass Lantern Inn
Waterbury Reservoir
Cabot Annex Store (S)
Cold Hollow Cider Mill P.315
N
ベン&ジェリー・アイスクリーム・ファクトリー Ben & Jerry's Ice Cream Factory P.312
(89)
ウオーターバリー Waterbury (2)
3km

- 見どころ
- i 案内所
- (S) ショップ
- (R) レストラン
- (H) ホテル

(R)グレーシーズ 犬好きが集まるカジュアルなアメリカンダイナー。Gracie's M P.312-1 住18 Edson Hill Rd., Stowe ☎(802)253-8741 営毎日17:00〜21:30

ストウ

時間が止まったような町並み
ストウビレッジ
Stowe Village

かわいらしい店が並ぶストウビレッジ

　ストウの中心地ともなっているストウビレッジStowe Village
は、穏やかな山並みに抱かれた実に平和な村だ。その中心路、
メイン通り（VT-100）沿いには、観光客がふらりと立ち寄りた
くなる昔ながらの雑貨屋やギャラリーが並ぶ。ふと横道に入
れば、まるで絵のように村に溶け込むニューイングランド風の
住宅がある。

晩秋のメイン通り

　ここでは車を降りて、しばし散
策を楽しみたい。メイン通り沿い
には貸し自転車屋もあるので、レ
ンタサイクルでストウを回るのも
いい。メイン通りの白い教会の裏
手から、町を縦断するようにスト
ウ・レクリエーションパスStowe
Recreation Pathが通っている。

自転車で走ると気持ちいい
ストウ・レクリエーションパス
Stowe Recreation Path

木漏れ日が美しいパスをジョギング

　地元ではSRPで通じる
全長約8.5kmのトレイル。
車両進入禁止で、徒歩、
貸し自転車、乗馬など、車
の心配をすることなく楽し
める散歩道だ。8.5kmと聞
くと長く感じるが、実にう
まく設計されていて、ほと
んど起伏もなく、徒歩でも
自転車でも楽に行ける。途
中には、広大な山々の自然や渓流のせせらぎ、草原に咲く花々など、
ドライブでは見過ごしがちなのどかな景色を堪能できる。よく手入れ
されているこのパスを歩くと、この町に暮らす人々の文化レベルの高
さを感じずにはいられない。いくつもの木製の橋の下には、緩やかな
小川が流れ、下りて水遊びができるようになっている。途中ところど

散策するだけでも気持ちいい

ころに、商店があるポイント
と交差するので、休憩を取り
ながらゆっくと楽しもう。
　SRPはメイン通りの教会裏
手から始まり、トップノッチ・
リゾート＆スパ（→P.315）の
少し先が終点だが、どこで始
めてどこで終わっても自由
だ。

サイクリングを楽しもう

Stowe Village
Ⓜ P.312-1

貸し自転車
ストウのいたるところにあ
る。ホテルで貸し出してい
るところも多い
Pinnacle Ski and Sports
Ⓜ P.312-1
🏠 3391 Mountain Rd., Stowe
☎(802)253-7222
URL www.pinnacleskisports.
com
🕐 毎日9:30〜17:30
💰 レンタルバイク1時間$9、
2時間$18、1日$30
カードⒶⓂⓋ
ストウビレッジの北約5km、
トップノッチ・リゾート＆
スパの近くにある。カヤック
やスキー板などもレンタ
ルしている

AJ's Ski and Sports
Ⓜ P.312-1
🏠 350 Mountain Rd., Stowe
Free (1-800)226-6257
URL www.stowesports.com
🕐 毎日10:00〜18:00（土・日
9:00〜）
💰 レンタルバイク1時間$9
〜、半日$19〜、1日$27〜
カードⒶⓂⓋ
町に近いストウ・レクリエ
ーションパス入口にあるレ
ンタルバイクショップ。ス
ポーツウエアなども販売し
ている

Stowe Recreation Path
Ⓜ P.312-1
URL www.gostowe.com/
thingstodo/sports/
recreation-path

Stowe Mountain Resort
[M]P.312-1
[住]5781 Mountain Rd., Stowe
☎(802)253-3000
[URL]www.stowe.com
[行き方]ストウビレッジからMountain Rd.（VT-108）を北西へ約12km、約15分

Stowe Mountain Golf Club
18ホール（パー72、6400ヤード）のゴルフコースからは、マンスフィールド山のなだらかなうねりを堪能できる
[URL]www.stowemountainlodge.com/stowe-golf-club.php

Gondola Skyride
[営]〈7月～10月中旬〉毎日10:00～16:30
[料]大人片道$19、往復$25。子供片道・往復$17

Auto Toll Road
[営]〈5月中旬～10月中旬〉毎日9:00～16:00
[料]車1台$19（運転手以外はひとり$6）
終点に無人のビジターセンターや簡易トイレはあるが、売店などはない。
17:00にはオート・トール・ロードのゲートがしまるので16:45には山頂を出発すること

本格的な山岳リゾートの誕生

ストウ・マウンテン・リゾート
Stowe Mountain Resort

人間の横顔のように見えるマンスフィールド山Mt. Mansfield（標高1340m）を開発した本格的なマウンテンリゾート。パウダースノーで滑りやすいと評判のスキー場を中心に、その麓には、スパやショッピングモールを備えた豪華なロッジのストウ・マウンテン・ロッジStowe Mountain Lodge（→P.315）やコンドミニアムなどが建てられ、マンスフィールドビレッジを形成している。そのほか、ゴルフやハイキング、アルペンスライドや犬ぞりなどのアクティビティも体験できる。開発されたとはいえ、ストウの豊かな自然環境は守られており、特に紅葉の美しさは格別。ゴルフ好きには、リッチな**ストウ・マウンテン・ゴルフクラブStowe Mountain Golf Club**がおすすめだ。

マンスフィールド山の山頂展望台へは、麓からゴンドラで約20分。終点にはクリフハウス・レストランCliff House Restaurant（→P.315）もあり、食事も楽しめる。ゴンドラの終点から始まるハイキングコースをたどり、徒歩で下山しても楽しい。子供たちには、山の斜面を滑り降りるマウンテンスライダーやバンジートランポリンなどが人気。ハイキング好きには、麓から**オート・トール・ロードAuto Toll Road**と呼ばれる有料の専用道路で山頂近くまで上り、駐車場終点から片道2kmほどを尾根沿いに歩く、絶景のハイキングコースがおすすめ。晴れていれば、遠くニューヨーク州やカナダのモントリオールまで見渡せる。

Trapp Family Lodge
[M]P.312-1
[住]700 Trapp Hill Rd., Stowe, VT 05672
[Free](1-800)826-7000
[URL]www.trappfamily.com
[行き方]ストウビレッジからMountain Rd.（VT-108）を進み、約3km先でLuce Hill Rd.に入る。Ten Acre Lodgeを左にして、Hillへと上る
[ツアー]時期により異なるが週に2～3回トラップファミリーの歴史やロッジについて解説してくれるツアーを催行している
Von Trapp Family History Tour
[営]火・木・土11:00出発、約1時間30分
[料]大人$10～18、5～12歳$5～10
Lodge Tour
[営]金・日13:00出発、約1時間
[料]大人$10～18、7～12歳$5

トラップ一家の終の住みかとなった場所

トラップ・ファミリー・ロッジ
Trapp Family Lodge

ストウビレッジから車で10分ほどの山の上に建つ、総面積2500エーカー（約10km²）の広大なロッジ。チロル風のメインロッジの周りに、豪華なヴィラやゲストハウスシャレーなどが取り囲み、オーストリアアルプスを思わせる。ここここそ『サウンド・オブ・ミュージック』のモデルとなったトラップ一家が、アメリカ亡命後に暮らした場所だ。第2次世界大戦中の1938年、ナチスの迫害から逃れて渡米した一家は、1942年、ストウのThe Old Gale Farmを買い、ロッジのもととなるCor Unum（One Heart）を建て、農業をしながら合唱団活動を1956年まで続けた。その後、1965年にジュリー・アンドリュース主演の映画の大ヒットで、再び注目が集まると、ストウでの暮らしも安定し、1968年には敷地内にクロスカントリースキーコースを完成させた。1980年にはロッジ焼失という悲劇にも見舞われたが、1983年、現在のロッジを再建。1987年には音楽祭も催されるようになり、その後は順調に発展し、冬のスキー、秋の紅葉、夏の避暑など四季折々の魅力にあふれたヨガスタジオもある豪華リゾートへと成長した。ロッジ正面玄関左手にはツアーで見学できる、一族の眠る墓がある。

館内ツアーにも参加したい

MEMO Ⓗブラスランタン・イン　女性好みの美しいB&B。The Brass Lantern Inn [M]P.312-1 [住]717 Maple St., Stowe, VT 05672 ☎(802)253-2229 [URL]www.brasslanterninn.com [料]ⓈⒹ$110～275、9室 [カード][A][M][V]

ストウのショップ、レストラン、ホテル

S サイダー工場を見学できる
コールドホロー・サイダーミル

食品／ウオーターバリー・センター／MAP▶P.312-2

Cold Hollow Cider Mill

ニューイングランド産のリンゴを使ったアップルサイダー工場。搾る様子をガラス越しに見学できる。そのあとは店内でお買い物。自家製のアップルソースやマスタードの試食コーナーもある。香ばしい匂いを立てる名物の自家製ドーナツを食べるのもお忘れなく。

- 🏠 3600 Waterbury-Stowe Rd., Waterbury Center
- ☎ (802)244-8771
- Free (1-800)327-7537
- URL www.coldhollow.com
- 営 毎日8:00〜18:00
- カード A M V

R ゴンドラで行く山頂レストラン
クリフハウス・レストラン

$$ アメリカ料理／ストウ／MAP▶P.312-1

Cliff House Restaurant

ストウ・マウンテン・リゾートのレストランで、そのおいしさはピカイチ。山の中腹にあるのでゴンドラ代がかかるが、山並みを仰ぎながらの絶品料理が楽しめる。食材は地元の野菜や肉、チーズなどを使い、盛りつけも上品。ワインのセレクションも充実し、雰囲気もよい。

- 🏠 5781 Mountain Rd., Stowe
- ☎ (802) 253-3665
- URL www.stowe.com
- 営 ランチ：毎日11:00〜15:00、ディナー：毎日18:30〜21:30
- カード A M V
- 行き方 麓からゴンドラ（往復$25）で上る。終点がレストラン

H 極上のもてなしに癒やされる
トップノッチ・リゾート&スパ

最高級／ストウ／MAP▶P.312-1

Topnotch Resort & Spa

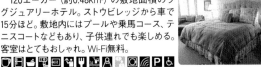

120エーカー（約0.48km²）の敷地面積のラグジュアリーホテル。ストウビレッジから車で15分ほど。敷地内にはプールや乗馬コース、テニスコートなどもあり、子供連れでも楽しめる。客室はとてもおしゃれ。Wi-Fi無料。

- 🏠 4000 Mountain Rd., Stowe, VT 05672
- ☎ (802)253-8585
- Free (1-800)451-8686
- FAX (802)253-9263
- 料 S D T $209〜325、Su $329〜1800、68室、コンドミニアム22室
- カード A D M V

H ストウで注目の山岳リゾート
ストウ・マウンテン・ロッジ

最高級／ストウ／MAP▶P.312-1

Stowe Mountain Lodge

スキーヤーのためにブーツを暖めるなど、細やかなサービスが信条。ゲレンデにも直行でき、真冬でも露天温水プールがオープンする。全室に小さなキッチンが付き、優雅なスパ、オーガニックレストランもある。Wi-Fi無料。

- 🏠 7412 Mountain Rd., Stowe, VT 05672
- ☎ (802)253-3560
- FAX (802)253-9393
- URL www.stowemountainlodge.com
- 料 S D $209〜709、Su $449〜2409、300室
- カード A D J M V

H 世界中から観光客が訪れる
トラップ・ファミリー・ロッジ

高級／ストウ／MAP▶P.312-1

Trapp Family Lodge

トラップ・ファミリーが経営するオーストリア風ロッジ。ロッジやゲストハウス、ヴィラの周りを雄大な山々が取り囲む。本館の客室には風景が楽しめるようにバルコニーが設置され、開放感抜群。ブリュワリーもある。Wi-Fi無料。

- 🏠 700 Trapp Hill Rd., Stowe, VT 05672
- ☎ (802)253-8511
- Free (1-800)826-7000
- FAX (802)253-5740
- URL www.trappfamily.com
- 料 S D T $195〜340、Su $325〜715、本館96室
- カード A D M V

H AAAで4ダイヤモンドの高級リゾート
ストウフレイクマウンテン・リゾート&スパ

高級／ストウ／MAP▶P.312-1

Stoweflake Mountain Resort & Spa

大型リゾートホテルで、部屋はスタンダードからタウンハウスまで幅広い。スパでは30種類以上のトリートメント&マッサージが楽しめる。ゴルフ、スキー、スパなどを組み込んだパッケージもある。Wi-Fi無料。

- 🏠 1746 Mountain Rd., Stowe, VT 05672
- ☎ (802)253-7355
- Free (1-800)253-2232
- FAX (802)253-6858
- URL www.stoweflake.com
- 料 S D T $179〜309、Su $336〜1123、173室 カード A D M V

バーモント州 市外局番 ●802

ベニントン

Bennington

町のシンボルであるオールド・ファースト・チャーチ

バーモント州マンチェスターから南へ約32km、マサチューセッツ州との州境にある町。アメリカ独立戦争の激戦のひとつ「ベニントンの戦い」が繰り広げられた戦跡があることでも知られ、「ベニントン・バトル・モニュメント」が建てられている。穏やかな町には陶芸の窯元や、グランマ・モーゼスの心あたたまる素朴画が鑑賞できるベニントン美術館をはじめ、カバードブリッジ博物館などもある。秋の1日、美術館巡りの旅を楽しもう。

行き方

車／バーリントンの中心部からUS-7を約190km南へ、約3時間。ボストンの中心部からは I-90 (Massachusetts Turnpike) を西へ約198km進み、Exit 2のLeeで下りる。US-7を約73km北上。約3時間30分

観光案内所

Downtown Welcome Center
🏠 215 South St., Bennington, VT 05201
☎ (802)442-5758
URL www.betterbennington.com
🕐 月～金10:00～16:00

Bennington Welcome Center
🏠 100 VT-279, Bennington, VT 05201
☎ (802)447-2456
🕐 毎日7:00～21:00

Bennington Area Chamber of Commerce
🏠 100 Veterans Memorial Dr., Bennington, VT 05201
☎ (802)447-3311
URL www.bennington.com
🕐 月～金9:00～17:00

ベニントンへの行き方

日本からのゲートシティでもあるバーリントン (→P.306) から南下するか、ボストンからマサチューセッツ州ウィリアムズタウン (→P.251) を経由して北上するか、ふたつのルートが考えられる。日程によって選択したいが、モホークトレイル (MA-2) のドライブと組み合わせると効率がいい。バスなどの公共交通機関はないので、ドライブの旅となる。

ベニントンの歩き方

US-7を利用してこの町に入ったら、まずMain St. (VT-9) を西進してベニントン美術館へ。その後、Main St.の坂道を上ってカバードブリッジ博物館を訪れよう。秋なら、ベニントン美術館のすぐ上に建つオールド・ファースト・チャーチ周辺の紅葉が美しい。再びダウンタウンに戻ったら、ランチやベニントンポッターズで買い物などを楽しむといい。

ダウンタウンを飾るユーモラスな彫像

Ⓢキャメロット・アンティーク　200以上のディーラーが集まるバーモント州最大のアンティークセンター。Camelot Antiques 🏠 66 Colgate Heights, Bennington ☎ (802) 447-0039 ↗

おもな見どころ

モーゼスおばあちゃんの名画に会える

ベニントン美術館
Bennington Museum

　ベニントンのダウンタウンからMain St.の坂道を上った左手にある。ここでは、この美術館の名を一躍有名にした、グランマ・モーゼスGrandma Mosesこと、アンナ・メアリ・ロバートソン・モーゼスAnna Mary Robertson Moses（1860～1961）が描いた30点以上の素朴画（ナイーブアート）と対面できる。

　アメリカで最も有名なフォークアート画家のひとりである彼女は、75歳から本格的に絵を描き始め、101歳で亡くなるまで1500点以上にのぼる、彼女の思い出のなかに眠る心象風景を描き続けた。それらの作品は、彼女が幼き日々を過ごしたニューヨーク州グリニッチの村や夫と一緒に懸命に働き続けた村の風景などである。いうなれば、どれも、彼女の思い出と観察眼から生み出されたものばかり。キルティングビーや感謝祭の日のこと、鉄道が初めて開通した日のこと、火事で大騒ぎした日などが、丹念に描き込まれ、人々の息づかいやぬくもりさえ伝わってくる。思わず引き込まれてしまう傑作揃いだ。

大人気のグランマ・モーゼス・コレクション

　その展示室の隣には、1972年に移築された「グランマ・モーゼス・スクールハウス Grandma Moses Schoolhouse」があり、モーゼスおばあちゃんの若かりし頃の、カントリーストアやティーパーティの様子が再現され、モーゼスが生きた時代を追体験できる。これは、モーゼスの兄弟たちが暮らしていた、ニューヨーク州イーグルブリッジから移築されたものだ。

　この美術館は、1852年にベニントン歴史協会として設立され、当初はアメリカ独立史の舞台となった、1777年の「ベニントンの戦いBattle of Bennington」を追悼する展示品が中心だった。その後、コレクションも充実し、バーモント州在住の画家や彫刻家の作品をはじめ、昔の家具やおもちゃ、アミ・フィリップスAmmi Phillipsが描く19～20世紀のビンテージ・ポートレート、19世紀に隆盛を極めたベニントン陶器Bennington Potteryのコレクションなどが揃い、古きよき時代のバーモントの暮らしをしのべる展示構成になっている。

昔の学校を再現したスクールハウス

美術館の目玉、「ベニントンの戦い」を描いた大作

Bennington Museum
[M] P.302-A3
[住] 75 Main St., Bennington
[電] (802)447-1571
[URL] www.benningtonmuseum.org
[営] 〈2月中旬～5月、11～12月〉木～火10:00～17:00、〈6～10月〉毎日10:00～17:00
[休] 1月～2月上旬、2月中旬～5月と11～12月の水、11月第4木曜、12/25、1/1
[料] 大人 $10、シニア・学生 $9、18歳以下無料
[行き方] ベニントンのダウンタウンからMain St. (VT-9) を西へ約1.2km、約2分

[URL] www.antiquesatcamelot.com [営] 毎日9:30～17:30 [行き方] ベニントンのダウンタウンからVT-9を西へ約2.5km

The Old First Church

住 Monument Ave. & Church Ln., Bennington
☎ (802)447-1223
URL www.oldfirstchurch benn.org
営《5月下旬～6月》土10:00～12:00、13:00～16:00、日13:00～16:00、《7月～10月中旬》月～土10:00～12:00、13:00～16:00、日13:00～16:00
行き方 ベニントンのダウンタウンからMain St.(VT-9)を西へ約1.6km行き、Monument Ave.で左折。Church Ln.とMonument Ave.の交差点角。約4分

紅葉に映える白い教会

Bennington Center for the Arts & Covered Bridge Museum

住 44 Gypsy Ln., Bennington
☎ (802)442-7158
URL www.thebennington.org
営 水～月10:00～17:00
休 火
料 大人$9、シニア・学生$8、12歳以下無料
行き方 ベニントンのダウンタウンからMain St.(VT-9)を西へ約2.9km行き、Gypsy Ln.を右折。約6分

雪が降る地域ならではのカバードブリッジ博物館

Bennington Potters

住 324 County St., Bennington
☎ (802)447-7531
Free (1-800)205-8033
URL www.benningtonpotters. com
営 月～土9:30～18:00、日10:00～17:00
行き方 ベニントンのダウンタウンからNorth St.(US-7)を北へ約800m進み、County St.を左折した左側。約3分

町のシンボルは白い教会

オールド・ファースト・チャーチ
The Old First Church

1762年、バーモント州で最初に開設されたプロテスタント教会。宗教上の自由を求めた信徒たちによって創建され、当時、政治を司る州とは分離された。ベニントン美術館裏手の丘の上に建ち、秋には墓所に植えられたメープルの巨木が深紅に燃え立ち美しい。教会の窓に照り映えるカエデも見事！　250年以上の時を経た今も、信徒らによって大切に守られている町のシンボルである。

バーモント州の屋根付き橋の全貌がわかる

ベニントンセンター・フォー・ジ・アーツ＆カバードブリッジ博物館
Bennington Center for the Arts & Covered Bridge Museum

バーモント州で活躍するアーティストや先住民の絵画、彫刻、工芸品などを展示したギャラリーがあるほか、演劇やコンサート、ワークショップなどが開かれる地域の芸術センターでもある。必見は、その一角にあるバーモント州に点在するカバードブ

アメリカでも珍しいカバードブリッジ博物館

リッジを紹介した博物館。写真やビデオ、パソコンや資料で、歴史や建てられ方などを見ることができ、売店で、近くに残る5つのカバードブリッジについて教えてもらうこともできる。時間があれば、カバードブリッジ巡りを楽しみたい。

伝統の塩釉陶器を生産し直売する

ベニントンポッターズ
Bennington Potters

陶産地としての歴史を誇るベニントンで、今も伝統的なストーンウエアと呼ばれる塩釉陶器(炻器)を生産する、1948年創業の窯元。すべて型押し成形で作られ、工場の一角で、職人が型押し機を巧みに操って器を作る工程を見学できる。直売所は、

おみやげにしたい塩釉陶器

約100年前に製粉所だった水車小屋を改築した1階にあり、美しくディスプレイされた塩釉陶器の数々を買うことができる。高価だが、酸や熱に強いストーンウエアは温かいものは温かく、冷たいものは冷たく保存できる、アメリカ伝統の陶器だ。

工場では窯詰めの真っ最中

マンチェスター

Manchester

バーモント州

市外局番 ●802

秋のイコナックス・リゾート＆スパ

独立戦争当時から、ニューイングランド地方の名士たちが集う避暑地だったマンチェスター。リンカーン大統領の子息、ロバート・トッド・リンカーンもこの地に別荘を築き、夏を過ごした。名門イコナックスEquinoxには、ウィリアム・タフト（第27代）やセオドア・ルーズベルト（第26代）、ベンジャミン・ハリソン（第23代）ら歴代大統領も宿泊している。近年はアメリカのトップブランド40社が出店する、アウトレットタウンとして知られるようになってきた。とはいえ、ハイソなリゾートの面影は今も残され、US-7A沿いの美しい並木道の両側には豪奢な邸宅が連なっている。

マンチェスターへの行き方

　バスなどの公共交通機関はないのでドライブで訪れることになる。日本からマンチェスターへは、飛行機でバーリントン国際空港に入り、バーリントンから車（約2時間30分）が便利。ボストンからは、モホークトレイル（→P.176）経由で約4時間。

マンチェスターの歩き方

イコナックス・ゴルフ・リゾート＆スパ前の通り沿いで

　おもな見どころを結ぶ公共のバスは走っていないので、車での移動となる。ヒルデンを見学後、アウトレットタウンで買い物を楽しめば約半日の行程。しかし、それだけではこの町のよさを体験したことにはならない。せっかくなら、イコナックス・リゾート＆スパに連泊し、フライフィッシングや鷹狩りなどを体験してほしい。

行き方

車／バーリントンの中心部からUS-7を約150km南下し、VT-7Aを約9.5km南へ進む。約2時間30分。ベニントンの中心部からはVT-7Aを北へ約37km。約50分。
ボストンの中心部からMA-2を西へ約150km進み、GreenfieldでI-91に入る。約34km北進し、バーモント州のExit 2でVT-30に移る。約72km進み、VT-7Aで左折し、約2km南下。約4時間

観光案内所

Manchester and the Mountains Regional Chamber of Commerce Visitor's Welcome Center
🏠 39 Bonnet St., Manchester Center, VT 05255
☎(802)362-6313
URL visitmanchestervt.com
🕐月〜金9:00〜17:00、土・日10:00〜15:00（日11:00〜）

⊙MEMO　®ディポ62・カフェ＆ビストロ　オーガニック食材を使用したピザが人気のレストラン。Depot 62 Cafe & Bistro 🏠515 Depot St., Manchester Center ☎(802)366-8181 🕐毎日11:30〜21:00

319 ◆

Manchester Designer Outlets

住 97 Depot St., Manchester Center
Free (1-800)955-7467
URL www.manchesterdesigner outlets.com
営 毎日10:00〜18:00（金・土〜19:00、日〜17:00)
行き方 マンチェスターのダウンタウンからVT-7Aを約1.6km北へ行き、Depot St. (VT-11/30) を右折

散歩をしながらのアウトレット巡り
マンチェスター・デザイナー・アウトレット
Manchester Designer Outlets

マンチェスターのダウンタウンの北約1.6kmにある。VT-7AとVT-11/30の交差点を中心にVT-11/30の通り沿いには、町並みに溶け込むようにニューイングランド風のブランドショップが軒を連ね、アウトレット街を形成している。Ann Taylor、Brooks Brothers、Clarks、Coach、Crabtree & Evelyn、J.Crew、Kate Spade、Michael Kors、

セオリーは日本で買うより断然安

New Balance、Polo Ralph Lauren、Theory、Tumiなどなど、その数40店舗。散策を楽しみながら、30〜70%オフの買い物もできる。四季折々に美しい町だが、クリスマスシーズンはことのほか華やぐ。

リンカーン一族の夏の別荘
ヒルデン
Hildene

Hildene

M P.302-A3
住 1005 Hildene Rd., Manchester
☎ (802)362-1788
URL www.hildene.org
営 毎日9:30〜16:30
休 おもな祝日
料 大人$18、6〜14歳$5
ガイドツアー/〈6月〜9月中旬〉毎日11:00、13:00出発　大人$5、子供$2。11〜5月は、要事前予約
ワゴンライド/〈6〜10月〉毎日14:00出発　大人$10、子供$5
行き方 マンチェスターのダウンタウンからVT-7Aを約3km南下し、Hildene Rd.を左折
※時期によるが1日に数回スタッフによるガイドツアーを催行している

ヒルデンは、第16代アメリカ大統領エイブラハム・リンカーンの長男、ロバート・トッド・リンカーンRobert Todd Lincoln（1843〜1926）が1905年に建てた別荘である。晩年、彼はここに暮らし、1926年7月26日の朝、自室で亡くなっているところを執事によって発見された。

秋の山に囲まれたヒルデン

裏手にバッテンキル渓谷を望む大邸宅の正面には、父エイブラハムが生まれたログキャビンの敷地面積が示され、その対比に驚かされる。ロバートと母親メアリー・トッド・リンカーン、弟のタッドは1864年イコナックスホテルに滞在し、美しいマンチェスターを満喫した。翌1865年4月14日、リンカーン大統領はワシントンDCで観劇中に狙撃され、翌日亡くなった。この地を愛したロバートは、その後500エーカーの土地を買ってヒルデンを建てたのである。1975年リンカーン一族の最後のひとりが亡くなると、1978年に非営利組織Friends of Hildeneが屋敷ごと買い取って一般公開した。

ツアーでは、ロバートが亡くなった部屋や妻の部屋、孫やひ孫たちが遊んだ玩具を展示した中階段を通って、最後に「エイブラハム・リンカーンの部屋」に立ち寄る。トレードマークの山高帽が展示された部屋の壁には、あごひげを生やしていないエイブラハム・リンカーンの肖像画が飾られ、その脇に少女から来た手紙が紹介されている。「あなたはやせていてちょっと頼りない感じだけど、ひげなんか生やしたらもっとよくなるんじゃないかしら……」。この手紙が響いたのかどうかはわからないが、リンカーンはあごひげを生やし始め、それが彼のトレードマークになっていったのだ。息子のロバートは、政治の世界とは一線を引き、晩年は鉄道車両会社プルマン社の社長を勤め上げた。

あごひげのないリンカーンに注目！

 アーリントンでの宿泊　US-7A沿いにB＆Bなどの宿泊施設が集まっている。West Mountain Inn（住 144 W. Mountain Inn Rd., Arlington, VT 05250 ☎ (802)375-6516 URL www.westmountaininn.com）や

アーリントン

■ ロックウェルの絵のモデルのことがわかる！
ノーマン・ロックウェル・エキシビジョン
Norman Rockwell Exhibition

アメリカを代表する画家ノーマン・ロックウェルの絵のモデルたちによって運営されているユニークなギャラリー。みやげ物屋Sugar Shackに併設する。1939年から1953年までアーリントンに暮らし、絵のモデルに近在の人々を数多く起用したロックウェル。そのモデルたちが絵に解説を加え、当時のこと、そのあとのことなどを紹介している。子供だったモデルたちが成人した写真なども飾られ、ロックウェル好きにはたまらなく魅力的なギャラリーだ。

Norman Rockwell Exhibition
住29 Sugar Shack Ln., Arlington
☎(802)375-6747
URL www.normanrockwellexhibit.com
營〈5～12月〉毎日10:00～17:00
料無料
行き方マンチェスターダウンタウンからVT-7Aを南へ約11km。右側にSugar ShackとNorman Rockwell Exhibitの看板が立っている

■ マンチェスターのショップ、ホテル

S｜フィッシングロッドの名門店
アウトドア／マンチェスター／MAP▶なし
オービス
Orvis

アウトドア全般を取り扱っているが、もともとはマンチェスターで創業したフィッシングロッドの名門。バッテンキル川でフライフィッシングに明け暮れた創業者の遺志を引き継ぎ、直営店隣には1本1本手作りでロッドを仕上げる釣り具工房がある。フィッシングツアーや講習会も催行。

住4180 Main St. (VT-7), Manchester
☎(802)362-3750
URL www.orvis.com
營毎日10:00～18:00（土9:00～、日～17:00）
カードAMV

H｜通なアウトドアを楽しむ極上リゾート
最高級／マンチェスター／MAP▶なし
イコナックス・ゴルフ・リゾート＆スパ
Equinox Golf Resort & Spa

1769年にThe Marsh Tavernとして創業しただけあってダイニングも充実しており本格的な美食が楽しめる。鷹匠体験やタフな森の中をランドローバーで走るツアーもおすすめ！ Wi-Fi無料。

住3567 Main St. (VT-7A), Manchester Village, VT 05254
☎(802)362-4700
Free(1-800)362-4747
FAX(802)362-4861
URL www.equinoxresort.com
料ⓈⒹⓉ$299～769、Ⓢ499～1049、195室 カードADJMV

H｜ビクトリア様式の歴史的な建物
高級／マンチェスター／MAP▶なし
ウィルバートンイン
The Wilburton Inn

20エーカーの敷地に、ホテルの客室やB&B、レストラン、結婚式場、会議場、テニスコート、彫刻庭園などがある巨大リゾート。ヒルデンから北へ車で約10分の所にある。VT-7AからRiver Rd.を右折し、銀杏並木の道を500mほど進む。Wi-Fi無料。

住257 Wilburton Dr., Manchester, VT 05254
☎(802)362-2500
Free(1-800)648-4944
FAX(802)362-1107
URL www.wilburton.com
料ⓈⒹⓉ$150～290、Ⓢ$225～1835、50室 カードAMV

H｜すばらしい景色を堪能できる
B&B／マンチェスター／MAP▶なし
ノースシャー・ロッジ
North Shire Lodge

マンチェスターのダウンタウンから南へ約8km、イコナックス山の麓にある。すべての部屋にバスタブとトイレが付いたロッジタイプのB&Bだ。宿泊客のみ利用できるレストラン&パブも併設。秋の紅葉の時期は早めに予約を。朝食、Wi-Fi無料。

住97 Main St., Manchester, VT 05254
☎(802)362-2336
Free(1-888)339-2336
URL www.northshirelodge.com
料ⓈⒹⓉ$129～179、14室
カードAMV

＼Whitney House Bed & Breakfast（住3978 VT-7A, Arlington, VT 05250 ☎(802)375-9701 URL www.whitneyhouseinn.com）などの評判がいい。

ロードアイランド州＆コネチカット州

マサチューセッツ州の南に位置する２州のうち東側のロードアイランド州は、全米いち小さな州で、深く切れ込んだナラガンセット湾の入口に、海洋都市ニューポートがある。黒船来港で知られるペリー提督の出身地であり、夏には黒船祭りが開かれる。郊外のニューポートマンションズは、アメリカ東部のお金持ちがこぞって別荘を建てた豪邸街。

ハートフォード郊外にあるマーク・トウェインの

一方、西側のコネチカット州は全米でも有数の所得水準が高い州。州都のハートフォードは保険産業で潤っている。ここに、名作『トム・ソーヤーの冒険』を書いたマーク・トウェインと『アンクル・トムの小屋』を書いたハリエット・ビーチャー・ストウが暮らした家が残されている。

ニューポートにある、ブレーカーズ

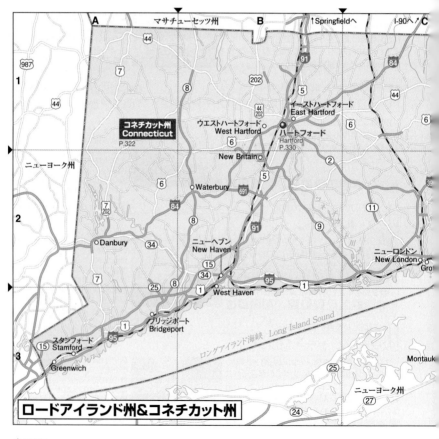

Rhode Island & Connecticut

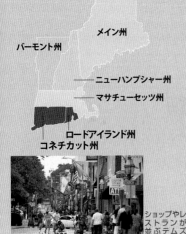

メイン州
バーモント州
ニューハンプシャー州
マサチューセッツ州
ロードアイランド州
コネチカット州

ショップやレストランが並ぶテムズ通り

ロードアイランド州
The State of Rhode Island

州都	面積
プロビデンス	4001km²

人口
105万5173人
（2014年推定）

州税
セールスタックス（消費税）
7％
ミールタックス（飲食税）
7％
ホテルタックス（ホテル税）
13％
（各税金ともローカル・タックス1％が加算される町もある）

時間帯
東部時間（EST）
（日本より−14時間、夏時間は−13時間）

コネチカット州
The State of Connecticut

州都	面積
ハートフォード	1万4357km²

人口
359万6677人
（2014年推定）

州税
セールスタックス（消費税）
6.35％
ミールタックス（飲食税）
6.35％
ホテルタックス（ホテル税）
15％

時間帯
東部時間（EST）
（日本より−14時間、夏時間は−13時間）

マサチューセッツ州
ボストンへ↑
95　495
295
44　ポータケット　Pawtucket　44
6　プロビデンス◎　Providence
ALT 1
East Providence
295　195
114　Fall River
2　Warwick
95　Bristol　24
ロードアイランド州
Rhode Island
P.322
138
138
ニューポート
Newport
P.324
ロードアイランド海峡
Rhode Island Sound
1
ブロックアイランド海峡
Block Island Sound
ブロックアイランド
Block Island
N
0　　　　25km

95	インターステートハイウエイ
1	U.S.ハイウエイ
9	ステートハイウエイ
●	見どころ

ロードアイランド州観光行政区

Blackstone Valley
Providence
プロビデンス（州都）
Warwick
East Bay
ニューポートカウンティ
South County
ニューポート

コネチカット州観光行政区

リバーバレー
◎ハートフォード（州都）
Litchfield Hills
Mystic Country
Greater New Haven
Fairfield County

ロードアイランド州

ニューポート

Newport

1993年までアメリカズカップが開催されたニューポート

ニューヨークから車で約3時間30分。ロードアイランド州ニューポートは、19世紀後半から20世紀初めにかけて、ニューヨークを中心とする大富豪たちが競って別荘を建てたリゾート地だ。それらの別荘のほとんどは、富を象徴するかのように絢爛豪華。現在は観光ポイントとして人気を呼んでいる。また、ニューポートはかつて約50年にわたってヨットの最高峰レース「アメリカズカップ」が開催された所。さらに、町にはテニスの殿堂もある。豪邸とスポーツ、マリーナの美しい雰囲気が多くの旅人をひきつけている。

行き方

鉄道／AmtrakのNortheastern Regional号が1日9～10便、ニューポート近郊のロードアイランド州キングストン Kingston駅に停車する。ボストンのサウスステーションから所要約1時間。駅からニューポート観光案内所へはRIPTAバス♯64で約1時間。月～金は1日10便、土は1日3便、日は運休

West Kingston Station
住 1 Railroad Ave., W. Kingston

バス／ピーターパン（ボナンザ）バスがボストンのサウスステーションからニューポート観光案内所まで1日2～4便運行。所要約1時間40分。片道$22～

Newport Bus Terminal
住 23 America's Cup Ave., Newport

URL www.peterpanbus.com

車／ボストンの中心部からI-93を約22km南下し、MA-24を約64km、RI-24を約12km、RI-114を約10km。所要約1時間40分

ニューポートの歩き方

ニューポートは穏やかな時を刻むリゾート地。まずは、観光の代名詞にもなっている大富豪たちの豪邸を見に行こう。大西洋岸に面したベレビュー通りBellevue Ave.沿いの豪邸を見て回るなら、観光案内所から出発するRIPTAバス♯67Bellevue/Mansionsで有名どころはカバーできる。

食事やショッピングはBellevue Ave.の北側や、ブリック・マーケットプレイスBrick Market Place周辺、テムズ通りThames St.沿いなどにあり、徒歩で楽しむことができる。海沿いにはクリフウオークCliff Walkと呼ばれる全長約5.5kmの遊歩道があり、海からの風を受けながらの散歩が気持ちいい。

クルーズを楽しむにはNewport Cruise Company（→P.326）社がシーズン中1日2～4便のツアーを催行。また、Viking Tours社（→P.326）ではトロリーバスで豪邸や景観を楽しむツアーを行っている。効率よく回りたいときに、参加してみよう。

ハーバー沿いでシーフードを楽しもう

ニューポート・ジャズ・フェスティバル　1954年に始まった世界的に有名なジャズ・フェスティバル。毎年7月下旬から8月上旬にアダムズ砦と国際テニスの殿堂で行われる。過去には、エラ・フィッツジェラルド、

観光案内所

ニューポート観光案内所

ロードアイランド州を走る路線バスRIPTAバスとピーターパン（ボナンザ）バスの発着所に隣接している。地図やパンフレットが入手できるほか、アトラクションのチケットカウンター、ホテルへの予約直通電話もある。観光バスのバイキングツアーズViking Toursもここから出発。

バスターミナルに隣接するニューポート観光案内所

Newport Visitors Center
M P.325-B1
住 23 America's Cup Ave., Newport, RI 02840
☎ (401)845-9123
URL www.discovernewport.org
圏 毎日9:00〜17:00。夏季は延長、冬季は短縮あり
休 11月第4木曜、12/24、12/25

67は覚えておくと便利な路線

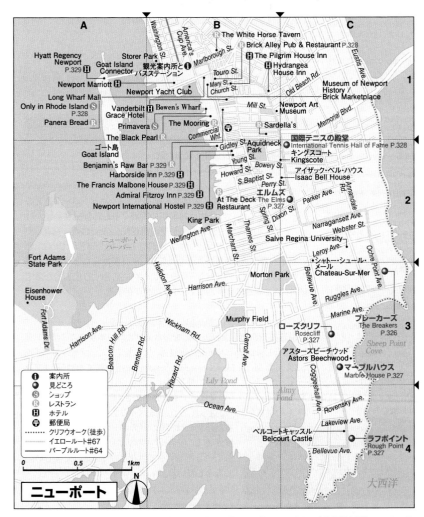

ニューポート

凡例
- **❶** 案内所
- **❷** 見どころ
- **Ⓢ** ショップ
- **Ⓡ** レストラン
- **Ⓗ** ホテル
- **◒** 郵便局
- ······· クリフウオーク（徒歩）
- ——— イエロールート#67
- ——— パープルルート#64

0   0.5   1km

地図ラベル:

The White Horse Tavern
Brick Alley Pub & Restaurant P.328
The Pilgrim House Inn
Hyatt Regency Newport P.329
Storer Park
観光案内所＆バスステーション
Hydrangea House Inn
Newport Marriott
Goat Island Connector
Newport Yacht Club
Museum of Newport History / Brick Marketplace
Long Wharf Mall
Only in Rhode Island P.328
Newport Art Museum
Vanderbilt Grace Hotel
Bowen's Wharf
Panera Bread
Primavera
The Mooring
Sardella's
The Black Pearl
国際テニスの殿堂 International Tennis Hall of Fame P.328
ゴート島 Goat Island
Aquidneck Park
キングスコート Kingscote
Benjamin's Raw Bar P.329
アイザック・ベル・ハウス Isaac Bell House
Harborside Inn P.329
The Francis Malbone House P.329
Admiral Fitzroy Inn P.329
エルムズ The Elms P.327
Newport International Hostel P.329
At The Deck Restaurant
King Park
Salve Regina University
ニューポートハーバー
Fort Adams State Park
Morton Park
シャトー・シュール・メール Chateau-Sur-Mer
Eisenhower House
Murphy Field
ブレーカーズ The Breakers P.326
ローズクリフ Rosecliff P.327
アスターズビーチウッド Astors Beechwood
マーブルハウス Marble House P.327
Lily Pond
Almy Pond
ベルコートキャッスル Belcourt Castle
ラフポイント Rough Point P.327
Ocean Ave.
Sheep Point Cove
大西洋

オスカー・ピーターソン、ビリー・ホリデイ、チック・コリア、クリス・ボッティ、ジャイミー・カラム、上原ひろみなどが参加した。Newport Jazz Festival **URL** www.newportjazzfest.org

325 ◆

Rhode Island Public Transit Authority(RIPTA)
☎(401)781-9400
URL www.ripta.com
圏 $2。1日券$6、5歳以下は無料。トランスファーは50¢
RIPTAバス#67
圏 毎日7:40～20:00（土8:40～、日9:40～）の15～20分間隔
タクシー
Cozy Cab
☎(401)846-1500
Orange Cab
☎(401)841-0030
URL newportcabs.com
Viking Tours
☎(401)847-6921
URL vikingtoursnewport.com
圏 Scenic Overview Tour：〈4月～6月上旬〉毎日10:00、13:30、〈6月中旬～10月〉毎日10:00、11:00、12:30、13:30、15:00、〈11～3月〉火・金・土11:00、Grand Mansion Tour：〈4月～6月上旬〉毎日10:00、13:30、〈6月中旬～10月〉毎日10:00、11:00、12:30、13:30、〈11～3月〉火・金・土11:00
圏 Scenic Overview Tour：大人$25、6～17歳$15
Grand Mansion Tour：大人$39～41、6～17歳$19
Newport Cruise Company
住24 Bannister's Wharf, Newport
☎(401)847-0298
URL www.cruisenewport.com
圏 大人$30、シニア$27、子供（4～12歳）$25
圏 毎日2～4便、所要約1時間30分
Newport Mansions (The Preservation Society of Newport County)
住424 Bellevue Ave., Newport
☎(401)847-1000
URL www.newportmansions.org
圏 毎日9:00～17:00（夏季は～18:00）。最終ツアーは閉館1時間前にスタート。マンションによって開館時間が異なり、ツアーに参加しないと見学できない所もあるので要確認。所要約1時間。冬季は閉館する施設もあり
圏 ひとつの建物につき$15.99、子供$6.99（ブレーカーズは$20.99、子供$6.99）。複数の建物を見たい人はコンビネーションチケット（→下記 MEMO）がお得
※館内は撮影禁止

市内交通

RIPTAバス

ロードアイランド州で約60のバス路線を運行する。ニューポートの観光で覚えておきたいバス路線は、#67Bellevue/Mansions。観光案内所隣のニューポート・ビジターセンターより出発し、ニューポート美術館、国際テニスの殿堂などを通ってブレイカーズ、マーブルハウスなどの大西洋岸の豪邸までを走る。

現地発のツアー

バイキングツアーズ

Viking Tours社が観光バスで、ニューポートの歴史的な建物や豪邸などを回る "Scenic Overview Tour（約1時間30分）" と豪邸見学をプラスした "Grand Mansion Tour（約3時間）" などを運行している。出発はニューポート観光案内所から。

ニューポート・クルーズカンパニー

Newport Cruise Company社が、ニューポートハーバーのクルーズを行っている。Bowen's Ferry Landingから出発。

おもな見どころ

その豪華さには見とれてしまうばかり

ニューポートマンションズ
Newport Mansions

大西洋沿いに点在する豪邸群の総称であり、ニューポート観光のハイライト。これらの建物は19世紀の終わりから20世紀初めにかけて、アメリカ東部の大富豪たちが夏の別荘Summer Cottagesとして建てたものだ。現在、邸宅（マンション）は一般公開されている。どの邸宅も豪華絢爛。贅を尽くした装飾、家具調度品など見応えのあるものばかりだ。ブレーカーズをはじめ次に紹介する代表的な邸宅以外にも、周辺には多くのマンションが点在する。

ブレーカーズ The Breakers（1895）

海運業や鉄道業で巨万の富を築き上げたコーネリアス・ヴァンダービルトCornelius Vanderbiltの孫、コーネリアス・ヴァンダービルト2世夫妻 Mr. & Mrs. Cornelius Vanderbilt IIが建てた別荘。「ブレーカーズ」とは、邸宅前に押し寄せる波音がBreakすることに由来する。ニューポートの豪邸群でも最大の広さ（約13エーカー）を誇り、2年もの歳月をかけて造られた。16世紀イタリアの宮殿をモデルに造った建物には、20のバスルームを含めた70もの部屋がある。圧巻は中央のグレートホールだ。飾られている花もすべて生花という徹底した美しい見せ方をしている。

70もの部屋があるブレーカーズ

MEMO ニューポートマンションズのコンビネーションチケット ブレーカーズを含む6つの建物への入場チケット Newport Mansions Experience（圏$32.99、子供$11）、ブレーカーズとそのほかひとつの建物への入場

映画撮影にも使われたローズクリフ

ローズクリフ Rosecliff（1902）

　ネバダ州バージニアシティ出身のハーマン・オエルリックス夫人Mrs. Hermann Oelrichsのために建てられたもので、1902年完成した。パリのヴェルサイユ宮殿のグランド・トリアノンを模したデザイン。この邸宅は映画『華麗なるギャツビー The Great Gatsby』（1974年版）に登場したり、『トゥルー・ライズ True Lies』のボールルームとして使われたことでも知られている。毎年6月下旬もしくは7月上旬に行われるフラワーショーNewport Flower Showも、年々訪れる客が増えているほどの人気のイベント。また、結婚式を挙げられる設備もある。

マーブルハウス Marble House（1892）

　当時の金額で1100万ドル費やして建造され、ニューポートで最も贅を尽くした邸宅といわれている。コーネリアス・ヴァンダービルトの孫ウィリアム・K・ヴァンダービルト夫妻 Mr. & Mrs. William K. Vanderbiltのために建てたもので全50部屋ある。アルヴァ夫人がティータイムを好んでいたことから庭に中国風のティーハウスを造った。

エルムズ The Elms（1901）

　石炭産業で成功したエドワード・ジュリアス・バーウィンド夫妻Mr. & Mrs. Edward Julius Berwindが夏の別荘として建てた。パリ郊外のシャトー・ダニエールChateau d'Asnieresを模して建てられた建物は1901年に完成。当時の金額で140万ドルかかったという。インテリアや家具はフランス人によって設計され、18世紀パリの建築様式を取り入れている。

ラフポイント Rough Point（1892）

　もとはコーネリアス・ヴァンダービルトの長男フレデリック・W・バンダービルトFrederick W. Vanderbiltのためにイギリスのマナーハウスを模して1892年に建てられた。1922年、電力やたばこで財を築いたジェイムズ・B・デュークJames B. Dukeが買い取り、増改築を施す。その3年後の彼の死により、唯一の子供であった12歳の娘ドリスDorisが相続。彼女はフランス家具やヨーロッパ絵画、トルコ絨毯などを集めた。現在もツアーで数々の調度品を見ることができる。

美しい景観にあるラフポイント

チケットThe Breakers Plus（圏$25.99、子供$7.99）などがある。

The Breakers
M P.325-C3
住44 Ochre Point Ave., Newport

Rosecliff
M P.325-C3
住548 Bellevue Ave., Newport

Marble House
M P.325-C3
住596 Bellevue Ave., Newport

The Elms
M P.325-C2
住367 Bellevue Ave., Newport
行き方 上記の豪邸へはニューポート観光案内所からRIPTAバス＃67でアクセスできる

マーブルハウスは庭園も見逃せない

チャイニーズティーハウス
Chinese Tea House
1914年、マーブルハウスの庭内に建てられた、中国南部地方の寺院を模したティーハウス

中国式庭園は大西洋に面して建つ

Rough Point（Newport Restration Foundation）
M P.325-C4
住680 Bellevue Ave., Newport
☎(401)847-8344
URL www.newportrestration.org
圏(3月下旬〜5月上旬）木〜日10:00〜14:00（最後のツアーが出発する時間）、〈5月中旬〜11月上旬〉火〜日10:00〜15:45（最後のツアーが出発する時間）
ツアー出発は、約1時間おき。所要約1時間15分
料大人$25、12歳以下は無料
行き方 ニューポート観光案内所からRIPTAバス＃67で約30分

アメリカでどのようにテニスが広まっていったのかがわかるミュージアム

アメリカでもテニスは人気スポーツ
国際テニスの殿堂
International Tennis Hall of Fame

1881年、ニューポートカジノNewport Casinoを会場に、U.S.オープンの前身である第1回全米チャンピオンシップ大会が開催された。その後、大会は規模が大きくなりニューヨークに移転、現在8月下旬～9月上旬にニューヨーク市クイーンズで開催されている。なお、U.S.オープンは世界4大トーナメントのひとつに数えられる大会だ。

ニューポートカジノをテニスの殿堂として創設したのは、1933、1938、1940年と3度の全米シングルス・チャンピオンに輝いたジェームス・バン・アレンJames Van Alen。1954年に全米テニス協会に、1986年には国際テニス連盟に承認され、国際的に認められたテニスの殿堂となった。

ビクトリアスタイルの建物は、1880年に建造されたもので、Casinoという名前は、イタリア語のcascina（小さな家）から取ったもの。当時のカジノとは、庭園やレクリエーション施設を備えた、いわば上流階級の人たちの社交場のような存在で、ニューポートカジノはこれを模したものだ。1880年7月26日、メインビルの1階に店舗、2階にクラブルーム、蹄鉄形の庭園、劇場、テニスコートを備えてオープンした。

現在はミュージアムを併設し、1880年代のテニスの道具や写真、当時から現代にいたる有名選手の紹介や歴史的なゲームの記録などを展示するほか、写真やビデオ、各種文献など資料収集と保管機関として機能している。展示のなかにはボリス・ベッカーやクリス・エバートから、シュテフィ・グラフ、アンドレ・アガシ、マルチナ・ヒンギス、ジェニファー・カプリアティ、リンゼイ・ダベンポートなど近年活躍した人の名前もある。

また、2014年にはアンドレ・アガシやマリア・シャラポワ、錦織圭などを育てたニック・ボロテリーもテニスの殿堂入りした。

International Tennis Hall of Fame
M P.325-C2
住 194 Bellevue Ave., Newport
☎ (401)849-3990
URL www.tennisfame.com
営 毎日10:00～17:00（7～8月は18:00まで）
休 11月第4木曜、12/25
料 大人 $15、シニア・学生 $12、16歳以下無料
行き方 ニューポート観光案内所からRIPTAバス#67で約10分

敷地内のテニスコートは必見

ニューポートのショップ、レストラン、ホテル

S ロードアイランドの名産品専門店　　　　　　　雑貨&ギフト／ニューポート／MAP▶P.325-B1
オンリー・イン・ロードアイランド　　　Only in Rhode Island

ロードアイランド州の名産品だけを扱う専門店。州内のアーティストが作ったアクセサリーや陶器、ガラス製品、カード類から、州内でとれた貝の缶詰などの食品まで、ロードアイランド州にこだわったセレクションが並ぶ。掘り出し物を見つけられそう。

住 Long Wharf Mall, Newport
☎ (401)846-5006
Free (1-866)466-5974
URL www.onlyinrhodeisland.com
営 毎日10:00～21:00（日～20:00）
カード A M V

R 肉料理でスタミナをという人に　　　　　$$ アメリカ料理／ニューポート／MAP▶P.325-B1
ブリック・アレー・パブ&レストラン　　Brick Alley Pub & Restaurant

町で最も人気があるアメリカンカジュアルのダイナー。子供のいる家族連れから恋人同士、学生、シニアまであらゆる年代に支持されている。ステーキ（$28～）やリブといった肉料理からシーフード、ピザ、パスタまでバラエティ豊かなメニューが魅力。

住 140 Thames St., Newport
☎ (401)849-6334
URL www.brickalley.com
営 毎日11:30～21:00
休 11月第4木曜
カード A M V

ブリック・マーケットプレイス周辺にあるショップ、リセイルズ　ヨットのセイル生地（帆布）を使ったバッグや財布などを取り扱う。ニューポートらしいおみやげを探しているなら立ち寄ってみるといい。

R 新鮮なシーフードをお手頃な値段で食べるなら　[$$] アメリカ料理／ニューポート／MAP▶P.325-B1

ベンジャミンズ・ロウバー　Benjamin's Raw Bar

町の中心Thames St.沿いにあるシーフードがメインのレストラン。16:00〜19:00はロブスターやメカジキのグリルなど日替わり料理が$13.95で食べられる。バーのコーナーでは、目の前で魚をさばいてくれるのがうれしい。1階はカジュアル、2階はフォーマルな雰囲気だ。

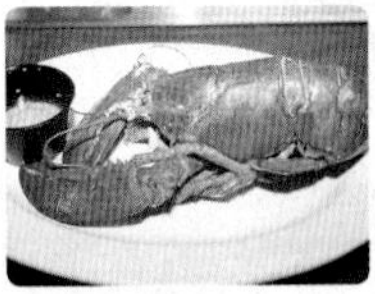

[住]254 Thames St., Newport
☎(401)846-8768
[URL]www.benjaminsrawbar.com
[営]毎日8:00〜24:00、バーは翌1:00まで
[カード][A][M][V]

H 海に囲まれた眺めのいいホテル　高級／ニューポート／MAP▶P.325-A1

ハイアット・リージェンシー・ニューポート　Hyatt Regency Newport

ニューポート港に浮かぶゴート島にある高級ホテルだが、ワーフ周辺までシャトルバスで送迎してくれる。豪華な内装と行き届いたサービスでリラックスできるはず。Wi-Fi使用料はリゾートフィー（$20〜35）に含まれる。

[住]1 Goat Island, Newport, RI 02840
☎(401)851-1234
[Free](1-800)233-1234
[FAX](401)846-7210
[URL]www.newport.hyatt.com
[料]ⓈⒹⓉ$109〜369、[Su]$209〜649、257室
[カード][A][D][J][M][V]

H 優雅な部屋と美しい中庭　高級／ニューポート／MAP▶P.325-B2

フランシス・マルボーン・ハウス　The Francis Malbone House

1760年頃の英国風建築で、統一感のある外観と内装がすばらしい。ジャクージ付きのバスと暖炉がある部屋もある。アフタヌーン・ティータイムには、ロビーでコーヒーやお菓子が提供される。ピークシーズンや週末は最低3泊から。朝食、Wi-Fi無料。

[住]392 Thames St., Newport, RI 02840
☎(401)846-0392
[Free](1-800)846-0392
[FAX](401)848-5956
[URL]www.malbone.com
[料]ⓈⒹⓉ$155〜380、[Su]$275〜495、20室
[カード][A][M][V]

H オーナーご自慢のボリュームたっぷりの朝食　中級／ニューポート／MAP▶P.325-B2

アドミラル・フィッツロイ・イン　Admiral Fitzroy Inn

ニューポートの中心部にあるアットホームなイン。各部屋は内装が異なり、ヨーロッパ調でかわいらしい。明るい光が差し込むダイニングルームは、白を基調として清潔感が漂う。エレベーター付き。朝食、Wi-Fi無料。

[住]398 Thames St., Newport, RI 02840
☎(401)848-8000
[Free](1-866)848-8780
[FAX](401)848-8006
[URL]www.admiralfitzroy.com
[料]ⓈⒹⓉ$115〜325、18室
[カード][A][M][V]

H 海沿いの好ロケーションにある　中級／ニューポート／MAP▶P.325-B2

ハーバーサイドイン　Harborside Inn

木目調のインテリアはノスタルジーを感じさせる。吹き抜けのロフト風の部屋もあり家族連れに好評だ。ハウス内にはヨットのスケッチも飾られている。週末は最低2泊から。朝食、Wi-Fi無料。

[住]1 Christie's Landing, Newport, RI 02840
☎(401)846-6600
[Free](1-800)427-9444
[URL]www.newportharborsideinn.com
[料]ⓈⒹ$119〜269、[Su]$159〜309、15室
[カード][A][M][V]

H ニューポートでは唯一の私設ホステル　ホステル／ニューポート／MAP▶P.325-B2

ニューポート・インターナショナル・ホステル　Newport International Hostel

ブリック・マーケットプレイスから徒歩約10分。オーナーはきれい好きで親身になって相談にのってくれる。女性の宿泊客も安心。毎夜ウオーキングツアーを催行している。夏季は必ず予約すること。Wi-Fi無料。

[住]16 Howard St., Newport, RI 02840
☎(401)369-0243
[URL]www.newporthostel.com
[料]〈夏季〉ドミトリー$49〜149、〈春・秋季〉ドミトリー$25〜49。個室は$10〜40追加、7ベッド
[カード][A][M][V]　※12〜4月は閉館

Re-Sails [住]200 America's Cup Ave., Newport ☎(401)849-8623 [URL]resails.com [営]毎日10:00〜18:00

ハートフォード
Hartford

バーモント州　ニューハンプシャー州
Boston
マサチューセッツ州
ハートフォード
ロード
アイランド州
コネチカット州

コネチカット州最大のビジネス街、ハートフォードのダウンタウン

コネチカット州の州都ハートフォードは、州政府の中心地であるだけでなく、アメリカ国内の保険産業の本拠地でもある。その活気もさることながら、ダウンタウンから少し離れると、古きよきアメリカの面影も残されている町だ。その独特の美しさにひかれて、アメリカを代表するふたりの作家が住んだ所としても知られている。ふたりとは、『トム・ソーヤーの冒険』を書いたマーク・トウェインMark Twainと、『アンクル・トムの小屋』の作者ハリエット・ビーチャー・ストウHarriet Beecher Stowe。都会を離れ、地方都市の生活を選んだ作家たちの時代に思いをはせてみよう。

行き方

バス／ボストンのサウスステーションからピーターパンバスやグレイハウンドバスが1日12〜14便、所要約2時間20分
URL www.peterpanbus.com
URL www.greyhound.com
鉄道／ボストンのサウスステーションからAmtrakへ。1日4〜6便、約3時間30分
URL www.amtrak.com
飛行機／Bradley International Airport
URL www.bradleyairport.com
空港はダウンタウンの北約20kmにあり、市内までタクシー（約$45）、CT Transitの#30 Bradley Flyerバス（$1.50）で約40分
AAA Cab
☎(860)623-8888
URL www.aaacab.net
CT Transit
URL www.cttransit.com
車／ボストンの中心部からI-90 W.→I-84 W.で約170km、所要約2時間

ハートフォードへの行き方

ボストンのサウスステーションからバス（ピーターパンバス、グレイハウンドバス）や鉄道（アムトラック）でアクセスできる。ただ、アムトラックは2016年末までコネチカット州で工事を行っているため、スプリングフィールドやニューヘブンでバスに乗り換えることになる。

ハートフォードの歩き方

町の中心に建つ旧州議事堂

ハートフォードはコネチカット州最大の都市。州都として、また、金融の町として活気があるが、見どころは何といってもマーク・トウェインの家とハリエット・ビーチャー・ストウの家。両方とも中心部より少し離れた所にあるので、市バスのCTトランジットで行くといい。ふたつの家は向かい合わせにあり、観光も容易。時間が余ったら、壮麗な建物としても見応えのある州議事堂や旧州議事堂を回ろう。

ハートフォードにアムトラック、バスで着いたなら　ダウンタウンのユニオン駅トランスポーテーションセンターにアムトラックとバスのターミナルが集まっている。 **MP** P.331-B1 **①** 1 Union Pl., Hartford

観光案内所

ハートフォード観光案内所

　町の中心、ユニオン駅トランスポーテーションセンターUnion Station Transportation Centerから徒歩約10分の所にある。ハートフォードの資料はもちろんのこと、コネチカット州全般の資料も揃っている。

市内交通

CTトランジット

　ハートフォード周辺をカバーする市バスとダウンタウンを循環するハートフォード・ダッシュ・シャトルHartford Dash Shuttleを運営する。インフォメーションブースやウェブサイトで、運行時間やルートの確認をしよう。

CTトランジットのバス。これでマーク・トウェインの家へ行こう

おもな見どころ

トム・ソーヤーの物語はここで生まれた

マーク・トウェインの家＆ミュージアム
The Mark Twain House & Museum

　作家マーク・トウェインMark Twain（1835～1910）が、1874年から1891年まで住んでいた家は現在、博物館として一般公開されている。当時ヌークファームNook Farm（隠れ場所）と呼ばれた、パーク川の支流が流れ込む森の中、文学者たちのコミュニティにあった。

Greater Hartford Welcome Center
📍P.331-B2
🏠100 Pearl St., Hartford, CT 06103
☎(860)244-0253
🕐月～金9:00～17:00

CTTransit
☎(860)522-8101
URL www.cttransit.com
🎫大人$1.50、子供（5～18歳）$1.20。トランスファー無料、1日バス$3

Information Booth
🏠State House Sq.（State、Market & Main Sts.に囲まれた所）
🕐月～金7:00～18:00、土9:00～15:00

Hartford Dash Shuttle
🕐月～金7:00～19:00
🎫無料
コンベンションセンターやブッシュネルパーク、XLセンター、ユニオン駅などに停車する

The Mark Twain House & Museum
📍P.331-A1～A2
🏠351 Farmington Ave., Hartford
☎(860)247-0998
URL www.marktwainhouse.org
🕐毎日9:30～17:30
🚫3月の火、おもな祝日
🎫大人$19、シニア（65歳以上）$16、6～16歳$11
🚌CTトランジットのバス#60、62、64、66でFarmington Ave.とGillett St.の角で下車、所要約25分。車ならハートフォードのダウンタウンからFarmington Ave.を西へ約2.5km。約5分

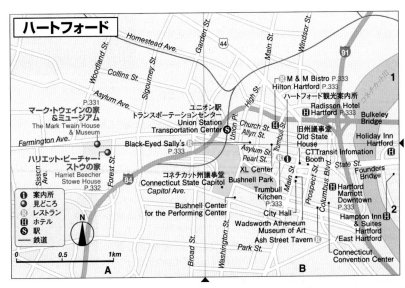

ハートフォード

地図凡例：
- ❶案内所
- ❷見どころ
- Ⓡレストラン
- Ⓗホテル
- Ⓢ駅
- 鉄道

0 0.5 1km

地図内表記：
Homestead Ave.
Garden St.
Main St.
Windsor St.
44
91
Collins St.
Woodland St.
Asylum Ave.
Sigourney St.
High St.
M & M Bistro P.333
Hilton Hartford P.333
ハートフォード観光案内所
Radisson Hotel Hartford P.333
Bulkeley Bridge
マーク・トウェインの家＆ミュージアム P.331
The Mark Twain House & Museum
Farmington Ave.
ユニオン駅トランスポーテーションセンター
Union Station Transportation Center
Church St.
Allyn St.
Union Pl.
旧州議事堂
Old State House
Holiday Inn Hartford
CTTransit Infomation Booth
Black-Eyed Sally's P.333
ハリエット・ビーチャー・ストウの家
Harriet Beecher Stowe House P.332
Sisson Ave.
Forest St.
Asylum St.
Pearl St.
Trumbull St.
XL Center
State St.
Founders Bridge
コネチカット州議事堂
Connecticut State Capitol
Capitol Ave.
84
Bushnell Park
Trumbull Kitchen P.333
Prospect St.
Main St.
Columbus Blvd.
Hartford Marriott Downtown P.333
Bushnell Center for the Performing Center
City Hall
Wadsworth Atheneum Museum of Art
Hampton Inn & Suites Hartford /East Hartford
Broad St.
Washington St.
Ash Street Tavern
Park St.
Connecticut Convention Center

1
2
A
B

ダウンタウン郊外にあるマーク・トウェインの家

19世紀、マーク・トウェインやハリエット・ビーチャー・ストウ Harriet Beecher Stowe ら作家たちは、好んで田舎での生活を楽しんだ。

マーク・トウェインの家は1874年に建築家エドワード・タッカーマン・ポーターによってデザインされたビクトリア風の邸宅だが、当初は予算オーバーで未完成のまま一家は引っ越した。『トム・ソーヤーの冒険 The Adventures of Tom Sawyer』のヒットと講演旅行のおかげで、1881年キッチンを広げ部屋の内装をインテリアデザイナーたちに託すことができた。向きや角度を変え、朱と黒に塗られたれんがの帯の装飾、チョウやユリの模様の贅沢な車寄せ、美しいオープンポーチ、バルコニー、塔、小さな塔に付けられた張り出し窓と最上階のポーチ、急勾配の屋根などが、建物の型にはまらない美しさを醸し出している。銀の型付け、精密な木彫、家の内外に置かれたプランターなどは目を見張るものだらけ。長年ミシシッピの川船で水先案内人として働いていた影響で、トウェインの家のデザインや装飾は、川船の操舵室に似ているともいわれる。また、マーク・トウェインの思い出の品々の特別なコレクションはミュージアムに展示されている。

『トム・ソーヤーの冒険』の作者、マーク・トウェイン
© Mark Twain House

マーク・トウェインの代表作といえる、『トム・ソーヤーの冒険 The Adventures of Tom Sawyer』『ハックルベリー・フィンの冒険 Adventures of Huckleberry Finn』『アーサー王宮廷のコネチカット・ヤンキー A Connecticut Yankee in King Arthur's Court』などがこの家で書かれた。彼はまた、新しい発明に興味をもち、ハートフォードで最初に私用の電話機を使ったり、シャワーを作ったりもしたのだという。

家の中に植物用の温室がある
© Mark Twain House

Harriet Beecher Stowe House
Ⓜ P.331-A2
🏠 77 Forest St., Hartford
☎ (860)522-9258
URL www.harrietbeecherst owecenter.org
🕐 毎日9:30〜17:00(日12:00〜)
🚫 1〜3月の火、おもな休日
💰 大人$10、シニア$9、子供(5〜16歳) $7
🚶 マーク・トウェインの家＆ミュージアムを参照のこと

ストウが1873年から亡くなる1896年まで暮らした
ハリエット・ビーチャー・ストウの家
Harriet Beecher Stowe House

マーク・トウェインの家のすぐ正面に、ハリエット・ビーチャー・ストウ Harriet Beecher Stowe（1811〜1896）のシンプルなビクトリア風コテージがある。彼女はニューイングランドを代表する女流作家で、『アンクル・トムの小屋 Uncle Tom's Cabin』で奴隷制度を激しく非難した。館内には、ストウが使用したダイニングテーブルや家具、食器類が並べられている。

ストウの家はマーク・トウェイン邸の向かいにある

ハートフォードのレストラン、ホテル

R｜トランブルキッチン
夜はパブとしても盛り上がる人気店

$$ アメリカ料理／ハートフォード／MAP▶P.331-B2

Trumbull Kitchen

　渋くジャズが流れる大人の雰囲気のカフェ・バー。といっても食事メニューも充実しており、寿司やヌードルなどのアジアンフードも食べられる。カリフォルニアロールは$11と値段も良心的だ。夜はバーに変身するが、ひっきりなしにお客がやってくる人気店。

🏠 150 Trumbull St., Hartford
☎ (860)493-7412
URL www.maxrestaurantgroup.com
🕐 月～金11:30～23:00（木・金～24:00）、土12:00～24:00、日16:00～22:00
カード A D M V

R｜ブラック・アイド・サリーズ
週末は行列ができる評判の店

$ アメリカ料理／ハートフォード／MAP▶P.331-B1

Black-Eyed Sally's

　ブシュネルパークの目の前にあるレストラン＆バー。ガンボやジャンバラヤ（$18）など南部料理をはじめ、ステーキやサンドイッチなどが食べられる。毎晩ジャズからブルース、クラシックまであらゆるジャンルの生演奏が聴けるので地元の人に人気だ。

🏠 350 Asylum St., Hartford
☎ (860)278-7427
URL blackeyedsallys.com
🕐 月～土11:30～22:00（金・土～23:00）
休 日
カード A M V

R｜M&Mビストロ
カジュアルな雰囲気

$$ アメリカ料理／ハートフォード／MAP▶P.331-B1

M & M Bistro

　ヒルトンホテルの1Fにあるモダンでキッチュなレストラン。ホテル内のレストランとしては割安なメニューが多く、気楽に朝食から夕食まで楽しむことができる。ハンバーガー$12。内装もカジュアルなので、くつろいで食事ができる。

🏠 315 Trumbull St., Hartford
(Hilton Hartford内1階)
☎ (860)240-7222
URL www.mandmbistro.com
🕐 毎日6:30～22:00（土7:00～）
カード A M V

H｜ヒルトンハートフォード
斬新な設計でおしゃれなシティホテル

高級／ハートフォード／MAP▶P.331-B1

Hilton Hartford

　モダンな設計が話題を呼んでいるシティホテル。フィットネスルーム、インドアプール、ビジネスセンターも完備し、ビジネス客にも好評。ダウンタウンの中心にあるので、どこに行くにも便利だ。Wi-Fi無料。

🏠 315 Trumbull St., Hartford, CT 06103
☎ (860)728-5151
FAX (860)240-7247
URL www.3.hilton.com
料 S D T $149～359、393室
カード A D J M V

H｜ハートフォード・マリオット・ダウンタウン
ビジネス客に評判がいい

高級／ハートフォード／MAP▶P.331-B2

Hartford Marriott Downtown

　コネチカット川を見渡すコロンバス通り沿いに建つ高級ホテル。コネチカット・コンベンションセンターに直結しているので、雨にぬれずに会議場へ行けるのがありがたい。Wi-Fi無料。

🏠 200 Columbus Blvd., Hartford, CT 06103
☎ (860)249-8000
Free (1-866)373-9806
FAX (860)249-8181
URL www.marriott.com
料 S D T $339～449、409室
カード A D J M V

H｜ラディソン・ホテル・ハートフォード
快適な滞在を約束してくれる

中級／ハートフォード／MAP▶P.331-B1

Radisson Hotel Hartford

　中心部までは徒歩圏内の便利なロケーション。レストラン、ラウンジ、売店、プールに加え、客室にはコーヒーメーカー、ヘアドライヤーなどの設備も充実している。客室は広くて清潔。空港までのシャトルサービスもある。Wi-Fi無料。

🏠 50 Morgan St., Hartford, CT 06120
☎ (860)549-2400
FAX (860)527-2746
URL www.radisson.com
料 S D T $129～198、350室
カード A D J M V

🏠 100 East River Dr., E. Harford)

迷わない! ハズさない!
もっと楽しい旅になる♥

地球の歩き方 MOOK
海外シリーズ

次の旅行は
どこにする?

絶対ハズレなし!
ハワイガイドの決定版

定価:1000円〜1200円(税別)
www.arukikata.co.jp/mook

短い滞在でも
充実した旅を
過ごせる
モデルプラン

「これやりたい!」
がすぐに見つかる
旬の遊び方が
満載!

海外1	パリの歩き方
海外2	イタリアの歩き方
海外3	ソウルの歩き方
海外4	香港・マカオの歩き方
海外6	台湾の歩き方
海外8	ホノルルの歩き方
海外9	ハワイの歩き方
	ホノルル ショッピング&グルメ
海外10	グアムの歩き方
海外11	バリ島の歩き方
海外13	パリ発、フランス旅
海外15	ソウルの歩き方
	韓流★トラベラー
海外	弾丸トラベル★
	パーフェクトガイド vol.4
海外	ハワイ ランキング&
	マル得テクニック!

パワーチャージがテーマの
国内ガイド!

旅に出かけて
元気をゲット!

地球の歩き方 MOOK
Cheers! [チアーズ!] ★

夢みる美ら島
沖縄ガイドの決定版

定価:914〜933円(税別)
www.arukikata.co.jp/cheers

各エリアの厳選
おすすめ
テーマを
巻頭で大特集!

グルメや
ショッピング情報
満載!

絶対
迷わない!
取り外せる
MAP付き

Cheers! ① 東京
Cheers! ② 京都
Cheers! ③ 伊勢・志摩
Cheers! ④ 週末パワーチャージ
　　　　　さんぽ[関東エリア版]
Cheers! ⑤ 沖縄
Cheers! ⑥ 北海道
Cheers! ⑦ 箱根・芦ノ湖
Cheers! ⑧ 千葉・房総
Cheers! ⑨ 福岡タウンと
　　　　　九州ベストルート
Cheers! ⑩ 広島・宮島・せとうち
Cheers! ⑪ 週末聖地トリップ
Cheers! ⑫ 神戸
Cheers! ⑬ 信州

2014年12月時点

TRAVEL TIPS
旅の準備と技術

旅の情報収集

インターネットの普及により、日本にいながらボストンやニューイングランド地方の生の情報を得ることが容易になった。特に、観光局のウェブサイトには見どころやイベントなど、情報が満載でおすすめだ。現地では観光案内所で情報収集しよう。

日本での情報収集と現地での情報収集

日本国内には一般窓口のあるボストンを含めニューイングランド地方の観光事務局はないので、旅行ガイドを見たり、旅行会社に出向いて相談したり、ウェブサイトで調べるしかない。

現地では、エリアごとに観光案内所があり、地図や見どころのパンフレット、交通案内、イベント情報などを入手できる。

便利なウェブサイト

旅の総合情報

●**外務省　渡航関連情報** URL www.anzen.mofa.go.jp 〈日〉
●**観光局など**

ボストン市観光局　URL www.bostonusa.com 〈英〉
ニューイングランド地方観光局　URL www.discovernewengland.org 〈英〉
マサチューセッツ州観光局　URL massvacation.jp 〈日〉
メイン州観光局　URL visitmaine.com 〈英〉
ニューハンプシャー州観光局　URL www.visitnh.gov 〈英〉
バーモント州観光局　URL www.vermontvacation.com 〈英〉
ロードアイランド州観光局　URL www.visitrhodeisland.com 〈英〉
コネチカット州観光局　URL www.ctvisit.com 〈英〉

●**地球の歩き方** URL www.arukikata.co.jp 〈日〉

エンターテインメントなど

●**チケット予約（要クレジットカード）**

チケットマスター　URL www.ticketmaster.com 〈英〉
チケットドットコム　URL www.tickets.com 〈英〉

●**プロスポーツ**

MLB（野球）　URL mlb.mlb.com 〈英〉
NBA（バスケットボール）　URL www.nba.com 〈英〉／URL www.nba.co.jp 〈日〉
NFL（アメリカンフットボール）　URL www.nfl.com 〈英〉／URL www.nfljapan.com 〈日〉
NHL（アイスホッケー）　URL www.nhl.com 〈英〉
MLS（サッカー）　URL www.mlssoccer.com 〈英〉

ボストンの新聞と情報誌

Boston Globe　URL www.bostonglobe.com 〈英〉
Boston Herald　URL www.bostonherald.com 〈英〉
Boston Magazine URL www.bostonmagazine.com 〈英〉

そのほかの便利なおすすめサイト

Boston.com　URL www.boston.com 〈英〉
Dig Boston　URL digboston.com 〈英〉
Metro Boston URL www.metro.us/boston 〈英〉

交通機関
●航空会社
アメリカン航空
URL www.americanairlines.jp〈日〉
エアカナダ
URL www.aircanada.com/jp〈日〉
全日空
URL www.ana.co.jp〈日〉
デルタ航空
URL ja.delta.com〈日〉
日本航空
URL www.jal.co.jp〈日〉
ユナイテッド航空
URL www.united.com〈日〉
サウスウエスト航空
URL www.southwest.com〈英〉
ジェットブルー
URL jetblue.com〈英〉

●バス
グレイハウンド
URL www.greyhound.com〈英〉

●鉄道
アムトラック
URL www.amtrak.com〈英〉

●レンタカー
アラモ
URL www.alamo.jp〈日〉
エイビス
URL www.avis-japan.com〈日〉
エンタープライズ
URL www.enterprise.com〈英〉
ダラー
URL www.dollar.co.jp〈日〉
ナショナル
URL www.nationalcar.com〈英〉
ハーツ
URL www.hertz.com〈日〉
バジェット
URL www.budgetrentacar.jp〈日〉

※〈日〉：日本語のサイト、〈英〉：英語のサイト

旅のシーズン

　ボストンを中心にしたニューイングランド地方は、五大湖北東部から大西洋岸にかけて広がるエリア。ボストンは、旭川とほぼ同じ緯度にある。四季のはっきりした地方だけに、季節ごとに違った魅力が味わえるだろう。

ボストンの気候

　4〜5月は日中15℃前後の日が多く、木々が芽吹き新緑が美しい季節。6〜9月は雨が少なく、カラリと乾燥した晴天の日が続く。通常22〜28℃くらいだがもっと暑くなることもある。9月〜10月中旬頃までは紅葉のシーズン。18℃前後で観光に最適だ。11〜3月までは厳しい寒さが続く。特に12〜2月は降雪に見舞われるほど。

アメリカのおもな気候

服装について

　春と秋は長袖シャツ1枚でちょうどいい。ただ、朝晩は冷えるのでカーディガンなど羽織るものは必要だ。夏はTシャツに短パンが最適。少しフォーマルな場面には、サマージャケットにチノパンなどで対応しよう。日差しが強いので帽子やサングラスはあったほうがいい。日没後は薄いカーディガンなどで調節したい。冬は雪が降るほどの寒さ。ダウンジャケットやコートなど防寒着と耳当て、帽子、手袋を用意するように。

アメリカの温度の単位

　気温や体温などの温度は、華氏（℉）で表示される。

温度換算表 ※摂氏（℃）への換算は欄外参照

摂氏 ℃	-20	-10	0	10	20	30	40	100
華氏 ℉	-4	14	32 (氷点)	50	68	86	104	212 (沸点)

●ボストンの
　月別平均気温
　と降水量
→**P.10**
●日本との時差表
→**P.11**
●ボストンとニューイングランド地方の季節＆イベントカレンダー
→**P.338〜339**

アメリカのおもな気候
（ケッペン気候区分）
A　地中海性気候
おもな都市：ロスアンゼルス、サンフランシスコ
B　西岸海洋性気候
おもな都市：シアトル、ポートランド
C　乾燥帯砂漠気候
おもな都市：ラスベガス、フェニックス
D　乾燥帯ステップ気候
おもな都市：デンバー
E　亜寒帯湿潤気候
おもな都市：ボストン、デトロイト
F　夏暖冷湿潤気候
おもな都市：ニューヨーク
G　温帯湿潤気候
おもな都市：アトランタ、ニューオリンズ
H　熱帯モンスーン気候
おもな都市：マイアミ

夏の乾燥に注意
　空気の乾燥で汗がみるみるうちに乾き、汗をかいた実感がない。そのため脱水症状に陥ることもある。ミネラルウオーターのペットボトルを持ち歩くなど、水分の補給を忘れずに。

華氏⇔摂氏の換算
●華氏＝
　　　（摂氏×9／5）＋32
●摂氏＝
　　　（華氏−32）×5／9
ひとつの目安として、摂氏0度＝華氏32度を起点にしてだいたい摂氏1度増減すると、華氏は約1.8度増減すると覚えておくとよい。

イベントカレンダー

	1月 January	2月 February	3月 March	4月 April	5月 May	6月 June
日の出	07:13	06:59	07:00	06:27	05:39	05:10
日の入	16:21	17:57	18:48	19:10	19:43	20:14
夏時間			3月第2日曜から ←			

| 祝祭日 ＊は州によって祝日となる | 1日 新年元日 New Year's Day | 第3月曜 大統領の日 Presidents' Day | 17日＊ セント・パトリック・デイ St. Patrick's Day | 第3月曜＊ 愛国者の日 Patriots' Day | 最終月曜 メモリアルデイ（戦没者追悼の日）Memorial Day | |
| | 第3月曜 マーチン・ルーサー・キング・ジュニア牧師誕生日 Martin Luther King, Jr.'s Birthday | | | | | |

ホテルのハイシーズン

イベント

ボストン

| ボストン・ワイン フェスティバル Boston Wine Festival（2015年1月8日〜3月27日）※1 ボストンハーバー・ホテルで行われるワインと食事のフェスティバル。 | ゴルフ・エクスポ Golf Expo（2015年2月27日〜3月1日）※1 シーポート・ワールド・トレード・センターで行われるゴルフの博覧会で、ゴルフ用品やゴルフリゾートを紹介する。 | ボストン・フラワー＆ガーデン・ショー Boston Flower & Garden Show（2016年3月16〜20日）ガーデニング用品の販売や草花の育て方などのワークショップもある。 | ボストンマラソン Boston Marathon（2016年4月18日）1897年から行われている世界的に権威のあるマラソン大会。世界6大マラソンのひとつ。（→ P.162） | グリーンウエイ・オープンマーケット Greenway Open Market（2015年5月2日〜10月10日）※1 ローズ・ケネディ・グリーンウエイで5〜10月の土曜日に開かれるオープンマーケット。 | ドラゴン・ボート フェスティバル Dragon Boat Festival（2016年6月11〜12日）1979年からチャールズ川で行われているドラゴンボートのレース。毎年50チーム以上が参加する。 |

マサチューセッツ州

| アフター・ホリデイセール After Holiday Sale（2016年12月26日〜2017年1月2日）170以上の店舗が並ぶレンサムビレッジ・プレミアム・アウトレット（→ P.130）での大セール。 | ノースイースト・モーターサイクル・エキスポ Northeast Motorcycle Expo（2016年2月20〜21日）ニューイングランド地方最大の屋内バイクショー。 | ケープコッド・セントパトリックデイ・パレード Cape Cod St. Patrick's Day Parade（2016年3月7日）ケープコッドのヤーマスで行われるセント・パトリック・デイの行進。 | ダッフォディル フェスティバル Daffodil Festival（2016年4月29日〜5月1日）ナンタケット島で行われる水仙祭り。水仙で飾られたアンティークカーのパレードやガーデニングのショーが催される。 | ブリムフィールド・アンティーク・ショー Brimfield Antique Show（2016年5月10〜15日、7月12〜17日、9月6〜11日）5、7、9月と年3回開催されるニューイングランド最大のアンティークショー。 | セントピーターズ・フィエスタ St. Peter's Fiesta（2016年6月22〜26日）イタリア系シチリア系移民の漁師の守り神、聖ピーターに感謝する祭り。グロウセスターで行われる。 |

ニューイングランド地方

| TD イースタンカップ・ウィークエンド・アット・ブラックマウンテン TD Eastern Cup Weekend at Black Mountain（2016年1月16〜17日）メイン州ラムフォードのブラックマウンテン・スキー場で行われるクロスカントリースキーの大会。 | イーグルウオッチ・ボートツアーズ Eagle Watch Boat Tours（2016年1月30日〜3月15日）カナダから飛んでくるイーグルを見るクルーズを催行。 | メープルウイークエンド Maple Weekend（2015年3月28〜29日）※1 ニューハンプシャー州内にある110以上ものシュガーハウスが一般公開される。 | バーモント・メープル・フェスティバル Vermont Maple Festival（2016年4月22〜24日）1966年に始まったメープルシロップのフェスティバル。 | ワイルドクワック・ダック・リバー・フェスティバル Wildquack Duck River Festival（2016年5月29日）ニューハンプシャー州ジャクソンで行われる、おもちゃのアヒルが川下りを競うレース。 | バーモント・キルト・フェスティバル Vermont Quilt Festival（2016年6月24〜26日）ニューイングランド地方で最古、最大のキルトフェスティバル。キルティングのクラスやセミナーもある。 |

セール

アフタークリスマスセール					サマーセール

冬
11〜3月は降雪に見舞われるほどの寒さ

春
日中と夜の温度差が激しい。温度調整しやすい服装で

※1：2015年10月現在、2016年度の日程は未定。参考までに2015年度の開催日程を記載しています。

	7月 July	8月 August	9月 September	10月 October	11月 November	12月 December	
日の出	05:11	05:37	06:09	06:41	06:24	06:54	日の出
日の入	20:25	20:04	19:19	18:26	16:32	16:13	日の入
夏時間					→11月第1日曜まで		夏時間
祝祭日	**4日** 独立記念日 Independence Day		**第1月曜** レイバーデイ （労働者の日） Labor Day	**第2月曜*** コロンブス記念日 Columbus Day	**11日** ベテランズデイ （退役軍人の日） Veterans Day **第4木曜** サンクスギビング デイ Thanksgiving Day	**25日** クリスマス Christmas Day	祝祭日 *は州に よって祝 日となる

ホテルのハイシーズン

イベント	ボストン	マサチューセッツ州	ニューイングランド地方
7月	ボストン・ハーバーフェスト **Boston Harborfest** （2015年7月1〜5日）※1 7月4日の独立記念日に行われるフェスティバル。ダウンタウンではコンサートやイベントが催され、花火も打ち上がる。	ローウェル・フォーク・フェスティバル **Lowell Folk Festival** （2016年7月29〜31日） ローウェルでダンスパレードや無料コンサートが行われる。	バーモント・チーズメーカーズ・フェスティバル **Vermont Cheesemakers Festival** （2016年7月17日） バーモント州の40以上のチーズメーカーが集まるチーズ祭り。
8月	レストランウイーク **Restaurant Week** （2015年3月1〜6日、8〜13日）（2015年8月16〜21日、23〜28日）※1 3月と8月に行われる食の祭典。市内200以上のレストランでランチやディナーのコースが格安で食せる。	タングルウッド音楽祭 **Tanglewood Music Festival** （2016年6月23日〜8月14日） 1937年から毎年6月下旬から8月中旬に開催されるボストン交響楽団の野外音楽祭。 （→ P.166）	メイン・ロブスターフェスティバル **Maine Lobster Festival** （2016年8月3〜7日） 1947年に始まった、地元メイン州のロブスターフードの屋台が出るフェスティバル。
9月	バークリー・ビーンタウン・ジャズフェスティバル **Berklee Beantown Jazz Festival** （2015年9月26日）※1 バークリー音楽大学主催の音楽イベント。無料で楽しめる野外演奏あり。	ボーン・スカロップ・フェスティバル **Bourne Scallop Festival** （2016年9月23〜25日） 1969年に始まった、貝柱をメインにしたクラムチャウダーなどさまざまな料理が並ぶ。	ハンプトンビーチ・シーフード・フェスティバル **Hampton Beach Seafood Festival** （2016年9月9〜11日） ニューハンプシャー州ハンプトンで、60以上のレストランが海の幸を使った料理を提供。
10月	ヘッド・オブ・ザ・チャールズ・レガッタ **Head of the Charles Regatta** （2016年10月21〜22日） 1965年からチャールズ川で行われる国際レガッタレース。	ウェルフリート・オイスターフェスト **Wellfleet OysterFest** （2016年10月15〜16日） ケープコッドのウェルフリート地区で行われるカキのフェスティバル。	パンプキン・フェスティバル **Pumpkin Festival** （2015年10月24日）※1 ニューハンプシャー州ラコニアで、約2万個のカボチャを飾るフェスティバル。
11月	ボストン・サンクスギビング・ディナー **Boston Thanksgiving Dinner** （2016年11月24日） ボストンのレストランでサンクスギビングデイの特別メニューが楽しめる。	サンクスギビングセレブレーション **Thanksgiving Celebration** （2015年11月20〜22日）※1 サンクスギビングの発祥地、プリマスで伝統的なサンクスギビング料理が食べられる。	スティームトレイン・サンタスペシャル **Steam Train Santa Special** （2015年11月27日〜12月27日）※1 コネチカット州エセックスでクリスマス仕様の蒸気機関車が走る。
12月	ファーストナイト **First Night** （2016年12月31日〜2017年1月1日） 大晦日の日に100を超えるイベントが行われ、新年になった瞬間に花火が打ち上げられる。	ブライトナイツ **Bright Nights** （2015年11月25日〜2016年1月3日、11月30日〜12月1日は休み）※1 スプリングフィールドに毎年200万人以上の観光客が集まるイルミネーションのイベント。	クリスマス・イン・ニューポート **Christmas in Newport** （2015年12月1〜31日）※1 クリスマスの飾りつけがなされたニューポートマンションズが美しい。
セール		ブラックフライデイ アフターサンクスギビングセール	アフタークリスマスセール

夏 雨が少なくカラリとした天気

秋 小春日和が続き、1年を通していちばん過ごしやすい

旅の予算とお金

　計画する旅の内容に応じて支出する費用もさまざまだ。ここでは、アメリカ旅行の基本的な費用を項目別に説明する。おおよその相場を念頭に、限られた予算をバランスよく調整しながら計画を立てよう。

●航空券の手配

→P.347

運賃と移動時間の目安
（飛行機）
（2015年11月現在）
※運賃はエコノミークラス
割引運賃を利用。2016年1
～7月までの目安。航空会
社、シーズンにより異なる
●日本～ボストン間往復
（燃油サーチャージを含む）
11万～21万円

運賃と移動時間の目安
（バス）
※2015年11月現在
●ボストン～ニューヨーク
間片道$37.50～、所要約5
時間

運賃と移動時間の目安
（鉄道）
※2015年11月現在
●ボストン～ニューヨーク
間片道$52～、所要約4時
間

レンタカー料金の目安
●諸税金、保険、ガソリン
満タン1回分を含む。エコ
ノミー2/4ドアクラスを借
りる場合。1日1万円前後

ガソリンの価格
※レギュラーガソリン。地
域により異なる
●1ガロン（約3.8リットル）
$3.50～4.50

駐車場代
※地域やホテルにより異な
る
●1日無料～$50

宿泊費の目安
　最高級ホテルは1泊$300
～、高級$230～、中級
$150～、エコノミーホテ
ル$100～、ユースホステ
ルに泊まれば、1泊$35～
で泊まれる

旅の予算

移動にかかる費用

●飛行機

　2015年11月現在、日本からボストンへは日本航空による直行便のほか、シカゴやニューヨークなどで乗り継いで行くことができる。直行便のほうが乗り継ぎ便より高い時期もあるが、あまり変わらない。

　また、アメリカ国内で定期便を運航する会社は、ユナイテッド航空、デルタ航空、アメリカン航空の大手航空会社のほか、サウスウエスト航空、ジェットブルーなどの国内格安航空会社（LCC：ローコストキャリア）までさまざまだ。近年は大手航空会社も国内線委託手荷物の有料化、機内食や機内映画の有料化などに着手する傾向にあり、サービスや運賃などをトータルで比較して選ぶようにしよう。

●長距離バス（グレイハウンド）

　全米を網の目のように走っている長距離バスは、かなり小さな町まで路線が延びている。飛行機やアムトラックよりも安いのが魅力だ。

●鉄道（アムトラック）

　ニューヨークやワシントンDC、メイン州ポートランドなどへの便がある。路線によって発着駅が異なるので注意。

●レンタカー

　おもにかかる費用は、車のレンタル代、保険料、ガソリン代。また、ボストン市内のホテルに宿泊する場合は、駐車場代も予算に入れておこう。

●宿泊費

　客室料金の高低はホテル周囲の治安のよし悪しにほぼ比例する。シーズンによる客室料金の変動もある。また、同じホテルでも、大きなイベントなどがあるときは料金が上がり、時期によっては部屋が取りにくくなることがあるので注意。宿泊費を抑えたいのなら、ユースホステルやモーテルがおすすめ。近郊に宿を決めた場合は、レンタカーやタクシーなどの移動費も予算に含めよう。

●食費

　個人の旅のスタイルによって大きく異なる。食費を切り詰めるのもよいが、雰囲気のよいレストランやその土地ならではの料理を堪能するなど、メリハリのある食事を楽しみたい。予算の目安は、朝食に$5～10、昼食に$7～15、夕食に$20～50で組んでおきたい。

●観光に要する費用

　市内観光ツアー、美術館やテーマパークなどの入場料、スポーツ観戦など、何をしたいかによって、かかる費用もさまざまだ。

●MEMO　アメリカン・エキスプレスのトラベラーズチェック　T/Cの日本国内販売は終了しているが、発行済みのT/Cに関しては有効期限がないので、いつでも海外で使用できる。また、日本国内で日本円に換金も可能。

●市内交通費

地下鉄やバスは1回$2.10～2.65なので、乗り放題のバスを購入するとお得（→P.43）。タクシーはメーター制で、基本料金に走行マイルが加算される。

●そのほかの費用

特別な買い物は予算を別に立て、チップなどの雑費も忘れずに。

外貨の両替

外貨両替は日本国内の大手銀行、国際空港内の銀行などで取り扱っている。ほとんどの場合、金種が決まっているパックが基本。$1、$5、$10、$20などの小額紙幣は利便性が高い。**日本円からアメリカドルへの両替は、日本国内のほうが概してレートはいいが**、日本を出発する前に準備できなくても、アメリカの国際空港には到着ロビーに必ず両替所があり、到着便がある時間帯は常に開いている。最悪ここで外貨両替すればよい。

アメリカの通貨単位はドル（$）とセント（¢）で、$1.00=100¢。

紙幣は$1、$5、$10、$20、$50、$100の6種類、硬貨は1¢、5¢、10¢、25¢、50¢、100¢（＝$1）の6種類。コインと紙幣の写真、為替レートはジェネラルインフォメーションを参照（→P.8）。

トラベラーズチェック（T/C）

トラベラーズチェック（Traveler's Check、以下T/C）は、条件（→側注）を満たしていれば紛失や盗難時に再発行できる、安全性が高い小切手。現金と同様に使え、銀行や両替所で現金化も可能（要手数料）。現地ではT/CではなくTraveler's Checkと略さず言おう。T/Cを購入後すぐにHolder's Signatureという署名欄にパスポートと同じサインをすること（未署名のT/Cは紛失時再発行不可）。使用する際にCounter Signatureという署名欄にサインし、ふたつの署名が一致すると現金同様に扱われる。なお、2015年10月現在、日本国内でT/Cは販売されていないが、購入していたT/Cのアメリカでの使用は可能だ。

デビットカード

使用方法はクレジットカードと同様だが、代金の支払いは後払いではなく発行銀行の預金口座から原則即時引き落としとなる。口座の残高以上は使えないので、予算管理にも便利。JCBデビットやVISAデビットがあり、それぞれの加盟店で使用でき、ATMで現地通貨も引き出せる。

トラベルプリペイドカード

トラベルプリペイドカードは、外貨両替の手間や不安を解消してくれる便利なカードのひとつ。多くの通貨で国内での外貨両替よりレートがよく、カード作成時に審査がない。出発前にコンビニATMなどで円をチャージ（入金）、その範囲内で渡航先のATMで現地通貨を引き出せる。各種手数料が別途かかるが、使い過ぎや多額の現金を持ち歩く不安がない。2015年10月現在、発行されているおもなカードは右側注のとおり。

2015年11月10日現在の為替レート
$1≒123.31円
最新の為替レートは「地球の歩き方」ウェブサイトで確認することができる。
URL www.arukikata.co.jp/rate

クオーターコイン
クオーターコイン（25¢）は、公衆電話や市バスの利用などで多用するので、できるだけためておくといい

高額の支払いは
一般に買い物や旅行中の支払いの際、偽札の被害を防ぐため、高額商品を扱っていないお店で、$50や$100の高額紙幣を使おうとすると、身分証明書などの提示を要求され、慎重にチェックされる。場合によっては受け取りを拒否されることもあるので、高額の支払いにはクレジットカードがベター

T/Cの再発行の条件
※紛失・盗難の際は発行会社へすぐ電話を→P.372
①T/Cを購入した際に渡されるT/C購入者控えがある
②紛失したT/Cの番号と金額
③Holder's Signature欄のみに購入者のサインがしてある
※T/Cの使用を記録し、T/C購入者控えはT/Cとは別に保管しておくこと

署名欄のサインについて
サインは、使用時にパスポートなど身分証明書（ID）の提示を求められることがあるので、パスポートと同じものをすること

デビットカードの発行銀行
（2015年10月現在）
JCBデビット：千葉銀行など4行にて発行
URL www.jcb.jp/products/jcbdebit
VISAデビット：ジャパンネット銀行など9行にて発行
URL www.visa.co.jp/debit
※発行銀行によっては、利用限度額の設定が可能

トラベルプリペイドカード
クレディセゾン発行「NEO MONEYネオ・マネー」、アクセスプリペイドジャパン発行「CASH PASSPORTキャッシュパスポート」、JTB発行「MoneyT Globalマネーティーグローバル」、マネーパートナーズ発行「Manepa Card」マネパカード」など（2015年10月現在）

カードをなくしたら!?
　国際カードの場合、現地にカード会社の事務所や提携の銀行があるので、警察より先に、まずそこに連絡して不正使用されないようにしてもらう。カード会社では、緊急時の連絡先（→P.372）を用意しているので、すぐに連絡を。手続きにはカードナンバー、有効期限が必要なので、紛失時の届け出連絡先と一緒にメモしておくのを忘れずに。

ATMでのキャッシング操作手順
※機種により手順は異なる

①クレジットカード、デビットカード、トラベルプリペイドカードの磁気部分をスリットさせて、機械に読み取らせる。機械によっては日本のATMと同様に、カードの表面を上向きに挿入するタイプや、カードの表面を上向きに挿入口に入れてすぐ抜き取るタイプもある
↓
②ENTER YOUR PIN＝「暗証番号」を入力して、ENTERキーを押す
↓
③希望する取引の種類を選択する。WITHDRAWAL、またはGET CASH＝「引き出し」を指定する
↓
④取引の口座を選択する。クレジットカードの場合、CREDIT、もしくはCREDIT CARD＝「クレジットカード」を指定
↓
⑤引き出す金額を入力するか、画面に表示された金額のなかから、希望額に近い金額を指定して、ENTERを押す
↓
⑥現金とRECEIPT「利用明細」を受け取る
※初期画面に戻っているかを確認し、利用明細はその場で捨てないように
※途中で手順がわからなくなったら、CANCEL＝「訂正」を選択し、初めからやり直そう

チップもクレジットカードで
　レストランやバーなどでクレジットカードで支払いをする場合、チップも同様にカードで支払うことができる。会計伝票記入例は→P.361

●**チップについて**
→P.361

◆ 342

クレジットカード

　クレジットカードはアメリカ社会において、所有者の経済的信用を保証するものとして欠かせない存在。（1）多額の現金を持ち歩かなくてもよい（2）現金が必要なとき、手続きをしておけばキャッシングサービスを受けられる（3）経済的信用を確認するために、レンタカー、ホテルの予約、ホテルのチェックイン時にIDとして提示できる、といった点などがメリットだ。日本で加入できる国際カードはアメリカン・エキスプレスAmerican Express、ダイナースクラブDiners Club、ジェーシービーJCB、マスターカードMasterCard、ビザVisaなどがあり、銀行や信販会社でも提携しているところがある。各社に特徴があるが、緊急時のことも考えると複数のクレジットカードを持っていることが望ましい。新規にクレジットカードを作る場合、余裕をみて旅行の1ヵ月前には申し込んでおくとよい。

クレジットカードの使い方

　日本と同様ほとんどの店やレストランで利用できるが、店によっては最低の利用金額を定めているところがある。会計時にカードを渡すと、利用内容が記された伝票が提示されるので、金額などを確認のうえ、署名欄にサインをすればよい。店舗により暗証番号PINを入力する場合もあるのでPINが不明ならカード会社で確認しておこう。利用控え（Customer's Copy）の受領を忘れずに。

使用時の注意

　基本は、伝票の内容をよく確認してからサインすること。店により、店独自のレート（不利なケースが多い）で日本円に換算して、日本円で請求される場合があるので、不満があればサインをせずにUSドルでの請求に改めてもらおう。また、カードの悪用を避けるため、会計時も絶対にカードから目を離さないこと。なお、クレジットカードの保管はパスポート並みに気をつけたい。盗難時はすぐにカード不正使用停止の手続きをすること（→左側注）。

クレジットカードでキャッシングする

　手持ちの現金が少なくなったときに便利なのが、クレジットカードのキャッシングサービス。空港や町なかのATM（操作方法は左側注参照）、提携の金融機関の窓口（カードとパスポートが必要）で、いつでも現地通貨で引き出せる。キャッシングには、ATM利用料や利息がかかり、カード代金の支払い口座から引き落とされる。

●**海外でも便利な JCB カード**
　JCB カードを持っていれば、おトクで快適な海外旅行が楽しめる。
　世界60ヵ所に設置された海外サービス窓口「JCB プラザ」に行けば、現地のレストラン予約や観光についての相談が日本語でできる。さらにクレジットカードの紛失や盗難時のサポートもあって安心。
　また、地域別の MAP 付きオリジナルガイド「JCB 優待ガイド」やウェブ上でレストランを無料で予約できる「たびらば（旅 LOVER）」も見逃せない。
　詳細はホームページで。 URL www.jcb.jp

出発までの手続き

パスポート（旅券）は、あなたが日本国民であることを証明する国際的な身分証明書。これがなければ日本を出国することもできない。そして旅行中は常に携帯しなければならない大切なものだ。

パスポートの取得

一般旅券と呼ばれるパスポートの種類は、有効期間が5年（紺）のものと10年（赤）のものとがある。発行手数料は5年用（12歳以上）が1万1000円、5年用（12歳未満）が6000円、10年用（20歳以上）が1万6000円で、期間内なら何回でも渡航可能。なお、20歳未満は5年用しか申請できない。アメリカの場合、パスポートの残存有効期間は入国する日から90日以上あることが望ましい。旅行中に有効期間が切れる人も、新しく作り直しておくこと。

パスポートの申請から受領まで

申請手続きは、住民登録をしている居住地の都道府県の旅券課やパスポートセンターで行う。必要書類を提出し、指定された受領日以降に、申請時に渡された受領証を持って受け取りに行く。必ず本人が出向かなければならない。申請から受領まで約1週間。都道府県庁所在地以外の支庁などで申請した場合は2～3週間かかることもある。

現在の居住地に住民票がない人の申請方法

1. 住民票がある都道府県庁旅券課で申請（代理可）。受領は本人のみ。
2. 住民票を現在の居住地に移して申請。
3. 居所申請（住民票を移さずに、現住の居住地で申請）をする場合、学生、単身赴任など一定の条件を満たしていれば可能。代理申請は不可。※居所申請については各都道府県庁の旅券課に確認すること。

パスポート申請に必要な書類

①一般旅券発給申請書（1通）

用紙はパスポートセンターや区市町村の役所にもあり、申請時にその場で記入すればよい。20歳未満の場合は親権者のサインが必要。

②戸籍謄本（または抄本）（1通）　※6ヵ月以内に発行されたもの。

③住民票（1通）※住基ネット導入エリアに住む人は原則不要。

④顔写真（1枚）　6ヵ月以内に撮影されたもの。サイズは脚注参照。

また、パスポート紛失時などの予備用に2～3枚焼き増しをしておくといい。

⑤申請者の身元を確認する書類

運転免許証、住民基本台帳カード、個人番号カード（マイナンバーカード。2016年1月以降に交付開始）など、官公庁発行の写真付き身分証明書ならひとつ。健康保険証、年金手帳、社員証や学生証（これらの証明書類は写真が貼ってあるもののみ有効）などならふたつ必要。窓口で提示する。

⑥旅券を以前に取得した人はその旅券

外務省パスポート
[URL] www.mofa.go.jp/mofaj/toko/passport

機械読取式でない旅券と訂正旅券の取扱いに注意！

国際民間航空機関では、機械読取式でない旅券の流通期限が2015年11月24日までと定められているため、翌25日以降は、国によって入国拒否やビザ免除の対象外とされる場合が考えられる。一部の在外公館で交付された一般旅券には、機械読取式でない旅券があるため確認を。また、2014年3月20日より前に「記載事項の訂正」方式（同日より廃止）で身分事項の変更を行った旅券（訂正旅券）は、訂正事項が機械読取部分またはICチップに反映されておらず、国際基準外とみなされる恐れがある。出入国時や渡航先で支障が生じる場合もあるため、どちらの旅券も新規に取得し直すほうが無難。詳細は外務省のウェブサイト[URL] www.mofa.go.jp/mofaj/ca/pss/page3_001066.html

居所申請に必要な書類

「居所申請書」を提出する際、住民票のほか学生は学生証や在学証明書、6ヵ月以上の単身赴任者の場合、居所証明書や居所の賃貸契約書が必要

パスポートの切替発給

パスポートの残存有効期間が1年未満となったときから、切替発給が可能。申請には左記の「パスポート申請に必要な書類」のうち①④⑥を提出する（③が必要な場合もある）。

氏名、本籍の都道府県名に変更があった場合は新たなパスポート、または記載事項変更旅券の申請をする。申請には左記の「パスポート申請に必要な書類」のうち①②④⑤を提出する（③が必要な場合もある）

●パスポートの紛失については→P.368

[MEMO] **顔写真の規定**　縦4.5cm×横3.5cm（あごから頭まで34±2mm）、背景無地、無帽、正面向き、上半身。スナップ写真不可。白黒でもカラーでも可。

18歳未満のアメリカ入国について

両親に引率されない子供が入国する場合は、子供の片親や親、法的保護者からの同意書（英文）を要求される場合がある。注意したい

URL japanese.japan.usembassy.gov/j/info/tinfoj-cbp-child.html

アメリカ大使館
〒107-8420
東京都港区赤坂1-10-5
☎(03) 3224-5000（代表）
URL japanese.japan.usembassy.gov

ビザに関する質問はカスタマーセンターへ

オペレーター対応の電話問い合わせは☎(050) 5533-2737（日本）へ。米国在住者は☎(1-703) 520-2233（アメリカ）へ
🕐月～金9:00～18:00
チャット、Skypeでの問い合わせは、アメリカビザ申請専用のウェブサイト URL www.ustraveldocs.com/jp）からアクセスする。eメールでの問い合わせも可。
support-japan@ustraveldocs.com

ビザとは、国が発行するその国への入国許可証。観光、留学、就労など渡航目的に応じてビザも異なるが、日本人のアメリカ合衆国入国にあたっては、90日以内の観光、商用が目的の渡航であれば、ほとんどの場合ビザの必要はない。ビザなしで渡米する場合（ビザ免除プログラム）、ESTAによる渡航認証を取得しなければならない（→P.345）。

滞在が90日以内でもビザが必要なケース

日本から第三国へ渡航したあと、アメリカに入国する場合、国によってはビザが必要な場合もある。そのような予定の人は必ず、航空会社、旅行会社、アメリカ大使館・領事館に問い合わせること。ただし、直接アメリカに入国したあとにカナダ、メキシコなどに出国、再びアメリカに戻ってくる場合、そのアメリカ滞在の総合計日数が90日以内ならビザは不要。

ビザの申請

非移民ビザを申請する場合は、ほとんどの人は面接（予約制）が必要となる。面接の予約はアメリカビザ申請専用のウェブサイト（URL www.ustraveldocs.com/jp）から行う。面接後、7～14日間でビザが発給される。再度面接が必要と判断された場合などでは4～6週間かかるケースもあるので余裕をもつこと。

ビザに関する質問などは、ビザ情報サービスの電話、eメール、チャット、Skypeで受け付けている。これらの情報サービスは無料で、通話料のみ利用者負担となる。

取得しておくと便利な証書類

国外（国際）運転免許証

警察庁
URL www.npa.go.jp/annai/license_renewal/home.html

レンタカーを借りる予定の人には必要不可欠。自分の運転免許証を発行した都道府県の免許センターなどに出向いて申請する。免許センターでは即日で発給されるが、国内免許の残存有効期間が短い、免停中、違反の罰金が未払いなどの場合には、発給されないこともある。申請に必要なものは、国内の運転免許証、パスポート、顔写真1枚（縦5cm×横4cm）、発給手数料の2400円（印鑑が必要な場合あり。都道府県で異なる）。

国際学生証（ISICカード）

ISICカード
URL www.isicjapan.jp
ISICカードの取得はウェブサイトからオンラインで申し込めるほか、旅行会社、大学キャンパス内の購買部・書店でも取り扱っている

世界青年学生教育旅行連盟が発行する世界共通の学生身分証明証。これを提示することで博物館の入場料や乗り物などが割引になる場合がある。取得には申請書、学生証（コピーでも可）か在学証明書、写真1枚（縦3.3cm×横2.8cm）、カード代金1750円が必要（オンライン、郵送の場合は簡易書留にて返送。2300円）。

ユースホステル会員証

（財）日本ユースホステル協会
☎(03) 5738-0546
URL www.jyh.or.jp

ユースホステルは、原則として会員制。手続きは全国各地にある窓口かオンラインで申し込む。年会費は2500円（19歳以上、継続の年会費は2000円）。必要書類は氏名と住所が確認できるもの。

ESTAの申請代行 「地球の歩き方×ファーストワイズ Aulea Hawaii」では、インターネットにアクセスできない人のために、ESTAの申請代行を有料で行っている。☎0120 881 347

ESTA（エスタ）の取得

　ビザ免除プログラム（→P.344）を利用し、ビザなしで飛行機や船でアメリカへ渡航・通過（経由）する場合、インターネットで（携帯電話は不可）ESTAによる渡航認証を取得する必要がある。事前にESTAの認証を取得していない場合、航空機への搭乗やアメリカへの入国を拒否されることがあるので注意が必要だ。一度ESTAの認証を受けると2年間有効で、アメリカへの渡航は何度でも可能（日程や訪問地を渡航のたびに更新する必要はない）。なお、最終的な入国許可は、初めの入国地において入国審査官が行う。

　アメリカへの渡航が決まったら、早めにESTAによる渡航認証を申請・取得をしよう（出国の72時間前までの取得を推奨）。ESTA申請は親族、旅行会社（要代行手数料）など本人以外の第三者でも可能。

ESTAの有効期間
　原則2年間。ただし、認証期間内でも、パスポートの有効期限が切れるとESTAも無効になる。また、氏名やパスポート番号の変更があった場合は、再度申請を行うこと

ESTAの登録料
料金 $14
※支払いはクレジットカードのみ
カード A D J M V

---

1 URL https://esta.cbp.dhs.govにアクセス
英語の画面の右上にある「CHANGE LANGUAGE」で「日本語」をクリック。
トップページの画面から「新規の申請」をクリックし、「個人による申請」または「グループによる申請」であるかを選択する。なお、申請の状況確認を行う場合は「既存の申請内容を確認」を選択。

2 免責事項の画面が表示される。内容をよく読み、同意なら「はい」を選択し「次へ」をクリック。

3 2009年旅行促進法
申請にかかる手数料、支払いに関しての内容を記載。同意なら「はい」を選択し「次へ」をクリック。

4 申請書の入力
「＊」の印がある項目は回答必須。質問事項は日本語で書かれているが、すべて英語（ローマ字）で入力、またはプルダウンメニューから該当項目を選択する。疑問がある場合は「？」のアイコンをクリックする。
●申請者／パスポート情報、他の国籍、両親、連絡先情報、勤務先情報を入力。
●渡航情報、米国内連絡先、米国滞在中の住所、米国内外の緊急連絡先情報を入力。
●1)〜8)の適格性に関する質問事項に「はい」、「いいえ」で回答。
●「権利の放棄」と「申請内容に関する証明」の内容を読み、☑チェックを入れる。
●本人以外が代行して入力した場合は、「第三者による代理申請の場合に限定」の内容を読み☑チェックを忘れずに。
入力内容をよく確認して、間違いがなければ「次へ」をクリック。

5 4で入力した内容が「申請書の確認」として表示される。申請者／パスポート情報、渡航情報、適格性に関する質問事項など、すべての回答に間違いないかを再確認しよう。各申請確認の画面で入力に間違いなければ「確認&続行」をクリック。もし間違いがある場合は、申請確認の画面の右上にある「編集」オプションを選択し、情報の修正を行うこと。申請内容をすべて確認したら、最後にパスポート番号、発行した国、姓、生年月日を再入力して「次へ」をクリックする。

6 申請状況で申請番号が発行されたら、必ず書き留めること。申請番号は、今後「既存の申請内容を確認」をするときに必要だ。「免責事項」の☑チェックを入れ、「支払い」をクリック。

7 オンライン支払いフォームに進んだらカード名義人、請求書送付先の住所、国、クレジットカードの種類、番号、有効期限、セキュリティコードを正確に入力する。
入力の情報を再度確認したら、「支払いの送信」をクリックする。

8 回答はほぼ即座に表示される。回答は、「渡航認証許可」、「渡航認証保留」、「渡航認証拒否」の3種類。

申請番号、渡航認証許可の有効期限、申請した内容などが記載された「渡航認証許可」が表示されれば、ビザ免除プログラムでの渡航が許可されることになる。このページを印刷し、渡航時に携帯することをすすめる。

「渡航認証保留」とは、審査中ということ。再度ESTAサイトにアクセスし、申請状況を確認しなければならない。回答は申請後72時間以内には確認できる。

承認されず「渡航認証拒否」となった場合、アメリカ大使館・領事館でビザの申請（→P.344）が必要。

「終了」をクリックすると、ESTAの登録は完了。引き続き、申請する場合は、「別の渡航者の登録」をクリック。

MEMO　ESTA申請時の注意　インターネットのキーワード検索結果などからESTA申請を行う場合、申請代行会社などのサイトを利用していると気づかずにあとで手数料を請求されて驚くケースがあるので、注意。

海外旅行保険の加入

海外旅行保険とは、旅行中の病気やけがの医療費、盗難に遭った際の補償、あるいは自分のミスで他人の物を破損した際の補償などをカバーするもの。万一のことを考えると、保険なしで旅行するのはかなり危ない。アメリカの医療費は非常に高く、犯罪の発生率も決して低いとはいえない。また、金銭的な補償が得られるということだけでなく、緊急時に保険会社のもつ支援体制が使えることはたいへん心強いもの。保険料は旅行全体の費用からみれば、ごくわずかな出費にすぎないので、海外旅行保険には必ず加入しよう。

保険の種類

海外旅行保険は必ず加入しなければならない基本契約と、加入者が自由に選べる特約とに分かれている。損保ジャパン日本興亜の『off!（オフ）』を例にとってみると「治療費用」という項目がある。これが旅行中の傷害（けが）や病気の治療費や入院費に対して保険金が支払われるもので、基本補償となる。

そのほかに特約として①傷害死亡・後遺障害　②疾病死亡　③賠償責任（旅先で他人にけがをさせたり、ホテルや店で物品を破損した場合の補償）　④携行品損害（自分の持ち物を紛失・破損した場合の補償）　⑤航空機遅延費用（航空機が遅れたため、予定外の宿泊費や食事代がかかった場合の補償）　⑥航空機寄託手荷物遅延費用（航空機に預けた荷物の到着が遅れ、身の回りのものを購入する費用など）といったものがある。

一般的には、これらの項目をセットにしたパッケージプランが便利。旅行日数に応じて保険金のランクだけを選べばいいので手続きは簡単だ。自分に必要な補償、手厚くしたい補償のみ追加したい場合は、オーダーメイドプランで補償を選択して加入しておけば安心。

保険を扱っているところ

海外旅行保険は損保ジャパン日本興亜、東京海上日動、AIUなどの損害保険会社が取り扱っている。大手の場合、現地連絡事務所、日本語救急サービスなど付帯サービスも充実。旅行会社では、ツアー商品などと一緒に保険も扱っているので、申し込みの際に加入することもできる。空港にも保険会社のカウンターがあるので、出国直前でも加入できるが、保険は日本国内の空港と自宅の往復時の事故にも適用されるので、早めの加入が望ましい。

保険金請求について

保険の約款は非常に細かく決められている。自分の持ち物を紛失・破損した場合、購入時期などから判断した時価が支払われる。ただし、現金、トラベラーズチェック、クレジットカードなどは適用外。支払いには、地元警察などへの届け出と被害報告書の作成、保険会社の現地や日本国内のオフィスへの連絡などの条件がある。契約時に受け取る証書としおりの約款には、保険が適用にならない場合や、補償金の請求の際に必要な証明書などの注意が書いてあるので、必ず目を通しておくこと。

クレジットカード付帯保険
各クレジットカード会社の発行するカードには、取得すると自動的に海外旅行保険が付帯されるサービスがあるが、「疾病死亡」が補償されない、補償金額が不足したため実際には自己負担金が多かったなどのケースがあるので十分注意したい

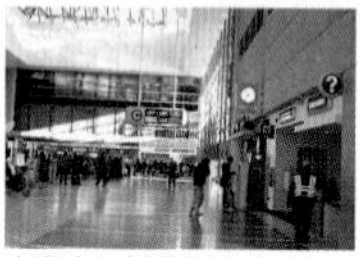
空港内の保険取り扱いカウンター

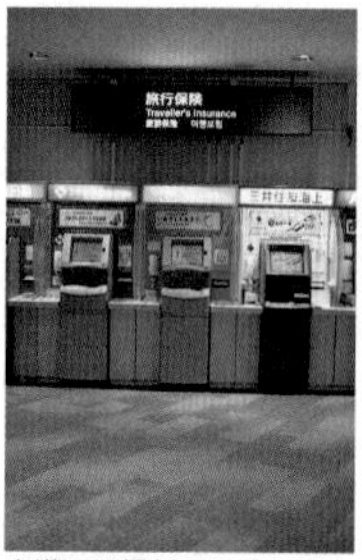

空港では機械での申し込みもできる

ネットで簡単に申し込める海外旅行保険
体調をくずしたりカメラを盗まれたり、さまざまなアクシデントの可能性がある海外旅行。こうしたときに頼りになるのが海外旅行保険だ。損保ジャパン日本興亜の「新・海外旅行保険【off！（オフ）】」はインターネット申し込み専用で、旅行先別に料金が設定されており、同社の従来商品に比べ安くなることがあるのが特長。1日刻みで旅行期間を設定でき、出発当日でも申し込めるから便利だ。
「地球の歩き方」ホームページからも申し込める
[URL] www.arukikata.co.jp/hoken

航空券の手配

航空運賃は、シーズンや航空会社、直行便や経由便、ストップオーバーする都市の数など、利用条件により大きな差が出る。ここでは、旅の予算の多くを占める航空券についての基礎的な情報を紹介。

日本からボストンへの運行便

2015年11月現在、ボストンへは日本航空が毎日、成田空港から直行便を運航（→下記ボストン直行便リスト）している。そのほか、ニューヨークやシカゴなどで乗り継いでボストンに入ることもできる。日本からアメリカ東部への直行便は、アメリカン航空や全日空、日本航空、デルタ航空、ユナイテッド航空がニューヨークへ、アメリカン航空や全日空、日本航空、ユナイテッド航空がシカゴへ、デルタ航空がデトロイトへそれぞれ運航。多くの旅行会社が、往復の航空券と宿泊、半日観光をセットにした格安ツアーを企画販売しているので、場合によっては単独で航空券を手配するより安くなることもある。

ボストンへ直行便が飛んでいる日本航空が便利

航空券の種類

●普通（ノーマル）運賃

定価（ノーマル）で販売されている航空券で、利用においての制約が最も少ないが、運賃はいちばん高い。種類はファーストクラス、ビジネスクラス、エコノミークラスの大きく3つに分かれる。

●正規割引運賃（ペックスPEX運賃）

ペックス運賃とは、日本に乗り入れている各航空会社がそれぞれに定めた正規割引運賃のこと。他社便へ振り替えることができない、予約後72時間以内に購入すること、出発後の予約変更には手数料がかかるなどの制約があるが、混雑期の席の確保が容易といったメリットもある。早い段階で旅行計画が進められる人は、普通運賃よりかなり安いペックス運賃を利用できる。各社、特色や内容が異なるので確認を。

航空券を購入するタイミング

ペックス運賃は、4〜9月分は2月頃、10〜3月分は7月中旬以降に発表されるので、航空会社のホームページなどで確認するといい。

航空会社の日本国内の連絡先
●アメリカン航空
☎ (03) 4333-7675
URL www.americanairlines.jp
●デルタ航空
☎ 0570-077733
URL ja.delta.com
●ユナイテッド航空
☎ (03) 6732-5011
URL www.united.com
●日本航空
☎ 0570-025-031
URL www.jal.co.jp
●全日空
☎ 0570-029-333
URL www.ana.co.jp
●エアカナダ
☎ 0570-014-787
URL www.aircanada.com

旅行会社に相談する

インターネットが普及したとはいえ、自分で比較検討するのが面倒だという人は、旅行会社に相談することをすすめる。その際、自分が、いつ、どこの町に行きたいのかをあらかじめ決めてから行こう。多くの旅行会社では航空券の情報ももっており、思ったより安い航空券を入手できる可能性もある

eチケット

各航空会社では「eチケット」というシステムを導入。利用者は、予約完了後にeメールや郵送で届くeチケット控えを携帯することで、航空券紛失の心配はなくなった。eチケット控えは紛失しても再発行可能

燃油サーチャージ

石油価格の高騰や変動により、航空運賃のほかに燃料費が加算される。時期や航空会社によって状況が異なるので、航空券購入時に確認を

ボストン直行便リスト

2015年11月現在

都市名	出発地	日本発				日本着			
		便名	出発曜日	出発時刻	到着時刻	便名	出発曜日	出発時刻	到着時刻
ボストン	成田	JL008 (AA8476)	毎日	18:30	17:00	JL007 (AA8475)	毎日	12:30	＊16:25

航空会社の略号　AA：アメリカン航空、JL：日本航空
※ JL008とJL007便はアメリカン航空とのコードシェア（共同運行）便　＊：翌日着

旅の持ち物

国際線、国内線ともに預託荷物や機内持ち込み手荷物のサイズや重量に対して厳しい規制がある。たいていのものは現地調達できるので、悩むような物は持っていかないほうがいい。

TSA公認グッズ

TSA公認の施錠スーツケースやスーツケースベルトは、施錠してもTSAの職員が特殊な道具でロックの解除を行うため、かばんに損傷の恐れが少なくなる

機内に預ける荷物について

2015年10月現在、北米線エコノミークラスの場合、無料で預けられる荷物は2個（アメリカン航空、日本航空、ユナイテッド航空、全日空、デルタ航空）まで、1個の荷物につき23kg（50lbs）以内、3辺の和の合計が157cm以内とされている場合が多い。また、多くのアメリカの国内線において、エコノミークラスの場合は2個まで預けられるが、1個目から有料（$25前後）としている

機内持ち込み手荷物について

身の回り品1個のほか、3辺の和が115cm以内の手荷物（サイズは各航空会社によって異なる）を1個機内に持ち込むことができる。貴重品やフィルム、パソコン、携帯電話、壊れやすいものは機内持ち込みにすること。刃物類は、機内預けの荷物へ。ライターは通常ひとりにつき1個まで身につけて機内へ持ち込むことができるが航空会社によって異なるため確認を。

また、国際線航空機内客室への液体物の持ち込みは、出国手続き後の免税店などで購入したものを除き、制限されている。化粧品や歯磨き粉など液体類およびジェル状のもの、ヘアスプレーなどのエアゾール類はそれぞれ100mℓ以下の容器に入れ、容量1ℓ以下の無色透明ジッパー付きの袋に入れること。手荷物とは別に検査を受ければ持ち込み可能。詳細は国土交通省のウェブサイトで
URL www.mlit.go.jp/koku/15_bf_000006.html

荷物について

荷物で大きく占める衣類は、着回しが利くアイテムを選び、下着や靴下、Tシャツなどは2～3組あれば十分。洗濯は、小物類なら浴室での洗濯が可能だが、大物類はモーテルやホテル、町なかのコインランドリーを利用しよう。スーツやワンピース、Yシャツなどはホテルのクリーニングサービス（有料）に頼むとよい。なお、医薬分業のアメリカでは、風邪薬、胃腸薬、頭痛薬などを除いて、医師の処方箋がなければ薬が買えないため、常備薬を携行すること。

機内に預ける荷物について（預託荷物）

アメリカ同時多発テロ以降、出入国者の荷物検査が強化され、アメリカ運輸保安局（TSA）の職員がスーツケースなどを開いて厳重なチェックを行っている。機内に預ける荷物に施錠をしないよう求められているのはそのためで、検査の際に鍵がかかっているものに関しては、ロックを破壊して調べを進めてもよいとされている。したがって、預託荷物には高価なものや貴重品は入れないこと。

また、預託荷物は利用するクラスによって、無料手荷物許容量（→左側注）が異なる。かばんのサイズや重量も各航空会社別に規定があるので、利用前に確認を。なお、機内持ち込み手荷物についてもかばんのサイズや個数、重量などが定められており、アメリカの国内線、国際線ともに液体物の持ち込み規制（→左側注）がある。

TPOに合わせた服選びを

服装は、現地の季節（→P.337）に合わせてカジュアルなスタイルで出かけよう。基本的に昼はスニーカーなどのラフな服装でいいが、夜はぐんとおしゃれな装いで過ごしたいときもある。男性はネクタイとジャケット、女性はワンピースなどを持っていくといい。

持ち物チェックリスト

品目	チェック	品目	チェック	品目	チェック
パスポート（旅券）		身分証明書など証書類		筆記用具、メモ帳	
クレジットカード		辞書や会話集		スリッパ、サンダル	
現金（日本円とUSドル）		ガイドブック		カメラ、携帯電話、充電器、メモリーカード	
eチケット控え		シャツ類		ビニール袋	
ESTA渡航認証のコピー、または申請番号		下着・靴下		タオル類	
海外旅行保険証		上着（防寒・日焼け防止）		ティッシュ（ウエットティッシュ）	
トラベルプリペイドカード		帽子、サングラス		エコバッグ	
国内運転免許証と国外（国際）運転免許証		医薬品類、化粧品類、目薬、日焼け止め、リップスティック		おしゃれ着	

MEMO 電池類の持ち込みについて　電池類については、種類によって制限が異なる。パソコンや携帯電話などの製品内部にあるリチウムイオン電池は問題ないが、予備用のリチウムイオン電池はひとり2個までなら機内持

旅の技術

出入国の手続き

空港へは出発時刻の3時間前までに着くようにしたい。チェックイン手続きに時間を要するのと、急なフライトスケジュールの変更に対応できるように、早めの到着を心がけよう。

日本を出国する

国際空港へ向かう

日本国内の国際空港でボストンへ直行便を運航しているのは、成田のみ。羽田、関西からは経由便となる。各空港への行き方はP.355～356を参照。

空港到着から搭乗まで

①搭乗手続き（チェックイン）

空港での搭乗手続きをチェックイン（Check-in）といい、通常手続きは、航空会社のカウンター、または自動チェックイン機で行う。コードシェア便の航空券を持っている場合などは、有人のカウンターでチェックイン手続きを行う。eチケットを持っている場合は、ほとんどが自動チェックイン機で、各自がチェックイン手続きを行う（→P.350）。タッチパネルの操作をガイダンスに従って行い、すべての手続きが完了したら搭乗券が発券される。その後、預け入れ荷物を、航空会社のカウンターに預ければよい。その際、パスポートの提示が求められ、本人確認がある。近年、航空会社のウェブサイトで出発24～72時間前にチェックイン手続きができ、搭乗券が発券されるようになってきた。その場合は、直接荷物カウンターに行けばよい。ただし、航空会社によって異なるので、事前に確認すること。

②手荷物検査（セキュリティチェック）

保安検査場では、機内に持ち込む手荷物のX線検査と金属探知機による身体検査を受ける。ノートパソコンなどの大型電子機器、財布や携帯電話、ベルトなどの身に着けている金属類はトレイに入れて、手荷物検査と一緒にX線検査を受けること。液体物の機内持ち込みは透明の袋に入れて別にしておく（→P.348側注）。

③税関手続き

高価な外国製品を持って出国する場合、「外国製品持ち出し届」に記入をして申告する。これを怠ると、帰国時に国外で購入したものとみなされ、課税対象になることもある。ただし、使い込まれたものなら心配ない。

④出国審査

審査に必要なのはパスポートと搭乗券。パスポートにカバーをしている人は外して提示する。特に質問されることはなく、パスポートに出国のスタンプが押されたらパスポートと搭乗券は返却される。

⑤搭乗

自分のフライトが出るゲートへ。飛行機への搭乗案内は出発時間の約30分前から始まる。搭乗ゲートでは搭乗券とパスポートを提示。

成田国際空港へのアクセス→P.355
空港の略号コード "NRT"
☎(0476)34-8000
[URL] www.narita-airport.jp

東京国際空港（羽田空港）へのアクセス→P.356
空港の略号コード "HND"
☎(03)6428-0888
[URL] www.haneda-airport.jp/inter/

関西国際空港へのアクセス→P.356
空港の略号コード "KIX"
☎(072)455-2500
[URL] www.kansai-airport.or.jp

ESTAを忘れずに！
ビザなしで渡航する場合は、出発の72時間までにインターネットを通じて渡航認証を受けることが必要（→P.345）。必ず事前に認証を取得し、できれば取得番号の表示された画面を印刷して、携行していくように。航空会社によっては、この番号を確認するところもある。
「地球の歩き方　ホームページ」にも申告の手順が詳しく解説されている
[URL] www.arukikata.co.jp/esta

機内預けの荷物には施錠しない
現在、アメリカ線は機内に預ける荷物には施錠をしないように求められている。心配な人はスーツケースにベルトを装着するか、TSAロック機能のスーツケースを使用しよう（→P.348側注）

↘ち込み手荷物として持ち込むことができる。ただし、預け入れる荷物に入れることは禁止。そのほか、アルカリ乾電池については機内持ち込み手荷物、機内に預ける荷物に入れることは可能。

eチケットでのセルフチェックイン

国際線やアメリカの国内線のチェックインは、自分で搭乗手続きを行うセルフチェックインが一般的となっている。おおよその手順は下記のとおり。ただし、航空会社によって手順や表示が多少異なる。
（協力：アメリカン航空、日本航空）

---

1 空港の出発フロアには、各航空会社のチェックインカウンターが並び、セルフチェックイン機が設置されている。eチケットを持っている場合、ほとんどがセルフチェックイン機での手続きになる。※コードシェア便の利用者やビザが必要な人などセルフセチェックインで手続きが進まないときは、有人のチェックインカウンターへ。

2 アメリカの空港なら画面の表示は当然英語になる。しかし、日本に乗り入れている航空会社なら、日本語対応の機能が備わっている場合が多い。まず画面上に表示された言語のなかから"日本語"をタッチする。

3 日本語による案内が開始。まずは、チェックインの方法を選択する。

4 チェックインには本人確認のため、おもにクレジットカード、または航空会社のメンバーズカード、パスポートを読み込ませるなどの方法がある。日本人ならパスポートが便利。パスポートの場合、記号と数字が並ぶ部分を機械のリーダー部分に入れて、データを読み込ませる。

5 搭乗するフライトと自分の名前などのデータが表示されるので、これを確認して右下の"続行"をタッチ。

6 機内預けの荷物は、通常、太平洋路線では航空会社によりひとつ、またはふたつまで無料（アメリカ国内線は有料の場合が多い）。「預ける荷物がある」場合は、"続行"をタッチ。

7 座席をリクエストしていない場合は、ここで座席を選ぶ。アルファベットの表示があるところが空席を意味する。

8 預け入れ荷物の個数を入力し、座席の変更などを行う場合は、オプションから該当のメニューを選択し手続きする。

9 画面上に搭乗時刻とゲートの案内が表示されるので確認する。機械下部より搭乗券のプリントが出てくるので忘れずに受け取ること。

10 預ける荷物がある場合は、搭乗券のプリントを持って、荷物預けの専用カウンターで手続きをする。

◆ 350 　⊡MEMO　アメリカ入国時の持ち込み制限　現金（T/Cを含む）1万ドル以上は要申告。酒類は、21歳以上で個人消費する場合は1ℓ、おみやげは$100相当まで無税。たばこは200本（または、葉巻50本、刻みたばこなら➚

アメリカに入国する

アメリカの場合、アメリカ国内線へ乗り継ぎがあっても、必ず最初の到着地で入国審査を行う。直行便でボストンを訪れる場合は、ローガン国際空港、乗り継ぎ便の場合は、最初に到着したアメリカ国内の都市で入国審査を受けることになる。

到着する前に、機内で配布される「税関申告書（→P.352）」を記入しておこう。なお、従来アメリカ入国の際に記入していた「I-94W査証免除用出入国カード」の提出は、空路での入国については廃止されている。

入国審査から税関申告まで

①入国審査

飛行機から降りたら、"Immigration"や"Passport Inspection"の案内に沿って入国審査場に向かう。審査場の窓口は、アメリカ国籍者（U.S.Citizen）、それ以外の国の国籍者（Visitor）の2種類に分かれている。自分の順番が来たら審査官のいる窓口へ進み、パスポートと税関申告書を提出する。場合によってはeチケットの控えを求められることもある。なお、現在米国に入国するすべての人を対象に、インクを使わないスキャン装置によるすべての指の指紋採取（一部空港）とデジタルカメラによる入国者の顔写真の撮影が行われている。渡航目的や滞在場所など、いくつかの質問が終わり、入国が認められれば、パスポートと税関申告書を返してくれる。

審査に必要なパスポート、税関申告書などを一式手渡す

入国審査時に顔写真を撮る

パスポートの検査、質問（滞在目的、日数など）

指紋のスキャン

デジタルカメラによる顔写真の撮影

WELCOME TO THE U.S.

バゲージクレームへ

②荷物をピックアップする

入国審査のあと、バゲージクレームBaggage Claimへ。自分のフライトをモニターで確認して、荷物の出てくるターンテーブルCarouselへ行き、ここで預託荷物を受け取る。手荷物引換証（タグ）を照合する空港もあるので、タグはなくさないように。また、預託荷物が出てこない、スーツケースが破損していたなどのクレームは、その場で航空会社のスタッフに申し出ること。

③税関検査

税関でチェックされるのは、持ち込み数量に制限がある酒、たばこの持ち込みで、制限を超える場合は課税の対象（→P.350 MEMO）。

2kg）まで無料。野菜・果物、肉類や肉のエキスを含んだすべての食品は持ち込み禁止。

まずはあいさつから

入国審査の際に審査官の前に進んだら、"Hello"、"Hi"と、まずはあいさつをしよう。審査終了後も"Thank you"のひと言を忘れずに

質問の答え方
●渡航目的は、観光なら"Sightseeing"、仕事ならば"Business"
●滞在日数は、5日なら"Five days"、1週間ならば"One week"
●宿泊先は到着日に泊まるホテル名を答えればよい
●訪問先を尋ねられる場合がある。旅程表などを提示して、説明するといい
●所持金については、長期旅行や周遊する町が多い場合に尋ねられることもある。現金、クレジットカードなどの所有の有無を正直に答える

入国審査は簡単な英語だが、どうしてもわからないときは、通訳Interpreter（インタープリター）を頼もう

●18歳未満の人の米国入国時の注意→P.344

自動入国審査端末の導入で入国審査の時間が短縮！
ローガン国際空港を含む、全米約30以上の国際空港にセルフサービスの入国審査端末（以下APC）が設置された。ESTAを利用して2回目以降の入国者が対象。新規パスポートの渡航者は従来どおり、審査官がいるブースで入国審査を行う。APCには日本語案内が設定されており、ガイダンスに従ってパスポートの読み取り、顔写真の撮影、入国に関する質問の回答、指紋採取の手続きを行う。確認のレシートが発行されたら係官のもとに進んで入国手続きが完了する

●空港で荷物がなくなったら→P.369

税関申告書
税関申告書に特記する申告物がない場合は、口頭の質問と申告書の提出で検査は終了する

税関申告書を係員に手渡す
© CBP Photography

アメリカ入国に必要な書類

税関申告書

①姓（名字）
②名
③ミドルネーム
④生年月日（月/日/年の順。年は西暦の下2ケタ）
⑤同行している家族の人数
⑥滞在先（ホテル）の名称
⑦滞在先（ホテル）の市
⑧滞在先（ホテル）の州
⑨パスポート発行国
⑩パスポート番号
⑪居住国
⑫アメリカに着く前に訪問した国。ない場合は無記入
⑬アメリカ行きの飛行機の航空会社とフライト番号（航空会社は2文字の略号で）
⑭該当するものがあるときは"はい"に、ない場合は"いいえ"にチェック
⑮アメリカ居住者へのおみやげなどアメリカに残すものの金額（私物は含まれない）
⑯署名（パスポートと同様）
⑰入国日（月日年：西暦）
⑱アメリカに残すものがある場合は、品名と金額を書き込む
⑲⑱の合計金額

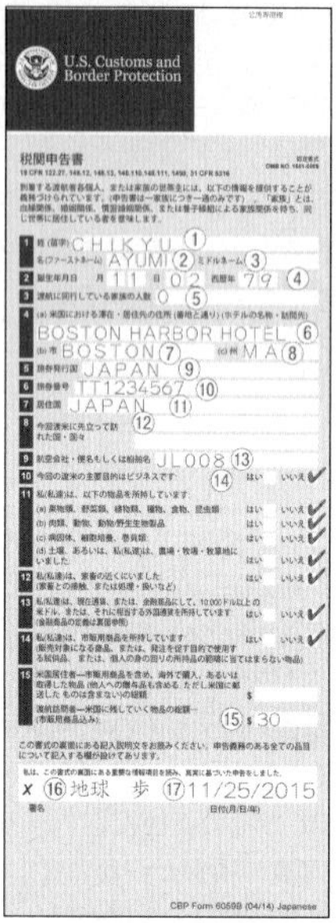

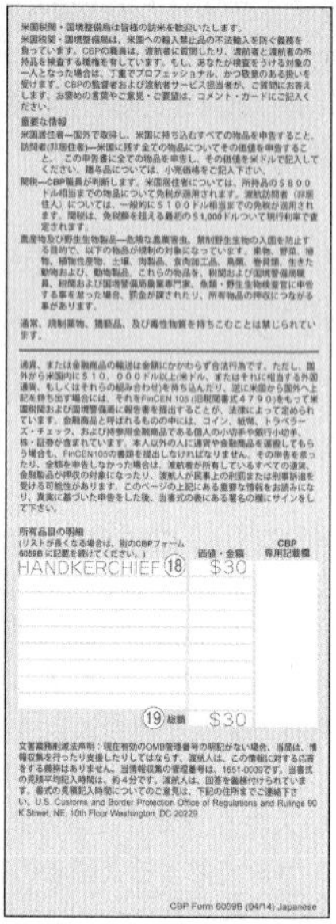

アメリカの出入国カード（I-94 W 査証免除用）

①姓（名字）
②名
③生年月日（日月年の順に。年は西暦の下2ケタ）
④国籍
⑤性別（男性はMALE、女性はFEMALE）
⑥パスポート発行日（日月年：西暦4ケタ）
⑦パスポート失効日（日月年：西暦4ケタ）
⑧パスポート番号
⑨アメリカ行きの飛行機の航空会社とフライト番号（航空会社は2文字の略号）
⑩居住国
⑪飛行機に乗った場所
⑫滞在先（ホテル名、または知人宅の住所など）
⑬滞在先の市、州名
⑭アメリカ内の連絡先（滞在先の電話番号）
⑮eメールアドレス
⑯質問の回答にチェック
⑰署名（パスポートと同様）
⑱入国日（日月年：年は西暦の下2ケタ）

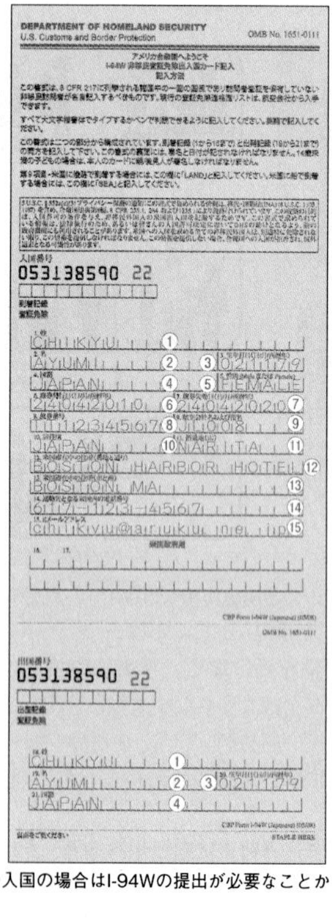

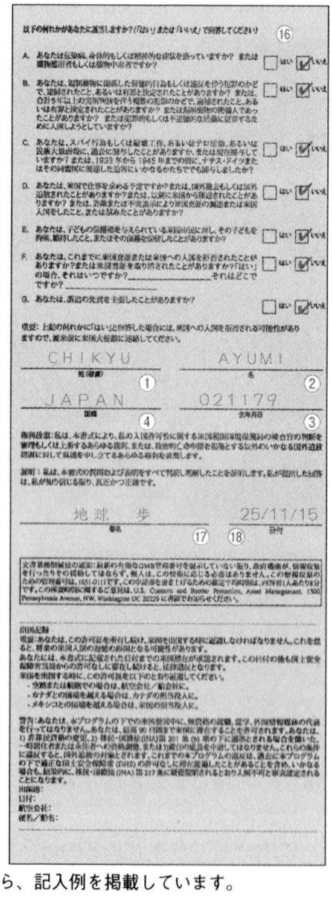

※「地球の歩き方」では、陸路での入国の場合はI-94Wの提出が必要なことから、記入例を掲載しています。

税関検査後、ボストン市内や近郊の町へ

　ボストンのローガン国際空港で入国する場合、税関検査を終えたら、Exitのサインに従って進む。ボストン市内へのアクセスには、地下鉄のシルバーラインやブルーライン、ローガンエクスプレス、タクシー、空港シェアバン、レンタカーなどがある。地下鉄やタクシー、空港シェアバン、レンタカー営業所やホテルへの送迎バス、空港シャトルなどは、空港到着階のバゲージクレーム・エリアを出て内周道路から出発。

機内預け入れ荷物をピックアップしたらExitのサインに従って進む
© CBP Photography

アメリカを出国する

①空港へ向かう

　ホテルからローガン国際空港への交通手段で、最も一般的なのは地下鉄のシルバーラインやブルーライン。シルバーラインは各ターミナルの前に停車する。ブルーラインを利用した場合は、Airport駅から空港を循環する空港シャトルで各ターミナルへ。

　いずれにせよ、時間に余裕をもって行動したい。現在、アメリカ国内の空港セキュリティが非常に厳しく、とても時間がかかる。国内線の場合は2時間前に、国際線は3時間前までには空港に着くようにしよう。

②利用航空会社のカウンターに向かう

　ボストンのローガン国際空港をはじめアメリカのおもな国際空港は、航空会社によってターミナルが異なる。タクシーならドライバーが乗客の利用する航空会社を尋ねて、そのターミナルで降ろしてくれる。ローガンエクスプレスの場合ドライバーがターミナル名と航空会社を言うので、これを聞き逃さないように。

③チェックイン（搭乗手続き）

　2015年10月現在、アメリカでは出国審査官がいるゲートで出国スタンプを押してもらうプロセスがない（手荷物検査前にパスポートチェックはある）。eチケットでチェックイン後、利用航空会社のカウンターでパスポートを提示して荷物を預ける。係員から、機内預け入れ荷物のタグと搭乗券、パスポートを受け取ったら手荷物検査とX線検査を通って搭乗ゲートに向かう。

日本に入国する

　飛行機が到着し、ゲートを進み検疫カウンターへ。アメリカからの帰国者は基本的に素どおりでよいが、体調異常がある場合は検疫官に申し出ること。入国審査カウンターではパスポートを提示して審査を受ける。次に、海外から動植物を持ち込む人は、検疫を受ける必要がある。

　バゲージクレーム・エリアのターンテーブルで預託手荷物を受け取ったら、税関のカウンターへ進む。海外で購入した物品が免税範囲内なら緑、免税の範囲を超えている場合は赤の検査台へ。なお、機内で配布された「携帯品・別送品申告書」（→P.354）はここで提出する。

肉類、肉加工品に注意
　アメリカ（ハワイ、グアム、サイパン含む）、カナダで販売されているビーフジャーキーなどの牛肉加工品は、日本に持ち込むことはできない。免税店などで販売されているもの、検疫済みのシールが添付されているものも、日本への持ち込みは不可。注意してほしい
●動物検疫所
URL www.maff.go.jp/aqs

携帯品・別送品申告書記入例

(表面)

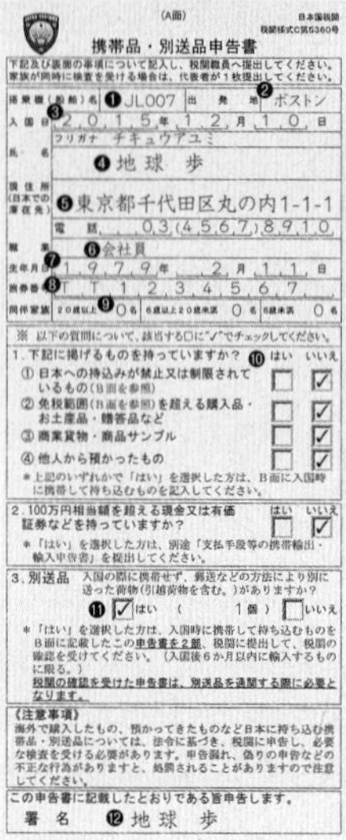
(A面)
日本国税関
税関様式C第5360号
携帯品・別送品申告書
下記及び裏面の事項について記入し、税関職員へ提出してください。
家族が同時に検査を受ける場合は、代表者が1枚提出してください。
搭乗機(船舶)名 ❶JL007 出発地 ❷ボストン
❸入国日 2015年12月10日
氏名 フリガナ チキュウアユミ ❹地球 歩
現住所(日本での滞在先) ❺東京都千代田区丸の内1-1-1
電話 03(4567)8910
職業 ❻会社員
❼生年月日 1979年2月11日
❽旅券番号 TT1234567
同伴家族 20歳以上 ❾0名 6歳以上20歳未満 0名 6歳未満 0名
※ 以下の質問について、該当する□に"✓"でチェックしてください。
1.下記に掲げるものを持っていますか? ❿はい いいえ
① 日本への持込みが禁止又は制限されているもの(B面を参照) いいえ✓
② 免税範囲(B面を参照)を超える購入品・お土産品・贈答品など いいえ✓
③ 商業貨物・商品サンプル いいえ✓
④ 他人から預かったもの いいえ✓
＊上記のいずれかで「はい」を選択した方は、B面に入国時に携帯して持ち込むものを記入してください。
2.100万円相当額を超える現金又は有価証券などを持っていますか? はい いいえ✓
＊「はい」を選択した方は、別途「支払手段等の携帯輸出・輸入申告書」を提出してください。
3.別送品 入国の際に携帯せず、郵送などの方法により別に送った荷物(引越荷物を含む。)がありますか?
⓫✓はい(1個) いいえ
＊「はい」を選択した方は、入国時に携帯して持ち込むものをB面に記載したこの申告書を2部、税関に提出して、税関の確認を受けてください。(入国後6か月以内に輸入するものに限る。)
税関の確認を受けた申告書は、別送品を通関する際に必要となります。
《注意事項》
海外で購入したもの、預かってきたものなど日本に持ち込む携帯品・別送品については、法令に基づき、税関に申告し、必要な検査を受ける必要があります。申告漏れ、偽りの申告などの不正な行為がありますと、処罰されることがありますので注意してください。
この申告書に記載したとおりである旨申告します。
署名 ⓬地球 歩

(裏面)

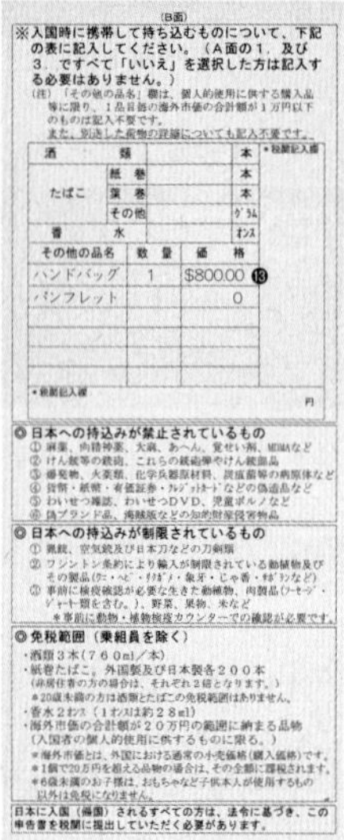
(B面)
※入国時に携帯して持ち込むものについて、下記の表に記入してください。(A面の1.及び3.ですべて「いいえ」を選択した方は記入する必要はありません。)
(注)「その他の品名」欄は、個人的使用に供する購入品等に限り、1品目毎の海外市価の合計額が1万円以下のものは記入不要です。
また、別送した荷物の詳細についても記入不要です。

酒類			本	＊税関記入欄
たばこ	紙巻		本	
	葉巻		本	
	その他		グラム	
香水			オンス	
その他の品名	数量	価格		
ハンドバッグ	1	$800.00 ⓭		
パンフレット		0		
＊税関記入欄				円

◎日本への持込みが禁止されているもの
① 麻薬、向精神薬、大麻、あへん、覚せい剤、MDMAなど
② けん銃等の銃砲、これらの銃砲弾やけん銃部品
③ 爆発物、火薬類、化学兵器原材料、炭疽菌等の病原体など
④ 貨幣・紙幣・有価証券・クレジットカードなどの偽造品など
⑤ わいせつ雑誌、わいせつDVD、児童ポルノなど
⑥ 偽ブランド品、海賊版などの知的財産侵害物品
◎日本への持込みが制限されているもの
① 猟銃、空気銃及び日本刀などの刀剣類
② ワシントン条約により輸入が制限されている動植物及びその製品(ワニ・ヘビ・リクガメ・象牙・じゃ香・サボテンなど)
③ 事前に検疫確認が必要な生きた動植物、肉製品(ソーセージ・ジャーキー類を含む。)、野菜、果物、米など
＊事前に動物・植物検疫カウンターでの確認が必要です。
◎免税範囲(乗組員を除く)
・酒類3本(760ml/本)
・紙巻たばこ、外国製及び日本製各200本
(非居住者の方の場合は、それぞれ2倍となります。)
＊20歳未満の方は酒類とたばこの免税範囲はありません。
・香水2オンス(1オンスは約28ml)
・海外市価の合計額が20万円の範囲に納まる品物
(入国者の個人的使用に供するものに限る。)
＊海外市価とは、外国における通常の小売価格(購入価格)です。
＊1個で20万円を超える品物の場合は、その全額に課税されます。
＊6歳未満のお子様は、おもちゃなど子供本人が使用するもの以外は免税になりません。
日本に入国(帰国)されるすべての方は、法令に基づき、この申告書を税関に提出していただく必要があります。

携帯品・別送品申告書について

2015年10月現在、日本に入国(帰国)するすべての人は、「携帯品・別送品申告書」を1通提出することになっている。海外から別送品を送った場合は2通提出し、このうちの1通に税関が確認印を押して返してくれる。なお、この申告書は、別送品を受け取る際の税関手続きで必要になるので、大切に保管しよう。

なお、帰国後に別送品の申告はできない。申請用紙は機内で配られるが、バゲージクレーム・エリアなど税関を通過する前に記入台が設けられているので、別送品がある場合は必ず帰国時に申告しよう。もし、別送品の申請をしなかったり、確認印入りの申請書をなくした場合は、一般の貿易貨物と同様の輸入手続きが必要になるので要注意。

携帯品・別送品申告書

(表面)

①航空会社(アルファベット2文字の略)と便名
②出発地
③入国日
④氏名
⑤住所と電話番号
⑥職業
⑦生年月日
⑧パスポート番号
⑨同伴の家族がある場合の内訳
⑩質問の回答欄にチェック
⑪別送品がある場合は「はい」にチェック、個数を記入
⑫署名

(裏面)

⑬日本入国時に携帯して持ち込むものを記入。不明な点などは係員に確認を

海外から日本への持ち込み規制と免税範囲

日本への持ち込みが規制されている物は下記のとおり。海外で購入する際に問題ないと言われても、税関で規制対象品と判明した時点で所有を放棄する、自己負担で現地に送り返す、輸入許可が下りるまで有料で保管されるなどの処置がなされる。

日本へ持ち込んではいけないもの

●覚せい剤、大麻、MDMAなどの不正薬物
●けん銃などの銃砲、これらの銃砲弾、けん銃部品
●わいせつ雑誌、わいせつDVD、児童ポルノなど
●偽ブランド品、海賊版などの知的財産を侵害するもの
●ワシントン条約に基づき、規制の対象になっている動植物、それらを加工した製品も規制の対象
●ソーセージ、ビーフジャーキーなどの牛肉加工品。免税店で販売されているもの、検疫済みシールが添付されているものでも不可

※輸出入禁止・規制品についての詳細は税関まで
[URL] www.customs.go.jp

日本入国時の免税範囲(成年者ひとり当たり)

2015年10月現在

	品名		数量または価格	備考
1	酒類		3本	1本760mℓ程度のもの
2	たばこ	葉巻たばこ	50本(ただし、ほかのたばこがない場合)	日本に居住している人は日本製、外国製たばこを各200本、海外居住者については免税範囲が2倍
		紙巻きたばこ	200本(同上)	
		その他のたばこ	250g(同上)	
3	香水		2オンス	1オンスは約28mℓ
4	品名が上記1〜3以外であるもの		20万円(海外市価の合計額)	合計額が20万円を超える場合は、超えた額に課税。ただし、1個で20万円を超える品物は、全額に課税される

※未成年者の酒類、たばこの持ち込みは範囲内でも免税にならない
※6歳未満の子供は、おもちゃなど明らかに子供本人の使用と認められるもの以外は免税にならない

MEMO **輸出入禁止・規制品について** 詳細は関税ホームページを参照。[URL] www.customs.go.jp ほとんどの動物や植物は、日本への持ち込みにあたり検疫を受ける必要がある。[URL] www.maff.go.jp/aqs/

国際空港へのアクセス

成田国際空港へのアクセス

空港コード "NRT"　URL www.narita-airport.jp

(2015年10月現在)

交通機関名			駅名	空港まで(約)	料金	備考	問い合わせ先
電車	JR	成田エクスプレス(横浜方面)	大船	110分	4620円	基本的には全席指定。JRみどりの窓口、びゅうプラザ、旅行会社などで1ヵ月前から発売 ※左記の運賃は通常期の普通車料金	○JR東日本 URL www.jreast.co.jp お問い合わせセンター ☎(050)2016-1600 列車時刻、運賃・料金、空席情報案内
			横浜	90分	4290円		
			品川	65分	3190円		
			東京	55分	3020円		
		成田エクスプレス(首都圏方面)	池袋	85分	3190円	※左記の運賃は通常期の普通車料金	
			新宿	80分	3190円		
			渋谷	72分	3190円		
		快速エアポート成田	大船	140分	2270円	JRの快速。特急料金不要	
			横浜	122分	1940円		
			品川	104分	1490円		
			東京	93分	1320円		
	京成電鉄	スカイライナー	京成上野	43分	2470円	モーニングライナー、イブニングライナーという座席指定の特急もある。これらは京成上野から成田空港まで1400円	○京成電鉄 URL www.keisei.co.jp 電話予約 ☎(03)3831-0989 ※スカイライナーとアクセス特急は成田スカイアクセス線、快速特急は京成本線を走る
			日暮里	38分	2470円		
		アクセス特急	京成上野	70分	1240円	京成上野からの路線がひとつ。品川、新橋、日本橋から直結している。特急料金不要	
			品川	87分	1520円		
			青砥	56分	1120円		
		快速特急	京成上野	80分	1030円	京成上野、品川方面から船橋を経由する。特急料金不要	
			日本橋	75分	1330円		
			青砥	65分	920円		
			京成船橋	47分	740円		

※空港までの所要時間は、成田空港駅までの所要時間を示しています。

交通機関名		駅名	空港まで(約)	料金	備考	問い合わせ先
バス	リムジンバス	東京駅・日本橋エリア	75~125分	3100円	東京駅八重洲南口、丸の内北口ほか	
		東京シティ・エアターミナルTCAT	60~90分	3000円		
		銀座・汐留エリア	75~130分	3100円	三井ガーデンホテル銀座プレミア、コートヤード・マリオット銀座東武ホテル、コンラッド東京、パークホテル東京、ロイヤルパークホテル・ザ・汐留	
		新宿エリア	85~145分	3100円	新宿駅西口、センチュリーサザンタワー、ホテルサンルートプラザ新宿、京王プラザホテル、ハイアットリージェンシー東京、新宿ワシントンホテル、ヒルトン東京、パークハイアット東京	
		池袋エリア	75~140分	3100円	ホテルメトロポリタン、サンシャインシティプリンスホテル	
		目白・九段 後楽園エリア	75~140分	3100円	ホテル椿山荘東京、ホテルグランドパレス、東京ドームホテル	
		渋谷・二子玉川エリア	75~125分	3100円	セルリアンタワー東急ホテル、渋谷エクセルホテル東急	○リムジンバス予約・案内センター(東京空港交通) URL www.limousinebus.co.jp ☎(03)3665-7220
		品川・恵比寿エリア	60~155分	3100円	ウェスティンホテル東京、シェラトン都ホテル、東京マリオットホテル、品川プリンスホテル、グランドプリンスホテル高輪、グランドプリンスホテル新高輪、ザ・プリンスさくらタワー東京ほか	
		赤坂・六本木エリア	80~145分	3100円	グランドハイアット東京、ザ・リッツ・カールトン東京、ホテルニューオータニ、赤坂エクセルホテル東急、ANAインターコンチネンタルホテル東京、ホテルオークラ、ザ・キャピトルホテル東急	
		日比谷エリア	75~110分	3100円	ザ・ペニンシュラ東京、パレスホテル東京、帝国ホテル、第一ホテル東京	
		芝・臨海副都心エリア	60~145分	2800~3100円	ザ・プリンスパークタワー東京、東京プリンスホテル、芝パークホテル、セレスティンホテル、インターコンチネンタル東京ベイ、ホテルグランパシフィック LE DAIBA、ホテル日航東京、東京ベイ有明ワシントンホテルほか	
		八王子エリア	120~165分	3800円	京王八王子駅、JR八王子駅北口	
		横浜シティ・エアターミナルYCAT	85~110分	3600円		
		羽田空港	65~85分	3100円		
	ONライナー	JRさいたま新都心駅/JR大宮駅	120~130分	2800円	西武バスほか、共同運行。成田空港会社に1ヵ月前から電話予約。旅行会社でも取り扱っている	○西武バス座席センター ☎(03)5910-2525

交通機関名			備考	問い合わせ先
乗用車		・東関東自動車道から新空港自動車道を経由して、成田ICより第1ゲート(第1ターミナル)、第2ゲート(第2ターミナル)へ ・国道51号線から国道295号を経由して、成田スマートICより第1ゲート、第2ゲートへ	3時間30分までで30分ごと210円(260円)。以降、24時間まで1540円(2060円)。24時間を超える120分まで24時間ごと1540円(2060円)。120時間を超える24時間ごと520円(520円)。※( )内は第2駐車場の料金	左記は普通車の駐車料金 ●第1駐車場 [無料]0120-03-2253 ●第2駐車場 ☎(0476)34-5350

※電車の料金は、自動券売機で購入した場合の運賃。

東京国際空港（羽田空港）へのアクセス

空港コード "HND" **URL** www.haneda-airport.jp/inter/

（2015年10月現在）

交通機関名			駅 名	空港まで(約)	料金	備 考	問い合わせ先
電車	京浜急行	エアポート快特	品川	13分	410円	羽田空港国際線ターミナル駅までの運賃と所要時間	○京浜急行電鉄 **URL** www.keikyu.co.jp **☎**(03)5789-8686 ○京成電鉄 **URL** www.keisei.co.jp **☎**(03)3831-0989 ○東京モノレール **URL** www.tokyo-monorail.co.jp **☎**(03)3374-4303
		エアポート急行（横浜方面）	横浜	20分	450円		
			京急川崎	13分	370円		
			京急蒲田	8分	300円		
		エアポート快特＋アクセス特急	成田空港	90分	1760円	京成電鉄と相互乗り入れ	
	モノレール	モノレール空港快速	モノレール浜松町	13分	490円	羽田空港国際線ビル駅までの運賃と所要時間	
バス	リムジンバス		成田空港	65～85分	3100円		○東京空港交通 **URL** www.limousinebus.co.jp **☎**(03)3665-7220 ※空港行きは座席定員制の場合あり
			TCAT	20～50分	820円	深夜早朝便は1640円	
			池袋駅東口・池袋地区ホテル	35～65分	1230円	深夜早朝便は2000円	
			新宿駅西口・新宿地区ホテル	35～75分	1230円	深夜早朝便は2000円	
			六本木・赤坂地区	25～65分	1130円	ホテルニューオータニなど	
			東京駅（八重洲南口）	25～45分	930円		
			臨海副都心地区	25～45分	620円	有明・お台場のホテルなど	
			YCAT	30分	580円	京浜急行バス	
乗用車						・首都高湾岸線空港中央IC、湾岸環八ICより空港アクセス道路へ ・1号羽田線空港西ICより環状8号線へ ・神奈川1号横羽線羽田ICより環状8号線へ	駐車場は入場から7時間まで30分150円。7時間を超えて24時間まで2100円。24時間以降72時間まで24時間ごと2100円を上限に1時間ごと2100円、72時間～以降24時間ごと1500円を上限に1時間ごと300円　※普通車の駐車料金

（備考列の乗用車行は）
・首都高湾岸線空港中央IC、湾岸環八ICより空港アクセス道路へ
・1号羽田線空港西ICより環状8号線へ
・神奈川1号横羽線羽田ICより環状8号線へ

問い合わせ先：○NEXCO東日本 **☎**0570-024-024 **URL** www.e-nexco.co.jp ○羽田空港駐車場（国際線） **☎**(03)6428-0121

関西国際空港へのアクセス

空港コード "KIX" **URL** www.kansai-airport.or.jp

（2015年10月現在）

交通機関名			駅 名	空港まで(約)	料金	備 考	問い合わせ先
電車	JR	特急はるか	米原	130分	5920円	チケット購入：JRみどりの窓口、びゅうプラザ、旅行会社などで1ヵ月前から発売 ※左記の特急はるかの料金は通常期の指定席料金 ※米原発着は一部の列車が直通	○JR西日本 **URL** www.westjr.co.jp お客様センター **☎**(0570)00-2486 電話予約サービス **☎**(0088)24-5489 **☎**(078)341-7903
			京都	80分	3370円		
			新大阪	50分	2850円		
			天王寺	30分	2230円		
			京橋	75分	1190円		
		関空快速	大阪	68分	1190円		
			新今宮	56分	1060円		
			天王寺	50分	1060円		
	南海	空港急行	南海なんば	45分	920円	チケット購入：南海電鉄主要駅、おもな旅行会社にて1ヵ月前から発売	○南海電鉄 **URL** www.nankai.co.jp **☎**(06)6631-1351（なんば駅） **☎**(06)6643-1005（南海テレホンセンター）
			新今宮	42分	920円		
		ラピートβ	南海なんば	38分	1430円		
			新今宮	36分	1430円		
		ラピートα	南海なんば	34分	2760円		
			新今宮	32分	2760円		
バス	リムジンバス		①大阪駅前主要ホテル	50～60分	片道1500/往復2760円	①大阪駅前・茶屋町・新梅田シティ次のそれぞれから運行。ウェスティンホテル大阪、ホテル阪急インターナショナル、ヒルトン大阪、ハービス大阪、新阪急ホテル	○関西空港交通 **URL** www.kate.co.jp **☎**(072)461-1374 ②日本交通（OTCAのみ） **URL** www.nihonkotsu.co.jp **☎**(06)6576-1181 ○奈良交通 **URL** www.narakotsu.co.jp **☎**(0742)22-5110
			①大阪空港	70～75分	片道1950/往復3500円	①大阪空港蛍池駅、大阪空港内7C乗り場	
			①近鉄上本町、OBP、心斎橋	50～55分	片道1550/往復2800円	①近鉄上本町、心斎橋ホテル日航大阪、シェラトン都ホテル大阪、OBP（ホテルニューオータニ大阪）	
			①②なんばTCA	50分	片道1050/往復1850円		
			①③JR奈良	80～90分	片道2050/往復3900円	①③JR奈良、近鉄奈良駅全便、奈良ホテルと天理を経由する	
			①神戸三宮	65分	片道1950/往復3080円		
			①六甲アイランド	60分	片道1800/往復3080円	①六甲アイランド全便予約制 **☎**(078)857-7031（神戸ベイシェラトンホテル）	
船	高速船		神戸空港海上アクセスターミナル	30～40分	1850円	チケットは出発地で発売。予約も可。神戸空港と海上アクセスターミナル間は連絡バスが運行（無料）	○(株)OMこうべ **☎**(078)304-0033 **URL** www.kobe-access.jp
乗用車						・京都（京都東IC）方面から名神（吹田）→近畿道（松原）→阪和道（泉佐野JCT）→関空道（りんくうJCT）→関空橋へ ・神戸（神戸三田IC）方面から中国道（吹田JCT）→近畿道（松原）→阪和道（泉佐野JCT）→関空道（りんくうJCT）→関空橋へ	関西国際空港駐車場は：15分ごと100～110円、6時間15分～24時間まで一律2570円、以降24時間ごと1540円加算。144時間超で1日最大1030円加算	○NEXCO西日本 お客様センター **☎**0120-924863 **URL** www.w-nexco.co.jp ○関西国際空港駐車場 **☎**(072)455-2337

※電車の料金は、自動券売機で購入した場合の運賃。

現地での国内移動

マサチューセッツ州を含めニューイングランド地方を周遊する場合の移動手段は、飛行機、レンタカー、鉄道、長距離バス、ツアーなどが挙げられる。何を利用するかによって予算面に差が出てくるので、しっかりと事前に計画を立てたい。

アメリカ国内線の基礎知識

旅行の形態と航空券

日本と訪問都市1ヵ所を単純に往復する旅行の形態には、往復航空券が適している。一方、2都市以上の複数都市をすべて飛行機で巡る形態を周遊という。周遊の航空運賃は希望する区間のゾーンによる算定方法や、5〜6都市までの周遊はいちばん遠い都市への運賃が適用されるなど、航空会社により条件が異なる。

また、航空会社は、乗客や貨物の効率的な輸送を図るため、運用の拠点として利用する都市にハブ（中枢）空港をもっている。行きたい都市への直行便がなくても、ハブになっている都市を経由すれば目的の都市にたどり着ける。ハブの都市を経由すると遠回りになる場合もあるが、そのぶんのマイルは加算される。多少のデメリットはあるが、利用航空会社の路線内でルートを作成するのが大切だ。

選んだ航空会社の路線が訪問予定都市をどうしてもカバーしきれない場合、次の都市まで飛行機に乗るほどでもないときは、ほかの交通機関の利用を考えてみよう。例えば、ボストン〜ニューハンプシャー州マンチェスターなどは、長距離バスの利用が一般的だ。

▶国内線利用の流れ

国内線を利用するときには、「ドメスティックDomestic」と書かれたカウンターでチェックインをする。近年はeチケットによるセルフチェックイン（→P.350）が一般的。チェックインを済ませ、セキュリティチェックを受けてから搭乗ゲートへ。ターミナル内では、各所にあるコンピューターディスプレイで自分の乗るフライトのゲート番号を確認する。機内への搭乗は、通常30分前から。大きな空港は、出口で荷物のクレームタグの番号を照合することも多い。

鉄道（アムトラック）

▶乗車の流れ

乗車券の購入はチケット窓口で。乗りたい列車と目的地、乗車券の枚数などを告げよう。また、電話やインターネットで予約している場合は、予約番号と行き先を告げればよい。USAレイルパスを持っていて初めて使うときは、パスポートなどの証明書を見せて、利用開始日と終了日を記入してもらう。なお、日本で予約購入した人はバウチャーも提示し、希望の列車と目的地を告げて乗車券を発券してもらおう。

列車に乗り込む際は、安全のため列車の到着と出発時刻の前後以外は駅のホームに入ることができない。長距離列車の場合、列車に乗り込むとき、車掌が座席を指示することがある。また、一部の駅では、ホームへの入口で係員がチケットをチェックするので、手に持ってい

●航空券の手配について
→P.347

航空券に関する専門用語

●OPEN（オープン）
航空券の有効期限内であれば、復路のルート変更が可能な航空券

●FIX（フィックス）
出発前に日程や経路を確定させた往復便の予約を行う必要がある航空券

●オープンジョー
複数都市を回る際、途中の移動を飛行機以外の手段（鉄道、バスなど）で行うことができる航空券

●トランジット
途中にほかの空港に立ち寄ること。乗り継ぎ時間は24時間以内

●ストップオーバー
途中降機のことで、乗り継ぎ地で24時間以上滞在すること

コードシェアとは？
路線提携のこと。ひとつの定期便に2社以上の航空会社の便名がついているが、チェックインの手続きや機内サービスは主導運航する1社の航空会社によって行われる。搭乗券には実運航の航空会社名が記載されるが、空港内の案内表示には複数の便名、または実運航の航空会社のみの便名で表示されるなど、ケースバイケース。予約時に必ず、実運航の航空会社を確認すること

アメリカの国内線を利用するとき
国内線利用で注意したいのが、搭乗予定者がいなくても出発してしまう、出発予定時刻より早く飛行機が出てしまう場合があること。搭乗開始は出発時刻の30分前に行われるので、必ず30分前までには搭乗ゲートで待つことをすすめる

アムトラックの時刻表
大きな駅に用意されており、無料で手に入る。ウェブサイトでも確認できる
URL www.amtrak.com

U.S.A.レイルパス

アムトラックでは、鉄道周遊券を販売している。これはアムトラックの全路線（主要駅から発着している連絡バスを含む）、適用期間内の利用回数分だけ乗車できるシステム。

U.S.A.レイルパスは日本ではマックスビスタトラベル☎(03)3780-0468、URL www. ohshu.comで取り扱っている。アメリカで購入する場合は、大きな鉄道駅に行けばよい。なお、パスが利用できるのは、アセラ特急とメトロライナーを除く列車のコーチ（普通座席）のみ。また、乗車の際はその区間の乗車券を駅で発券する必要がある。

料金は、15日間/8区間で大人6万2900円、30日/12区間9万4400円、45日/18区間12万3200円（2015年10月現在、オンライン購入の場合の料金）。日本ではバウチャーを発行。現地の利用開始駅で乗車券に換える必要がある

グレイウハウンドの時刻表はウェブで

サイトにアクセスしたあと、表示の言語として"English"を選び、"Buy Tickets"の項に出発地と目的地、乗車日を入力していけば、時刻表だけでなく、運賃も知ることができる。さらに進めばバスターミナルやバスディーポの情報も知ることができる
Free (1-800) 231-2222
URL www.greyhound.com

バスディーポやバスターミナル

町の中心地にあっても治安の不安定な所にある場合が多い。バス利用のとき以外は、なるべく近くをうろつかないように心がけよう

ボストンのフェリー
→P.46

国外（国際）運転免許証について
→P.344
※アメリカで運転するときは、必ず日本の運転免許証と国外（国際）運転免許証のふたつを携帯して運転すること

ローガン国際空港のレンタカーセンター
→P.41側注

車で空港から市内へ
→P.41側注

よう。列車が動き出してから車掌が検札にやってくる。そのとき提示した乗車券と引き換えに、バウチャーを頭上の荷物置き場の所に挟んでくれる。席を移動するときは、これを持って移動するように。

長距離バス（グレイハウンド）

▶乗車の流れ

バスターミナル、バスディーポ（→下記©MEMO）へは出発時刻の60分前までに行こう。チケットはインターネットで前売りを買うこともできる。割引になっているので、乗車日が決まっているのなら、そちらがおすすめ。購入後、自宅のプリンターで印刷することも可能で、クレジットカードが必要。現地で普通の乗車券を買う場合は、チケットカウンターで行き先、片道か往復か、枚数などを告げる。自動券売機もある。なお、大きな荷物を預けたい人は、ここで荷物の数を申告し、行き先の書かれた荷物タグをもらう。

改札が始まるのは出発時刻の10〜15分前。改札をするのはバスを運転するドライバーだ。トランクに大きな荷物を預ける人は、改札のときドライバーにタグをつけた荷物を渡そう。再度、行き先を確認したらバスに乗り込む。近年は満席でもバスを増便することが少なくなったので、出発ゲートを確認したら早めに並ぶこと。席は早い者順で、ほかの町を経由してきたバスは先客のいない空いた席に座ることになる。目的地に到着したらクレームタグの半券を見せて、係員に荷物を出してもらおう。

フェリー

ボストンでは、ウオーターフロントとチャールズタウンへの移動にフェリーを利用してもいい。

レンタカー

空港でレンタカーをする

ローガン国際空港では、空港敷地内のレンタカーセンターにレンタカー会社のカウンターが集まる。レンタカーセンター行きのシャトルバスは、バゲージクレーム・エリアの出口を出た目の前から乗車。

レンタカーの予約は必ず日本で！

海外でドライブをすると決めているのなら、日本で予約をしていくのが断然お得で確実。現地でいきなり借りるとしても、諸手続きに相当な時間と英語力が必要になる。

大手レンタカー会社では、日本人旅行者向けの特別料金や日本支払いのクーポンなど割引料金プランを設定しているので、検討するといい。
予約の際に決めておく項目
①借り出しと返却の日時、場所（営業所）、②車種（クラス）、③追加装備（カーナビやチャイルドシート、GPSなど）、④運転する人（契約者）と追加ドライバーの有無
レンタカーを借りる手続きと返却手続き
▶現地の営業所で車をピックアップ（チェックアウト）
レンタカーを借りることをピックアップ（チェックアウト）、返却することをリターン（チェックイン）という。営業所のカウンターで

予約確認証、国外（国際）運転免許証、日本の運転免許証、クレジットカード、クーポンで支払う場合はクーポンを差し出す。クーポン（eチケット）で支払う場合でも、任意保険や保証金のためにクレジットカードの提示が必要になる。

ここで係員により任意保険、ガソリンの前払いオプション、車両のアップグレードの希望を聞いてくる場合がある。任意保険は必要なものだけ、オプションやアップグレードについても追加料金の額が発生するので、同意のうえで契約する際は必ず車種と追加料金を確認すること。必要ない場合は「NO」とはっきり伝える。

最後に契約書にサインをする。契約書の条件を守る義務を生じさせるものなので、**保険、オプション、車種などの契約内容を書面上で十分確認したうえでサインをしよう**。契約書にサインしたら手続きは終了。キーと一緒に車の停めてあるスペースの番号が告げられる。

▶保険について

契約に必ず含まれる保険は、大手レンタカー会社の場合、対人、対物補償の保険料が基本料金に含まれている。つまり契約書にサインすると、この保険に加入したことになる。ただし、補償上限額は低いので、任意保険（→右側注）に入ることになる。

なお、契約書の契約事項に違反して車を使用したとき、交通法規に違反して事故を起こしたとき（速度超過、飲酒運転など）、未舗装の道路で起こした事故、契約者や追加運転者として認められた人以外が運転して起こした事故などでは、保険の適用が受けられない。

▶車をリターン（チェックイン）

各レンタカー会社の営業所には、"Car Return"のサインを出している。「Return」のエリアに車を停めると係員がやってくる。契約書のホルダーを係員に渡すと、係員がガソリン残量や走行マイルなどをチェックし、ホルダーの情報として入力し、支払い手続きをしてくれる。事故を起こした場合は、発生直後に連絡をしていれば、書類の確認をするだけで手続きは完了する。領収書と契約書は、トラブル発生の場合に証拠となるので、大切に保管しておくこと。

アメリカの交通法規

運転の基本はどこでも同じ『安全』。しかし、その安全を実現するための交通法規は、アメリカと日本では少し異なる。なかには日本であまりなじみのないものもある。

▶マイル表記

車のスピードメーターにはマイルとkm両方の表記がされているので、それほどとまどうことはない。**1マイル≒1.6km**

▶右側通行

アメリカの車は日本とは反対の左ハンドルで右側通行。注意したいのは、右左折や、駐車場や路地などから広い道に出る場合など。慣れてきても、周りに走っている車がないと、左レーンに入ってしまいそうになることがある。初めのうちは常に「センターラインは左側」ということを意識するようにしたい。

▶制限速度

一般的な制限速度は、ハイウエイ：55〜75マイル、一般道：35〜55マイル、住宅街など：15〜25マイル、駐車場内：5マイル。

日本に支社、代理店のあるレンタカー会社

●アラモ Alamo
日本 無料 0120-088-980
URL www.alamo.jp
営月〜金9:30〜18:00
休土・日、祝日、年末年始
アメリカでの問い合わせ先
Free (1-800)462-5266

●エイビス Avis
日本 無料 0120-31-1911
URL www.avis-japan.com
営月〜金9:00〜18:00
休土・日、祝日
アメリカでの問い合わせ先
Free (1-800)331-1084

●バジェット Budget
日本 無料 0120-150-801
URL www.budgetrentacar.jp
営毎日9:00〜19:00（年中無休）
アメリカでの問い合わせ先
Free (1-800)218-7992

●ダラー Dollar
日本 無料 0120-117-801
URL www.dollar.co.jp
営月〜金9:30〜17:30
休土・日、祝日
アメリカでの問い合わせ先
Free (1-800)394-2246

●ハーツ Hertz
日本 無料 0120-489-882
URL www.hertz.com
営月〜金9:00〜18:00
休土・日、祝日
アメリカでの問い合わせ先
Free (1-800)654-3131

任意保険の種類

LDW（またはCDW）は車両損害補償制度のこと。借り手はレンタル中の車自体の盗難、衝突、破損などで生じた損害のすべてを支払わねばならない。これが免除される。

PAIは搭乗者傷害保険のこと。運転者も含め、車に搭乗している者全員を対象とし、レンタカーの事故により負傷したときに適用される傷害保険。

PAEは携行品の損害にかかる保険。レンタカー利用中に携行品（現金などは含まない）に発生した事故（盗難、破損）についての補償。

SLI（またはLIS）はレンタル契約時に、自動的に加入となる対人対物保険の補償をアップする追加自動車損害賠償保険のこと

マサチューセッツ州でのヘッドライン点灯について
マサチューセッツ州では運転中に車のワイパーを使用するときは、ヘッドライトをつけなければならない。さらに、日没前30分から日の出30分後までもヘッドライトの点灯が義務付けられている

フリーウエイ

世界で最もフリーウエイシステムが発達しているアメリカ。レンタカー利用者も、見どころやホテルへ移動するのに必ず利用するはず。フリーウエイ利用法の基本を紹介する

フリーウエイのルートナンバー

フリーウエイには、番号（ルートナンバー）が付いていて、原則として偶数は東西、奇数は南北に走っている。道路沿いの標識で示され、"North"、"East"といった進行方向も併記されているので、どのフリーウエイを、どちらに向かって走っているのかがわかる

ドライブ中のトラブル
罰金の支払い方法ほか
→P.369

JAF総合案内サービスセンター
☎0570-00-8139
URL www.jaf.or.jp

AAAロードサービス
Free (1-800) 222-4357

ボストンのAAAオフィス
🏠125 High St., Boston
☎(617)443-9300
URL www.aaa.com
🕐月～金9:00～17:00
🚫土・日

ガソリンの単位
1ガロン≒3.785ℓ、
8ガロン≒30ℓ

▶赤信号での右折

アメリカならではの合理的な交通法規が、赤信号での右折可。ただし、必ず一時停止をし、ほかの車や歩行者などの動きを見て、安全が確認できたらという条件付きなので、いつでも赤信号で右折できるわけではない。また、信号に"NO（RIGHT）TURN ON RED　赤信号時の右折禁止"の標識が出ている交差点では、信号が青になるまで右折はできない。

▶信号がない交差点での優先順位

日本にはないルールのひとつ。信号のない交差点では、いちばん最初に交差点にさしかかった（"STOP"と記された停止線位置）車が優先で発進する。"STOP"の標識の下に"4WAY"あるいは"ALL WAY"の補助標識が付いている場合が多い。微妙なタイミングの場合は、ドライバー同士のアイコンタクトで確認しよう。

▶アルコールは禁止

お酒を飲んだら絶対に運転してはいけない。また、車内に飲みかけのアルコール飲料の缶などを置いてあるだけでも違法となる。アルコール類は必ずトランクに入れておくこと。

JAFとAAAの上手な利用法

JAFの会員であれば、入国から3ヵ月間に限り、AAA（アメリカ自動車協会）からAAAの会員と同様のサービスを受けられる。具体的には、レッカー移動や修理などのロードサービスを依頼することができる。必ずJAFの会員証を提示すること。また、AAAは地図とツアーブックと呼ばれるガイドブックでのドライブ情報の提供も行っている。JAF会員なら、AAAオフィスで無料で入手できる。

ガソリンを入れる

アメリカのガソリンスタンド（以下"GS"）にはふたつのシステム、"フルサービスFull Service"と"セルフサービスSelf Service"がある。"セルフサービス"とは自分でガソリンを入れるシステムのこと。

▶支払い方法

支払いの方法には2とおりあって、GSごとに異なる。"Please Pay First"とポンプに書いてある場合は先払い、ない場合はあと払い。

▶給油の手順

1）ポンプのノズルを持ち上げ、先端をガスタンクの給油口に入れ、しっかりと差し込む。この状態ではまだスイッチは入っていないので、ガソリンが飛び出すことはない。

2）スイッチを入れると、表示パネルのガロンメーターと料金メーターがリセットされる。

3）ノズルのグリップを握ればガソリンが出てくる。ノズルを引き抜き、もとの位置に戻す。ガスタンクのキャップを忘れずに閉める。

4）おつりがあるなら、キャッシャーへ行く。あと払いなら、キャッシャーでガソリン代を支払う。これですべての手続きが終了。

▶夜間のGS利用の注意

深夜まで営業しているGSもあるが、何かトラブルがあってもGSの店員は警察に通報する程度。昼間のうちに給油するよう心がけよう。

🌀MEMO　**AAAのツアーブック**　観光ポイントの解説、モーテル、レストランなどの情報が掲載され、とても便利だ。

チップとマナー

アメリカは異なる慣習をもつ人々が暮らす多民族国家。これさえ守れば大丈夫！といった絶対的な決まりごとはないが、最低限守りたい慣習やマナーだけは押さえておきたい。「郷に入れば郷に従え」、気持ちよいマナーを心がけて。

チップについて

アメリカではサービスを受けたらチップを渡す習慣がある。一般的に、どのレストランでも請求書の売上料金の15～20％をチップとしてテーブルに残しておく。グループだと合計金額も高くなるが、人数や時間に関係なく、合計額の15～20％が基本だ。なお、少額の消費をしたときでも＄1以上のチップを手渡したい。

レストランでのチップの支払い方

ウエーター、ウエートレスへのチップは支払い後、会計伝票を載せてきたトレイに残す。クレジットカードでの支払いでもチップを含めて決済できる（記入例は下記を参照）。チップは売上げ合計金額に対しての15～20％程度とし、タックス分は対象にしなくていい。

会計伝票記入例

税金（7％の場合）
売上料金（飲食代）

Services	40	00
Taxes	2	80
Tip/Gratuity	6	00
Total	48	80

合計売上
チップ（売上料金に対して15％ 端数は切り上げ）

チップ換算早見表

料金（$）	15%		20%	
	チップ	合計額	チップ	合計額
5	0.75	5.75	1.00	6.00
10	1.50	11.50	2.00	12.00
15	2.25	17.25	3.00	18.00
20	3.00	23.00	4.00	24.00
25	3.75	28.75	5.00	30.00
30	4.50	34.50	6.00	36.00
35	5.25	40.25	7.00	42.00
40	6.00	46.00	8.00	48.00
45	6.75	51.75	9.00	54.00
50	7.50	57.50	10.00	60.00

※チップの計算法
①料金の端数を切り下げる（または切り上げ）
例）$35.21→$35.00
②チップが15％なら、×0.15
$35.00→$5.25
③20％なら10分の1にして2倍に
$3.50×2→$7
④チップの相当額は15～20％（$5.25～7）の範囲で、サービスに見合った額を決めればよい

マナーについて

飲酒と喫煙

ボストンを含むニューイングランド地方では21歳未満の飲酒と、屋外での飲酒は法律で禁じられている。リカーストア、ライブハウス、クラブ、野球場などでは、アルコール購入の際、ID（身分証明書）の提示を求められることもある。特に注意してほしいのが、公園やビーチ、公道でのアルコール厳禁。たばこはレストランは屋内、野外のテラスでも禁煙。ホテルも禁煙ルームのほうが断然多い。

子供連れで注意すること

レストランや公共の場などで子供が騒いだら、落ち着くまで外に出ていること。また、ホテル室内や車の中に子供だけを置き去りにしたり子供をしつけのつもりでたたいたりすると、警察に通報されるので特に日本人は要注意だ。

●チップの目安

ポーター
ホテルの玄関からロビーまで荷物を運ぶドアマンと、ロビーから部屋まで荷物を運ぶポーターにそれぞれ渡す。荷物ひとつにつき$2～3が目安

ホテルメイドへ
ベッドひとつにつき$1～2

タクシーで
タクシーなどの場合はチップを単体で手渡すのでなく、メーターの表示額に自分でチップを加えて支払うことになる。メーター料金の10～20％とされるが、気持ちよくドライブできたら多めにチップをはずんだり、細かい端数は切り上げて支払うのが一般的だ

ルームサービスで
ルームサービスを頼んだ場合、まず伝票を見る。サービス料金が記入されていればチップは不要。サービス料金が加算されていなければ伝票にチップの金額を書き、さらに合計金額を書く。現金でもOK。メッセージや届け物などは$1～2

ツアーで
ガイドチップはツアー代金の15～20％が目安

●心がけたいマナー

あいさつ
道を歩いていて人に触れたら "Excuse me"。もし、ひどくぶつかってしまったり、足を踏んでしまったら "I'm sorry"。人混みのなかで先に進みたいときも "Excuse me" だ。無言はたいへん失礼になる。お店に入って、店員に"Ii!"と声をかけられたら、"Hi" または "Hello" などと返事を返そう。また、話をするときは、真っすぐ相手の目を見て話すように

歩行喫煙はNG!!
日本で多く見られる歩行喫煙は絶対にやめてほしい行為だ

電話

ここでは、アメリカ国内外への電話のかけ方をケース別に説明している。また、日本で使用している携帯電話を海外でも使いたい場合は、各社多少異なるので、渡航前に利用法などの詳細を確認しておこう。

アルファベットの電話番号

アメリカの電話機には、数字とともにアルファベットが書き込まれている。これによって数字の代わりに単語で電話番号を記憶できる
ABC→2 　DEF→3
GHI→4 　JKL→5
MNO→6 　PQRS→7
TUV→8 　WXYZ→9

トールフリーとは

トールフリーはアメリカ国内通話料無料の電話番号。(1-800)、(1-888)、(1-877)、(1-866)、(1-855)で始まる。なお、日本からかける場合は有料となる。アメリカ国内から携帯電話から利用する場合も、通話料がかかるので要注意

アメリカで利用できる日本で販売のプリペイドカード

空港などで販売している。
●KDDI（スーパーワールドカード）
●NTTコミュニケーションズ（ワールドプリペイドカード）※2016年3月31日サービス終了予定
●ソフトバンク（KOKUSAI Card）

アメリカ国内の公衆電話のかけ方

市内通話 Local Call

同じ市外局番（エリアコード）内の市内通話の場合、最低通話料金は50¢が一般的だ。受話器を持ち上げ、コインを入れ番号を押す。投入した金額では不足の場合、オペレーターの声で"50 cents. please." などと指示があるので、その額のコインを投入する。

市外通話 Long Distance Call

最初に1をダイヤルしてから、市外局番、相手先番号と続ける。オペレーターが"Please deposit one dollar and 80 cents for the first one minute." などと料金を言うので、それに従いコインを入れる。指定額が入ると回線がつながる。公衆電話からかける長距離通話は高いので、プリペイドカード（→下記）を使うのが一般的。

プリペイドカード

プリペイドカードは電話機にカード固有のアクセス番号を認識させることで通話ができるシステム。まず、カードに記載のアクセス番号をプッシュ。操作案内があるので、それに従って自分のカード番号、相手先電話番号をプッシュしていけばよい。アメリカ国内、国際電話でも、カード購入金額に達するまで通話できる。日本やアメリカの空港、ドラッグストアで販売している。

●アメリカから日本へ電話をかける場合 ［電話番号(03)1234-5678］のとき

011	+	81	+	3	+	1234-5678
国際電話識別番号※1	+	日本の国番号	+	市外局番※2（最初の0を取る）	+	相手の電話番号

※1 公衆電話から日本にかける場合は上記のとおり。ホテルの部屋からは、外線につながる番号を頭につける
※2 携帯電話などへかける場合も、「090」「080」などの最初の0を除く

●日本からアメリカへ電話をかける場合 ［電話番号(617)987-6543］のとき

国際電話会社番号	+	国際電話識別番号	+	アメリカの国番号	+	市外局番（エリアコード）	+	相手の電話番号
KDDI※1　　　001 NTTコミュニケーションズ※1　0033 ソフトバンク※1　0061 au（携帯）※2　005345 NTTドコモ（携帯）※3　009130 ソフトバンク（携帯）※4　0046	+	010	+	1	+	617	+	987-6543

※1「マイライン」「マイラインプラス」の国際通信区分に登録している場合は不要。詳細は URL www.myline.org
※2 auは005345をダイヤルしなくてもかけられる。
※3 NTTドコモは事前にWORLD WING登録が必要。009130をダイヤルしなくてもかけられる。
※4 ソフトバンクは0046をダイヤルしなくてもかけられる。
※携帯3キャリアともに、「0」を長押しして「＋」を表示させると、国番号からのダイヤルでかけられる。

ホテルの部屋から電話をかける

外線発信番号（多くの場合8または9）を最初に押す。あとは通常のかけ方と同じだ。ただし、ホテルの部屋からの通話にはサービスチャージが加算される。トールフリー（無料電話）の番号でも、チャージするところが多い。また、市外通話や国際通話をかける際、たとえ相手が電話に出なくても、一定時間（あるいは回数）以上呼び出し続けていると、それだけで手数料がかかってしまうケースもある。

アメリカから日本への国際電話のかけ方

ダイヤル直通

自分で料金を払う最も基本的なもの。オペレーターを通さずに直接、日本の相手先の電話番号とつながる。国際通話の場合はプリペイドカード（→P.362）を使うのが一般的。

日本語オペレーターによるサービス

オペレーターを介して通話するもので、料金は日本払いのコレクトコールのみ。料金は高いが、すべて日本語で事足りるので安心。

国際クレジットカード通話

右側注の各社アクセス番号を入力し、日本語アナウンスに従ってクレジットカード番号、暗証番号、日本の電話番号を入力する。支払いは自分のクレジットカードからの引き落としになる。

●日本での国際電話に関する問い合わせ先

KDDI	無料 0057
NTTコミュニケーションズ	無料 0120-506506
au	無料 0077-7-111
NTTドコモ	無料 0120-800-000
ソフトバンク（国際電話）	無料 0120-0088-82
ソフトバンク（モバイル）	無料 157（ソフトバンクの携帯から無料） 無料 0800-919-0157（一般電話から無料）

海外で携帯電話を利用するには

海外で携帯電話を利用するには、日本で使用している携帯電話を海外でそのまま利用する方法やレンタル携帯電話を利用する方法がある。おもに次の3社がサービスを提供している。利用方法やサービス内容など詳しい情報は、各携帯電話会社に問い合わせを。

●料金や通話エリアの詳細

au	URL www.au.kddi.com
NTTドコモ	URL www.nttdocomo.co.jp/service/world
ソフトバンク	URL www.softbank.jp/mobile/service/global

●携帯電話を紛失した際のアメリカからの連絡先（利用停止の手続き。全社24時間対応）

au	☎ (011)+81+3+6670-6944	※1
NTTドコモ	☎ (011)+81+3+6832-6600	※2
ソフトバンク	☎ (011)+81-92-687-0025	※3

※1 auの携帯から無料、一般電話からは有料
※2 NTTドコモの携帯から無料、一般電話からは有料
※3 ソフトバンクの携帯から無料、一般電話からは有料

日本語オペレーターによるサービス（コレクトコール）
サービスアクセス番号
●KDDI（ジャパンダイレクト）
Free (1-877)533-0051

国際クレジットカード通話
アクセス番号
●KDDI（スーパージャパンダイレクト）
Free (1-877)533-0081

事前申し込み型の料金後払い通話
かけ方は国際クレジットカード通話に類似。カード番号の代わりに事前申し込みで入手したID番号を入力する
アクセス番号
●ソフトバンク（ホームダイヤル）
Free (1-800)381-0080、
(1-800)903-0080、
(1-800)309-0080
※詳細はお客様センター
無料 0120-03-0061へ

郵便

旅行中の感動を家族や友人に伝える手段として、手紙はアナログな方法だがあたたかみがある。また、重くなり過ぎた荷物の軽減にも、国際郵便の利用をすすめる。

アメリカの郵便ポスト
町なかに設置されている郵便ポストは青色（→P.11「郵便」の画像を参照）。普通郵便は「First Class Mail」と書かれたポストに投函する

切手の購入
切手は郵便局の窓口かUS Mailのマークのある販売機であれば、額面どおりの額で買えるが、みやげ物屋やホテルなどにある小さな販売機は割高だ。もし、どうしても見当たらなかったらホテルで尋ねてみるのもいい

別送品の配送サービスを行っている宅配業者
●ヤマト運輸（国際宅急便）
YAMATO TRANSPORT (USA) INC.
URL www.yamatoamerica.com
●日本通運（ジェットパック・輸入）
URL www.nittsu.co.jp/sky/express

梱包用品はどうする？
ある程度の規模の郵便局なら、各種封筒（クッションが付いたもの）や郵送用の箱、ガムテープなどは販売されている

旅の便り、重い荷物は郵便を活用

アメリカから日本への所要日数は、エアメールでだいたい1週間前後。料金は普通サイズのはがき、封書とも＄1.20が基本。

かさばる書籍類やおみやげなどの荷物は、郵便で日本に送ってしまえばあとがラク。ほとんどの郵便局でクッション入りの大型封筒や郵送用の箱を販売している。送る方法としては航空便Air Mailのみだ。配達にかかる日数によって数種類あり、いちばん安いFirst-Class Mailで4〜14日。あて先住所は日本語で書いてかまわないが（ただし都道府県名と国名、例えば"Tokyo, JAPAN"は英語で別記）、差出人住所氏名としては自分のものを英語で書く。印刷物を送る場合はそれを示すPrinted Matters、書籍の場合はBookの表示も書き加える（この場合、手紙の同封不可）。

国際小包の税関申告書の記入の1例〈すべて英語で記入〉

まず、"From"の欄。"差出人"だから自分の名前を記入する。住所は、アメリカ在住者ならばアメリカの住所を、日本から旅行中であれば日本の住所を英語で記入すればいい。"To"は受取人を記入。自分あてなら上の"From"欄と同じことを書けばいい。

右側の欄は、記載のあて先へ配達できない場合、荷物をどうするかを記入する欄。差出人に送り戻すなら"Return to sender"、別のあて先に送るなら"Redirect to Address Below :"にチェックし、あて先を記入。廃棄は"Treat as Abandon"にチェックする。

下段は内容物について記入。"QTY"は数量、"VALUE"はその価値（おおよそでよい）をアメリカドルで記入。

上記のほかにも申告書は数種類あり、記入事項も多少異なる。

日本への郵便料金

2015年10月現在

Air Mail（First Class International Mail）航空便	
封書 Letters	1オンス（28g）$1.20　1オンスごとに1.01〜1.03¢加算 最大重量3.5オンス（約98g）
はがき　Post Card	$1.20
小包 Parcel	1ポンド（453.6g）まで$46.75　1ポンドごとに$2.85〜3.15加算 最大重量66ポンド（約30kg）
定額封書／定額小包 Flat Rate：Envelope／Box:Large	封書：24×31.8cmの封筒に入るだけ$44.95。最大重量4ポンド（約1.8kg）
	小包：30.5×30.5×14cmの箱に入るだけ$86.25。最大重量20ポンド（約9kg）
書籍・印刷物 (Printed Matter) エム・バッグ　M-bags	11ポンド（約5kg）まで$73.70　1ポンドごとに$6.70加算 最大重量66ポンド（約30kg）

※M-bagsという郵便方法は、大きな袋に無造作に荷物を入れられ、紛失や破損に対して何の補償もされない方法
※小包、定額封書・定額小包はPriority Mail（配達に6〜10日要する）を利用した場合

旅の技術

インターネット

近年はインターネット環境が整い、自分のパソコンやスマートフォンがあれば、移動中のバスや列車、ホテル、カフェなどでの接続が容易になった。メールの送受信やウェブサイトからの情報収集など、旅先での行動範囲を広げよう。

ホテルのインターネット環境

アメリカでは、よくホテルなどで "High Speed Internet" がひとつのうたい文句となっている。直訳すれば「高速インターネット」のことで、日本でいう "LAN（＝Local Area Network）" のこと。"Wireless High Speed Internet" は無線LANになり、その規格のひとつが "Wi-Fi（ワイファイ）"。アメリカにあるほとんどのホテルは有線LANか無線LANでの接続が一般的だ。有線LANの場合、コードは客室に備え付けられている。接続は、市内にあるほとんどのホテルが有料、郊外のモーテルなどは無料が多い。また、有料のホテルでもレストランやロビーなどの公共エリアではほとんど無料。使用料は、24時間当たり$3〜15程度。ホテルによってはロビーに宿泊者専用のパソコンを設置しているところもある。

接続方法と支払方法

接続方法は、ホテル専用の回線に直接つなぎ、利用料金はチェックアウト時に精算されるものと、ホテル側が契約した専用業者の回線を使うものがある。有線の場合は、LANケーブルで接続しているネットワークの確認をする。無線の場合も同様で、ブラウザー画面を呼び出すと、申し込み画面が表示される。そこで "Buy Connection" をクリックし、クレジットカード情報を入力する。この場合、接続料金はクレジットカード会社を通して口座引き落としされる。

インターネットができる場所

アメリカにもインターネットカフェはあるが、店舗数は少ない。町なかでインターネットに接続したいときは、有料でパソコンの時間貸しをしているフェデックスFedExがおすすめ。日本語でウェブサイトやメールを見ることができる（ただし、日本語のメールは送信不可）。また、空港では自分のノートパソコンを持ち込み、接続だけをさせてもらえる店もある。

無料のWi-Fi（ワイファイ）スポット

アメリカの町なかで無料のWi-Fiに接続できる場所は公共図書館や博物館、美術館などがある。ホテルによってはロビーエリアやレストランで無料のWi-Fiが利用可能だ。マクドナルドなどのファストフード店、スターバックスコーヒー、ダンキンドーナツ、パネラ・ブレッド・ベーカリーカフェ（→P.140）などのカフェ、スーパーのホールフーズ・マーケット（→P.129）でも無料でWi-Fiが利用できる場合が多い。無料Wi-Fiスポットは、店の出入口などに「Free Wi-Fi」のステッカーが貼ってある。

パソコンの保管
パソコンは、客室備え付けのセーフティボックス（暗証番号式のキーロック）に必ず保管しよう。ない場合はフロントに預けるか、スーツケースに入れて施錠し、さらにクローゼットに収納するなど、できるだけ目立たないように工夫をすること

フェデックス
URL www.fedex.com

スマートフォンのインターネット利用に注意
アメリカで、スマートフォンをインターネットの海外ローミングで利用した場合、高額となるケースがある。通話料が安いとされるIP電話もインターネット回線を使うので同様の注意が必要だ。日本を出発する前に、どのような設定にするか、必ず確認をしておくこと!!
携帯電話会社問い合わせ先など→P.363

無料Wi-Fiスポットを検索
URL www.openwifispots.com で検索できる。

日本とアメリカのサイズ比較表

●身長

フィート／インチ(ft)	4'8"	4'10"	5'0"	5'2"	5'4"	5'6"	5'8"	5'10"	6'0"	6'2"	6'4"	6'6"
センチメートル(cm)	142.2	147.3	152.4	157.5	162.6	167.6	172.7	177.8	182.9	188.0	193.0	198.1

●体重

ポンド(lbs)	80	90	100	110	120	130	140	150	160	170	180	190	200
キログラム(kg)	36.3	40.9	45.4	50.0	54.5	59.0	63.6	68.1	72.6	77.2	81.7	86.3	90.8

●メンズサイズ

サイズ	Small		Medium		Large		X-Large	
首回り(inches)	14	14½	15	15½	16	16½	17	17½
首回り(cm)	35.5	37	38	39	40.5	42	43	44.5
胸囲(inches)	34	36	38	40	42	44	46	48
胸囲(cm)	86.5	91.5	96.5	101.5	106.5	112	117	122
胴回り(inches)	28	30	32	34	36	38	40	42
胴回り(cm)	71	76	81	86.5	91.5	96.5	101.5	106.5
袖丈(inches)	31½	33	33½	34	34½	35	35½	36
袖丈(cm)	82.5	84	85	86.5	87.5	89	90	91.5

●レディスサイズ

	X-Small	Small	Medium	Large	X-Large
アメリカサイズ	4	6	8	10	12	14	16	18
日本サイズ	7	9	11	13	15	17	19

●靴サイズ

	アメリカサイズ	4½	5	5½	6	6½	7	7½
レディス	日本サイズ(cm)	22	22.5	23	23.5	24	24.5	25
メンズ	アメリカサイズ	6½	7½	8	8½	9	9½	10
	日本サイズ(cm)	24.5	25	25.5	26	27	28	28.5
キッズ	アメリカサイズ	1	4	6	7	8	9	10
	日本サイズ(cm)	9	12	14	15	16	17	18.5

※靴の幅

AAA	AA	A	B	C	D	E	EE	EEE
狭い			標準			広い		

●身の回りのサイズ
●乾電池
　単1=D　単2=C　単3=AA　単4=AAA　単5=N
●用紙サイズ
　アメリカの規格は日本と異なる国際判(レターサイズ)
　・Letter Size=8.5in×11in=215.9mm×279.4mm
　・Legal Size=8.5in×14in=215.9mm×355.6mm
　　(日本のA4は210×297mm)
●写真サイズ
　・3×5=76.2mm×127mm
　・4×6=101.6mm×152.4mm
　・8×10=203.2mm×254mm
　　(日本のL版は89mm×127mm)
●液体の容量
　・1ティースプーン(日本でいう小さじ)=約4.92㎖
　・1テーブルスプーン(日本でいう大さじ)=約14.78㎖
　・1カップ=約236.58㎖(日本は200㎖)

●ジーンズなどのウエストサイズ

	サイズ(inches)	26	27	28	29	30	31	32
レディス	サイズ(cm)	56	58	61	63	66	68	71
メンズ	サイズ(inches)	29	30	31	32	33	34	36
	サイズ(cm)	73	76	78	81	83	86	91

●ガールズサイズ

サイズ	7	8	10	12	14	16
身長(cm)	124.5〜131	〜134.5	〜141	〜147.5	〜153.5	〜160

●ボーイズサイズ

サイズ	8	9	10	11	12	14	16	18
身長(cm)	128〜133	〜138.5	〜143.5	〜148.5	〜156	〜164	〜167

●キッズサイズ

サイズ	3	4	5	6	7(6X)
身長(cm)	91.5〜98	〜105.5	〜113	〜118	〜123

●ヨーロッパ・サイズ比較表

	洋服					靴					
日本	7	9	11	13	15	22.5	23.0	23.5	24.0	24.5	25.0
イギリス	8	10	12	14	16	3½	4	4½	5	5½	6
フランス	36	38	40	42	44	35	36	37	38	39	40

●度量衡
●長さ
　・1インチ(inch)=2.54cm
　・1フット(foot)=12インチ=30.48cm
　　(複数形はフィートfeet)
　・1ヤード(yard)=3フィート=91.44cm
　・1マイル(mile)=1.6km
●重さ
　・1オンス(ounce)=28.3g
　・1ポンド(pound)=16オンス=454g
●体積
　・1パイント(pint)=0.473ℓ
　・1クォート(quart)=2パイント=0.95ℓ
　・1ガロン(gallon)=4クォート=3.78ℓ

旅のトラブルと安全対策

旅の安全対策とは、あらゆるトラブルを未然に防ぐことだけではなく、事故や盗難に遭うことを前提に、いかに被害を最小限に食い止められるかの対応力も大事である。日本人が海外で遭いやすいトラブル事例を挙げながら、対処方法を紹介しよう。

ボストンの治安

　ボストンは、アメリカの都市のなかでも比較的治安がいい町といわれている。おもな観光エリアは昼間なら特に問題なく歩けるが、アメリカは日本と比べ犯罪率が高い。ボストンとその近郊にもなるべくなら近寄らないほうがいいエリアがある。サウスエンドから南へ約4kmのロックスベリーRoxburyやドーチェスターDorchester、マタバンMattapanだ。地下鉄の路線ではオレンジラインのMassachusetts Ave.以南は雰囲気が一変する。ボストンで最も治安が悪く、殺人事件や犯罪が日常的に発生している危険エリアなので、日中であっても極力近づかないように。

　ダウンタウンやバックベイ、ノースエンドなどの大きな通り沿いには、22:00を過ぎてもけっこうな人通りがある。街灯がある明るい道を選ぼう。ただし、ダウンタウンやバックベイをはじめサウスエンド、チャールズタウン、オールストンでも、強盗、強姦などの犯罪は発生している。油断は禁物だ。

　また、ボストンコモンやパブリックガーデンも日没後は立ち入らないほうがいい。

町の歩き方

　昼間は安全な雰囲気でも、夜間では様子がガラリと変わることはさらにある。ゴミの散らかっているエリア、夜間や人通りの少ない道でのひとり歩きは避ける、細い路地には入らない、死角の多い駐車場も注意が必要。また、人前でお金を見せない、妙に親切な人には注意するなど、これらのことは徹底して守ること。

　そのほか、治安のよし悪しを判断する目安は、やたらとゴミが落ちている、落書きが多い、目つきの悪い人がうろついているなど。そんな所は立ち入りを避けたい。また、きちんとした身なりの女性が少なくなったら引き返したほうがいい。もちろん、夜間の外出はタクシーを使い、もし車をもっていたとしてもさびしい道は走らないようにすること。

服装

　注意したいのが、ストリートギャング風（ダボッとしたパンツに、パーカーのフードやキャップを目深にかぶるスタイル）のものや、その筋の女性に間違われそうな派手な服装、過度の化粧も禁物だ。

交通

　路線バス、地下鉄などの公共交通機関の利用は、暗くなってからは人通りが比較的減るので、バス停やひと気のないプラットホームに立って待っているのはおすすめできない。深夜の移動は、タクシーを利用するように。

スリ、置き引きの多い場所とは

　駅、空港、ホテルのロビー、観光名所、地下鉄やバス、ショッピング街や店内、ファストフード店の中などでは、ほかのことに気を取られがち。「ついうっかり」や「全然気づかぬ隙に」被害に遭うことが多い。ツアーバスに乗ったときもバスに貴重品を置いたまま、外に出ないこと。貴重品は必ず身につけておこう

こんなふうにお金は盗まれる

　犯罪者たちの多くは単独行動ではなく、グループで犯行に及ぶ。例えば、ひとりが写真を撮ってもらうよう頼み、ターゲットがかばんを地面に置いた瞬間に、もうひとりがかばんを奪って逃げていくという具合。ひとりがターゲットになる人の気を引いているのだ

親しげな人に注意

　向こうから、親しげに話しかけてくる人、日本語で話しかけてくる人は要注意。たいていはカモになる人を探しているのだ。例えば、「お金を落として困っている」なんて話しかけながら、うまくお金を巻き上げていくやからも多い

本当に大切なものは肌身離さず

　パスポートや現金、クレジットカードなどは常に携帯し、パスポート番号などの備忘録は貴重品とは別にしまっておこう。中級以上のホテルに泊まっているなら、ホテルのセーフティボックスに預けるのもよい

荷物のよい持ち方例
- **ショルダー式バッグ**
  - かばんは体に密着させ、ファスナー式のものを使うこと。斜めにかけてファスナーや留め具にいつも手を置くようにする
- **デイパック**
  - 背負わずに片方の肩だけにかけ、前で抱え込むようにすればなおよい
- **ウエストバッグ**
  - バッグ部分をおなかの前に。背中部分の留め具が外されることが心配なので、上に上着を着る
- **上着の内側ポケット**
  - バッグを持たず、服のポケット2〜3ヵ所に分散させて入れる

在ボストン日本国総領事館
Consulate General of Japan in Boston
Ⓜ P.35-D3
🏢 Federal Reserve Plaza, 600 Atlantic Ave., 22nd Fl., Boston, MA 02210
☎ (617) 973-9772
📠 (617) 542-1329
🔗 www.boston.us.emb-japan.go.jp
🕐 窓口受付：月〜金9:00〜16:00（12:15〜13:15は昼休み）
🚫 土・日、おもな祝日
🚶 ⓉレッドラインSouth Station下車、目の前

※日本総領事館への入館には、写真付き身分証明書の提示が求められるため、必ず所持して訪問すること。なお、パスポートをなくしたなど、写真付きIDがない場合は、その旨を伝えて入館の許可をもらおう

荷物は少なくまとめること

両手がふさがるほど荷物を持って歩いているときは注意力も散漫になりがちだ。スリに狙われやすく、落とし物もしやすくなる。大きな荷物は行動範囲を狭める原因でもある。

ドライブ

これはアメリカのどの地域に関してもいえることだが、車を離れるとき、荷物は後ろのトランクなどに入れ、窓から見える所に置かないようにする。また、特に年末のショッピングシーズンなどは、買い物の荷物を狙った車上荒らしが多発するので要注意。車と金品を狙ったカージャックは、駐車場だけでなく、走行中や信号待ちの際にわざと車をぶつけ、車内から人が降りた隙を狙う場合もある。ドライブ中に何かのアクシデントに巻き込まれたら、できるだけ安全と思われる場所（ガスステーションやホテル、警察）まで移動して助けを求めよう。

トラブルに遭ってしまったら

安全な旅を目指して（事後対応編）

●盗難に遭ったら

すぐ警察に届ける。所定の事故報告書があるので記入しサインする。暴行をともなわない置き引きやスリの被害では、被害額がよほど高額でない限り捜索はしてくれない。報告書は、自分がかけている保険の請求に必要な手続きと考えたほうがよい。報告書が作成されると、控えか報告書の処理番号（Complaint Number）をくれる。それを保険請求の際に添えること。

●パスポートをなくしたら

万一、パスポートをなくしたら、すぐ在外公館（総領事館→左側注）へ行き、新規発給の手続きを。申請に必要なものは、①顔写真（2枚）、②パスポート紛失届出証明書（現地の警察に発行してもらう）、③戸籍謄本または抄本、④旅行の日程などが確認できる書類。

発給までには、写真を日本に送り本人かどうかを確認するため約1週間かかる。また発給の費用は、10年用は$145、5年用は$100（12歳未満$55）が必要。

なお、帰国便の搭乗地国ないし、その国へ向かう途中でなくした場合は、『帰国のための渡航書』（$23）を発行してもらえば帰国可能。1日で発行可能だが、写真と申請書が必要。

●トラベラーズチェック（T/C）をなくしたら

再発行の手続きは、持っていたT/Cを発行したカスタマーセンターへ連絡すること。次に最寄りの警察で「紛失届出証明書」を発行してもらう。

必要な書類は、①紛失届出証明書、②T/C発行証明書、（T/Cを買ったときに銀行がくれた「T/C購入者用控」）、③未使用T/Cのナンバー。

再発行はカウンターサイン（2度目のサイン）がしていない未使用のぶんだけ。よって、購入者控の何番から何番までを使っていないと報告できるよう、旅行中はT/Cの使用記録をつけなければいけない。また、所持人署名欄にサインをしていなかった場合も再発行不可。

●クレジットカードをなくしたら

大至急クレジットカード会社の緊急連絡センター（→P.372）に電話し、カードを無効にしてもらうこと。警察に届けるより前に、この連絡をする。通信販売、電話での通話などに悪用されることがあるからだ。通信販売は、サインがなくても利用できてしまう。

●お金をすべてなくしたら

盗難、紛失、使い切りなど、万一に備えて、現金の保管は分散することをおすすめする。例えば、財布を落としても、別の場所（衣類のポケットやホテルのセーフティボックス）に保管してある現金があれば急場しのぎになる。それでも、現金をなくしてしまったときのためにも、キャッシングサービスのあるクレジットカードはぜひとも持っていきたい。また、日本で預金をして外国で引き出せるキャッシュカードやデビットカード（→P.341）、トラベルプリペイドカード（→P.341）も出回っているので、これらのサービスを利用するのもいい。

●病気やけがに見舞われたら

旅先での風邪や下痢は、気候や生活の変化に対応しきれずに起こることが多く、精神的なストレスなども原因となる。とにかく休息を。ホテルなどの緊急医や救急病院のほかは、医者は予約制だ。薬を買うには医者の処方箋が必要だが、痛み止め、風邪薬などは処方箋なしで買える。

●空港で荷物が出てこないとき

荷物が出尽くしても自分の荷物が出てこない場合、バゲージクレーム内の航空会社のカウンターで、諸手続きを行うことになる。クレームタグの半券を示しながら、事情説明と書類記入をする。聞かれることは、右側注のとおり。荷物発見後の配送先は、この先数日の滞在ホテルだが、宿泊先が決まっていない人はちょっと問題。いっそ荷物を日本に送り返してもらい、必要最低限の品を現地で買い揃えて旅を続けるという手段もある。荷物紛失のため生じた費用の負担については、あらかじめ航空会社に確認すること。

●ドライブ中のトラブル

旅行者の犯しやすい違反が、駐車違反とスピード違反。アメリカでは駐車違反の取り締まりはかなり厳しい。スピード違反のとき、パトカーは違反車の後ろにつけると、赤と青のフラッシャーの点滅で停止を指示する。車は右に寄せて停車。警官が降りて近づいてくる間、ハンドルに手を置いて、同乗者とともにじっと待つ。警官が声をかけたら、日本の運転免許証、国外（国際）運転免許証とレンタル契約書を見せ、質問に答える。

事故や故障の場合は、ひとまずレンタカー会社へ連絡をしよう。相手の免許証番号、車のナンバー、保険の契約番号、連絡先を控えておく。あとは警察やレンタカー会社の指示に従う。また、車を返却するときに必ず申し出て事故報告書を提出すること。

故障の場合、自走できるときは、レンタカー会社に連絡して修理する。自走できないなら、けん引サービスを呼んで対処しよう。

連絡先がわからない！

クレジットカードをなくした際、万一、連絡先がわからない場合は、自分の持っているカードの国際カードの提携会社（ほとんどVISAかMasterCardのどちらかのはず）に連絡を。その連絡先はホテルや警察、電話帳や番号案内で簡単に調べられる。こんなときのためにも、パスポート番号、クレジットカードの番号をメモしたものや、そのコピーを取っておきたい

お金をなくして、なすすべのない人は

なすすべのない人は、日本国総領事館（→P.368）に飛び込んで相談に乗ってもらうしかない

アメリカの医療システム

ホテルなどの緊急医や救急病院のほかは、基本的に医者は予約制。予約してから診察まで1週間かかることもザラ。

海外旅行保険のサービスを利用する

日本語を話せる医者を紹介し、病院の予約を取ってくれる
→P.372

航空会社の係員に聞かれるおもな事柄
●便名の確認
●預けた空港の確認
●フライト何分前のチェックインか
●かばんの形と色
●外ポケットやいちばん上の内容物
●発見されたときの配送先

携帯電話をなくしたら
→P.363

交通違反の罰金を支払う

罰金の支払い方法は、ウェブサイトや電話によるクレジットカードの引き落とし、マネーオーダー（郵便為替）を作って送る、などがある。

なお、帰国後でも罰金の処理を怠ると、レンタカー会社を通じて追跡調査が行われる。またアメリカの有料道路（トールロードToll Road）で未払いした場合も同様

旅の英会話

ホテル編

8月11日と12日にツイン（ダブル）ルームを予約したいのですが。〈電話で〉
I'd like to make a reservation for a twin (double beds) room, August eleventh and twelfth.

チェックイン（アウト）をお願いします。
I'd like to check in (out), please.

部屋の鍵が開きません。
The room key does not work.

今晩、空いている部屋はありますか？
Do you have a room, tonight?

荷物を預かってもらえますか？
Could you keep my luggage?

バスタオルをもう1枚持ってきてください。
Could you bring me one more bath towel?

日本円からドルに両替はできますか？
Can you exchange Japanese yen into US dollars?

レストラン編

もしもし、今晩、7:30、2名で夕食を予約したいのですが。私の名前は田中です。
Hello, I'd like to make a reservation for dinner tonight. Two people at seven thirty. My name is Tanaka.

おすすめメニューを教えてください。
What do you recommend?
Do you have any special today?

持ち帰り用の容器をください。
May I have a doggy bag (a box to carry out)?

ここで食べます／持ち帰ります。
For here, please. /To go, please.

注文をお願いします。
Would you take our order?

お勘定をお願いします。
Check, please.

クレジットカードでお願いします。
I'd like to pay by credit card.

街歩き編

空港までのチケットをください。
May I have a ticket to the airport?

これはハーバード大学へ行きますか？
Does this go to Harvard University?

片道（往復）切符をお願いします。
One-way (Round trip) ticket, please.

MITに着いたら教えてください。
Please let me know when we get to MIT.

フェンウエイパークへ行くには？
How can I get to Fenway Park?

ファニュエルホールで降ろしてもらえますか？
Would you drop me off at Faneuil Hall?

道に迷った。ここはどこですか？
I'm lost. Where am I now?

ショッピング編

見ているだけです。
I'm just looking.

○○売場はどこですか？
Where is ○○ corner (floor)?

これください。
I'll take this one.

これを試着していいですか？
Can I try this on?

Tシャツを探しています。
I'm looking for some T-shirts.

もう少し大きい（小さい）ものはありますか？
Do you have larger (smaller) one?

緊急時の医療会話

●ホテルで薬をもらう

具合が悪い。
アイ フィール シック.
I feel sick.

下痢止めの薬はありますか。
ドゥ ユー ハヴァ アンティダイリエル メディスン
Do you have a antidiarrheal medicine?

●病院へ行く

近くに病院はありますか。
イズ ゼア ア ホスピタル ニア ヒア
Is there a hospital near here?

日本人のお医者さんはいますか?
アー ゼア エニー ジャパニーズ ドクターズ
Are there any Japanese doctors?

病院へ連れて行ってください。
クッデュー テイク ミー トゥ ザ ホスピタル
Could you take me to the hospital?

●病院での会話

診察を予約したい。
アイドゥ ライク トゥ メイク アン アポイントメント
I'd like to make an appointment.

グリーンホテルからの紹介で来ました。
グリーン ホテル イントロデュースド ユー トゥ ミー
Green Hotel introduced you to me.

私の名前が呼ばれたら教えてください。
プリーズ レッ ミー ノウ ウェン マイ ネイム イズ コールド
Please let me know when my name is called.

●診察室にて

入院する必要がありますか。
ドゥ ユー ハフ トゥ ビー ホスピタライズド
Do I have to be hospitalized?

次はいつ来ればいいですか。
ホ ェ ン シュッダイ カム ヒア ネクスト
When should I come here next?

通院する必要がありますか。
ドゥ アイ ハフトゥ ゴー トゥ ホスピタル レギュラリー
Do I have to go to hospital regularly?

ここにはあと2週間滞在する予定です。
アイル ステイ ヒア フォー アナザー トゥ ウィークス
I'll stay here for another two weeks.

●診察を終えて

診察代はいくらですか。
ハ ウ マッチ イズ イット フォー ザ ドクターズ フィー
How much is it for the doctor's fee?

保険が使えますか。
ダズ マイ インシュアランス カバー イット
Does my insurance cover it?

クレジットカードでの支払いができますか。
キャナイ ペイ イット ウィズ マイ クレジットカード
Can I pay it with my credit card?

保険の書類にサインをしてください。
プリーズ サイン オン ジ インシュアランス ペーパー
Please sign on the insurance paper.

※該当する症状があれば、チェックをしてお医者さんに見せよう

☐ 吐き気 nausea	☐ 悪寒 chill	☐ 食欲不振 poor appetite
☐ めまい dizziness	☐ 動悸 palpitation	
☐ 熱 fever	☐ 脇の下で計った armpit	＿＿＿ ˚C ／ ˚F
	☐ 口中で計った oral	＿＿＿ ˚C ／ ˚F
☐ 下痢 diarrhea	☐ 便秘 constipation	
☐ 水様便 watery stool	☐ 軟便 loose stool	1日に(　)回(　) times a day
☐ 時々 sometimes	☐ 頻繁に frequently	絶え間なく continually
☐ 風邪 common cold		
☐ 鼻詰まり stuffy nose	☐ 鼻水 running nose	☐ くしゃみ sneeze
☐ 咳 cough	☐ 痰 sputum	☐ 血痰 bloody phlegm
☐ 耳鳴り tinnitus	☐ 難聴 loss of hearing	☐ 耳だれ ear discharge
☐ 目やに eye mucus	☐ 目の充血 red eye	☐ 見えにくい visual disturbance

※下記の単語を指さしてお医者さんに必要なことを伝えましょう

●どんな状態のものを	落ちた fall	毒蛇 viper
生の raw	やけどした burn	リス squirrel
野生の wild	●痛み	(野)犬 (stray) dog
油っこい oily	ヒリヒリする buming	●何をしているときに
よく火が通っていない	刺すように sharp	ボストンコモンに行った
uncooked	鋭く keen	went to Boston Common
調理後時間がたった	ひどく severe	ダイビングをした
a long time after it was cooked	●原因	went diving
●けがをした	蚊 mosquito	キャンプをした
刺された・噛まれた bitten	ハチ wasp	went camping
切った cut	アブ gadfly	登山をした
転んだ fall down	毒虫 poisonous insect	went hiking (climbing)
打った hit	サソリ scorpion	川で水浴びをした
ひねった twist	クラゲ jellyfish	went swimming in the river

371 ◆

旅のイエローページ

緊急時
- ●警察、消防署、救急車 ☎911
- ●在ボストン日本国総領事館
  ☎(617)973-9772

航空会社（アメリカ国内）
- ●全日空 Free(1-800)235-9262*
- ●日本航空 Free(1-800)525-3663*
- ●アメリカン航空 Free(1-800)237-0027*
- ●デルタ航空 Free(1-800)327-2850*
- ●ユナイテッド航空
  Free(1-800)537-3366*
- ●エアカナダ Free(1-888)247-2262
- ●サウスウエスト航空
  Free(1-800)435-9792
- ●ジェットブルー Free(1-800)538-2583
- *は日本語対応のオペレーター

空港・交通
- ●ローガン国際空港 Free(1-800)235-6426
- ●バーンステーブル・ミュニシバル空港
  （ケープコッド）☎(508)775-2020
- ●プロビンスタウン・ミュニシバル空港
  （ケープコッド）☎(508)487-0241
- ●ナンタケットメモリアル空港
  （ナンタケット島）☎(508)325-5300
- ●マーサス・ヴィニヤード空港（マーサス・
  ヴィニヤード）☎(508)693-7022
- ●ポートランド・インターナショナル・ジェ
  ットポート(メイン州ポートランド)
  ☎(207)774-7301
- ●マンチェスター–ボストン・リージョナル空
  港（ニューハンプシャー州マンチェスター）
  ☎(603)624-6539
- ●バーリントン国際空港（バーモント州バー
  リントン）☎(802)863-1889
- ●ブラッドレー国際空港（コネチカット州ハ
  ートフォード）☎(860)292-2000
- ●アムトラック Free(1-800)872-7245
- ●グレイハウンド
  Free(1-800)231-2222

クレジットカード会社（カード紛失・盗難時）
- ●アメリカン・エキスプレス
  Free(1-800)766-0106
- ●ダイナースクラブ
  ☎+81-45-523-1196
  （日本。コレクトコールを利用）
- ●JCB Free(1-800)606-8871
- ●マスターカード Free(1-800)627-8372
- ●ビザカード Free(1-800)670-0955

トラベラーズチェック発行会社（T/C紛失時の再発行）
- ●アメリカン・エキスプレス・リファンド・
  センター Free(1-800)221-7282

旅行保険会社（アメリカ国内）
- ●損保ジャパン日本興亜
  Free(1-800)233-2203（けが・病気の場合）
  Free(1-800)366-1572（けが・病気以外
  のトラブル）
  上記の番号がつながらない場合、コレクトコー
  ルで☎81+3-3811-8127（日本）
- ●東京海上日動 Free(1-800)446-5571
- ●AIU Free(1-800)8740-119

日本語が通じる医療機関
- ●St. Elizabeth's Medical Center
  住736 Cambridge St., Brighton
  ☎(617)789-3000
  URL www.semc.org/St-Elizabeths
  行動地下鉄グリーンラインBでWarren
  St.駅下車、徒歩約4分。
  ボストンの隣の市、ブライトンにある総合
  病院。日本人内科医のDr. Sadamu
  Ishikawaが勤務。☎(617)789-2563(石川
  医師オフィス)

困ったときに日本語で相談できる機関
- ●ボストン日本人会
  住792 Massachusetts Ave.. Arlington
  ☎(781)643-1061 URL www.jagb.org
  ボストンとその近郊に住む日本人の会

帰国後の旅行相談窓口
- ●日本旅行業協会 JATA
  ☎(03)3592-1266 URL www.jata-net.or.jp
  旅行会社で購入した旅行サービスについて
  の相談は「消費者相談室」まで

ボストンの歴史

■清教徒たちの入植

1630 年	イギリスからジョン・ウインスロップ率いる清教徒たちがボストンに入植。前年、清教徒のウイリアム・ブラックストーンが入植していたことが判明するが、協議の結果、一団を受け入れることに
1636 年	アメリカで最初の大学ハーバード大学が創設される
1645 年	アメリカで最初の公共学校創立
1651 年	『航海条例』制定。植民地に対する貿易統制が厳しくなっていく
1660 年代	清教徒革命（1642 〜 1649 年）時、イギリス本国は植民地に干渉するゆとりがなく、結果的に植民地の自立化を促した。1660 年に本国は王政復古。実質は財政、権力基盤を失っていたため、その負担を植民地へ求めるようになる
1675 〜 78 年	先住民とマサチューセッツ植民地人の間でフィリップ王戦争勃発

■独立への戦い

18 世紀初頭	ボストンは貿易の中心地として発展、全米第 2 の都市に成長
1760 年代	イギリス本国が財政難解消のために植民地への課税強化を図る。以後植民地の抵抗運動が激化
1765 年	『印紙税法』制定。ボストン市民は「代表なくして課税なし」を合言葉にイギリス製品の不買運動を行う
1766 年	同法は撤回されるが、『宣言法』制定で本国政府が大英帝国全体を代表していることを示す
1767 年	『タウンゼント諸法』制定。サミュエル・アダムズは「植民地人の自然権と憲法上の権利の侵害」であるとして、本国に対する抵抗運動を推進。同法も撤回されたが本国との緊張は高まる
1770 年	『ボストン虐殺事件』
1773 年	『ボストン茶会事件』
1775 年	独立戦争（1775 〜 1783 年）勃発。ポール・リビアが真夜中に疾駆
4 月	『レキシントン・コンコードの戦い』で植民地軍勝利
6 月	『バンカーヒルの戦い』
7 月	ジョージ・ワシントンが大陸会議軍を率いて参戦
1776 年	イギリス軍がボストンから撤退。州議事堂で独立宣言
1780 年	州憲法を採択
1788 年	マサチューセッツ州が第 6 番目の州として合衆国に加盟
1822 年	ボストン市の市制敷かれる

■差別に挑む

1829 年	パーク通り教会で、ウィリアム・ロイド・ギャリソンがアメリカ初の奴隷制度反対演説を行う
1832 年	「ニューイングランド奴隷制廃止協会」設立
1852 年	南部の奴隷を描いたハリエット・ビーチャー・ストウの小説『アンクル・トムの小屋』が、ボストンの出版社から発行される。空前のベストセラーとなり奴隷制度廃止に大きな役割を果たす

■パイオニア精神は健在

1854 年	ボストン公共図書館がアメリカで初めて市民寄付によって開館
1859 年	アメリカ初の植物園、パブリックガーデン開園
1860 年	アメリカ初の幼稚園がエリザベス・ピーボディによって開設される
1861 年	南北戦争（1861 〜 1865 年）勃発
1865 年	マサチューセッツ工科大学創立
1881 年	ボストン交響楽団創立
1897 年	第 1 回ボストンマラソン開催
1898 年	アメリカ最初の地下鉄が開通
1901 年	レッドソックスがアメリカンリーグに加盟、1903 年にリーグ優勝
1917 年	ジョン・F・ケネディ誕生。1961 年に第 35 代アメリカ大統領に就任
1980 年代〜現在	先端技術（ハイテク）や医療（ヘルスケア）、ベンチャーキャピタルの中心地として発展を続けている

INDEX

見どころ SIGHTSEEING

375 ◆

H ホテル
HOTEL

旅好き女子のための
プチぼうけん応援ガイド

aruco

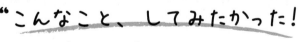

"こんなこと、してみたかった！"

aruco のプチぼうけんは、
女性なら必ず体験したくなるような
魅力あふれるテーマの旅。

定番の人気都市では、「みんなとちょっと違う、新鮮ワクワク旅」。
行ってみたいあこがれの旅先では「無理なく実現できる、
「安心オススメ旅」のプランを紹介しています。

旅の
テンション、
あがるね！

これ1冊あれば
安心でしょ

かわいい
＆
おいしい
いっぱい♡

① パリ	② ソウル	③ 台北	④ トルコ	⑤ インド
⑥ ロンドン	⑦ 香港	⑧ エジプト	⑨ ニューヨーク	⑩ ホーチミン
⑪ ホノルル	⑫ バリ島	⑬ 上海	⑭ モロッコ	⑮ チェコ
⑯ ベルギー	⑰ ウィーン	⑱ イタリア	⑲ スリランカ	⑳ クロアチア
㉑ スペイン	㉒ シンガポール	㉓ バンコク	㉔ グアム	㉕ オーストラリア
㉖ フィンランド	㉗ アンコール・ワット	㉘ ドイツ		

定価 各1200円＋税

地球の歩き方 シリーズ年度一覧

地球の歩き方ガイドブックは1～2年で改訂されます。改訂時には価格が変わることがあります。表示価格は本体価格（税別）です。
●最新情報は、ホームページでもご覧いただけます。 URL www.diamond.co.jp/arukikata/

地球の歩き方　ガイドブック

A ヨーロッパ

A01	ヨーロッパ	2015～2016 ¥1800
A02	イギリス	2015～2016 ¥1700
A03	ロンドン	2015～2016 ¥1600
A04	湖水地方＆スコットランド	2014～2015 ¥1700
A05	アイルランド	2015～2016 ¥1700
A06	フランス	2016～2017 ¥1700
A07	パリ＆近郊の町	2015～2016 ¥1700
A08	南仏プロヴァンス コート・ダジュール＆モナコ	2015～2016 ¥1600
A09	イタリア	2016～2017 ¥1700
A10	ローマ	2015～2016 ¥1600
A11	ミラノ、ヴェネツィアと湖水地方	2015～2016 ¥1600
A12	フィレンツェとトスカーナ	2015～2016 ¥1700
A13	南イタリアとマルタ	2016～2017 ¥1700
A14	ドイツ	2015～2016 ¥1700
A15	南ドイツ フランクフルト ミュンヘン ロマンティック街道 古城街道	2015～2016 ¥1600
A16	ベルリンと北ドイツ ハンブルク・ドレスデン・ライプツィヒ	2014～2015 ¥1700
A17	ウィーンとオーストリア	2016～2017 ¥1700
A18	スイス	2015～2016 ¥1700
A19	オランダ ベルギー ルクセンブルク	2015～2016 ¥1600
A20	スペイン	2015～2016 ¥1700
A21	マドリッドアンダルシアと鉄道とバスで行く世界遺産	2015～2016 ¥1600
A22	バルセロナ＆近郊の町とイビサ島・マヨルカ島	2015～2016 ¥1600
A23	ポルトガル	2015～2016 ¥1700
A24	ギリシアとエーゲ海の島々＆キプロス	2016～2017 ¥1700
A25	中欧	2015～2016 ¥1800
A26	チェコ ポーランド スロヴァキア	2015～2016 ¥1700
A27	ハンガリー	2015～2016 ¥1700
A28	ブルガリア ルーマニア	2015～2016 ¥1700
A29	北欧	2015～2016 ¥1700
A30	バルトの国々	2015～2016 ¥1700
A31	ロシア	2014～2015 ¥1900
A32	シベリア＆シベリア鉄道とサハリン	2015～2016 ¥1800
A34	クロアチア／スロヴェニア	2016～2017 ¥1600

B 南北アメリカ

B01	アメリカ	2015～2016 ¥1800
B02	アメリカ西海岸	2016～2017 ¥1700
B03	ロスアンゼルス	2015～2016 ¥1700
B04	サンフランシスコとシリコンバレー	2015～2016 ¥1700
B05	シアトル＆ポートランド	2015～2016 ¥1700
B06	ニューヨーク	2015～2016 ¥1700
B07	ボストン	2016～2017 ¥1800
B08	ワシントンD.C.	2015～2016 ¥1700
B09	ラスベガス セドナ＆グランドキャニオンと大西部	2015～2016 ¥1700
B10	フロリダ	2015～2016 ¥1700
B11	シカゴ	2015～2016 ¥1700
B12	アメリカ南部	2015～2016 ¥1800
B13	アメリカの国立公園	2015～2016 ¥1800
B14	テーマで旅するアメリカ	2010～2011 ¥1700
B15	アラスカ	2015～2016 ¥1700
B16	カナダ	2015～2016 ¥1700
B17	カナダ西部	2015～2016 ¥1600
B18	カナダ東部	2015～2016 ¥1600
B19	メキシコ	2015～2016 ¥1800
B20	中米	2015～2016 ¥1800
B21	ブラジル ベネズエラ	2014～2015 ¥2000
B22	アルゼンチン チリ	2016～2017 ¥2000
B23	ペルー ボリビア エクアドル コロンビア	2014～2015 ¥2000
B24	キューバ＆カリブの島々	2015～2016 ¥1800
B25	アメリカ・ドライブ	2015～2016 ¥1700

C 太平洋／インド洋の島々＆オセアニア

C01	ハワイI オアフ島＆ホノルル	2015～2016 ¥1700
C02	ハワイII ハワイ島 マウイ島 カウアイ島 モロカイ島 ラナイ島	2015～2016 ¥1600
C03	サイパン	2015～2016 ¥1400
C04	グアム	2016～2017 ¥1400
C05	タヒチ・イースター島／クック諸島	2016～2017 ¥1600
C06	フィジー／サモア／トンガ／ツバル／ニウエ／ウォリス＆フトゥナ	2015～2016 ¥1700
C07	ニューカレドニア／バヌアツ	2015～2016 ¥1700
C08	モルディブ	2014～2015 ¥1700
C10	ニュージーランド	2016～2017 ¥1700
C11	オーストラリア	2015～2016 ¥1800
C12	ゴールドコースト＆ケアンズ	2015～2016 ¥1700
C13	シドニー＆メルボルン	2015～2016 ¥1700

D アジア

D01	中国	2015～2016 ¥1800
D02	上海 杭州 蘇州	2015～2016 ¥1700
D03	北京	2015～2016 ¥1600
D04	大連 瀋陽 ハルビン 中国東北地方の自然と文化	2015～2016 ¥1700
D05	広州 アモイ 桂林 珠江デルタと華南地方	2015～2016 ¥1700
D06	成都 九寨溝 麗江 四川 雲南 貴州の自然と民族	2016～2017 ¥1700
D07	西安 敦煌 ウルムチ シルクロードと中国西北部	2016～2017 ¥1700
D08	チベット	2014～2015 ¥1900
D09	香港 マカオ 深圳	2015～2016 ¥1700
D10	台湾	2015～2016 ¥1700
D11	台北	2016～2017 ¥1500
D12	韓国	2016～2017 ¥1700
D13	ソウル	2016～2017 ¥1500
D14	モンゴル	2015～2016 ¥1800
D15	中央アジア サマルカンドとシルクロードの国々	2015～2016 ¥1900
D16	東南アジア	2014～2015 ¥1700
D17	タイ	2015～2016 ¥1700
D18	バンコク	2015～2016 ¥1600
D19	マレーシア ブルネイ	2016～2017 ¥1500
D20	シンガポール	2016～2017 ¥1500
D21	ベトナム	2015～2016 ¥1700
D22	アンコール・ワットとカンボジア	2016～2017 ¥1700
D23	ラオス	2016～2017 ¥1700
D24	ミャンマー	2016～2017 ¥1900
D25	インドネシア	2015～2016 ¥1700
D26	バリ島	2015～2016 ¥1700
D27	フィリピン	2016～2017 ¥1700
D28	インド	2015～2016 ¥1800
D29	ネパールとヒマラヤトレッキング	2015～2016 ¥1900
D30	スリランカ	2016～2017 ¥1700
D31	ブータン	2014～2015 ¥1800
D32	パキスタン	2007～2008 ¥1780
D33	マカオ	2015～2016 ¥1600
D34	釜山・慶州	2015～2016 ¥1400
D35	バングラデシュ	2015～2016 ¥1900
D36	南インド	2014～2015 ¥1700

E 中近東 アフリカ

E01	ドバイとアラビア半島の国々	2015～2016 ¥1900
E02	エジプト	2015～2016 ¥1700
E03	イスタンブールとトルコの大地	2015～2016 ¥1900
E04	ペトラ遺跡とヨルダン レバノン	2015～2016 ¥1900
E05	イスラエル	2015～2016 ¥1800
E06	イラン	2014～2015 ¥2000
E07	モロッコ	2014～2015 ¥1800
E08	チュニジア	2015～2016 ¥1900
E09	東アフリカ ウガンダ・エチオピア・ケニア・タンザニア	2014～2015 ¥1900
E10	南アフリカ	2014～2015 ¥1900
E11	リビア	2010～2011 ¥2000
E12	マダガスカル モーリシャス セイシェル	2015～2016 ¥1900

女子旅応援ガイド　aruco

1	パリ '15～16	¥1200
2	ソウル '15～16	¥1200
3	台北 '15～16	¥1200
4	トルコ '15～16	¥1200
5	インド '14～15	¥1200
6	ロンドン '16～17	¥1200
7	香港 '15～16	¥1200
8	エジプト	¥1200
9	ニューヨーク '15～16	¥1200
10	ホーチミン '15～16	¥1200
11	ホノルル '16～17	¥1200
12	バリ島 '14～15	¥1200
13	上海	¥1200
14	モロッコ '14～15	¥1200
15	チェコ '14～15	¥1200
16	ベルギー '16～17	¥1200
17	ウィーン '14～15	¥1200
18	イタリア '15～16	¥1200
19	スリランカ '15～16	¥1200
20	クロアチア '14～15	¥1200
21	スペイン '15～16	¥1200
22	シンガポール '15～16	¥1200
23	バンコク '15～16	¥1200
24	グアム '15～16	¥1200
25	オーストラリア '16～17	¥1200
26	フィンランド '15～16	¥1200
27	アンコール・ワット '15～16	¥1200
28	ドイツ '15～16	¥1200

地球の歩き方　Resort Style

R01	ホノルル＆オアフ島	¥1500
R02	ハワイ島＆オアフ島※	¥1700
R03	マウイ島＆オアフ島※	¥1700
R04	カウアイ島＆オアフ島※	¥1700
R05	こどもと行くハワイ	¥1500
R06	ハワイ ドライブ・マップ※	¥1800
R07	ハワイ バスの旅＆レンタルサイクル※	¥1100
R08	グアム	¥1500
R09	こどもと行くグアム	¥1500
R10	パラオ	¥1600
R11	世界のダイビング完全ガイド 地球の潜り方※	¥1900
R12	プーケット サムイ島 ピピ島/クラビ※	¥1700
R13	ペナン ランカウイ クアラルンプール※	¥1700
R14	バリ島	¥1700
R15	セブ＆ボラカイ※	¥1700
R16	テーマパークinオーランド※	¥1800
R17	カンクン リビエラ・マヤ コスメル※	¥1700
R20	ケアンズとグレートバリアリーフ※	¥1700
324	バリアフリー・ハワイ	¥1750

※は旧リゾートシリーズで発刊中

「地球の歩き方」の書籍

地球の歩き方 GEM STONE

「GEM STONE（ジェムストーン）」の意味は「原石」。地球を旅して見つけた宝石のような輝きをもつ「自然」や「文化」、「史跡」などといった「原石」を珠玉の旅として提案するビジュアルガイドブック。美しい写真と詳しい解説で新しいテーマ＆スタイルの旅へと誘います。

地球の歩き方 BOOKS

「BOOKS」シリーズでは、国内、海外を問わず、自分らしい旅を求めている旅好きの方々に、旅に誘う情報から旅先で役に立つ実用情報まで、「旅エッセイ」や「写真集」、「旅行術指南」など、さまざまな形で旅の情報を発信します。

ブルックリン・スタイル
ニューヨーク新世代アーティストのこだわりライフ＆とっておきアドレス

地球の歩き方シリーズ　地球の歩き方 本棚　検索　www.arukikata.co.jp/guidebook/hondana/

ボストンはボストン美術館やボストン交響楽団など芸術的に豊かな町です。さらに、MLBのボストン・レッドソックスをはじめ、NBA、NHL、NFLとアメリカ4大スポーツが集まる地域でもあります。全米でも比較的治安がよいうえ、地下鉄やバスなどの公共交通機関が充実しているので、観光に適した町でもあるのです。
　そのような魅力あふれる町にぜひとも足を運んでいただきたいという思いで本書を制作しました。
　本書の改訂にあたり、ボストン在住のブラザーズ真理子さんと天野美穂さんには、現地調査と取材のご協力を、またフリーライターのたなかさとしさんと六車健一さん、久保田康夫さんからは、ボストンのスポーツ事情の原稿をいただきました。そして、現地でお会いした数多くの皆さま、投稿をお寄せいただいた方々からの、貴重な情報をもとに本書はできあがっています。

制　　作：河村保之	Producer：Yasuyuki Kawamura	
編　　集：菊地俊哉／(有)地球堂	Editor：Toshiya Kikuchi／Chikyu-Do, Inc.	
デザイン：(有)エメ龍夢	Design：EMERYUMU, Inc.	
表　　紙：日出嶋昭男	Cover Design：Akio Hidejima	
地　　図：アルトグラフィックス、(有)シーマップ、(有)エメ龍夢、TOM・冨田富士男、辻野淳晴、開成堂印刷株式会社	Map：ALTO Graphics／C-map／EMERYUMU, Inc.／TOM・Fujio Tonda／Kiyoharu Tsujino／Kaiseido Co., Ltd.	
校　　正：トップキャット	Proofreading：Top Cat	

Special Thanks

Arrowhead、Bar Harbor Chamber of Commerce、Berkshire Botanical Garden、Boston Red Sox、Boston Symphony Orchestra、Chesterwood、Discover New England、Edward M. Kennedy Institute、Emily Dickinson Museum、Farnsworth Art Museum、Greater Boston Convention and Visitors Bureau、Hancock Shaker Village、John F. Kennedy Presidential Library and Museum、Maine Lighthouse Museum、Maine Maritime Museum、Maine Office of Tourism、Massachusetts Office of Travel & Tourism、Norman Rockwell Museum、Old Sturbridge Village、Portland Convention + Visitors Bureau、The Botanic Garden of Smith College、The Eric Carle Museum of Picture Book Art、The Mount/Edith Wharton's Home、Ms. Shoko Hirao、Ms. Mari Miyajima、ディスカバーニューイングランド日本事務所、マサチューセッツ州政府観光局日本事務所、ボストン交響楽団日本事務所、森田耕司、鹿島裕子、矢野麻衣子、北澤かよ子

読者投稿
〒160-0022　東京都新宿区新宿3-1-13　京王新宿追分ビル5F
株式会社 地球の歩き方T&E
地球の歩き方サービスデスク「ボストン編」投稿係
TEL(03) 5362-7891　URL http://www.arukikata.co.jp/guidebook/toukou.html
地球の歩き方ホームページ（海外旅行の総合情報）　URL http://www.arukikata.co.jp/
ガイドブック『地球の歩き方』（検索と購入、更新情報）　URL http://www.arukikata.co.jp/guidebook/

地球の歩き方B07ボストン　2016～2017年版
1991年 4月 1日　初版発行
2015年12月25日　改訂第13版第1刷発行

Published by Diamond-Big Co., Ltd.
2-9-1 Hatchobori, Chuo-ku, Tokyo, 104-0032, Japan
TEL(81-3) 3553-6667（Editorial Section）
TEL(81-3) 3553-6660　FAX(81-3) 3553-6693（Advertising Section）

著作編集：	地球の歩き方編集室
発 行 所：	株式会社ダイヤモンド・ビッグ社
	〒104-0032　東京都中央区八丁堀2-9-1
	編集部TEL(03) 3553-6667
	広告部TEL(03) 3553-6660　FAX(03) 3553-6693
発 売 元：	株式会社ダイヤモンド社
	〒150-8409　東京都渋谷区神宮前6-12-17
	販　売TEL(03) 5778-7240

■ご注意ください

印刷製本　開成堂印刷株式会社　Printed in Japan
禁無断転載©ダイヤモンド・ビッグ社／地球堂 2015
ISBN 978-4-478-04830-6